TENDRE EST LA NUIT

Paru dans Le Livre de Poche :

GATSBY LE MAGNIFIQUE.
UN DIAMANT GROS COMME LE RITZ.

F. SCOTT FITZGERALD

Tendre est la nuit

TRADUIT DE L'AMÉRICAIN
PAR JACQUES TOURNIER

PIERRE BELFOND

Ce livre a été publié sous le titre original :
Tender is the Night
par Charles Scribner's Sons

La première esquisse de Tendre est la nuit *date de l'été 1925.* Gatsby le Magnifique *venait de paraître, et F. Scott Fitzgerald avait décidé de travailler sans attendre à un nouveau roman. Les ventes de* Gatsby *s'étant montrées très décevantes (vingt-cinq mille exemplaires en un an), il fut obligé d'écrire des nouvelles, que les grands magazines américains lui payaient fort cher à l'époque, et ne put travailler à son roman que par à-coups. En avril 1926, il annonçait pourtant à son agent, Harold Ober, qu'il avait déjà quatre chapitres au point, que le livre en comporterait douze, et qu'il pensait l'avoir terminé pour le 1er janvier 1927. Entre-temps, et toujours pour raisons financières, il signa son premier contrat de scénariste avec United Artists, et quitta la France, où il vivait alors, pour Hollywood, en abandonnant son manuscrit. Il ne put le reprendre que dans le courant de 1929 à Paris. Son séjour à Hollywood l'avait profondément marqué. Il ne garda pratiquement rien des premiers chapitres déjà écrits, modifia complètement l'intrigue du livre, et fit apparaître les personnages de Rosemary Hoyt et de sa mère. Cette seconde période de travail fut brutalement interrompue, en avril 1930, par la première dépression nerveuse de Zelda. Hospitalisée d'abord à La Malmaison, elle dut très vite être emmenée en Suisse, admise d'abord à Valmont, puis, en juin, à Prangins. Une succession d'espoirs de guérison et de rechutes, la mort du père de Scott en 1931, celle du père de Zelda, à la fin de la même année, l'admission de Zelda, en février 1932, dans une clinique psychiatrique de Baltimore empêchèrent Scott de travailler à son roman. Ce n'est qu'en mai 1932 qu'il put y revenir et le conduire à son terme. Achevé au début de 1934, Tendre est la nuit parut d'abord en feuilleton dans Scribner'magazine, puis en librairie le 12 avril 1934. La critique se montra réservée, le public indifférent. En un an, on en vendit 12 000 exemplaires, et le livre disparut des librairies. A la mort de F. Scott Fitzgerald, le 21 décembre 1940, à Hollywood, on n'en trouvait plus un seul exemplaire.*

J.T.

Pour Gerald et Sara
tant de fêtes

Avec toi, maintenant ! Combien tendre est la nuit
[...]
Mais il n'y a plus de lumière
Sinon ce qui descend du ciel avec le vent
Pénètre l'ombre des feuillages
Et serpente à travers les chemins de mousse.

John Keats, *Ode à un rossignol*

LIVRE PREMIER

1

C'est, à mi-chemin de Marseille et de la frontière italienne, un grand hôtel au crépi rose, qui se dresse orgueilleusement sur les bords charmants de la Riviera. Une rangée de palmiers éventent avec déférence sa façade congestionnée, tandis qu'une plage aveuglante s'étend à ses pieds. Un petit clan de gens élégants et célèbres l'ont choisi récemment pour y passer l'été, mais il se trouvait pratiquement vide, il y a dix ans, quand sa clientèle d'Anglais remontait vers le Nord, en avril. Et si les bungalows pullulent aujourd'hui, au temps où cette histoire commence, lorsqu'on quittait cet hôtel, dit « des Étrangers », tenu par le ménage Gausse, pour se rendre à Cannes distante de huit kilomètres environ, on n'apercevait qu'une douzaine de villas vétustes, dont les dômes verdis s'ouvraient, dans la touffeur des pins, comme des nénuphars.

L'hôtel et le tapis de prières de sa plage forment un tout. Au petit jour, l'image de Cannes à l'horizon, l'ocre rose de ses vieux remparts, la dent mauve des Alpes qui ferme l'Italie se réfléchissent dans la mer, et le clapotis insensible des algues, qui tapissent les fonds, agite ces reflets de petits cercles paresseux. Vers huit heures, un homme en peignoir de bain bleu apparaît sur la plage. Après force préliminaires, pour que son corps se fasse à la fraîcheur de l'eau, il barbote une courte minute, à grand renfort de grognements et de halètements sonores. Puis il rentre à l'hôtel et tout redevient calme, la plage et la baie, pendant près d'une heure. A l'horizon, de grands cargos glissent lentement vers l'ouest. Les chauffeurs de cars appellent leurs clients dans la cour de l'hôtel. La rosée sèche sur les pins. Une heure encore, et le tumulte des klaxons se déverse soudain de l'étroite corniche en lacet, qui longe la chaîne des Maures, et sépare le littoral de la vraie Provence.

Moins de deux kilomètres à l'intérieur des terres, là où les pins cèdent la place à des peupliers poussiéreux, se trouve une gare isolée. Un matin de juin 1925, un coupé victoria vint y chercher une mère et sa fille, pour les conduire à l'hôtel Gausse. Le visage de la mère avait une beauté un peu fanée, que menaçaient déjà les griffures de la couperose. Elle paraissait détendue et pourtant aux aguets, ce qui lui donnait un grand charme. Mais le regard se tournait vite vers sa fille, car ses mains étaient ravissantes, ses joues d'un rose surprenant, qui semblait le reflet d'une excitation passionnée, comme celle qui vient aux enfants, quand ils ont pris un bain froid, le soir. Son front remontait délicatement jusqu'à l'endroit où ses cheveux, qui l'encadraient comme un heaume héraldique, jaillissaient en cascades de boucles folles, de mèches et d'ondulations, d'un jaune cendré mêlé d'or. Elle avait des yeux très grands et très clairs, humides et brillants, lumineux et limpides, et son teint avouait cet éclat naturel que faisait naître à fleur de peau le jeune et vigoureux battement de son cœur. Son corps se tenait délicatement sur le dernier fil de l'adolescence — elle allait avoir dix-huit ans, et atteindre sa plénitude, mais on voyait encore sur elle des traces de rosée.

En apercevant le ciel et la baie, comme un ruban de feu à l'horizon, la mère dit :

16

— Je ne suis pas sûre que cet endroit nous plaise.

— De toute façon, j'ai envie de rentrer, répondit sa fille.

Elles se parlaient en souriant, mais n'avaient manifestement aucun projet précis, ce qui paraissait les ennuyer. Qu'auraient-elles pu prévoir, du reste ? Elles ne cherchaient qu'à se distraire, non pas comme deux femmes surmenées, dont les nerfs ont besoin d'un sérieux stimulant, mais comme deux écolières impatientes, qui ont obtenu tous les prix et bien mérité leurs vacances.

— On reste trois jours, et on rentre. Je vais télégraphier, pour qu'on réserve nos cabines.

La jeune fille demanda deux chambres à la réception de l'hôtel. Elle parlait un français correct et courant, qu'elle semblait retrouver de mémoire. Une fois installée, elle s'approcha de la porte-fenêtre, brûlante de soleil, et fit quelques pas sur la véranda qui longeait l'hôtel. Elle marchait comme une danseuse, en reposant à peine sur les hanches et en cambrant légèrement les reins. La lumière était si violente qu'elle crut se heurter à son ombre, et recula — elle était éblouie. A cinquante mètres en contrebas, la Méditerranée perdait par instants ses couleurs devant les assauts d'un soleil implacable. Une vieille Buick, abandonnée dans une allée, rôtissait contre la balustrade.

En fait, il n'y avait d'animation que sur la plage. Trois gouvernantes anglaises étaient assises à tricoter, rejoignant, à travers pull-overs et chaussettes, l'inaltérable image de l'Angleterre victorienne, celle des années soixante, soixante-dix, quatre-vingt, et papotaient à l'infini, sur un ton monocorde de mélopée. Une douzaine de personnes s'étaient installées au bord de l'eau, sous des parasols à rayures, tandis que leur douzaine d'enfants poursuivaient dans les hauts-fonds quelques poissons imperturbables, ou gisaient tout nus au soleil, frottés d'huile de noix de coco, et brillants comme des miroirs.

Rosemary venait d'atteindre la plage, quand un garçon d'une dizaine d'années la dépassa en courant et se jeta dans l'eau avec un hurlement de joie. Se sentant observée par tous ces inconnus, elle enleva son peignoir et le suivit. Elle nagea quelques mètres, s'aperçut qu'il y avait très peu de fond, reprit pied et continua d'avancer vers le large, luttant de toute la force de ses jambes minces contre la résistance de l'eau. Lorsqu'elle en eut jusqu'à la poitrine, elle se tourna pour regarder la plage. Un homme chauve, en short, qui bombait le torse et rentrait le ventre, l'observait attentivement derrière son monocle. Voyant que Rosemary l'observait à son tour, il lâcha son monocle, qui se perdit dans la toison comiquement frisottée de son torse, et remplit son verre avec une bouteille de quelque chose qu'il tenait à la main.

Rosemary enfonça le visage dans l'eau et, d'un crawl assez peu orthodoxe, se dirigea vers le plongeoir. La fraîcheur de l'eau montait vers elle peu à peu, dissipait la trop grande chaleur, lui caressait tendrement les cheveux, s'insinuait jusqu'au plus secret de son corps. Elle s'y tournait, s'y retournait, l'étreignait, s'y abandonnait. Elle atteignit le plongeoir hors d'haleine, mais, comme une femme très bronzée et aux dents très blanches la regardait venir, elle prit soudain conscience de l'agressive blancheur de son propre corps, se tourna sur le dos et revint vers la plage. Au moment où elle sortait de l'eau, l'homme au torse frisotté, qui tenait toujours sa bouteille, s'approcha d'elle.

— Méfiez-vous, dit-il. Il y a des requins, de l'autre côté du plongeoir.

Il était de nationalité incertaine, mais parlait anglais avec l'accent traînant d'Oxford.

18

— Hier, ils ont dévoré deux marins de la flotte anglaise, qui est mouillée à Golfe-Juan.

— Seigneur ! s'écria Rosemary.

— Ce qui les attire, ce sont les détritus de la flotte.

Son regard se fit glacial brusquement, pour bien marquer qu'en osant l'aborder il n'avait cherché qu'à la mettre en garde. Puis il fit deux pas de côté et remplit à nouveau son verre.

S'étant aperçue, non sans plaisir, que ce court dialogue avait attiré l'attention sur elle, Rosemary chercha un endroit où s'asseoir. Chaque famille considérait visiblement comme sa propriété personnelle la langue de sable qui prolongeait son parasol. Mais on se parlait d'un territoire à l'autre, on se rendait visite. C'était une vraie communauté, organisée et cohérente, à laquelle il paraissait outrecuidant de vouloir s'intégrer. Un peu plus haut, là où la plage était couverte d'algues sèches et de galets, elle aperçut quelques personnes, dont la peau était aussi blafarde que la sienne. Ils n'avaient pas de parasols, s'abritaient sous de simples ombrelles, et ne faisaient manifestement pas partie des indigènes de l'endroit. Rosemary décida d'élire domicile à mi-chemin de ces blafards et des bronzés, et posa son peignoir sur le sable.

Ainsi allongée, elle n'entendit d'abord que des voix confuses, sentit des pas qui la contournaient en passant, des ombres qui s'interposaient entre elle et le soleil. Un chien fureteur et indiscret vint lui renifler nerveusement le cou. La chaleur lui brûlait lentement la peau, et elle percevait le *wa-waa* étouffé des vagues, qui venaient mourir au bord de la plage. Peu à peu, cependant, son oreille arrivait à distinguer les voix l'une de l'autre, et elle prit bientôt conscience de quelqu'un qui racontait, avec un ricanement de mépris, que « cet Abe North », la nuit dernière, avait enlevé à Cannes un garçon de café, pour le scier en deux. Cette information était fournie par une femme en robe longue, vestige évident de la soirée qu'elle évoquait, qui portait dans ses cheveux blancs un diadème, et sur l'épaule une orchidée maussade qui achevait de se faner. Rosemary, qui trouvait cette femme et ses amis plutôt antipathiques, préféra se tourner de l'autre côté.

A quelques mètres d'elle, une jeune femme, abritée sous plusieurs parasols, dressait une liste d'objets, à partir d'un livre posé sur le sable. Elle avait dégrafé le haut de son maillot de bain. Ses épaules et son cou, d'un brun-rouge tirant sur l'orange, brillaient au soleil, rehaussant l'éclat velouté de son collier de perles. Son visage était sévère, émouvant et superbe. Elle regardait Rosemary sans la voir. Un homme assez beau se tenait derrière elle. Il avait une casquette de jockey et un maillot à rayures rouges. Venait ensuite la femme très bronzée, que Rosemary avait aperçue sur le plongeoir, qui, l'ayant reconnue, lui rendit son regard. Puis un homme au visage allongé, surmonté d'une crinière dorée, presque léonine. Il était nu-tête, portait un maillot bleu et paraissait plongé dans une discussion extrêmement sérieuse avec un jeune homme en maillot noir, de type indiscutablement latin. Ils tripotaient tous les deux, en parlant, de petits débris d'algues. Rosemary pensa qu'ils devaient être américains, pour la plupart, mais quelque chose les différenciait nettement des Américains qu'elle avait rencontrés jusque-là.

Elle comprit, au bout d'un moment, que l'homme à la casquette de jockey jouait, pour ses amis, une petite comédie confidentielle. Il avait saisi un râteau, et marchait d'un pas solennel, en faisant mine d'enlever les galets, et en tenant des propos parodiques et incompréhensibles, qui n'altéraient en rien la gravité de son visage. Il exagérait tellement ses mimiques que la moindre de ses paroles faisait rire les autres aux éclats. Ce qui finit par attirer l'attention de tout le monde, sur la plage, même de ceux qui, comme Rosemary, étaient trop éloignés pour entendre ce qu'il disait — si bien que la jeune femme au collier de perles fut bientôt la seule à ne pas l'écouter. Peut-être était-ce pudeur de propriétaire, mais, à chaque nouvelle vague de rires, elle s'intéressait de plus près à sa liste.

Une voix tomba brusquement du ciel sur Rosemary. C'était l'homme au monocle.

— Vous êtes une sacrée nageuse !

Elle refusa le compliment.

— Si, si. Une sacrée nageuse. Je m'appelle Campion. Il y a là une dame, qui affirme vous avoir vue à Sorrente, et savoir qui vous êtes, et qui désire beaucoup faire votre connaissance.

Rosemary jeta autour d'elle un regard ennuyé. Il s'agissait du groupe à la peau blafarde. Elle se leva à contrecœur.

— Mrs. Abrams... Mrs. McKisco... Mr. McKisco... Mr. Dumphry...

— Nous savons très bien qui vous êtes, dit la femme en robe longue. Vous êtes Rosemary Hoyt, et j'étais tellement certaine de vous avoir reconnue à Sorrente que j'ai interrogé le portier de l'hôtel. Nous vous trouvons tous merveilleuse, et nous voudrions savoir pourquoi vous ne rentrez pas en Amérique, pour tourner un film aussi bouleversant et merveilleux que le premier ?

Ils lui firent place, avec une affectation un peu trop appuyée. Malgré son nom, la femme qui l'avait reconnue n'était pas juive. Elle appartenait à ces « généreuses natures », imperméables à toute épreuve, qui parviennent à s'intégrer aux générations qui les suivent, grâce à une expérience sans faille et une excellente digestion.

— Nous voulions vous mettre en garde contre les brûlures du premier jour, reprit-elle avec bonne humeur, car *votre* peau est un bien extrêmement précieux, mais il règne un tel conformisme, sur cette plage, que nous avions peur de vous importuner.

2

— Nous nous demandions si vous apparteniez au complot, dit Mrs. McKisco.

C'était une assez jolie femme, à l'œil sournois, douée d'une vitalité déconcertante.

— Nous n'arrivons pas à savoir qui en est et qui n'en est pas. Ainsi cet homme, avec qui mon mari s'est montré si aimable, voilà qu'il est à la tête des conjurés — le maître d'œuvre, paraît-il !

— Le complot ? Quel complot ? demanda Rosemary, qui comprenait mal.

— Nous l'*ignorons*, ma chère ! dit Mrs. Abrams, avec un petit rire nerveux de femme corpulente. Nous n'en faisons pas partie. Nous ne sommes que spectateurs.

— Mama Abrams est un complot à elle toute seule, déclara Mr. Dumphry, un jeune homme efféminé, aux cheveux blond filasse.

Campion le menaça de son monocle.

— Royal, voyons, ne joue pas les langues de vipère...

Rosemary les regardait avec ennui. Elle les trouvait antipathiques, comparés aux autres surtout, ceux qui occupaient l'autre bout de la plage, et qui avaient éveillé son attention. Elle aurait voulu que sa mère soit là. Sa mère avait un sens inné des conventions sociales, élémentaire mais efficace, qui les avait souvent tirées de situations délicates, avec précision et rapidité — alors que la célébrité de Rosemary remontait à peine à six mois, et que le savoir-vivre des Français, découvert pendant son adolescence, se heurtait parfois aux manières plus libres des Américains, apprises par la suite, créant chez elle un étrange malaise, qui lui ôtait tous ses moyens.

Cette histoire de « complot » agaçait manifestement Mr. McKisco. Il regardait au loin avec ostentation. C'était un homme d'une trentaine d'années, incroyablement maigre, et tout piqueté de taches de rousseur. Après un bref coup d'œil à sa femme, il se tourna soudain vers Rosemary.

— Longtemps que vous êtes là ? demanda-t-il d'un ton rogue.

— Ce matin.

— Ah !

Espérant qu'on allait enfin parler d'autre chose, il consentit à regarder les autres.

— Vous comptez rester tout l'été ? s'enquit naïvement Mrs. McKisco. Ça vous permettra de suivre en détail le déroulement du complot.

— Violet, pour l'amour du ciel, parle d'autre chose ! s'écria son mari. Trouve un autre sujet de plaisanterie, pour l'amour du ciel !

Mrs. McKisco se pencha vers Mrs. Abrams, et murmura, en détachant chaque syllabe :

— Il est très é-ner-vé...

— Pas du tout ! protesta Mr. McKisco. Je ne suis pas énervé du tout !

Il était visiblement en train de rôtir — une teinte cuivrée, à reflets grisâtres, lui couvrait le visage et lui donnait un air hagard. Comprenant brusquement ce qui lui arrivait, il courut vers la mer, suivi de son épouse. Sautant sur l'occasion, Rosemary les suivit.

Mr. McKisco prit une large inspiration, plongea, et, les bras raidis comme deux battoirs, se mit à fouetter furieusement la Méditerranée, donnant à entendre qu'il nageait le crawl — mais reprit pied, en suffoquant, et regarda autour de lui, stupéfait de constater qu'il était encore si près du rivage.

— Arrive pas à respirer, dit-il. Arrive pas à comprendre comment on fait pour respirer.

Il interrogeait Rosemary du regard.

— Je crois qu'il faut souffler lorsqu'on est dans l'eau, explique-t-elle, et inspirer au quatrième battement, en tournant la tête sur le côté.

— Respirer, pour moi, c'est le plus difficile. On va jusqu'au plongeoir?

L'homme à la crinière léonine était allongé sur le plongeoir, qui se balançait à la surface de la mer. Une vague plus forte le fit basculer brusquement, au moment où Mrs. McKisco tentait d'y aborder, et elle reçut un coup sur l'avant-bras. L'homme se redressa aussitôt et l'aida à grimper.

— J'ai l'impression que vous vous êtes fait mal.

Il avait une voix étouffée, hésitante, un des visages les plus tristes qu'ait jamais vus Rosemary, avec de hautes pommettes d'Indien, une lèvre supérieure pendante, et de grands yeux d'or sombre, perdus au fond de leurs orbites. Il n'avait remué qu'un côté de la bouche en parlant, comme s'il voulait obliger sa phrase à suivre un chemin détourné avant d'atteindre Mrs. McKisco. Il plongea une minute plus tard, et son corps immobile glissa lentement vers la plage. Rosemary et Mrs. McKisco le regardaient avec étonnement. Arrivé au bout de son élan, il se plia soudain en deux, ses cuisses maigres jaillirent hors de l'eau, puis il disparut, ne laissant derrière lui qu'un léger sillage d'écume.

— Excellent nageur, dit Rosemary.

La réponse de Mrs. McKisco fut d'une agressivité surprenante.

— Peut-être, mais comme musicien, exécrable !

Elle se tourna vers son mari, qui, après deux essais infructueux, venait enfin de se hisser sur le plongeoir, et décrivait avec les bras, pour reprendre son équilibre, de larges moulinets, qui ne faisaient que le déséquilibrer davantage.

— J'étais en train de dire qu'Abe North est peut-être excellent nageur, mais, comme musicien, exécrable.

— Exact, reconnut Mr. McKisco de mauvaise grâce.

Sa femme évoluait, de toute évidence, dans un univers entièrement dépendant de lui, où ses libertés étaient fort étroites.

— Antheil, voilà quelqu'un que j'admire, reprit Mrs. McKisco, en se tournant vers Rosemary comme pour la provoquer. Antheil et Joyce. J'imagine qu'à Hollywood on connaît à peine ces gens-là, mais mon mari est l'auteur d'un essai sur *Ulysse*. Le premier qu'on ait publié aux Etats-Unis.

— Je voudrais fumer une cigarette, dit Mr. McKisco d'une voix sereine. La seule chose qui compte, en ce moment, pour moi.

— Ce qu'il a écrit va si loin, c'est tellement profond ! N'est-ce pas, Albert ?

Elle s'interrompit brusquement. La jeune femme au collier de perles avait rejoint dans l'eau ses deux enfants. Abe North, qui s'était glissé sous l'un d'eux par surprise, l'avait pris à califourchon sur ses épaules, puis s'était redressé d'un bond, surgissant à la surface de la mer comme une île volcanique. L'enfant hurlait de peur et de plaisir, et la jeune femme observait la scène avec un calme imperturbable, sans même esquisser un sourire.

— C'est sa femme ? demanda Rosemary.

— Non. C'est Mrs. Diver. Ils n'habitent pas l'hôtel.

Mrs. McKisco ne quittait pas des yeux le visage de

la jeune femme, comme pour le photographier. Au bout d'un moment, elle se tourna vers Rosemary avec nervosité.

— C'est la première fois que vous voyagez à l'étranger ?

— Non. J'ai fait mes études à Paris.

— Ah ! parfait ! Vous savez donc que, pour profiter vraiment d'un voyage, il faut être en contact avec des autochtones, des Français authentiques. Qu'espèrent donc ces gens-là ?

Elle pointa l'épaule gauche en direction de la plage.

— Ils vivent en bande, les uns sur les autres. Nous, nous avions des piles de lettres d'introduction ! Nous avons rencontré ce qui se fait de mieux, à Paris, comme artistes et comme écrivains. C'était fascinant.

— J'imagine.

— Mon mari termine son premier roman, figurez-vous.

— Vraiment ?

Rosemary se sentait l'esprit complètement vide. Elle se demandait seulement si, malgré la chaleur, sa mère avait pu s'assoupir un moment.

— Un roman qui a le même point de départ qu'*Ulysse*, continuait Mrs. McKisco. Mais, au lieu de tout ramasser en vingt-quatre heures, mon mari a étalé l'histoire sur un siècle. Il a pris un vieil aristocrate français, complètement ruiné, et l'a confronté à l'âge de la machine, ce qui...

— Violet, pour l'amour du ciel, ne raconte pas mon histoire à tout le monde, soupira Mr. McKisco avec agacement. Je ne veux pas qu'elle ait traîné partout avant la parution du livre.

Rosemary regagna la plage, ramassa son peignoir, s'en drapa les épaules, qui commençaient à brûler sérieusement, et s'allongea de nouveau au soleil.

L'homme à la casquette de jockey allait d'un parasol à l'autre. Il tenait une bouteille et des petits verres. Ses amis se levaient peu à peu, se regroupaient, et finirent par se retrouver tous sous le même parasol. Rosemary se dit qu'ils devaient fêter le départ de quelqu'un et boire un dernier verre en son honneur. Il y avait une telle animation, sous ce parasol, que les enfants eux-mêmes en étaient conscients, et tournaient la tête vers lui — et Rosemary eut le sentiment que l'homme à la casquette de jockey en était le chef et le centre.

Midi régnait au ciel et sur la mer. Le reflet blanc de Cannes, à quelques kilomètres, n'était plus qu'un mirage de calme et de fraîcheur. Un petit bateau, aux voiles gonflées comme un rouge-gorge, apparut au large, s'ouvrant un chemin dans le bleu presque noir de la mer. Et tout semblait mort, sur le littoral. Aucun signe de vie nulle part — sinon dans la lumière feutrée de ce parasol, où quelque chose était en train de se passer, dans un tremblement de couleurs et d'éclats de voix.

Rosemary vit Campion qui s'approchait d'elle, et s'arrêtait à quelques pas. Elle ferma les yeux, comme si elle dormait, puis les entrouvrit doucement, distingua deux colonnes confuses et brouillées, qui devaient être des jambes. L'homme voulut traverser un nuage de sable, mais le nuage s'envola vers l'immensité du ciel surchauffé. Rosemary s'endormit pour de bon.

Elle s'éveilla, couverte de transpiration, pour constater que la plage était vide. Seul l'homme à la casquette de jockey pliait un dernier parasol. Comme elle demeurait étendue, le regard encore ébloui, il vint vers elle.

— J'avais l'intention de vous réveiller avant de partir, dit-il. C'est dangereux, les premiers jours, de vouloir bronzer trop longtemps.

— Merci.

Elle s'aperçut qu'elle avait les jambes rouge vif.

— Seigneur! s'écria-t-elle.

Elle éclata de rire franchement, pour l'inviter à poursuivre la conversation, mais Dick Diver emportait une tente de plage et un parasol vers une voiture qui l'attendait. Elle courut dans l'eau pour effacer cette transpiration. Il revint, ramassa un râteau, une pelle et un seau, qu'il cacha dans le creux d'un rocher, puis jeta un dernier coup d'œil autour de lui pour être sûr de ne rien oublier.

— Avez-vous l'heure? demanda Rosemary.

— Une heure et demie, environ.

Ils regardèrent ensemble, un moment, vers le large.

— Ce n'est pas une mauvaise heure, dit enfin Dick Diver. Ce n'est pas l'une des plus mauvaises de la journée.

Il tourna le visage vers elle, et elle pénétra un instant dans le bleu éclatant de ses yeux. Elle vécut un instant dans cet univers, avec assurance et avidité. Puis il ramassa un dernier objet, le mit sur son épaule et s'éloigna vers sa voiture, tandis qu'elle sortait de l'eau, secouait son peignoir et regagnait l'hôtel.

3

Il n'était pas loin de deux heures lorsqu'elles pénétrèrent dans la salle à manger. Les branches de pins, au-dehors, dessinaient sur les tables vides un constant va-et-vient d'ombre et de lumière. Deux garçons, qui rangeaient des assiettes, en parlant un italien volubile, se turent brusquement à leur entrée, et leur servirent un condensé assez sommaire de ce qui figurait au menu du jour.

— Sur la plage, dit Rosemary, je viens de tomber amoureuse.

— De qui?

— De plusieurs personnes, d'abord, que j'ai trouvées tout à fait charmantes. D'un homme, ensuite.

— Tu lui as parlé?

— Quelques mots à peine. Très séduisant. Cheveux brun-roux.

Elle mangeait avec un appétit vorace.

— Marié, bien sûr... Comme il se doit!

Sa mère, qui était sa meilleure amie, profitait de la moindre occasion pour la conseiller et lui servir de guide — attitude qu'on rencontre souvent dans les milieux de théâtre, mais qui, dans le cas de Mrs. Elsie Speers, avait ceci d'un peu particulier: elle ne cherchait pas à compenser par là un quelconque échec personnel. Mrs. Speers n'éprouvait aucune amertume envers l'existence, aucune frustration. Deux fois mariée, et fort bien, deux fois veuve, son stoïcisme naturel s'en était trouvé chaque fois renforcé. L'un de ses maris était officier de cavalerie, l'autre médecin militaire. Ils lui avaient légué un certain bien, qu'elle s'efforçait de transmettre intact à sa fille. Elle l'avait aguerrie en ne lui passant rien. En n'épargnant, de son côté, ni sa tendresse ni sa peine, elle avait su lui inculquer un idéalisme sincère, mais si profondément nourri d'elle-même que Rosemary ne connaissait le monde qu'à travers les yeux de sa mère. Tout en restant une enfant « sans problème », elle se trouvait donc protégée par une double armure : celle de sa mère et la sienne propre. Et, face à la vulgarité, la trivialité, la facilité, elle avait déjà des réactions d'adulte. Mais le succès inattendu qu'elle venait de rencontrer au cinéma faisait comprendre à Mrs. Speers qu'il était temps de la sevrer spirituellement. Et le jour où cet idéalisme exigeant, impatient, parfois même excessif, réussirait enfin à se nourrir de quelqu'un d'autre, elle en éprouverait plus de soulagement que de chagrin.

— Tu aimes donc cet endroit? demanda-t-elle.

— J'aimerais beaucoup connaître ces gens-là. Il y en a d'autres, sur la plage, un autre groupe, plutôt antipathique. Ils m'ont tout de suite reconnue. Où qu'on aille, c'est drôle, tout le monde a l'air d'avoir vu *Daddy's girl*.

Mrs. Speers attendit que ce petit accès de vanité s'éteigne de lui-même, puis elle dit, comme sans y penser:

— Earl Brady, à propos, quand vas-tu le voir?

— Je pensais qu'on irait cet après-midi, si tu es reposée, bien sûr.

— Vas-y, toi. Moi, je reste.

— Tu préfères attendre demain?

— Je préfère que tu y ailles seule. C'est tout près d'ici, et puisque tu parles français couramment...

— Oh! maman, rien d'autre à proposer que des corvées, tu es sûre?

— Bon, d'accord. Tu iras plus tard. Mais il faut le faire avant de partir. N'oublie pas.

Après le déjeuner, elles se sentirent brusquement submergées, l'une et l'autre, par un sentiment d'ennui écrasant, que connaissent tous les Américains en voyage, dès qu'ils sont installés dans un endroit tranquille. Aucun élan ne les stimule, aucune voix ne les appelle de l'extérieur, aucun fragment de leur pensée ne fait naître d'écho dans la pensée de quelqu'un d'autre. Ils se sentent tellement privés de New York et de ses tumultes qu'ils ont le sentiment que toute vie s'est arrêtée.

— Oh! maman, ne restons pas plus de trois jours, soupira Rosemary, pendant qu'elles regagnaient leurs chambres.

Un vent paresseux jouait, au-dehors, avec la chaleur, la poussait doucement à travers les palmiers, en soufflait de petites bouffées entre les fentes des persiennes.

— Et cet homme, sur la plage, dont tu es tombée amoureuse?

— Oh! je n'aime personne, maman. Personne d'autre que toi.

Rosemary s'arrêta à la réception de l'hôtel, pour demander l'horaire des trains à M. Gausse. Le portier, en uniforme brun-kaki, rôdait devant la porte du bureau et la dévisageait avec curiosité, mais très vite il retrouva sa discrétion professionnelle. Elle prit un car pour se rendre à la gare. Deux serveurs obséquieux s'y trouvaient avec elle. Ils gardèrent le silence pendant tout le trajet, ce qui la mit mal à l'aise. Elle avait envie de leur dire : « Allez-y, parlez, plaisantez! Ça ne me gêne pas du tout! »

La chaleur était suffocante, dans le compartiment de première classe. Les affiches bariolées des compagnies de chemin de fer — représentant le pont du Gard, le théâtre d'Orange, les sports d'hiver à Chamonix — donnaient une plus grande impression de fraîcheur que l'immense mer immobile, de l'autre côté de la vitre. Contrairement aux trains américains, pénétrés de leur propre destin de bolides, qui n'ont que mépris pour le monde extérieur, trop lent à leur gré et trop vite essoufflé, ce petit train entretenait d'étroites relations avec le pays qu'il traversait. Il éparpillait, en passant, la poussière des palmiers, mêlait ses escarbilles aux fumures des jardins. Rosemary se disait qu'en se penchant un peu elle pourrait toucher les fleurs.

Une douzaine de cochers de fiacre somnolaient sur leur siège, devant la gare de Cannes. En ce début d'été, les magasins de luxe et les palaces de la Croisette ne regardaient la mer qu'à travers leurs rideaux de fer et leurs volets fermés. Existait-il une « saison », pour eux ? Ça paraissait tout à fait incroyable. Rosemary, plus ou moins atteinte déjà par les engouements de la mode, éprouvait une sorte de gêne. Comme si elle avouait publiquement un intérêt morbide pour les agonisants. Comme si, en la reconnaissant, les gens allaient se demander ce qu'elle venait faire là, dans cette torpeur moribonde, entre les plaisirs de l'hiver passé et ceux de l'hiver à venir, alors que le monde réel continuait de gronder frénétiquement dans le Nord.

Elle sortait d'une pharmacie, où elle venait d'acheter de l'huile solaire, lorsqu'une femme, qu'elle reconnut comme étant Mrs. Diver, passa devant elle, les bras chargés de coussins. Elle se dirigeait vers une voiture, stationnée le long du trottoir. Un basset noir se mit à aboyer en l'apercevant, ce qui réveilla le chauffeur en sursaut. Elle monta dans la voiture. Son superbe visage était impassible. Ses grands yeux, sérieux et attentifs, regardaient devant eux sans se fixer sur rien. Elle portait une robe rouge vif, et ses jambes bronzées étaient nues. Son épaisse chevelure dorée, traversée de reflets plus sombres, évoquait la crinière d'un chow-chow.

Ayant une demi-heure à attendre, avant de reprendre son train, Rosemary s'assit, sur la Croisette, à la terrasse du café des Alliés, que les arbres plongeaient dans une ombre verte. Un orchestre essayait d'attirer une improbable clientèle étrangère, en jouant les refrains du Carnaval de Nice, et quelques mélodies américaines, qui dataient de l'hiver précédent. Elle avait acheté, pour sa mère, *Le Temps* et le *Saturday Evening Post*. Elle commanda une citronnade et se plongea dans les Mémoires d'une princesse russe, que publiait le *Post*. L'évocation de cette société du dix-neuvième siècle, avec ses fastes révolus, lui parut plus vivante et plus proche d'elle-même que les gros titres du journal français. Le sentiment éprouvé à l'hôtel l'avait envahie à nouveau. Habituée à voir les événements les plus inattendus classés, par les journaux de son pays, en tragédies ou comédies, avec une précision maniaque, incapable de démêler d'elle-même l'essentiel de l'accessoire, elle avait à nouveau l'impression que la vie, en France, s'était arrêtée. Impression renforcée par la musique de l'orchestre, une musique nostalgique et désolée, comme celle qui accompagne, au music-hall, les numéros d'acrobates. Elle fut contente de retrouver l'hôtel Gausse.

Le lendemain, elle avait les épaules trop à vif encore pour pouvoir se baigner. Elles louèrent donc une voiture, sa mère et elle — après un sévère marchandage, car Rosemary avait appris en France la valeur de l'argent —, et flânèrent le long des petits fleuves côtiers de la Rivicra. Le chauffeur, une sorte de tsar russe, genre Ivan le Terrible, leur servait en même temps de guide, et les noms de villes resplendissantes   Cannes, Nice, Monte-Carlo — s'éveillaient lentement de leur somnolence engourdie, évoquaient à voix basse les rois d'autrefois, qui étaient venus là, pour dîner un soir, ou mourir ; les maharadjahs fabuleux, qui jetaient au pied des danseuses anglaises des poignées de pierres précieuses, effilées comme des yeux de bouddha, les princes russes, qui réinventaient pendant des semaines les crépuscules sur la Baltique, dans les anciens temps du caviar. Ce qui surnageait, tout le long de la côte, c'était l'odeur des Russes d'autrefois — avec leurs librairies et leurs confiseries désertes. Dix ans plus tôt, lorsque la saison s'achevait en avril, on avait refermé le portail de l'église orthodoxe, mis au frais dans les caves, en prévision de leur retour, le champagne qu'ils préféraient. « Nous reviendrons, avaient-ils dit. Nous reviendrons l'année prochaine. » C'était une promesse prématurée. Ils ne sont jamais revenus.

Ce fut très charmant de regagner l'hôtel en fin d'après-midi, avec la mer en contrebas, qui prenait des couleurs aussi mystérieuses que celles de l'agate et de la cornaline, dans les rêves d'enfance, plus verte que le lait verdi, plus bleue que l'eau des lessiveuses, d'un rouge plus sombre que le vin. Ce fut très charmant de voir les gens dîner sur le pas de leur porte, d'entendre le grincement fiévreux des pianos mécaniques assourdi par la vigne vierge des pergolas, au fond des petits cafés de campagne. Lorsqu'elles quittèrent la corniche d'Or, pour descendre vers l'hôtel Gausse, les arbres, gagnés par la nuit, glissaient les uns derrière les autres, en prenant tous les tons possibles de vert, tandis que la lune montait lentement au-dessus des ruines de l'aqueduc.

Quelque part, au milieu des collines, on dansait. Allongée sous sa moustiquaire, qui, dans le clair de lune, avait des allures de fantôme, Rosemary écoutait cette musique lointaine, et finissait par reconnaître qu'il s'en dégageait une certaine gaieté. Elle pensait à ces gens charmants, découverts sur la plage. Elle pensait que ce serait bon de les retrouver, le lendemain matin, mais sans doute vivaient-ils en petit clan, repliés sur eux-mêmes, et, quand ils avaient disposé autour d'eux leurs parasols, leurs claies de roseaux, leurs enfants et leurs chiens, le coin de plage qu'ils occupaient devenait une vraie forteresse. Mais elle se promit, quoi qu'il arrive, qu'elle ne passerait pas ses deux dernières matinées avec les gens de l'autre groupe.

4

Le problème se trouva résolu de lui-même. Les

McKisco n'étaient pas encore là, et elle venait à peine de s'allonger sur son peignoir, lorsque deux hommes — celui à la casquette de jockey, et le très grand, à la crinière léonine, qui sciait en deux les garçons de café — se détachèrent du petit groupe pour venir vers elle.

— Bonjour, dit Dick Diver.

Quelques secondes de silence.

— Coups de soleil ou pas, pourquoi avez-vous disparu toute la journée d'hier ? Nous nous sommes beaucoup inquiétés.

Elle se redressa, et son petit rire amusé prouvait qu'elle était ravie de cette intrusion.

— Nous nous demandions si vous accepteriez de vous joindre à nous, ce matin, continua Dick Diver. Il y a de quoi boire, de quoi manger. C'est donc une invitation tout à fait substantielle.

Il semblait très doux, très charmant — sa voix était une promesse, la promesse de s'occuper d'elle, de lui donner très vite accès à un monde inconnu, de faire naître pour elle les événements les plus étourdissants. Il s'arrangea pour ne pas prononcer son nom, en faisant les présentations, laissant entendre ainsi qu'ils savaient tous qui elle était, mais qu'ils s'interdisaient d'empiéter sur sa vie privée — raffinement de courtoisie que, depuis son succès, Rosemary n'avait plus jamais rencontré, en dehors des gens de sa profession.

Nicole Diver cherchait, dans un livre de cuisine, la recette du poulet Maryland. Ses perles brillaient sur sa peau bronzée. Rosemary se dit qu'elle devait avoir dans les vingt-quatre ans. On pouvait décrire son visage en termes de beauté classique, mais il paraissait, au départ, avoir été créé sur un trop grand format, dans des proportions excessives, avec une ossature épaisse, fortement accusée, comme si les traits principaux, le dessin des sourcils et du front, le teint lui-même, tout ce qui évoque pour nous le tempérament et le caractère avait été conçu, dans un premier temps, avec un emportement héroïque, par un disciple de Rodin, puis longuement ciselé et poli, pour le conduire vers une beauté si parfaite que l'erreur la plus infime lui aurait fait perdre à jamais son évidence et son pouvoir. C'est en s'attaquant à l'arrondi des lèvres que le sculpteur avait couru les plus grands risques — il reproduisait, en effet, l'arc même de Cupidon, tel que l'affichent toutes les cover-girls, sans rien enlever cependant à la majesté de l'ensemble.

— Vous êtes là pour longtemps ? demanda Nicole, d'une voix sourde, presque sans timbre.

Rosemary se dit soudain qu'elles pouvaient très bien rester une semaine de plus — et elle ne fit rien pour repousser cette idée-là.

— Pas très longtemps, je pense, répondit-elle évasivement. Nous avons déjà beaucoup voyagé. Nous avons débarqué en Sicile au mois de mars, et nous sommes remontées vers le Nord par petites étapes. J'ai attrapé une pneumonie, en janvier, pendant le tournage d'un film, et je suis ici en convalescence.

— Mon Dieu ! mais c'est arrivé comment ?

— Oh ! en nageant...

Elle éprouvait toujours une certaine réticence à parler d'elle-même.

— Je devais être déjà plus ou moins grippée, sans m'en rendre compte et, au cours d'une scène à Venise, il fallait que je plonge dans un canal. C'était un film à gros budget. On m'a donc demandé de plonger, de plonger et de replonger, toute la matinée. Ma mère avait fait venir un médecin, mais il n'a rien pu empêcher. J'ai attrapé une pneumonie.

Et, sans leur laisser le temps de répondre, elle parla brusquement d'autre chose.

— Vous aimez cet endroit ?

— Peuvent pas faire autrement, murmura Abe North. Ils l'ont inventé.

Il tourna lentement la tête, et son regard se posa sur Dick et sur Nicole, avec une sincère et tendre affection.

— Inventé? Comment ça?

— C'est la seconde année seulement que l'hôtel reste ouvert en été, expliqua Nicole. L'an dernier, nous avons réussi à persuader les Gausse de ne garder qu'un cuisinier, un concierge et un chasseur. Ça a marché. Cette année, ça marche encore mieux.

— Mais vous n'habitez pas l'hôtel?

— Nous avons fait construire une villa, à Tarmes.

— L'idée de départ est très simple, intervint Dick Diver, en modifiant l'inclinaison d'un parasol, pour chasser un rayon de soleil qui effleurait l'épaule de Rosemary. La plupart des plages du Nord, comme Deauville, sont envahies l'été par des Anglais ou des Russes, qui se moquent éperdument d'avoir froid. Alors que nous autres, Américains, nous appartenons, pour moitié, à des régions de climat tropical. C'est pour ça que nous commençons à venir ici.

Le jeune homme de type indiscutablement latin était en train de feuilleter le *New York Herald Tribune*.

— Mais enfin, dit-il brusquement, de quelle nationalité sont tous ses gens-là?

Il se mit à lire, avec un accent français légèrement marqué.

— « *On nous signale l'arrivée, au Palace Hôtel de Vevey de M. Pandely Vlasco, de Mme Bonneasse* — je vous jure que je n'invente rien—, *de Corinna Medonca, de Mme Pasche, de Seraphim Tullio, de Maria Amalia Roto Mais, de Moises Teubel, de Mme Paragoris, d'Apostle Alexandre, de Yolanda Yosfuglu, et de Geneveva de Momus* »! Ça, c'est la plus fascinante de toutes. Geneveva de Momus! On a vraiment envie de faire un saut jusqu'à Vevey, pour savoir à quoi elle ressemble, cette Geneveva de Momus!

Il se leva, d'une brusque détente, et s'étira avec une sorte d'impatience. Il était un peu plus jeune que Dick et qu'Abe North. Très grand, très fort, mais très mince de corps, bien que solidement musclé, les épaules surtout, et le haut des bras. D'une beauté assez banale, au premier regard — mais il portait sur le visage une sorte d'ennui permanent, qui ternissait l'éclat de ses yeux brun foncé. C'est à ses yeux pourtant qu'on repensait plus tard, lorsqu'on avait oublié la moue désabusée de cette bouche, et ce front constamment plissé sous le poids d'une souffrance inconnue.

— Nous avons découvert quelques noms d'Américains assez savoureux, la semaine dernière, dit Nicole. Une certaine Mrs. Evelyn Oyster, et... qui d'autre, déjà?

— Il y avait un Mr. Flesh.

Dick s'était levé à son tour, avait saisi un râteau, et, d'un air extrêmement sérieux, avait entrepris de nettoyer la plage des quelques pierres qui l'encombraient.

— Mr. Flesh, c'est ça! Ça ne vous donne pas la « chair de poule », comme on dit en français?

C'était très rassurant de se retrouver seule avec Nicole, se dit Rosemary — presque plus rassurant que d'être seule avec sa mère. Abe North parlait du Maroc avec le jeune Français, qui s'appelait Barban, et Nicole, qui avait fini d'étudier sa recette, s'était mise à coudre. Rosemary détaillait leur équipement avec curiosité — quatre grands parasols qui créaient comme un dôme d'ombre, une cabine de bain portative qui permettait de se changer, une bouée gonflable en forme de cheval, et toute une série d'objets, qu'elle n'avait jamais vus nulle part, qui marquaient la reprise d'un certain commerce de luxe, interrompu pendant la guerre, et qui venaient manifestement de trouver leurs premiers acquéreurs. Elle avait tout de suite compris qu'ils étaient « dans le vent », toujours à l'affût de la mode, et sa mère l'avait souvent mise en garde contre ce genre de « bourdons parasites », comme elle les appelait, mais Rosemary ne partageait pas ce point de vue. Au contraire. Jusque dans leur façon de ne rien faire, de rester aussi immobiles que la matinée elle-même, elle pressentait comme un dessein secret, une direction, un but à atteindre, un obscur travail de création, différent de tout ce qu'elle connaissait. Elle n'avait pas encore assez de maturité d'esprit pour comprendre l'exacte nature du lien qui les unissait. Elle n'était sensible qu'à leur attitude extérieure, à la façon dont ils se comportaient avec elle — mais ce dessein secret qu'elle avait pressenti, ce charme qui circulait de l'un à l'autre, comme il fallait bien lui donner un nom, elle se disait tout simplement qu'ils étaient heureux d'être ensemble.

Elle examina les trois hommes, l'un après l'autre, en s'efforçant d'être impartiale. Beaux tous les trois, chacun à sa façon. Distingués tous les trois, et elle sentait que cette distinction leur était naturelle, faisait partie de leur être même, de leur vie passée, de leur vie future, sans obéir aux circonstances, comme c'est le cas chez les comédiens, par exemple. Elle sentait également qu'il y avait en eux une sorte de pudeur, de réserve profonde, qui n'avait rien de commun avec la gentillesse aimable et bourrue des metteurs en scène. Comédiens et metteurs en scène — voilà ce qu'elle connaissait, en tant qu'hommes. Ils incarnaient pour elle, jusqu'ici, le savoir et l'intelligence. Elle n'en avait jamais rencontré de l'autres — à l'exception d'une masse imprécise et plutôt disparate d'étudiants de Yale, aperçus au cours de l'automne précédent, pendant un bal de promotion, et qui n'attendaient de l'amour qu'une succession de petits coups de foudre.

Ces trois-là, c'était autre chose. Barban était sûrement le moins raffiné, avec quelque chose d'amer, de sarcastique, une politesse un peu guindée, presque superficielle. Abe North dissimulait, derrière sa timidité maladive, une qualité d'humour désespéré, qui l'amusait tout en lui faisant peur. Elle était trop sérieuse, et elle le savait, pour produire sur lui une impression durable.

Quant à Dick Diver — ah! c'était la perfection même. Elle l'admirait en silence. Un teint délicatement roux, hâlé par le grand air, des cheveux coupés court, qui avaient la même couleur — et qu'on retrouvait, en toison légère, sur les mains et les bras. Des yeux d'un bleu intense, presque blessant. Un nez plutôt pointu. On savait toujours à coup sûr qui il regardait et à qui il parlait — marque d'attention particulièrement flatteuse, car qui vous regarde vraiment? Son regard se posait sur vous simplement, avec curiosité ou indifférence. Il y avait dans sa voix comme un écho lointain de sonorités irlandaises, et c'est le monde entier qu'il voulait séduire en parlant, mais au fond, tout au fond de lui, Rosemary sentait quelque chose de solide et de rigoureux, un contrôle absolu de lui-même, une discipline et une volonté qui rejoignaient ses propres qualités. Ah! des trois, c'était lui qu'elle choisissait, et Nicole, en levant les yeux, sut qu'elle venait de le choisir, entendit le petit soupir qu'elle poussa parce qu'il appartenait déjà à une autre.

Vers midi, on vit apparaître les McKisco, Mrs. Abrams, Mr. Dumphry et le señor Campion. Ils avaient fait l'acquisition d'un parasol flambant neuf, qu'ils plantèrent fièrement dans le sable, en jetant des regards de biais aux Diver, et se glissèrent dessous avec un air béat — Mr. McKisco excepté, qui préféra se tenir ironiquement à l'écart. Dick Diver passa près d'eux, en ratissant la plage, avant de regagner ses propres parasols.

— Les deux jeunes gens étudient ensemble un manuel de savoir-vivre, annonça-t-il à mi-voix.

— Espérant se frotter enfin au grand monde, dit Abe North.

Mary North, la jeune femme très bronzée que Rosemary avait rencontrée sur le plongeoir, le premier jour, et qui venait de se baigner, eut un petit sourire féroce.

— Ah! dit-elle, Mr. et Mrs. *Peur-de-rien* sont arrivés.

— Méfiez-vous, dit Nicole, en désignant Abe. Cet homme-là est de leurs amis. Pourquoi ne va-t-il pas les saluer? Ne les trouvez-vous pas attirants?

— Très attirants, reconnut Abe. Mais, en ce moment, ils ne m'attirent pas, voilà tout.

— Je *savais* d'avance qu'il y aurait trop de monde sur notre plage, cet été, soupira Nicole. Je dis bien: *notre* plage, celle que Dick a créée lui-même, en enlevant soigneusement tous les galets qui l'encombraient.

Elle réfléchit quelques secondes, puis baissa la voix, pour ne pas être entendue des trois gouvernantes anglaises, qui travaillaient sous l'un des parasols voisins.

— Je les préfère malgré tout aux Anglais de l'été dernier, qui n'arrêtaient pas de hurler : « Cette mer ; incroyable ce qu'elle est bleue ! Et ce ciel, incroyable ce qu'il est blanc ! Et le petit nez de Nellie, incroyable ce qu'il est rouge ! »

Rosemary se dit qu'il était préférable de ne pas compter Nicole parmi ses ennemis.

— Vous n'étiez pas là quand ils se sont battus, continuait Nicole. C'était la veille de votre arrivée. Cet homme-là, celui qui est marié, dont le nom ressemble à une marque d'essence ou de margarine...

— McKisco?

— C'est ça, oui. Cet homme-là s'est donc disputé avec son épouse. Elle lui a jeté une poignée de sable à la figure. Alors, sans hésiter, il s'est précipité sur elle, lui a pris le visage à deux mains, et l'a frotté rageusement contre le sable. Nous étions... comment dire ? positivement électrisés. Je voulais que Dick intervienne.

Dick Diver regardait rêveusement son matelas de raphia tressé.

— Je me demande si je ne vais pas les inviter à dîner.

— Surtout pas, dit Nicole sèchement.

— Ce serait une excellente chose, à mon sens. Ils sont là. Autant nous en arranger.

— Nous nous en arrangeons très bien comme ça, insista-t-elle, avec un petit rire. Je n'ai pas du tout envie qu'on me frotte le nez dans le sable. Je suis quelqu'un de très austère et de très méprisable, expliqua-t-elle, en se tournant vers Rosemary.

Puis, haussant la voix :

— Mettez vos maillots, les enfants !

Rosemary sut que cette baignade allait devenir capitale pour elle, qu'elle y repenserait, tout au long de sa vie, dès qu'elle entendrait prononcer le mot : baignade. Ils s'étaient levés tous ensemble. Après tant d'inaction, tant d'immobilité voulue, ils se sentaient pleins d'énergie, leurs forces décuplées, impatients de quitter la chaleur écrasante pour la fraîcheur de l'eau, savourant à l'avance le plaisir du gourmet qui arrose d'un vin blanc bien frappé un curry aux riches épices. Chez les Diver, l'horaire de chaque journée avait été conçu, comme dans les civilisations les plus anciennes, pour profiter au maximum de tout ce qui s'offrait, et savourer pleinement le passage d'une activité à une autre. Rosemary ne pouvait pas savoir encore si, après s'être donné complètement à la baignade, on plongerait directement dans le bavardage à bâtons rompus du déjeuner à la provençale, ou s'il se présenterait quelque autre activité, mais elle eut de nouveau l'impression que Dick s'occupait d'elle, qu'il l'avait prise en charge, et que ce serait un bonheur pour elle de se plier à tout, comme si c'était un ordre.

Nicole tendit à son mari l'étrange vêtement qu'elle venait de coudre. Il s'enferma dans la cabine de bain portative et provoqua une sorte de scandale en en ressortant, une minute plus tard, vêtu d'un short transparent en dentelle noire. Un examen un peu approfondi du short en question permettait de se rendre compte que la dentelle était cousue à même un maillot couleur chair.

— Ah! ça, on dirait une vraie folle! s'écria Mr. McKisco, avec un mépris appuyé.

Mais il se tourna aussitôt vers Mr. Dumphry et le señor Campion.

— Oh! pardon...

Cette histoire de short enchantait Rosemary. Elle était d'une telle naïveté que la fastueuse simplicité des Diver la touchait au cœur, incapable encore d'en saisir la complexité, le manque absolu d'innocence, incapable de deviner qu'il s'agissait pour eux d'un choix de qualité et, non de quantité, dans le clinquant de l'univers, et que cette assurance, cette simplicité, cette ouverture d'esprit, presque enfantine en apparence, la façon qu'ils avaient d'exagérer les qualités les plus banales, faisaient partie d'un marchandage désespéré avec les dieux, et n'avaient été obtenus qu'à la suite de violents conflits, qu'elle ne pouvait pas soupçonner. Pour elle, à cet instant précis, les Diver représentaient le modèle le plus achevé d'une certaine classe sociale, et la plupart des gens lui semblaient lourds et maladroits à côté d'eux. C'est que la notion même de qualité commençait à changer pour elle, sans qu'elle en ait encore conscience.

Elle resta donc avec eux. Elle but du sherry, croqua des biscuits. Dick Diver la regardait. Ses yeux étaient devenus d'un bleu presque blanc. Il finit par écarter les lèvres, qu'il avait douces et fermes, et par dire, d'une voix tranquille et pensive :

— Je n'avais pas vu, depuis bien longtemps, une jeune fille donnant à ce point l'impression d'un bourgeon qui s'ouvre.

Quelques instants plus tard, serrée contre sa mère, elle sanglotait.

— Je l'aime... A en devenir folle. Jamais je n'aurais cru éprouver pour quelqu'un un sentiment pareil. Et il est marié, et je l'aime beaucoup, elle aussi... C'est sans espoir, sans aucun espoir. Oh! je l'aime, si tu savais...

— Je voudrais beaucoup le connaître.

— Elle nous a invitées à dîner vendredi.

— Si tu aimes, tu devrais être heureuse. Tu devrais avoir envie de rire.

Rosemary la regarda. Un charmant petit tremblement traversa son visage, et elle commença à rire doucement. Sa mère avait encore beaucoup d'influence sur elle.

5

Elle était vraiment d'humeur exécrable en partant pour Monte-Carlo. Elle se fit conduire en voiture jusqu'à La Turbie, par une route complètement défoncée, atteignit un vieux studio de la Gaumont en cours de réfection, griffonna quelques mots sur une carte de visite, et, pendant qu'elle attendait la réponse devant la grille, elle eut l'impression d'être rentrée à Hollywood. Les étranges vestiges d'un film qu'on venait de tourner, une rue sinistre des Indes, une gigantesque baleine en carton, un arbre monstrueux couvert de cerises aussi grosses que des ballons de football s'épanouissaient là, dans leur luxuriance exotique, et s'intégraient pourtant au paysage, avec autant de naturel que l'amarante, le mimosa, le chêne-liège ou les pins rabougris. Il y avait une petite cantine, deux bâtiments qui ressemblaient à des hangars, et, tout autour, des quantités de gens très maquillés, qui attendaient, remplis d'espoir.

Au bout de dix bonnes minutes, un jeune homme, aux cheveux aussi jaunes que l'aile d'un canari, se précipita vers la grille.

— Entrez, Miss Hoyt, entrez! Mr. Brady est sur le plateau. Il veut absolument vous voir. Je suis vraiment désolé qu'on vous ait fait attendre, mais les Françaises, si vous saviez, c'est effrayant ce qu'elles inventent pour essayer de franchir les barrages...

Le régisseur ouvrit une petite porte dans le mur aveugle du studio, et Rosemary s'enfonça derrière lui dans d'étranges ténèbres, qui lui étaient familières et qu'elle retrouvait avec joie. Des silhouettes émergeaient, çà et là, de cette ombre crépusculaire, tournaient vers elle leur visage de cendres, comme des âmes du purgatoire regardant passer un mortel. Des murmures, des voix étouffées, et, dans le lointain, semblait-il, la sourde vibration d'un petit harmonium. Après avoir contourné plusieurs éléments de décor, ils débouchèrent sur un plateau violemment éclairé. Un comédien français — dont la chemise, le col et les manchettes étaient d'un rose éblouissant — et une comédienne américaine se tenaient immobiles, l'un en face de l'autre. Ils se regardaient en chiens de faïence. On avait l'impression qu'ils étaient là depuis des heures, dans la même position. Pendant un long moment encore, il

45

ne se passa rien. Personne ne bougea. Une rampe de projecteurs s'éteignit, avec un sifflement strident, puis se ralluma. Un marteau frappait en sourdine de petits coups plaintifs, comme pour implorer le droit d'entrer dans le néant. Un visage bleu apparut soudain, parmi les lumières aveuglantes, et du haut des cintres obscurs laissa tomber quelques mots incompréhensibles. Quelqu'un, qui se trouvait juste devant Rosemary, rompit alors le silence.

— Les bas, tu les gardes, Baby. Tu peux m'en abîmer dix paires. La robe vaut quinze livres.

L'homme qui venait de parler fit un pas en arrière et se heurta à Rosemary.

— Attention, Earl, dit aussitôt le régisseur. C'est Miss Hoyt.

Ils se rencontraient pour la première fois. Earl Brady était un homme rapide et brutal. Il l'examina des pieds à la tête, en lui serrant la main — façon d'agir dont elle avait l'habitude, qui lui faisait comprendre qu'elle était de nouveau chez elle, avec les gens de son milieu, et qui lui procurait toujours un certain sentiment de supériorité vis-à-vis de celui qui agissait ainsi. Si son corps était un objet qu'on souhaitait posséder, autant profiter de tous les avantages inhérents à cette possession.

— Je savais bien qu'on vous verrait un jour ou l'autre, dit Earl Brady, d'une voix un peu trop aiguë pour être naturelle, et qui gardait une trace d'accent cockney légèrement agressif. Avez-vous fait bon voyage?

— Très bon. Mais nous sommes contentes de rentrer.

— Oh! noooon! Restez encore un peu. Il faut qu'on discute. Il faut que je vous dise qu'il y a un film de vous — *Daddy's girl*. Je l'ai vu à Paris. J'ai tout de suite télégraphié pour savoir si vous étiez sous contrat.

— Je le suis — désolée.

— Quel film, Seigneur !

Pour ne pas sourire bêtement, en ayant l'air de l'approuver, Rosemary fronça les sourcils.

— Personne n'a envie d'être jugé une fois pour toutes sur un seul film.

— Exact. Parfaitement exact. Vos projets ?

— Ma mère estime que j'ai besoin de repos. Quand je serai rentrée, nous verrons si je signe avec la *First National* ou si je reste chez *Famous*.

— Qui ça : nous ?

— Ma mère. C'est elle qui décide. Je ne fais rien sans elle.

Il l'examina de nouveau des pieds à la tête. Elle sentit une sorte d'élan vers lui. Élan qui n'avait rien à voir avec l'admiration irréfléchie qu'elle avait éprouvée, le matin même, sur la plage, pour l'homme à la casquette de jockey. Déclic, plutôt. Elle voyait qu'il la désirait, et, comme ses réactions étaient encore celles d'une jeune fille, c'est avec un parfait détachement qu'elle essayait d'envisager une reddition possible. Mais elle savait déjà qu'une de-mi-heure à peine après l'avoir quitté elle l'aurait complètement oublié — aussi complètement qu'un acteur qu'on a embrassé dans un film.

— Où êtes-vous descendue ? demanda Brady. Ah ! oui, l'hôtel Gausse. Écoutez, j'ai déjà mon année programmée, moi aussi, mais ce que je vous ai écrit tient toujours. Depuis Connie Talmadge, aucune fille ne m'a donné, autant que vous, l'envie de tourner avec elle.

— J'ai la même réaction. Pourquoi ne revenez-vous pas à Hollywood ?

— C'était l'enfer, pour moi. Ici, je suis bien. Attendez-moi. Je termine ce plan, et on va faire un tour.

Il regagna le plateau, et se mit à parler au comé-dien français, d'une voix très douce et très calme. Au bout de cinq minutes, il parlait toujours. Le comédien bougeait un pied, de temps en temps, en approuvant de la tête. Brady s'arrêta brusquement, cria quelque chose à propos des projecteurs, qui se mirent à grésiller. Rosemary était de nouveau à Los Angeles. Elle respirait de nouveau, sans aucune angoisse, dans cet univers de cloisons fragiles et de toiles peintes, et elle avait envie d'y revenir. Mais elle préférait ne pas attendre Earl Brady, car elle savait dans quelles dispositions d'esprit il viendrait la rejoindre, lorsqu'il aurait fini de tourner, et elle quitta le plateau. Elle restait pourtant légèrement envoûtée. Les rivages de la Méditerranée lui parurent moins déserts, maintenant qu'elle y avait découvert un studio. Elle trouva que les gens, dans la rue, avaient l'air très aimables, et, avant de reprendre son train, elle s'acheta une paire d'espadrilles.

Sa mère fut contente d'apprendre qu'elle avait suivi ses conseils à la lettre. Elle continuait pourtant de penser qu'il était grand temps qu'elle prenne le large et qu'elle apprenne à vivre seule. Mrs. Speers paraissait encore jeune, mais elle se sentait fatiguée. Car c'est extrêmement fatigant de veiller près du lit d'un mort, et elle l'avait déjà fait deux fois.

6

Nicole Diver était d'excellente humeur, grâce au rosé du déjeuner. Elle leva les bras si haut que le camélia artificiel, qu'elle portait épinglé sur l'épaule, vint lui frôler la joue, et gagna son jardin. C'était un superbe jardin, sans gazon ni pelouse, limité d'un côté par la maison elle-même, dont il semblait jaillir tout en s'y engouffrant, des deux autres côtés par le vieux village, du quatrième enfin par un éperon de rochers, qui s'enfonçaient par paliers dans la mer. Tout ce qui était adossé au village, les vignes contrefaites, les citronniers, les eucalyptus, paraissait couvert de poussière, jusqu'à la vieille brouette, abandonnée là depuis peu, mais déjà déglinguée, à moitié enfoncée dans la terre, et dont le bois commençait à pourrir. Et c'était pour Nicole une stupeur toujours nouvelle de partir dans la direction opposée, de traverser un massif de pivoines, et d'atteindre un coin d'ombre si fraîche et si verte que les fleurs et les feuilles s'y recroquevillaient dans une moiteur délicate.

Elle avait noué autour de son cou une écharpe lilas, et malgré le soleil, qui tuait toutes les couleurs, cette écharpe lilas se reflétait sur son visage et coloriait jusqu'à son ombre, chaque fois qu'elle faisait un pas. Elle paraissait grave, presque insensible, mais on devinait, derrière ses yeux verts, l'ombre d'une angoisse attristée. Ses cheveux, si blonds autrefois, avaient légèrement foncé, ce qui la rendait, à vingt-quatre ans, plus belle qu'à dix-huit, car son propre éclat égalait désormais celui de ses cheveux.

Elle suivit une allée bordée de pierres blanches, surmontées d'un brouillard de fleurs presque immatériel, et atteignit une sorte de terrasse qui dominait la mer. Il y avait de petites lanternes accrochées aux figuiers, une immense table, des chaises en osier, et une large ombrelle, comme on en voit sur le marché de Sienne, le tout groupé autour d'un pin énorme, l'arbre le plus impressionnant du jardin. Elle resta là un moment, immobile, regardant sans le voir un buisson d'iris et de giroflées, qui poussaient pêle-mêle, comme semés au hasard par une main distraite, et prêtant l'oreille aux échos suraigus d'une dispute, qui venaient de la chambre d'enfants. Le bruit s'étant perdu dans le ciel d'été, elle reprit sa marche, à travers une mer de pivoines, où se mélangeaient tous les tons de rose, de tulipes noires et bronzées, de rosiers délicats, aux tiges presque mauves, diaphanes comme des fleurs en sucre dans une vitrine de confiseur — jusqu'au point où ce crescendo de couleurs, ayant atteint son apogée, se rompait brusquement et restait comme suspendu, tandis qu'un escalier de pierres humides descendait vers une autre terrasse, quelques mètres plus bas.

On trouvait là un puits, dont la margelle restait fraîche et glissante, même aux jours d'intense chaleur. Nicole descendit encore quelques marches, et atteignit son potager. Elle marchait plus vite. Elle aimait avoir quelque chose à faire, bien qu'on eût souvent l'impression, à la voir, qu'elle était apathique, indolente, plongée dans une sorte d'engourdissement, qui devenait peu à peu inquiétant. C'est qu'elle connaissait peu de mots, et qu'elle s'en méfiait, et lorsqu'elle était avec d'autres personnes, elle restait souvent silencieuse, ne participant à l'animation générale qu'avec une discrétion qui touchait à l'austérité. Mais si elle constatait que cette austérité faisait naître un malaise chez ceux qui la connaissaient mal, elle prenait soudain la parole et menait la conversation, avec une fébrilité qui la surprenait elle-même — puis, d'un coup, la laissait retomber, presque confuse, comme un bon chien d'arrêt qui, ayant rapporté sa proie, estime qu'il vient d'accomplir ce qu'on attendait de lui, et peut-être même au-delà.

Au moment où elle atteignait le bouillonnement vert du potager, Dick s'engagea dans l'allée, juste au-dessus d'elle, pour se rendre à son atelier. Elle demeura immobile pendant qu'il passait. Puis elle traversa les rangées de futures salades, s'approcha d'une grande cage où étaient enfermés des lapins, des pigeons et un perroquet. Elle fut accueillie par un concert de cris divers, qui frisaient l'insolence. Descendant un nouvel escalier, elle s'arrêta contre un petit mur arrondi, qui surplombait la Méditerranée, à deux cents mètres en contrebas.

Elle se trouvait au flanc de la colline, dans le vieux village de Tarmes. On s'était servi, pour construire la villa et ses dépendances, d'anciennes maisons de paysans adossées au rocher. Cinq d'entre elles avaient été aménagées pour créer la maison, quatre autres détruites pour faire place au jardin. On n'avait pas touché au mur d'enceinte, si bien que, de la route, rien ne la distinguait de l'agglomération gris-mauve du village.

Nicole regarda la mer un moment, mais ce n'était pas une occupation pour elle. Elle restait là, à ne rien faire, les mains vides. Dick sortit alors de son atelier, armé d'une longue-vue qu'il pointa vers Cannes. Nicole apparut soudain dans son champ de vision. Il regagna aussitôt son atelier, et en ressortit avec un porte-voix. Il possédait toute une collection d'instruments divers.

— Nicole, cria-t-il dans le porte-voix, j'ai oublié de t'avertir que, par un ultime sursaut de charité chrétienne, j'ai invité Mrs. Abrams. Celle qui a des cheveux blancs.

— Je m'en doutais. C'est révoltant.

La réponse de Nicole lui parvint avec une telle facilité que le porte-voix devenait franchement ridicule. Elle se mit alors à hurler :

— Est-ce que tu m'entends ?

— Oui.

Il eut un geste pour écarter le porte-voix, mais décida de s'en servir quand même.

— Je crois que je vais en inviter d'autres. Que je vais inviter les deux jeunes gens.

— Très bien, répondit-elle avec le plus grand calme.

— Je veux que cette soirée soit parfaitement *horrible*. J'y tiens absolument. Je veux qu'elle soit pleine de ruptures et de séductions, que les gens rentrent chez eux profondément blessés, que les femmes s'évanouissent dans le cabinet de toilette. Tu verras ce que je te dis.

Il rentra dans son atelier. Nicole connaissait très bien, trop bien même, cette humeur qui était la sienne, cette fiévreuse excitation qui devait gagner tout le monde, à laquelle succédait inévitablement un accès de mélancolie, de forme très particulière, qu'il se gardait bien de laisser paraître, mais qu'elle devinait aussitôt. Cette excitation, à partir d'objets les plus simples, atteignait souvent une intensité hors de proportions avec leur importance, et faisait naître en lui des adresses de virtuose, tout à fait prodigieuses, dans ses rapports avec les gens. Mis à part quelques spécimens coriaces, d'une méfiance congénitale, il avait le don de se faire aimer — d'un amour fasciné, inconditionnel. Mais lorsqu'il découvrait à quel degré de gaspillage et de folie il était parvenu, une brusque réaction se produisait en lui — et c'est avec une sorte d'épouvante qu'il repensait parfois à certains carnavals d'affection, qu'il avait voulus et conduits, comme un général repense à certains massacres, dont il a ordonné l'exécution, pour assouvir on ne sait quel appétit sanguinaire.

Être admis, pendant un moment, dans l'univers de Dick Diver était, de toute façon, une expérience inoubliable. Il donnait aux gens l'impression d'avoir pour eux des attentions particulières, de déceler, sous l'amas des compromissions qui l'avaient étouffée depuis tant d'années, ce que leur vie pouvait avoir d'unique et d'incomparable. Personne ne résistait longtemps à son exquise politesse, aux égards qu'il poussait si loin, et de façon si intuitive, qu'on ne pouvait les mesurer qu'aux résultats qu'il obtenait. Alors, sans autre précaution, de peur de laisser se faner des relations à peine écloses, il vous ouvrait les portes de son univers. Tant que vous le considériez comme un tout parfait, auquel rien ne manquait, que vous y adhériez sans réserve, il ne travaillait qu'à vous rendre heureux. Mais au premier soupçon, à la première lueur de doute, qui paraissait remettre en jeu l'intégralité de cet univers, il disparaissait à vos yeux, et c'est à peine si l'on se souvenait de ce qu'il avait bien pu dire ou faire.

A huit heures et demie, ce soir-là, lorsqu'il vint accueillir ses premiers invités, il tenait sa veste à la main, comme une muleta de toréador, en un geste majestueux et riche de promesses. Il salua Rosemary et sa mère, puis, comme il le faisait toujours, il attendit qu'elles parlent les premières — pensant peut-être qu'en entendant leurs propres voix résonner dans ces lieux inconnus elles se sentiraient rassurées.

L'état d'esprit de Rosemary pouvait se résumer ainsi : gravir la colline avait été d'autant plus agréable que l'air devenait de plus en plus frais. Elles étaient donc prêtes, sa mère et elle, à s'extasier sur tout. Il suffit parfois d'un léger changement d'expression pour que les qualités d'un être surprenant deviennent soudain évidentes. C'était ainsi à la villa Diana. Tout y était d'une telle perfection, et si savamment calculé, qu'il fallait, pour en prendre conscience, que se produise un incident aussi intime que l'apparition incongrue d'une femme de chambre en arrière-plan, ou le fonctionnement pervers d'un tire-bouchon. Avec l'arrivée des premiers invités, la soirée s'animait déjà, et la vie familiale de la journée — symbolisée par les enfants Diver et leur gouvernante, achevant de dîner sur la terrasse — lui cédait discrètement le pas.

— Quel superbe jardin! dit Mrs. Speers.

— Il doit tout à Nicole, répondit Dick Diver. Elle est sans arrêt sur son dos — à le houspiller, à trembler pour ses maladies. C'est presque chaque jour que je la vois descendre avec un flacon de Fly-Tox, de l'insecticide, ou de la poudre antimildiou.

Il pointa brusquement l'index vers Rosemary, et lui dit, avec un sourire qui cherchait à masquer une sollicitude toute paternelle :

— Vous, je vais vous obliger à être raisonnable. Je vais vous donner un chapeau pour la plage.

Il les précéda jusqu'à la terrasse, et leur prépara des cocktails. Earl Brady, qui venait d'arriver, fut tout étonné de retrouver Rosemary. Il était beaucoup moins agressif qu'au studio, comme s'il devenait quelqu'un d'autre dès qu'il en franchissait la porte, et Rosemary, qui le compara aussitôt avec Dick, accorda sans hésiter la préférence à ce dernier. Brady manquait tellement de légèreté, de raffinement. Une fois encore, pourtant, elle éprouva comme un élan vers lui.

Il semblait très ami avec les deux enfants, qui avaient fini de dîner.

— Hé! Lanier, une petite chanson, maintenant. Si vous m'en chantiez une, Topsy et toi?

— Laquelle? demanda le petit garçon, avec le bizarre accent chantonnant des jeunes Américains élevés en France.

— Celle de l'ami Pierrot.

Le frère et la sœur se mirent debout, l'un à côté de l'autre, sans la moindre timidité, et leurs deux voix aiguës s'élevèrent doucement dans le soir.

Au clair de la lune
Mon ami Pierrot
Prête-moi ta plume
Pour écrire un mot

54

Ma chandelle est morte
Je n'ai plus de feu
Ouvre-moi ta porte
Pour l'amour de Dieu.

La chanson terminée, ils accueillirent les applaudissements avec un sourire amusé. Les derniers
rayons du soleil éclairaient leurs petits visages, et
Rosemary eut l'impression que cette villa Diana
était devenue le centre du monde. Quand on venait
d'atteindre à un tel degré d'émotion, quelque chose
d'inoubliable devait fatalement arriver. Elle retomba donc de très haut, en entendant sonner à la porte
d'entrée, et en voyant surgir le groupe des derniers
invités : les McKisco, Mrs. Abrams, Mr. Dumphry et
le señor Campion.

Sa déception fut si violente qu'elle se tourna vers
Dick — il fallait qu'il s'explique sur cette rencontre
déplacée. Mais il avait l'air de trouver ça tout naturel. Il accueillit les nouveaux arrivants avec plaisir, avec fierté, leur témoignant même un certain
respect pour ce qu'ils pouvaient renfermer d'inconnu et de passionnant. Et Rosemary lui faisait
tellement confiance qu'elle finit par estimer normale la présence des McKisco, comme si, depuis
toujours, elle s'était attendue à les voir là.

— Nous nous sommes déjà rencontrés à Paris,
disait Mr. McKisco à Abe North, qui venait juste
d'arriver avec sa femme. Nous nous sommes même
rencontrés deux fois.

— Je me souviens, en effet.

— A quel endroit, déjà ? demanda McKisco, qui
cherchait par tous les moyens à entretenir la conversation.

— Attendez... Je crois bien...

Mais le jeu cessa vite d'amuser Abe.

— J'ai oublié.

Il y eut un brusque silence, et Rosemary sentit

d'instinct qu'il aurait fallu glisser là une réflexion pleine de tact, mais Dick se tenait ostensiblement à l'écart, et ne faisait rien pour séparer le petit groupe des nouveaux arrivants. Rien non plus pour faire perdre à Mrs. McKisco son petit sourire d'ironie méprisante. S'il ne faisait rien, c'est qu'il n'attachait aucune importance à ce problème de relations sociales, qui se résoudrait de lui-même. Il préférait ménager ses forces pour de plus hautes performances, attendre une meilleure occasion de prouver à ses hôtes qu'ils vivaient un moment exceptionnel.

Rosemary se trouvait à côté de Tommy Barban. Il était d'humeur particulièrement sarcastique, et quelque chose de très secret paraissait le ronger. Il partait le lendemain matin.

— Vous rentrez chez vous?

— Chez moi? Je n'ai pas de chez-moi. Je vais faire la guerre.

— Quelle guerre?

— Quelle guerre? N'importe laquelle. Je n'ai pas ouvert un journal depuis longtemps, mais il y a sûrement une petite guerre quelque part. Il y en a toujours.

— Les raisons de vous battre, ça ne compte pas pour vous?

— Pas du tout. L'important c'est qu'on me paie bien. Quand je commence à m'encroûter, je viens voir les Diver. Je sais qu'au bout de quelque temps j'aurai de nouveau envie de me battre.

Rosemary eut un léger recul.

— Vous êtes pourtant leur ami.

— C'est vrai. D'elle, surtout. Mais ils me donnent toujours envie d'aller me battre.

Elle se répéta ce qu'il venait de dire — sans le comprendre. Pour elle, au contraire, les Diver lui donnaient envie de ne plus les quitter.

— Vous êtes à moitié américain, dit-elle, comme si c'était la seule explication possible.

— Et à moitié français. Depuis l'âge de dix-huit ans, je me suis battu sous huit uniformes différents. Mais j'espère ne pas vous donner l'impression que je n'aime pas les Diver. Je les aime — surtout Nicole.

— Impossible de faire autrement, dit-elle avec simplicité.

Elle se sentait très loin de lui. Il y avait trop de sous-entendus derrière ses paroles, ce qui la mettait mal à l'aise. Et elle refusait que cette ironie subversive trouble, en quoi que ce soit, l'adoration qu'elle portait aux Diver. Elle fut soulagée de ne pas l'avoir pour voisin, pendant le dîner. La table avait été dressée dans le jardin. En suivant l'allée qui y conduisait, elle repensait à l'étrange façon dont il venait de dire : « *Surtout Nicole.* »

A un certain moment, elle se trouva tout près de Dick. Il avait une telle intelligence, si précise et si vive, qu'il devait tout savoir, de toute évidence, et qu'importait le reste ? Depuis un an, ce qui représentait l'éternité pour elle, elle gagnait de l'argent, et sa célébrité naissante l'avait mise en contact avec des gens célèbres. Elle s'était vite aperçue que ces gens célèbres n'avaient rien de bien surprenant, qu'ils étaient simplement d'une plus large carrure, mais qu'ils ressemblaient trait pour trait aux gens que la veuve du major Hoyt et sa fille avaient connus à Paris, dans leur modeste pension de famille. Rosemary était une romantique. Sa carrière ne lui avait guère fourni l'occasion, jusqu'ici, de satisfaire ce romantisme. Sa mère, qui tenait sa carrière en main, n'aurait pas supporté qu'elle se laisse éblouir par des provocations factices, de quelque côté qu'elles viennent, et Rosemary elle-même n'aurait pas été dupe. Elle ne vivait pas *pour* le cinéma : elle faisait *du* cinéma, ce qui était tout autre chose. A l'expression de son visage, elle avait tout de suite compris que sa mère acceptait Dick Diver. Ce qui voulait dire que c'était « du solide ». Ce qui voulait dire qu'elle avait le droit de pousser les choses aussi loin que possible.

— Je vous ai longtemps observée, lui dit-il, et elle savait que c'était vrai. Nous vous aimons de plus en plus.

— Moi, répondit-elle d'une voix tranquille, il a suffi que je vous voie pour être amoureuse de vous.

Il fit comme s'il n'avait pas entendu, comme s'il s'agissait d'un compliment de pure forme.

— Les amis de fraîche date (il semblait attacher une grande importance à ce qu'il allait dire), les amis de fraîche date ont souvent plus de plaisir à se retrouver que les vieux.

A la suite de cette remarque, qu'elle n'était pas sûre de comprendre, elle s'approcha de la table, qui se détachait doucement sur le ciel presque noir, dans l'éclat tremblant des lanternes. Elle eut un soupir de bonheur, qui s'étira comme un arpège, en constatant que Dick faisait asseoir Mrs. Speers à sa droite. Elle-même se trouvait assise entre Luis Campion et Earl Brady.

Elle était tellement submergée d'émotions diverses qu'elle eut envie de tout raconter à Brady. Mais, en l'entendant prononcer le nom de Dick, un éclair dur et froid traversa son regard. Il lui fit tout de suite comprendre qu'il refusait de jouer les rôles de père, et il essaya de lui prendre la main. Elle resta de glace. Ils parlèrent donc métier. Ou plutôt, il parla métier, et elle écoutait poliment, elle ne le quittait pas des yeux, mais son esprit vagabondait si loin qu'il devait sûrement s'en apercevoir. Elle saisissait, de temps en temps, un membre de phrase, en déduisait inconsciemment le reste, comme on s'aperçoit brusquement qu'une pendule est en train de sonner, et on garde en mémoire la cadence des premiers coups, sans pourtant les avoir comptés.

7

Rosemary profita d'un instant de silence pour regarder Nicole, qui était assise au bout de la table, entre Abe North et Barban. Sa coiffure de chow-chow moussait, comme une écume d'or, à la lueur des lanternes. Rosemary tendit l'oreille brusquement, étonnée par les mots qu'elle prononçait, d'une voix rapide et précise.

— Le pauvre homme! s'écriait-elle. Pourquoi donc vouliez-vous le scier en deux?

— Pour savoir ce qu'un garçon de café peut avoir dans le ventre. Vous n'êtes pas curieuse de savoir ce qu'il peut avoir dans le ventre?

Nicole se mit à rire.

— Des menus périmés, j'imagine, des fragments de tasse ébréchée, des bouts de crayon, des pourboires.

— Exact. Mais je voulais en apporter la preuve scientifique. Et le scier en deux avec une scie musicale aurait enlevé à l'opération ce qu'elle pouvait avoir de pénible.

— Aviez-vous l'intention de jouer de la scie pendant l'opération? demanda Tommy Barban.

— Nous n'avons pas pu aller jusque-là. Nous étions effrayés par les hurlements. Nous pensions qu'il allait peut-être casser quelque chose.

— Tout ça me paraît bien étrange, dit Nicole. N'importe quel musicien qui se sert de la scie d'un autre musicien pour...

Ils étaient à table depuis une demi-heure, et l'atmosphère s'était considérablement allégée. Chacun, à tour de rôle, avait sacrifié quelque chose de lui-même, angoisse, méfiance, préoccupation, pour n'être plus qu'un invité des Diver au meilleur de sa forme. Ne pas se montrer ouvert et amical aurait été leur faire injure, et chacun faisait des efforts en ce sens. Rosemary, qui suivait ces efforts, les trouvait tous merveilleux — Mr. McKisco excepté, qui semblait incapable de s'intégrer. Non par mauvaise volonté, mais parce qu'il avait un peu trop forcé sur le champagne, pour entretenir l'humeur joyeuse dont il avait fait preuve en arrivant. Affalé sur son siège, entre Earl Brady, auquel il avait décoché quelques flèches concernant le cinéma, et Mrs. Abrams, à qui il n'adressait pas la parole, il regardait Dick avec un air d'ironie ravageuse, qu'il abandonnait par moments, pour essayer de l'entraîner, d'un bout à l'autre de la table, dans une conversation en porte à faux.

— N'êtes-vous pas un ami de Van Buren Denby?

— Je ne crois pas connaître ce nom-là.

McKisco insistait, furibond.

— J'aurais juré que vous l'étiez.

Le sujet « Van Denby » ayant fait long feu, il en essaya d'autres, tout aussi problématiques, et Dick l'écoutait chaque fois avec une telle déférence qu'il en perdait tous ses moyens. Les conversations qu'il venait d'interrompre reprenaient alors sans lui. Il tenta également de se glisser en tiers dans d'autres discussions, mais c'était comme s'il avait voulu donner une série de poignées de main à l'aide d'un gant vide — et finalement, avec l'air résigné de quelqu'un qui s'est égaré dans un dîner d'enfants, il concentra toute son attention sur le champagne.

Rosemary regardait les convives, un à un, attentive au plaisir de chacun, comme si elle avait vu en eux ses futurs enfants adoptifs. Il y avait d'abord Mrs. Abrams, dont le visage, fort embrasé déjà par la Veuve Cliquot, bénéficiait de l'éclat d'une lampe, adroitement dissimulée dans une coupe d'œillets pourpres, ce qui lui donnait l'air d'une jeune fille, débordant d'énergie, de compréhension et de bonne humeur. Venait ensuite Royal Dumphry, dont l'affectation semblait moins appuyée dans cette atmosphère de gaieté nocturne. Puis Violet McKisco, dont la gentillesse affleurait peu à peu, et qui posait enfin les armes, renonçait enfin au combat qu'elle se livrait à elle-même, pour ne jamais perdre de vue qu'elle était l'épouse d'un arriviste pas encore arrivé.

Puis Dick, dont les mains tenaient toutes les ficelles, et qui voulait avec passion que la soirée soit réussie.

Puis Mrs. Speers, toujours parfaite.

Puis Barban, penché vers Mrs. Speers, lui parlant avec une extrême courtoisie, et Rosemary le trouva de nouveau sympathique. Puis Nicole. En la découvrant brusquement sous un jour différent, Rosemary se dit qu'elle n'avait jamais vu quelqu'un d'aussi beau. Son visage évoquait celui d'une sainte, d'une Vierge nordique. Il scintillait au milieu des phalènes, qu'on voyait tournoyer, comme des flocons de neige, autour des flammes des chandelles, et les lanternes accrochées aux branches du pin avivaient encore, de leurs vitres orange, l'éclat de son teint déjà éclatant. Elle était l'image même de la sérénité.

Abe North lui expliquait son code moral.

— J'en ai un, bien sûr, disait-il avec conviction. Comment vivrait-on sans code moral ? Le mien repose entièrement sur ceci : je suis opposé à ce qu'on brûle les sorcières. Chaque fois qu'on brûle une sorcière, je sens comme un anneau de feu autour de mon cou.

Rosemary savait, par Earl Brady, qu'Abe North avait été, très jeune, un musicien célèbre, mais qu'il n'avait plus rien écrit depuis sept ans.

Près de lui, le señor Campion, qui parvenait tant bien que mal à masquer le côté féminin de sa nature, et témoignait à ses voisins une sorte d'attention quasiment maternelle et relativement désintéressée. Puis Mary North, avec un visage tellement heureux qu'on ne pouvait s'empêcher de sourire devant le miroir de ses dents si blanches — et ses lèvres ouvertes dessinaient tout autour un joli cercle de bonheur.

Earl Brady enfin, dont la cordialité devenait de plus en plus évidente, car il ne cherchait plus à en faire un symbole agressif de sa belle santé morale, ni un moyen de se défendre contre les faiblesses des autres.

Emperlée de candeur naïve, comme un vrai petit Lord Fauntleroy, Rosemary avait le sentiment d'avoir traversé toutes les épreuves, triomphé de tous les méchants, et rejoint enfin sa famille. Des vers luisants traversaient les ténèbres. Très loin, au pied de la colline, un chien aboyait sourdement. La table donnait l'impression de s'être détachée du sol et de s'élever lentement vers le ciel, comme une piste de danse dotée d'un mécanisme, et tous ceux qui avaient pris place autour d'elle semblaient les habitants d'un univers nocturne qui n'appartenait qu'à eux seuls, nourris de ses seules nourritures, réchauffés à ses seules flammes. Et, comme si l'étrange petit rire étouffé de Mrs. McKisco avait été pour eux un signal attendu, la preuve qu'ils avaient réellement quitté la terre, Nicole et Dick Diver s'animèrent brusquement, se mirent à flamboyer, à s'épanouir, comme pour faire oublier à leurs invités, en les persuadant de leur propre importance, en les flattant par des attentions raffinées, ce qu'ils avaient pu laisser derrière eux. Pendant un bref instant, Nicole et Dick Diver semblèrent se démultiplier, parler à tout le monde en même temps, et à chacun en particulier, en les assurant de leur tendre amitié, de leur véritable affection. Et pendant cet instant, les visages tournés vers eux rappelaient ceux des enfants pauvres, devant un arbre de Noël. Puis, brutalement, la table retomba — ce bref instant pendant lequel les hôtes des Diver avaient été hardiment arrachés au simple plaisir de dîner ensemble, pour s'élever jusqu'aux couches les plus secrètes du sentiment, ce bref instant était passé, avant même qu'ils en aient goûté la saveur, avant même qu'ils aient eu le temps de comprendre qu'ils en étaient arrivés là.

Mais l'imperceptible magie de la côte méditerranéenne les avait pénétrés malgré eux — la douce caresse de la nuit, le ressac de la mer en contrebas. Toute cette magie s'était comme détachée des choses, pour venir se mêler à Dick et à Nicole, pour devenir une fraction d'eux-mêmes. Rosemary regardait Nicole, qui poussait vers sa mère un sac du soir en satin jaune qu'elle venait de trouver joli, et elle disait : « Pour moi, les objets doivent appartenir à ceux qui les aiment », et elle y fourrait en vrac tout ce qu'elle pouvait trouver de jaune, un crayon, un tube de rouge à lèvres, un petit agenda : « Pour que ça forme un tout. »

Nicole disparut soudain, et Rosemary s'aperçut que Dick avait disparu, lui aussi. Les invités se dispersaient dans le jardin ou remontaient vers la terrasse.

— Si on allait voir dans la salle de bains ? proposa Violet McKisco à Rosemary.

— Ce n'est pas exactement le moment.

— Moi, je vais voir, insista Mrs. McKisco.

Elle se dirigea vers la maison, en femme qui ne se laisse pas impressionner, traînant derrière elle comme un secret, et Rosemary la regarda partir d'un air réprobateur. Earl Brady voulut l'accompagner jusqu'au mur arrondi qui surplombe la mer, mais elle se dit que c'était l'instant ou jamais de se ménager un petit tête-à-tête avec Dick, dès qu'il reviendrait, et elle préféra rester à sa place. McKisco discutait avec Barban.

— Pourquoi voulez-vous vous battre contre les Soviétiques? C'est la révolution la plus importante qu'ait connue l'humanité. Et le Rif? A mon avis, ce serait beaucoup plus héroïque de vous battre du côté de la Justice.

— Comment savoir de quel côté est la Justice? demanda Barban d'un ton sec.

— Mais... euh... généralement les gens intelligents le savent d'instinct.

— Vous êtes communiste?

— Socialiste. Mais j'ai beaucoup de sympathie pour les Soviétiques.

— Moi, je suis soldat, répondit Barban, avec un sourire ironique. Mon métier, c'est de tuer les gens. J'ai fait la guerre du Rif parce que j'appartiens à l'Europe, et je veux me battre contre les communistes parce qu'ils veulent me prendre ce que je possède.

— Quelle hauteur de vues! Vraiment!

McKisco jeta un coup d'œil à la ronde, espérant en vain que quelqu'un allait renchérir. Il ignorait absolument à quel genre d'adversaire il avait à faire, si Barban disposait d'un minimum d'idées, s'il était ou non capable de soutenir une discussion. Les idées, McKisco savait très bien ce que c'était. Au fur et à mesure que son intelligence s'était approfondie, il avait appris à en reconnaître et à en classer une quantité de plus en plus impressionnante. Et voilà qu'il se trouvait confronté à un homme qu'il considérait comme un « minus », un homme chez lequel il ne retrouvait aucune des idées qu'il avait appris à classer, sans éprouver pourtant le moindre sentiment de supériorité envers lui. Il en concluait que Barban représentait l'ultime avatar d'une société primitive, archaïque, et par là même sans valeur. McKisco s'était beaucoup frotté aux classes dirigeantes américaines. Il avait adopté leur snobisme hésitant, leur ignorance satisfaite, leur grossièreté voulue — toutes qualités héritées de la vieille Angleterre (sans tenir aucun compte des circonstances qui avaient conduit les Anglais à se montrer volontairement ignorants et grossiers), et appliquées à un pays où il suffisait d'un léger vernis de connaissance et d'éducation pour devenir plus riche que partout ailleurs. Attitude qui avait trouvé son apogée, aux environs de 1900, à travers ce qu'on appelait : « le style Harvard ». McKisco avait fini par se dire : « Ce Barban doit appartenir à cette race-là. » Et comme il avait beaucoup bu, il avait complètement oublié que cette race-là lui faisait peur — d'où la situation délicate dans laquelle il se débattait.

Rosemary, qui avait un peu honte pour lui, attendait toujours le retour de Dick. Très calme, en apparence, mais dans un état d'impatience extrême. Il n'y avait plus, autour de la table, qu'Abe North, Barban et McKisco. Elle surveillait l'allée, bordée de myrtes et de fougères, qui conduisait à la terrasse. Apercevant soudain le profil de sa mère, qui se détachait sur un fond de porte éclairée, elle eut un brusque élan d'amour vers elle, et voulut la rejoindre, mais Mrs. McKisco revenait précipitamment de la maison.

Elle ruisselait littéralement d'excitation. A la façon dont elle s'empara d'une chaise, et s'y assit, dans le plus grand silence, les yeux exorbités, les lèvres frémissantes, il était évident qu'elle rapportait une pleine moisson de nouvelles, et c'est tout naturellement que son mari lui demanda :

— Eh bien, Vi, qu'est-ce qui t'arrive ?

Tous les regards s'étaient tournés vers elle.

— Figurez-vous...

Elle sembla d'abord s'adresser à tout le monde, mais se pencha vers Rosemary.

— Figurez-vous Mais non. Rien. Je ne peux rien dire. Absolument rien.

— Nous sommes entre amis, dit Abe North.

— Eh bien, là-haut, figurez-vous, il est arrivé quelque chose de tout à fait...

Elle secoua la tête, d'un air énigmatique, mais s'interrompit juste à temps, car Barban venait de se lever, et lui disait d'un ton très poli mais très sec :

— Personne n'est en droit de juger ce qui se passe dans cette maison.

8

Violet resta sans voix, prit une large inspiration et changea de visage.

Dick revint, sur ces entrefaites, comprit d'instinct qu'il fallait séparer McKisco de Barban, se montra brusquement passionné de littérature, ignorant de tout, et bombarda McKisco de questions — lui fournissant ainsi l'occasion de briller qu'il avait si longtemps attendue. Il demanda qu'on l'aide à transporter les lampes. Les autres s'empressèrent — qui ne se montrerait ravi de saisir une lampe avant de plonger dans l'obscurité ? Rosemary en prit donc une, et supporta patiemment l'insatiable curiosité que manifestait Royal Dumphry vis-à-vis d'Hollywood.

« Maintenant, se disait-elle, j'ai largement gagné le droit d'être seule, un moment, avec lui. Et il le sait sûrement, car il obéit à des lois qui sont exactement les lois que ma mère m'a apprises. »

Elle ne se trompait pas. Une fois sur la terrasse, il s'arrangea pour l'entraîner doucement à l'écart. Ils étaient seuls enfin, s'éloignaient enfin de la maison, descendaient vers le petit mur qui surplombe la mer, à travers ce qui n'était pas vraiment un escalier, mais plutôt une série de dénivellations, dont certaines étaient faciles à franchir, tandis que d'autres la faisaient trébucher malgré elle.

Ils regardèrent longtemps la Méditerranée. Le bateau qui rentrait des îles de Lérins flottait à l'horizon, comme un ballon de fête, qu'un pied maladroit aurait lancé contre le ciel. Il glissait lentement entre les îles noires, et traçait dans la mer un sombre sillage d'écume.

— Je comprends maintenant pourquoi vous nous avez parlé ainsi de votre mère, dit-il enfin. Je trouve qu'elle se conduit très adroitement avec vous. Elle possède une sorte de sagesse, très rare en Amérique.

— Ma mère est parfaite, récita-t-elle, comme une litanie.

— Je lui ai fait part d'un projet que j'avais. Elle m'a répondu que la durée de votre séjour en France dépendait de vous seule.

De *vous seul*, rectifiait avec évidence l'attitude même de Rosemary.

— Puisque, ici, tout est terminé, maintenant...

— Terminé? Comment ça?

— Oui, terminé... Je veux dire: cette partie de notre été. La sœur de Nicole nous a quittés la semaine dernière. Tommy Barban s'en va demain, Abe et Mary lundi. Peut-être aurons-nous droit à d'autres moments de plaisir, mais celui-ci est terminé. J'ai refusé les attendrissements faciles, et j'ai donné cette soirée pour qu'il meure de mort violente. Quant au projet dont je parlais, voilà: Nicole et moi, nous partons pour Paris. Abe North regagne les États-Unis, et nous voulons l'accompagner au train transatlantique. Je me demandais si vous aimeriez venir avec nous.

— Qu'a répondu ma mère?

— Que c'était une excellente idée. Mais qu'elle ne ferait pas le voyage elle-même. Elle préfère que vous veniez seule.

— J'étais jeune encore, la dernière fois que j'ai vu Paris. J'aimerais beaucoup y retourner avec vous.

— C'est très gentil. (Est-ce une idée qu'elle se faisait, ou sa voix était-elle vraiment devenue plus sèche, presque métallique ?) Dès que vous êtes arrivée sur la plage, nous nous sommes sentis attirés par vous. Cette vitalité... Nous avons tous pensé que c'était quelque chose de professionnel. Nicole surtout l'a pensé. Quelque chose que vous n'aviez pas le droit de réserver à une seule personne, ou un petit groupe de personnes.

Elle sentait qu'il se détachait d'elle insensiblement, qu'il se rapprochait de Nicole, et elle décida de freiner ce mouvement elle-même, en disant d'une voix aussi métallique que la sienne :

— Moi aussi, j'ai eu envie de vous connaître tous. Vous, surtout. Je vous l'ai déjà dit : dès que je vous ai vu, j'ai été amoureuse de vous.

Elle avait eu raison de réagir ainsi. Mais Dick s'était ressaisi. Il avait soudain les idées plus claires. L'élan qui l'avait poussé à conduire Rosemary dans cet endroit désert, suspendu entre ciel et terre, s'était brisé d'un coup. Ce qu'elle attendait de lui était trop évident. Trop évident aussi qu'elle n'était pas habituée aux scènes de ce genre, et manquait d'habileté pour ce genre de dialogues.

Il cherchait comment lui donner envie de remonter vers la maison, mais c'était difficile, et il ne voulait pas la perdre tout à fait. C'est en l'entendant se moquer d'elle ouvertement qu'elle comprit que tout était rompu.

— Vous ne savez pas ce que vous voulez. Il faut retourner vers votre maman, et lui demander ce que vous voulez.

Elle se sentit blessée. Elle avança la main, toucha la souple étoffe de sa veste noire, comme si c'était un vêtement consacré. Elle paraissait sur le point de tomber à genoux — et usa ainsi de sa dernière arme.

— Vous êtes l'être le plus merveilleux que j'aie rencontré — ma mère mise à part.

— Vous avez l'œil bien romantique.

Il se mit à rire, et ce rire les précipita jusqu'à sur la terrasse, où il la confia à Nicole.

Le moment de se séparer vint très vite, et les Diver pressèrent eux-mêmes le mouvement. Tommy Barban s'était installé, avec ses bagages, dans la grande Isotta des Diver — il devait passer la nuit à l'hôtel et prendre un train, de très bonne heure, le lendemain. Mrs. Abrams, les McKisco et Luis Campion montèrent avec lui. Earl Brady proposa de raccompagner Rosemary et sa mère, avant de regagner Monte-Carlo. Comme la voiture des Diver était pleine, il offrit une place à Royal Dumphry. Dans le jardin, en contrebas, les lanternes brûlaient toujours au-dessus de la table où ils avaient dîné. Les Diver se tenaient sur le seuil de leur porte, l'un à côté de l'autre. Nicole ressemblait à une fleur ouverte et son charme emplissait la nuit. Dick disait au revoir à chacun, en l'appelant par son nom. Pour Rosemary, c'était comme un arrachement de s'en aller ainsi, en les laissant seuls dans cette maison. Et elle se demandait, une fois encore, ce que Mrs. McKisco avait bien pu voir dans la salle de bains.

9

C'était une nuit très pure et très noire, suspendue comme un grand panier à une seule étoile un peu mélancolique. L'atmosphère était si épaisse que le klaxon de l'autre voiture leur parvenait comme étouffé. Le chauffeur d'Earl Brady conduisait prudemment. De loin en loin, dans un virage, ils distinguaient les feux arrière de l'Isotta. Puis, plus rien. Ils la retrouvèrent, dix minutes plus tard, arrêtée sur le bord de la route. Le chauffeur d'Earl Brady freina pour s'en approcher, mais l'Isotta démarra aussitôt. Comme elle roulait très lentement, ils finirent par la doubler. Au moment où ils la doublaient, ils crurent entendre des éclats de voix, qui venaient de l'arrière de la limousine, et ils virent que le chauffeur des Diver souriait ironiquement. Puis ils prirent de la vitesse, roulèrent entre des collines obscures, qu'interrompaient parfois des échappées de ciel plus clair, s'engagèrent dans une série de virages en épingle à cheveux, qui épousaient les contours de la côte, et s'arrêtèrent enfin devant le sombre bâtiment de l'hôtel Gausse.

Rosemary somnola trois petites heures, finit par se réveiller tout à fait, et resta longtemps immobile, allongée dans le clair de lune. La nuit, autour d'elle, était si lourde de sensualité qu'elle s'en enveloppa comme d'un manteau pour fuir à toutes jambes vers l'avenir, en imaginant tous les moyens possibles de forcer Dick à l'embrasser — quant au baiser lui-même, il restait quelque chose d'assez confus, comme un baiser de cinéma. Comme c'était sa première insomnie elle changea lentement de position, et tenta d'envisager le problème en adoptant le point de vue de sa mère. Ce procédé lui permettait souvent de se montrer plus perspicace qu'à travers sa propre expérience, car elle se souvenait soudain de phrases entendues au cours d'anciennes conversations, auxquelles elle n'avait prêté qu'une oreille distraite.

Rosemary avait su très jeune qu'il fallait qu'elle travaille. Le peu de bien que ses deux maris lui avaient légué, en la laissant veuve, Mrs. Speers l'avait entièrement consacré à l'éducation de sa fille. Lorsqu'elle l'avait vue, à seize ans, devenir cette fleur éclatante, auréolée d'une incroyable chevelure, elle s'était précipitée à Aix-les-Bains, et avait réussi à forcer la porte d'un producteur américain, qui y faisait une cure. Quand le producteur en question était reparti pour New York, elles l'avaient suivi. Rosemary avait ainsi tourné ses premiers bouts d'essai. Grâce au succès qui s'annonçait, et lui permettait de miser sur une sécurité relative, Mrs. Speers se sentait plus libre. Elle avait donc adopté, ce soir-là, une attitude qui voulait dire implicitement :

— Je t'ai habituée à l'idée du travail — pas vraiment à celle du mariage. Aujourd'hui, tu es confrontée à ta première épreuve, et c'est une bonne épreuve. Alors, va de l'avant. Quoi qu'il arrive, ça te servira d'expérience. Blesse-toi ou blesse-le — quoi qu'il arrive, tu n'y perdras rien, car, sur le plan matériel, tu n'es pas une fille, tu es un garçon.

Rosemary n'était pas entraînée à réfléchir longtemps — sinon aux innombrables vertus de sa mère. Savoir que le cordon ombilical venait enfin d'être coupé l'empêchait donc de dormir. Un vague espoir de petit jour traversait les portes-fenêtres. Elle se leva, sortit sur la terrasse, déjà chaude sous ses pieds nus. L'air était plein d'étranges petits bruits. Un oiseau claironnait avec obstination une victoire à contresens, dans les arbres qui entouraient les tennis. Quelqu'un faisait les cent pas derrière l'hôtel. On pouvait facilement suivre son parcours, car le bruit de ses pas n'était pas le même selon qu'il longeait le chemin de terre, l'allée de graviers, ou qu'il montait l'escalier en ciment. Arrivé là, il repartait en sens inverse. Au loin, sur le ciel d'encre, se profilait l'ombre de la colline où vivaient les Diver. Rosemary les imaginait en tête à tête. Elle croyait les entendre chanter, à mi-voix, une sorte d'ancienne ballade, qui devait venir de très loin, dans le temps comme dans l'espace, et qui s'élevait vers le ciel comme une fumée d'encens. Leurs enfants dormaient. Ils avaient refermé leur porte sur la nuit.

Elle revint dans sa chambre, passa rapidement une robe légère, chaussa ses espadrilles, ressortit par la porte-fenêtre, et s'engagea sous la véranda, qui longeait la façade de l'hôtel, jusqu'à la porte principale. Elle se mit à marcher plus vite, en constatant que d'autres chambres ouvraient sur cette véranda, et qu'on y dormait lourdement. Elle s'arrêta en apercevant quelqu'un assis sur l'escalier de pierres blanches. Elle reconnut Luis Campion, et comprit qu'il pleurait.

Il pleurait sans bruit, mais profondément avec de petits soubresauts, comme aurait pleuré une femme. Elle se souvint d'une scène qu'elle avait jouée, quelques mois plus tôt, s'approcha de lui et lui toucha l'épaule. Il poussa un petit soupir étouffé avant de la reconnaître.

— Que se passe-t-il ? demanda-t-elle.

Elle le regardait dans les yeux, avec attention, avec gentillesse, sans qu'il y ait chez elle l'ombre d'une curiosité malsaine.

— Est-ce que je peux vous aider ?

— Personne ne peut m'aider. Je le sais. Tout est de ma faute. Comme toujours.

— Vous ne voulez pas me dire ce qui se passe ?

Il hésita, la regarda, et décida d'y renoncer.

— Dans quelques années, vous saurez à quel point on peut souffrir quand on aime. Une souffrance à en mourir. Il vaut mieux être jeune, être insensible, ne pas aimer surtout. J'avais déjà souffert, mais jamais de cette façon-là, si inattendue, alors que tout allait si bien.

Dans cette aube sur le point de naître, son visage avait quelque chose d'affreux. Rosemary ne laissa rien paraître de la brusque aversion qui l'avait saisie. Son attitude resta la même. Aucun de ses muscles ne tressaillit. Mais Luis Campion la devina d'instinct, et parla brusquement d'autre chose.

— Abe North est quelque part dans l'hôtel.

— Abe North? Mais il loge chez les Diver.

— Il est levé depuis longtemps. Vous ne savez pas ce qui s'est passé?

Un volet s'ouvrit, au second étage, et une voix, à l'accent anglais très marqué, cria distinctement:

— Auriez-vous l'obligeance de vous taire, *if you please?*

Rosemary et Campion quittèrent l'escalier, tout honteux, et allèrent s'asseoir sur un banc, près du chemin qui conduisait à la plage.

— Sérieusement, vous ne savez pas ce qui s'est passé? Quelque chose d'incroyable, de tout à fait incroyable...

Il revenait à la vie, peu à peu, suspendu à cette révélation qu'il était sur le point de faire.

— Je n'ai jamais vu quelque chose d'aussi brutal. Les gens violents m'ont toujours fait peur. Tellement peur que je suis parfois malade pendant plusieurs jours.

Il la regarda d'un air triomphant, mais elle n'avait pas la moindre idée de ce qu'il allait dire.

— Écoutez...

Il se décida d'un coup, se pencha vers elle de tout son corps, et lui posa une main sur la jambe, pour bien montrer qu'il était sûr de lui, maintenant, que sa main ne s'égarait pas.

— Il va y avoir un duel.

— Qu... quoi?

— Un duel au... on ne sait pas encore à quoi.

— Qui va se battre?

— Attendez. Je vais commencer du début.

Il prit une longue inspiration, et dit, comme si elle avait commis une faute grave, dont il renonçait à lui tenir rigueur:

— C'est vrai que vous étiez dans l'autre voiture. D'une certaine façon, vous avez eu de la chance. Moi, j'ai perdu, en une seconde, deux années de ma vie. C'est arrivé si brutalement.

— Mais qu'est-il arrivé, à la fin?

— Je ne sais pas exactement d'où c'est venu. C'est elle qui a commencé à parler.

— Qui, elle?

— Violet McKisco.

Il baissa la voix brusquement, comme si quelqu'un s'était glissé derrière le banc.

— Surtout, ne parlez jamais des Diver. Il a proféré des menaces contre ceux qui oseraient parler des Diver.

— Qui a proféré des menaces?

— Tommy Barban. Surtout, je vous en supplie, ne dites à personne que je viens de prononcer leur nom. Aucun de nous d'ailleurs n'a compris quoi que ce soit à ce que racontait Violet. Il lui a coupé la parole si brutalement... Alors, son mari est intervenu, et tout à l'heure ils vont se battre. A cinq heures précises — c'est-à-dire dans une heure.

Il soupira brusquement, en repensant à ses propres chagrins.

— Je souhaiterais presque que ce soit moi. Je n'ai plus aucune raison de vivre, maintenant. Si j'étais tué, ce serait aussi bien.

Il s'interrompit, et se balança lentement d'arrière en avant.

Le volet s'ouvrit, pour la seconde fois, et la même voix à l'accent anglais cria:

— *Really*, vous allez vous taire, oui ou non?

A cet instant précis, Abe North, l'air passablement agité, sortit de l'hôtel. Il aperçut leurs deux ombres, qui se découpaient sur le ciel, presque blanc déjà au-dessus de la mer. Rosemary secoua la tête, pour lui faire signe de ne pas prononcer un mot, et ils gagnèrent un autre banc, plus près de la plage. Rosemary comprit très vite qu'Abe North avait un peu bu.

— Qu'est-ce que vous faites ici, *vous*? demanda-t-il.

— Je viens de me lever.

Elle se mit à rire, mais, se souvenant de la voix qui allait protester, elle s'arrêta d'elle-même.

— Énervée par le rossignol, insinua Abe North.

Il répéta:

— Oui, bien sûr, énervée par le rossignol. Ce monsieur, qui a l'habitude de papoter en tirant l'aiguille vous a sans doute mise au courant de ce qui se passait?

— Je sais ce que j'ai entendu de mes propres oreilles, répondit Luis Campion, avec dignité. Le reste je l'ignore.

Il se leva et s'éloigna très vite. Abe North prit sa place.

— Pourquoi êtes-vous si dur avec lui? demanda Rosemary.

— Dur? Moi? Il a passé la nuit à pleurer, en faisant les cent pas.

— Il est peut-être malheureux.

— Peut-être.

— Qu'est-ce que c'est, ce duel? Entre qui et qui? J'ai eu l'impression qu'il se passait de drôles de choses, dans cette voiture. Est-ce vrai qu'ils vont se battre?

— Ça paraît zin-zin, mais je crois que c'est vrai.

10

« Ça a commencé juste au moment où votre voiture a rejoint celle des Diver, qui était arrêtée au bord de la route (Abe North parlait d'une voix détachée, qui se perdait dans les profondeurs de la nuit). Violet

McKisco a voulu raconter à Mrs. Abrams quelque chose qu'elle avait découvert et qui concernait les Diver. Elle était entrée dans la maison, paraît-il, elle était montée au premier étage, et là, elle avait découvert quelque chose qui l'avait profondément choquée. Or, dès qu'il s'agit des Diver, Tommy est un vrai chien de garde. Je reconnais qu'elle est tout à fait fascinante, impressionnante même — mais c'est réciproque, et, pour leurs amis, c'est essentiel que les Diver forment un couple, qu'ils restent « Les Diver », même si certains d'entre eux ignorent à quel point ça peut être essentiel. Parfois, en les voyant, on pense à des personnages de ballet. On les trouve charmants, sans plus. On ne leur accorde pas plus d'attention qu'à des danseurs. Mais, quand on connaît toute l'histoire, ça va beaucoup plus loin. Quoi qu'il en soit, Tommy fait partie des quelques hommes que Dick tolère auprès de Nicole, et ils sont rares. Aussi, quand Mrs. McKisco s'est mise à raconter sa petite histoire, il a pris aussitôt leur défense.

— Mrs. McKisco, je vous prie de ne plus parler de Mrs. Diver.

— Ce n'est pas à vous que je parle, a-t-elle répondu.

— Je vous prie de les laisser tranquilles. Ça vaudra beaucoup mieux.

— Ils sont donc intouchables ?

— Laissez-les tranquilles et parlez d'autre chose.

Il était assis sur l'un des strapontins, à côté de Campion.

— De quel droit me donnez-vous des ordres ? a répliqué Violet.

Vous savez comment sont les choses, la nuit, en voiture. Il y en a qui parlent à mi-voix, d'autres qui n'écoutent pas, qui se tiennent à l'écart, qui s'ennuient, qui somnolent. Résultat : personne n'est capable de dire comment ça s'est passé exactement, mais la voiture s'est arrêtée, et Barban a crié d'une voix tranchante, une véritable voix d'officier de cavalerie, qui a fait sursauter tout le monde :

— Vous allez me faire le plaisir de descendre. On est à peine à un kilomètre de l'hôtel. Vous finirez la route à pied. Obéissez, sinon, moi, je vous fous dehors. *Je vous prie de la fermer et que votre femme la ferme aussi !*

— Vous êtes un grossier personnage, a répondu McKisco. Vous êtes plus fort que moi, et vous le savez, mais vous ne me faites pas peur. Si vous tenez absolument à vous battre en duel...

Il aurait mieux fait de se taire, car Tommy, qui est à moitié français, s'est penché et l'a giflé. Puis le chauffeur a redémarré. C'est à ce moment-là que vous les avez doublés. Les femmes ont commencé à faire un raffut incroyable. Les choses en étaient là quand ils sont arrivés à l'hôtel.

Tommy a téléphoné à quelqu'un, à Cannes, pour lui demander d'être son témoin. McKisco a déclaré qu'il refusait de choisir Campion pour témoin. Campion, de toute façon, n'en avait pas la moindre envie. Il m'a donc téléphoné pour me demander de venir le plus vite possible, mais sans prévenir personne, surtout. Violet McKisco s'est trouvée mal. Mrs. Abrams l'a emmenée dans sa chambre et lui a fait prendre un calmant. Elle s'est effondrée sur le lit et elle dort. Quand je suis arrivé, j'ai été voir Tommy. J'ai essayé de discuter avec lui, mais il s'entête. Sauf si McKisco lui fait des excuses. Et McKisco refuse obstinément. Voilà. »

Quand Abe North eut achevé son récit, Rosemary demanda doucement :

Les Diver savent-ils que c'est à cause d'eux ?

— Il faut absolument qu'ils l'ignorent, qu'on les

tienne en dehors de tout ça. Cet imbécile de Campion n'aurait jamais dû vous en parler, mais puisque c'est fait, maintenant... J'ai menacé le chauffeur d'aller chercher ma scie musicale, s'il racontait quoi que ce soit. Ce sont deux hommes qui se sont disputés, rien de plus. Ah! ce Barban... Il aurait bien besoin d'une vraie guerre.

— J'espère que les Diver n'en sauront rien.

Abe North regarda sa montre.

— Il faut que j'y retourne. Que j'aille voir McKisco. Voulez-vous venir avec moi? Il doit se sentir assez seul. Je parie qu'il n'a pas dormi.

Rosemary pensa aux terribles heures de veille que cet homme extrêmement nerveux, et bien mal entraîné, avait dû passer. Elle était partagée entre l'antipathie et la pitié. Elle finit pourtant par se décider, et, pleine d'une vivacité que lui donnait le petit jour, elle rejoignit Abe North dans l'escalier.

McKisco était assis sur son lit. Il tenait à la main une coupe de champagne, mais l'humeur belliqueuse engendrée par l'alcool semblait l'avoir abandonné. Il avait un air souffreteux, délavé et maussade. Il avait manifestement passé la nuit à écrire et à boire. Il tourna vers Abe North et Rosemary un regard hébété.

— C'est l'heure?

— Non, non. Encore une demi-heure.

La table était couverte de papiers, qu'il rassembla maladroitement. Ils formaient une longue lettre. L'écriture des dernières pages était devenue énorme et illisible. Il s'approcha de la lampe, qui pâlissait de plus en plus, griffonna son nom au bas de la dernière page, mit le tout dans une enveloppe, qu'il tendit à Abe North.

— Pour ma femme.

— Vous devriez vous plonger la figure dans l'eau froide, suggéra Abe. Vous vous sentiriez mieux.

— Vous croyez? demanda McKisco, pas très convaincu. Je préférerais me sentir un peu ivre.

— D'accord, mais vous êtes quand même dans un drôle d'état.

McKisco passa docilement dans la salle de bains.

— Je laisse tout dans un désordre épouvantable, dit-il, en élevant la voix. Je ne sais pas du tout comment Violet va pouvoir regagner l'Amérique. Je n'ai pas souscrit la moindre assurance-vie. Je n'ai jamais pensé à ce genre de choses.

— Ne dites pas n'importe quoi. Dans une heure, vous serez de nouveau dans cette chambre, en train de prendre votre petit déjeuner.

— Oui, oui, Bien sûr.

Il sortit de la salle de bains, les cheveux trempés, et regarda Rosemary comme s'il la voyait pour la première fois. Il eut soudain les larmes aux yeux.

— Je ne finirai jamais mon roman. C'est ça, le plus difficile à supporter. Je sais que vous ne m'aimez pas, mais personne n'y peut rien. Je suis d'abord un écrivain.

Il poussa un petit soupir navré, et secoua lentement la tête.

— J'ai commis beaucoup d'erreurs, dans ma vie — des erreurs de toutes sortes. Mais j'ai quand même compté parmi les gens en vue, et, d'une certaine façon...

Il laissa la phrase en suspens, et tira nerveusement sur sa cigarette éteinte.

— Je vous aime beaucoup, lui dit Rosemary. Mais je pense que ce duel est absurde.

— Je sais. J'aurais dû lui sauter dessus sans réfléchir. C'est trop tard. Je suis embarqué, maintenant. Embarqué dans quelque chose qui me dépasse. Je suis très violent de caractère, et...

Il regarda vivement Abe North, comme s'il s'attendait à être contredit. Puis, avec un petit rire désolé, il approcha de ses lèvres son vieux mégot éteint, et se mit à respirer plus vite.

— Le problème, c'est que le mot duel, c'est moi qui l'ai prononcé le premier. Si Violet avait accepté de se taire, j'aurais pu arranger les choses. Tenez... Même en ce moment, je pourrais parfaitement disparaître, ou m'asseoir et me mettre à rire de tout ça. Mais je crois que Violet n'aurait plus l'ombre d'un respect pour moi.

— Au contraire, dit Rosemary. Elle vous respecterait davantage.

— Vous ne connaissez pas Violet. Quand elle a l'avantage sur vous, elle est impitoyable. Nous sommes mariés depuis douze ans. Nous avions une petite fille de sept ans, qui est morte. Depuis, vous savez comment sont les choses. Chacun a pris ses libertés. Rien de sérieux, mais de petites libertés, chacun de son côté. Cette nuit, elle m'a traité de lâche.

Rosemary était tellement troublée qu'elle ne savait plus que répondre.

— Bon, dit Abe North, espérons qu'il y aura le moins de dégâts possible.

Il ouvrit un étui de cuir.

— Ce sont les pistolets de duel de Barban. Je vous les ai apportés, pour vous familiariser avec eux. Il les transporte toujours avec lui, dans sa valise.

Il prit l'une des armes, qui était très ancienne, et la soupesa. Rosemary poussa une petite exclamation effrayée. McKisco regarda les armes avec une angoisse évidente.

— Dites-moi, mais... mais c'est beaucoup plus dangereux que de se canarder tranquillement avec un .45.

— Ça, j'ignore, répondit Abe North, un peu cruellement. En principe, on vise plus facilement avec un canon allongé.

— A quelle distance?

— J'ai posé la question. Huit pas, s'il faut absolument qu'un des deux adversaires soit tué. Vingt pas, si c'est un simple mouvement de colère. Quarante, s'il s'agit de venger son honneur. Je me suis mis d'accord avec le témoin de Barban. Pour vous, ce sera quarante.

— Parfait.

— Je me souviens d'un superbe duel, dans l'un des romans de Pouchkine, continua Abe North. Les deux hommes sont debout au bord d'un précipice. Si l'un d'eux est touché, adieu... Impossible d'en réchapper.

Ce souvenir devait sembler plutôt confus à McKisco, et d'ordre académique, car il jeta vers Abe un regard effaré.

— Pardon?

— Vous n'avez pas envie d'aller faire un petit plongeon, pour vous rafraîchir?

— Non, non. Je serais incapable de nager.

Il soupira brusquement.

— Je suis complètement dépassé. Complètement perdu. Je ne comprends pas pourquoi je suis obligé de faire ça.

Il n'avait jamais rien connu de semblable. Il faisait partie de cette catégorie d'hommes à qui l'univers physique demeure étranger. Face à une action précise et concrète, il ne ressentait qu'une immense stupeur. Abe North le sentait faiblir, peu à peu.

— On ferait mieux d'y aller, dit-il.

— D'accord.

Il but une longue gorgée de cognac, fourra la fiasque dans sa poche, et demanda, avec une sorte de sauvagerie:

— Si je le tue, qu'est-ce qui se passe? On me met en prison?

— Je vous ferai franchir la frontière italienne.

McKisco regarda Rosemary, puis Abe North, et dit, comme en s'excusant :

— Avant d'y aller, j'ai quelque chose à vous dire — mais en tête à tête.

— J'espère que vous ne serez blessés ni l'un, ni l'autre, dit Rosemary. Tout ceci est vraiment absurde. Vous devriez tout faire pour en rester là.

11

Campion, très excité, l'attendait dans le hall désert.

— Je vous ai vue monter. Tout se passe bien, là-haut ? C'est pour quand, ce duel ?

— Je n'en sais rien.

Elle lui en voulait d'en parler comme d'un numéro de cirque, où McKisco jouerait le rôle du clown tragique.

— Vous venez avec moi ?

On avait l'impression qu'il avait déjà retenu ses places.

— J'ai loué la voiture de l'hôtel.

— Je n'ai pas l'intention d'y aller.

— Pourquoi pas ? Ça risque d'abréger ma vie de quelques années, je le sais. Mais je ne raterais ce spectacle pour rien au monde. On peut très bien regarder de loin.

— Allez-y avec Mr. Dumphry.

Campion en lâcha son monocle, qui n'avait plus de toison frisottée où se perdre — et se dressa de toute sa hauteur.

— De ma vie, je ne le reverrai.

— Désolée, mais je n'y vais pas. Ma mère m'en voudrait sûrement.

Elle regagna sa chambre. Mrs. Speers bougea dans son sommeil, et se réveilla.

— Où étais-tu ?

— Je ne pouvais pas dormir. Mais ne t'inquiète pas, maman. Rendors-toi.

— Viens dans ma chambre.

Rosemary l'entendit s'asseoir dans son lit. Elle entra donc dans sa chambre, et lui raconta ce qui se passait.

— Pourquoi ne pas y aller ? demanda Mrs. Speers. Tiens-toi simplement à l'écart. Et tu peux très bien être utile, qui sait ?

Rosemary refusait d'être spectatrice. C'est un rôle qu'elle n'aimait pas. Mais, dans la demi-inconscience où la retenait le sommeil, Mrs. Speers se souvenait de certains appels, qu'elle avait entendus la nuit, lorsqu'elle était femme de médecin — appels désespérés, appels de mort.

— Je serais si contente, si tu pouvais faire les choses sans moi. Si tu pouvais aller et venir à ta guise. Ce qu'on t'a demandé, pour les films publicitaires de Rainy, était beaucoup plus difficile.

Rosemary continuait à ne pas comprendre pourquoi il fallait qu'elle y aille, mais elle se laissa convaincre par cette voix si nette, si précise, qui, un jour, lorsqu'elle avait douze ans, l'avait encouragée à franchir l'entrée des artistes du théâtre de l'Odéon, à Paris, et qui était encore là, à l'attendre, quand elle en était ressortie.

En apercevant, du haut de l'escalier, Abe North et McKisco qui partaient en voiture, elle pensa que c'était trop tard, qu'elle évitait ainsi d'assister au spectacle, mais tout de suite après elle vit la voiture de l'hôtel tourner le coin du bâtiment. Luis Campion poussa un cri de joie et la fit monter près de lui.

— Je m'étais caché là. Sinon, ils nous auraient interdit d'y aller. J'ai mon appareil photo, vous savez !

Elle se mit à rire. Que faire d'autre ? Il était

tellement affreux qu'il finissait par ne plus l'être, par devenir simplement inhumain.

— Je me demande pourquoi Mrs. McKisco n'aime pas les Diver, dit-elle. Ils ont pourtant été très aimables avec elle.

— Ça n'a rien à voir. C'est quelque chose qu'elle a découvert. Barban nous a empêchés de savoir quoi, au juste.

— C'est pour ça que vous êtes si triste?

— Oh! non...

Sa voix changea.

— C'est pour quelque chose de très différent, qui s'est passé quand nous sommes rentrés à l'hôtel. Mais ça m'est complètement égal, maintenant. Je m'en lave complètement les mains.

Ils suivaient la première voiture, qui roulait vers l'est en longeant la côte. Ils traversèrent Juan-les-Pins, où se dressait la charpente du futur casino. Il était un peu plus de quatre heures, et, sous un ciel ni gris ni bleu, les premières barques de pêcheurs s'enfonçaient en grinçant dans une mer glauque. Ils quittèrent bientôt la grand-route, pour gagner l'intérieur des terres.

— Le terrain de golf! cria Campion. Ça va sûrement se passer là.

Il ne se trompait pas. La voiture d'Abe North s'arrêta à quelque distance. De grands coups de crayon rouges et jaunes zébraient le ciel, annonçant une journée suffocante. Campion fit garer la voiture de l'hôtel derrière un petit bois de pins. Puis, avec Rosemary, en restant à l'abri des arbres, ils contournèrent le green, au gazon légèrement déteint, où Abe North et McKisco faisaient les cent pas en silence. De temps en temps, ce dernier relevait la tête, comme un lapin qui flaire le vent. Ils aperçurent bientôt quelques silhouettes près d'une colline éloignée. Ils reconnurent Barban, accompagné de son témoin français, qui portait sous le bras l'étui de cuir des pistolets.

McKisco, très impressionné, se cacha derrière Abe North pour avaler une large gorgée de cognac. Puis il partit droit devant lui, en se raclant la gorge, et il aurait rejoint son adversaire si Abe North ne l'avait pas forcé à s'arrêter, avant de continuer seul, pour s'entretenir avec le Français. A l'horizon, le soleil se levait.

Campion s'accrocha brusquement au bras de Rosemary. Il n'avait plus de voix.

— C'est trop! gémit-il. C'est trop pour moi! Ça va m'abréger la vie de...

— Eh bien, allez-vous-en! répondit brutalement Rosemary.

Elle adressait mentalement au Français une prière fervente.

Les adversaires étaient maintenant face à face. Barban avait retroussé les manches de sa chemise. Ses yeux brillaient fiévreusement dans le soleil, mais il paraissait très calme, et frottait la paume de sa main contre son pantalon. McKisco, devenu soudain téméraire grâce au cognac, sifflotait en pointant les lèvres et tournait son long nez, à droite et à gauche, d'un air insouciant. Abe North s'approcha de lui, un mouchoir à la main. Le Français regardait dans la direction opposée. Rosemary était oppressée. Elle se sentait pleine d'une horrible pitié, serrait les mâchoires et haïssait Barban.

— Un... deux... trois, compta Abe North, d'une voix un peu forcée.

Ils tirèrent tous les deux en même temps. McKisco chancela, mais se redressa aussitôt. Aucun des deux n'avait été touché.

— Ça suffit comme ça! cria Abe North.

Les adversaires s'étaient rapprochés. Tout le monde interrogeait Barban du regard.

— Je ne m'estime pas satisfait.

— Comment ça? cria Abe North, impatienté. Vous êtes satisfait. Vous ne voulez pas l'admettre mais vous êtes pleinement satisfait.

— Votre client refuse une seconde balle?

— Il la refuse. Et comment! C'est vous qui avez tout décidé, Tommy. Mon client s'est plié à tout.

Tommy eut un petit rire méprisant.

— Cette distance était grotesque. Les comédies grotesques, ça n'a rien à voir avec moi. Votre client devrait savoir qu'on n'est pas en Amérique, ici.

— Inutile de vous en prendre à l'Amérique, déclara Abe North, durement.

Puis, sur un ton plus conciliant:

— Sérieusement, Tommy, vous avez poussé les choses assez loin.

Ils parlementèrent nerveusement pendant un moment, puis Barban hocha la tête, et s'inclina sèchement devant son adversaire.

— Comment ça? demanda le médecin français. Ils ne se serrent pas la main?

— Ils se connaissent déjà, répondit Abe.

Il se tourna vers McKisco.

— On s'en va.

Au moment où ils allaient repartir, McKisco brandit son arme, dans un geste de jubilation.

— Une seconde! dit Abe North. Tommy veut qu'on lui rende son pistolet. Il risque d'en avoir encore besoin.

McKisco le lui tendit.

— Qu'il aille au diable! cria-t-il, d'une voix vibrante. Dites-lui de ma part qu'il aille...

— Faut-il lui dire, de votre part, que vous acceptez une seconde balle?

— Et voilà! Je l'ai fait! reprit McKisco, pendant qu'ils s'éloignaient. Je l'ai même fait assez bien, non? Je n'étais pas du tout vert de peur.

— Vous étiez passablement soûl.

— Non. Je n'étais pas soûl.

— Bon, d'accord. Vous n'étiez pas soûl.

— Ça change quoi, d'ailleurs, que je sois soûl ou non ?

Au fur et à mesure qu'il reprenait confiance en lui, il regardait Abe North avec hostilité.

— Ça change quoi ? répéta-t-il.

— Si vous l'ignorez, à quoi bon discuter ?

— Pendant la guerre, tout le monde était soûl, du matin au soir. Vous ne savez pas ça ?

— C'est bien. Laissez tomber.

Mais l'histoire n'était pas tout à fait terminée. Ils entendirent un bruit de pas précipités dans la bruyère, et le médecin français se trouva à leur hauteur.

— Pardon, messieurs, dit-il, tout essoufflé. Voulez-vous me régler mes honoraires ? Naturellement, c'est pour soins médicaux seulement. M. Barban n'a qu'un billet de mille et l'autre a laissé son portemonnaie chez lui.

— C'est typiquement français d'oublier ce genre de choses, dit Abe. Combien ?

— C'est moi qui paie, dit McKisco.

— Non, non, c'est moi. Nous avons tous couru les mêmes dangers.

Abe North paya donc le médecin, tandis que McKisco se penchait brusquement au-dessus d'un buisson pour vomir. Nettement plus pâle qu'à son arrivée, il prit appui contre l'épaule d'Abe North, et ils regagnèrent leur voiture, dans le matin devenu rose.

Allongé de tout son long derrière un fourré, Campion respirait avec peine. C'était lui, manifestement, la seule victime de ce duel. Rosemary fut soudain traversée d'un grand rire hystérique, et elle le frappa doucement avec son espadrille. Elle continua ainsi, avec obstination, jusqu'à ce qu'il se lève — et plus rien ne comptait pour elle désormais, sinon la certitude que, dans quelques heures, elle allait retrouver sur la plage l'être qu'elle continuait d'appeler en pensée : « les Diver ».

12

Ils étaient chez Voisin. Ils attendaient Nicole. Ils étaient six : Rosemary, les North, Dick, et deux jeunes musiciens français. Ils observaient attentivement tous les clients du restaurant, pour savoir s'ils étaient *relax*. Dick prétendait, en effet, qu'il n'existait, en dehors de lui, aucun Américain *relax*. Ils voulaient lui prouver le contraire. Mais les choses se présentaient assez mal pour eux. Depuis dix minutes, personne n'était entré dans le restaurant sans se tripoter la figure.

— Quelle erreur de ne plus cirer le bout de ses moustaches, dit Abe North. Quoi qu'il en soit, Dick n'est pas le seul Américain *relax*...

— Oh ! que si !

— ...mais il est peut-être le seul Américain qui soit *relax* avant d'avoir bu.

Un Américain venait d'entrer, accompagné de deux femmes. Ils le virent se précipiter vers une table et papillonner tout autour avec désinvolture. Il s'aperçut soudain qu'on l'observait : comme si un ressort s'était déclenché, sa main bondit vers sa cravate, pour en rectifier un pli imaginaire. Dans un autre groupe, qui attendait qu'on lui trouve une table, l'un des hommes tapotait constamment sa joue parfaitement rasée, tandis que son compagnon, d'un mouvement convulsif, levait et abaissait un vieux cigare éteint. Ceux qui portaient des lunettes ou une petite barbiche avaient beaucoup de chance. Les autres, qui n'avaient rien à triturer, caressaient leur bouche entrouverte, ou se laissaient aller, en désespoir de cause, jusqu'à se malaxer le lobe d'une oreille.

Un général très connu entra à son tour. Tablant sur la première année d'entraînement que cet homme avait supportée à West Point — aucun cadet n'a le droit de démissionner, cette année-là, et elle laisse à chacun une marque indélébile —, Abe North engagea avec Dick un pari de cinq dollars.

Le général attendait qu'on lui apporte une chaise. Il avait un maintien parfaitement naturel, les bras le long du corps. A un moment, ils le virent plier les coudes en arrière, comme quelqu'un qui prend son élan pour sauter, et Dick, persuadé qu'il avait perdu le contrôle de lui-même, poussa un petit « Ah! » de triomphe, mais le général retrouva très vite son maintien naturel, et les autres recommencèrent à respirer. Le supplice, de toute façon, touchait à sa fin : un garçon apportait la chaise attendue.

Pris alors d'une frénétique impulsion, l'illustre guerrier envoya sa main vers le ciel, à la vitesse d'un boulet de canon, pour aller se gratter les cheveux, qu'il avait d'un gris admirable.

— Je suis vraiment le seul et l'unique, soupira Dick avec fatuité.

Rosemary en était tout à fait convaincue. Et Dick, devinant qu'il n'aurait jamais de meilleur public, avait fait de leur petit groupe un si éblouissant ensemble qu'elle n'éprouvait qu'impatience et mépris pour quiconque n'était pas assis à leur table. Ils étaient à Paris depuis deux jours, mais c'était comme s'ils se retrouvaient sous les parasols de leur plage. Si Rosemary, qui n'avait pas encore eu droit aux soirées hyper-sophistiquées d'Hollywood, semblait impressionnée par le cadre qui l'entourait (ce qui s'était produit la veille, au bal du Corps des Gardes), Dick réduisait aussitôt ce cadre à des dimensions plus humaines, en disant bonsoir à quelques personnes, mais en très petit nombre, comme triées sur le volet (les Diver avaient l'air de connaître un monde fou, mais dès qu'ils saluaient quelqu'un c'était des : « Ça alors ! mais où diable étiez-vous donc *cachés ?* », comme si ce quelqu'un ne les avait pas vus depuis des siècles, et n'en revenait pas de les rencontrer). Puis il recréait instantanément l'unité de leur petit groupe en éliminant ces intrus, aimablement mais définitivement, par un ironique et ultime *coup de grâce*. Rosemary avait ainsi le sentiment d'avoir connu ces gens-là elle-même, dans un passé plutôt sinistre, et de les sacrifier de son plein gré, de s'en délivrer, de les rejeter.

Leur petit groupe était parfois plus américain que nature. A d'autres moments, il l'était à peine. Dick avait le don de faire retrouver à chacun sa vérité profonde, de dégager ce qui restait enfoui, depuis de nombreuses années, sous l'amas des compromissions.

La pénombre du restaurant, lourde de fumée et de l'odeur âpre des viandes saignantes, s'illumina soudain du tailleur bleu vif de Nicole, qui semblait apporter avec elle une bouffée de l'air du dehors. Elle lut dans leurs yeux qu'ils la trouvaient belle, fut contente qu'ils le lui disent, et les remercia d'un sourire éclatant. Ils se montrèrent tous très courtois, pendant un moment, très gentils, très aimables, très tout ce qu'on voudra. Ils s'en lassèrent vite, redevinrent drôles et féroces, et se mirent à échafauder toutes sortes de projets. Ils riaient de tout et de rien, de choses qu'ils oubliaient aussi vite. Oui, ils rirent vraiment beaucoup, et les hommes, à eux quatre, vidèrent trois bouteilles de vin. Quant aux trois femmes, elles illustraient parfaitement le prodigieux brassage de la société américaine. L'un des grands-pères de Nicole était un capitaliste américain *self-made man*, l'autre appartenait à la famille comtale de Lippe Weissenfeld. Mary North était fille d'un marchand de papier peint, qui descendait lui-même du Président Tyler. Rosemary était un produit moyen de la classe moyenne, propulsée par sa mère vers les hauteurs inexplorées d'Hollywood. Elles avaient pourtant quelque chose en commun, qui les différenciait de la plupart des femmes américaines : elles étaient heureuses de vivre dans un monde d'hommes. C'est à travers les hommes qu'elles préservaient leur personnalité, et non en s'opposant à eux. Parfaite épouse ou courtisane de haut vol, elles auraient pu, toutes les trois, devenir l'une ou l'autre, sans que le hasard des naissances ait un rôle à jouer : il suffisait qu'elles trouvent, ou qu'elles ne trouvent pas, un homme fait pour elles.

Rosemary estima donc ce déjeuner très réussi, d'autant plus réussi qu'ils n'étaient que sept à table — chiffre maximum pour être bien ensemble. Peut-être, aussi, sa brusque irruption dans leur univers avait-elle joué comme un catalyseur, effaçant les dernières réticences qu'ils pouvaient avoir conservées les uns envers les autres. Le déjeuner fini, un garçon lui fit traverser d'obscures arrière-salles, communes à tous les restaurants parisiens, et, à la lueur d'une vieille ampoule orangée, elle composa un numéro de téléphone, pour appeler la *Franco-American Films*. Oui, bien sûr, ils possédaient une copie de *Daddy's girl*. Non, elle n'était pas disponible pour le moment mais d'ici une semaine on pourrait en faire une projection, au 341, rue des Saints-Anges. Oui, oui, en demandant Mr. Crowder.

La cabine téléphonique était juste à côté du vestiaire, et, au moment où elle raccrochait, elle perçut

distinctement deux voix, qui murmuraient à quelques mètres d'elle, derrière une rangée de manteaux.

— Tu m'aimes vraiment?

— Oh!... à *quel* point!

C'était Nicole — Rosemary n'osait plus sortir de la
cabine. Elle reconnut alors la voix de Dick :

— J'ai terriblement envie de toi. Rentrons tout de
suite à l'hôtel.

Nicole eut un petit soupir haletant. Pendant un
moment, Rosemary ne comprit plus les mots qu'ils
prononçaient, mais le ton suffisait. Elle sentait vi-
brer jusqu'au fond d'elle-même l'immense et secrète
complicité qu'il traduisait.

— J'ai envie de toi.

— Je serai rentrée à quatre heures.

Rosemary attendit que les voix s'éloignent. Elle
était immobile, le souffle coupé. Elle n'éprouva
d'abord qu'une immense stupeur : d'après le
comportement qu'ils avaient eu l'un envers l'autre
jusqu'ici, elle les avait considérés comme des êtres
sans désir — indifférents, en quelque sorte. Puis elle
se sentit submergée par une immense vague d'émotion, quelque chose d'inconnu, qui venait de très loin
en elle. Etait-elle attirée, rebutée? Elle n'en savait
rien. Elle savait seulement qu'elle était chavirée. En
regagnant la salle du restaurant, elle se sentait
étrangement seule, mais c'était bouleversant de re-
penser à cette scène, et sa mémoire lui répétait sans
fin le murmure ébloui et reconnaissant de Nicole :
« Oh! à *quel* point! » La nature exacte de l'élan
qu'elle venait de surprendre lui était encore étrangère. Aussi éloignée qu'elle en soit pourtant, tout,
dans son corps, lui affirmait que c'était bien. En
tournant certaines scènes d'amour, dans les films,
elle avait éprouvé une étrange aversion, mais là,
non. C'était quelque chose d'autre.

Quelque chose qu'elle ignorait encore, mais qui la

concernait déjà. Qu'elle partageait malgré elle. Et, pendant qu'elles faisaient des courses, elle était beaucoup plus émue par ce rendez-vous que Nicole elle-même. Elle la regardait d'un autre œil maintenant, essayant de dresser l'inventaire de ses charmes. C'était certainement la femme la plus attirante que Rosemary ait jamais rencontrée — avec sa cruauté, ses dévouements, ses fidélités, et cet élément insaisissable que Rosemary, réagissant soudain avec l'esprit « classe moyenne » de sa mère, associait à son attitude vis-à-vis de l'argent. Rosemary dépensait l'argent qu'elle avait gagné elle-même. Si elle voyageait en Europe, c'était essentiellement parce qu'un certain matin de janvier elle avait plongé six fois de suite dans une piscine, et que sa température, qui était déjà de 38 au début du tournage, avait grimpé jusqu'à 40 au moment où sa mère était intervenue.

Conseillée par Nicole, Rosemary s'offrit donc, avec son argent, deux robes, deux chapeaux et quatre paires de chaussures. Nicole, de son côté, avait toute une liste d'achats à faire, une liste de deux pages. S'y ajoutait tout ce qu'elle découvrait dans les vitrines et qui la séduisait. Ce dont elle n'avait pas besoin pour elle-même, elle l'offrirait à ses amis. Elle acheta donc des perles de couleur, des matelas de plage pliants, des fleurs artificielles, du miel, un lit pour la chambre d'ami, des sacs, des écharpes, des perruches, des meubles de poupée, et tout un coupon d'un tissu nouveau, qui avait des tons de crevette. Elle acheta douze maillots de bain, un crocodile gonflable, un jeu d'échecs de voyage, ivoire et or, d'immenses mouchoirs de batiste pour Abe North, et, chez Hermès, deux vestes en daim, l'une bleu martin-pêcheur, l'autre pain brûlé. Elle n'agissait pas du tout, en faisant ces achats, comme une hétaïre d'envergure, qui s'offre des bijoux et des dessous affriolants, parce qu'ils font partie de ses armes professionnelles, et qu'elle y trouve son assurance et sa sécurité. Sa position était entièrement différente. Nicole était le point d'aboutissement de beaucoup de candeur et d'infiniment de travail. C'était pour elle, et elle seule, que les trains quittaient la gare de Chicago, parcouraient en sifflant le ventre rebondi du continent et gagnaient la Californie ; pour elle que chauffaient les fabriques de chewing-gum, et que les courroies de transmission faisaient tourner, d'un arbre à l'autre, les chaînes de montage ; que des préparateurs soigneux mélangeaient, dans des cuves, des poudres dentifrices, ou dosaient de savants gargarismes au fond de récipients en cuivre ; que des jeunes filles se hâtaient de cueillir des tomates au mois d'août et de les mettre en boîtes, ou s'échinaient dans les Monoprix, pendant les fêtes de Noël ; que des Indiens métis transpiraient, au Brésil, dans les plantations de café, et que les idéalistes perdaient peu à peu tous leurs droits sur les brevets d'invention des tracteurs. Tels étaient, parmi beaucoup d'autres, ceux qui travaillaient pour Nicole, et pour elle seule. Et, tout en progressant, dans un tonnerre de grondements et de trépidations, l'ensemble du système donnait une sorte d'éclat fiévreux à cette façon qu'elle avait de tout acheter en grande quantité, comme une grossiste — l'éclat même que prend le visage empourpré d'un pompier, qui refuse de quitter son poste, face au déferlement d'un incendie. Elle était le symbole de quelques principes très simples, et portait en elle-même sa propre condamnation, mais l'illustration qu'elle en donnait était si parfaite que sa façon d'agir en prenait de la grâce, et Rosemary était presque tentée de l'imiter.

Quatre heures, bientôt. Nicole s'attardait dans une boutique, une perruche sur l'épaule, et, contrairement à ses habitudes, elle se mit brusquement à parler.

— Au fond, que serait-il arrivé, si vous n'aviez pas plongé, ce jour-là, dans cette piscine ? C'est le genre de questions que je me pose, parfois. Juste avant la guerre, nous habitions Berlin. J'avais douze ans. Ma mère devait mourir un peu plus tard. Ma sœur était invitée à un bal à la Cour. Trois princes du sang étaient déjà inscrits sur son carnet de bal. On avait fait intervenir un chambellan, je crois, enfin bref... Une demi-heure avant de partir, elle a été prise d'un violent mal de tête et d'une forte fièvre. Le docteur a diagnostiqué une appendicite. Il a dit qu'il fallait l'opérer d'urgence. Mais ça contrariait tous les plans de ma mère. Baby, ma sœur, est allée au bal. Elle a dansé jusqu'à deux heures du matin, une poche de glace sous sa robe longue. On l'a opérée à sept heures le lendemain.

Il fallait donc être intransigeant envers soi-même. Tous les gens bien étaient intransigeants. Mais il était quatre heures, et Rosemary pensait à Dick, qui était à l'hôtel, à attendre Nicole. Comment osait-elle s'attarder ainsi ? Ne savait-elle pas qu'il fallait qu'elle y aille ? « Pourquoi n'y va-t-elle pas ? se disait Rosemary. Pourquoi n'y va-t-elle pas, à la fin ? » Et soudain : « Si vous n'avez pas envie d'y aller, j'y vais à votre place. » Nicole venait d'entrer dans une autre boutique. Elle acheta des corsages, un pour chacune d'elles, et un pour Mary North. C'est à ce moment-là seulement qu'elle parut se souvenir de son rendez-vous. Brusquement refermée sur elle-même, elle fit signe à un taxi.

— Au revoir, dit-elle. On s'est bien amusées, non ?

— Très, très bien.

C'était beaucoup plus difficile à supporter qu'elle ne l'avait cru, et tout en elle se révoltait pendant que le taxi emportait Nicole.

13

Dick tourna le coin du boyau transversal, et s'engagea dans la tranchée, en marchant sur le caillebotis. Il s'approcha d'un périscope, le fit fonctionner un moment, puis escalada le talus et risqua un coup d'œil par-dessus le parapet. Le ciel était blafard. Il apercevait Beaumont-Hamel en face de lui. A sa gauche, la hauteur sanglante de Thiepval. Il avait sorti ses jumelles. La tristesse lui serrait le cœur.

Il suivit, de nouveau, la tranchée, et retrouva les autres, qui l'attendaient à l'angle du boyau suivant. Il était bouleversé. Il aurait voulu leur faire partager cette émotion, leur faire comprendre ce qui s'était passé ici. Il n'avait pourtant participé à aucun combat, alors qu'Abe North, lui, s'était battu.

— Le terrain coûtait vingt morts l'hectare, cet été-là, dit-il à Rosemary.

Elle regardait les champs avec docilité, l'herbe d'un vert morne, les arbres rabougris, qui ne repoussaient que depuis six ans. Si Dick lui avait dit qu'ils risquaient d'être bombardés cet après-midi-là, elle l'aurait cru. Elle l'aimait à tel point, maintenant, qu'elle commençait à en souffrir, à se sentir désespérée. Elle ne savait plus que faire. Elle aurait voulu que sa mère soit là, qu'elles en parlent ensemble.

— Beaucoup de gens sont morts depuis, dit Abe North, qui cherchait à le consoler. Et nous serons tous morts bientôt.

Rosemary, les nerfs tendus, attendait que Dick poursuive.

— Vous voyez la rivière, là-bas ? On l'atteindrait en deux minutes. Il a fallu un mois aux Anglais pour l'atteindre. Tout un Empire, qui progressait très lentement. Les premiers rangs étaient fauchés. Les suivants prenaient aussitôt la relève. Face à un autre

Empire, qui reculait tout aussi lentement, quelques centimètres par jour, qui abandonnait ses morts, comme un million de petits tapis pleins de sang. Personne en Europe, aujourd'hui, ne serait capable de le refaire.

— Comment ça ? dit Abe North. On vient à peine d'arrêter les combats en Turquie. Et au Maroc...

— C'est différent. Ce qui s'est passé ici, sur le front occidental, personne n'est capable de le refaire. Pas avant très, très longtemps. Les jeunes gens s'imaginent qu'ils pourraient le refaire. Ils se trompent. Ils pourraient peut-être refaire la bataille de la Marne. Mais, pour faire ce qui s'est passé ici, il fallait une foi aveugle, des années d'abondance derrière soi, des certitudes sans mesure, et, entre toutes les classes sociales, un parfait équilibre de relations. Les Russes et les Italiens ne se sont pas très bien battus, sur ce front. Pour bien se battre, il fallait tout un matériel d'émotions et de force d'âme, hérité de temps si anciens qu'on en a perdu jusqu'au souvenir. Tout un matériel de veillées de Noël, de cartes postales représentant le Prince héritier et sa fiancée, de petits cafés à Valence, de tonnelles à *Unter den Linden*, où l'on boit de la bière, de mariages à la Mairie, d'arrivées du derby d'Epsom, et de beaux favoris touffus sur les joues de votre grand-père.

— C'est le général Grant qui a inventé ce genre de bataille, à Petersburg, en 1865.

— Absolument pas. Le général Grant a inventé la boucherie en gros. La bataille dont je vous parle a été inventée par Lewis Carroll, par Jules Verne, par l'auteur de *Ondine*, par les curés de campagne qui jouent aux boules, les marraines de guerre de Marseille, les jeunes filles séduites dans les chemins creux du Wurtemberg ou de la Westphalie. En un mot, ça a été une bataille d'amour. Tout un siècle d'amour de la classe moyenne a été sacrifié ici. Ça a été la dernière bataille d'amour.

— Vous voulez absolument dédier cette bataille à D.H. Lawrence, dit Abe North, ironiquement.

Mais la tristesse de Dick était profonde.

— Tout un monde qui est le mien, reprit-il, un monde d'amour, de beauté, de sécurité, s'est sacrifié lui-même ici, dans un ouragan de folie amoureuse. Oui ou non, Rosemary?

— Je ne sais rien, répondit-elle, le visage grave. C'est vous qui savez tout.

Ils étaient un peu en arrière des autres. Brusquement une grêle de cailloux et de mottes de terre s'abattit sur eux, et Abe North cria, du boyau suivant:

— Je suis de nouveau possédé par l'esprit de la guerre. Je me sens poussé par un siècle d'amour en Ohio. J'ai décidé de bombarder cette tranchée.

Il pointa la tête au-dessus du talus.

— Vous êtes morts. Vous ne connaissez pas les règles du jeu? C'est une grenade que je viens de lancer.

Rosemary se mit à rire, et Dick ramassa une pleine poignée de graviers, en guise de représailles, mais il la laissa retomber.

— Pardonnez-moi, dit-il. Je ne peux pas plaisanter avec ça. Minuit a sonné depuis longtemps, je sais, le carrosse est redevenu citrouille, mais je suis un romantique incurable, et j'ai beau faire, je n'y peux rien.

— Moi aussi, je suis romantique.

Ils sortirent de la tranchée si propre, si parfaitement remise en état, et se retrouvèrent devant le mémorial des Terre-Neuvas. Rosemary lut l'inscription et se mit soudain à pleurer. Elle était comme la plupart des femmes. Elle aimait qu'on lui explique ce qu'il fallait qu'elle ressente, qu'on l'aide à séparer le ridicule du déchirant, et elle aimait que ce soit Dick qui le sépare pour elle. Mais elle souhaitait par-dessus tout qu'il sache à quel point elle l'aimait, maintenant que cette évidence avait tout bouleversé en elle, et qu'elle croyait vivre un cauchemar en traversant ce champ de bataille.

Ils regagnèrent leur voiture et reprirent la route d'Amiens. Une petite pluie chaude s'était mise à tomber, sur les arbres encore rabougris, sur les champs nus, sur les broussailles. Ils passèrent le long d'une sorte de bûcher funéraire, composé de ferrailles rouillées — éclats d'obus, bombes, grenades — et de matériel abandonné — casques, baïonnettes, fusils, jambières et baudriers, dont le cuir pourrissait, entassés là depuis six ans. Soudain, à un tournant de la route, ils découvrirent le moutonnement blanc d'un immense océan de tombes. Dick demanda au chauffeur d'arrêter.

— Notre jeune fille, regardez! Elle tient toujours sa couronne de perles.

Ils le virent descendre de voiture, s'approcher d'une jeune fille, qui semblait perdue, appuyée contre la barrière, une couronne mortuaire à la main. Un taxi l'attendait. Elle avait des cheveux très roux. Ils l'avaient rencontrée dans le train, le matin même. Elle arrivait de Knoxville, dans le Tennessee, pour déposer cette couronne sur la tombe de son frère. Elle pleurait de dépit.

— Le *War Department* s'est trompé de numéro. La tombe qu'on m'a indiquée porte un autre nom. Ça fait deux heures que je cherche, et comment voulez-vous, avec toutes ces tombes?

— Si j'étais vous, je déposerais ma couronne au hasard sans regarder le nom.

— Vous croyez?

— Votre frère vous donnerait sûrement le même conseil.

La nuit commençait à tomber. La pluie s'était faite plus insistante. Elle franchit la barrière, abandonna sa couronne de perles sur la première tombe. Dick lui proposa de renvoyer son taxi et de rentrer avec eux à Amiens. Elle accepta.

Rosemary se mit à pleurer de nouveau, en apprenant cette mésaventure. C'était une journée bien pluvieuse, à tout prendre, mais elle avait le sentiment d'avoir découvert quelque chose, sans savoir quoi exactement. Plus tard, lorsqu'elle repensa à cet après-midi, elle n'y vit plus que des heures heureuses — un de ces instants suspendus, où rien ne se passe, qu'on considère sur le moment comme un simple chaînon entre un bonheur passé et un bonheur futur, mais qui s'avère, avec le temps, avoir été le bonheur même.

Amiens était mauve et pleine d'échos. Elle ne s'était pas encore consolée de la guerre. Certaines gares sont ainsi : la gare du Nord à Paris, Waterloo Station à Londres. Les villes de ce genre sont très déprimantes, dans la journée, avec leurs trolleys, vieux de vingt ans, brimbalant sur la place de la cathédrale, si grise avec ses pavés gris, et l'atmosphère qu'on y respire a l'odeur des temps d'autrefois, une atmosphère fanée, comme celle des anciennes photographies. Mais, lorsque la nuit vient, tout ce qui fait le charme de la vie française remonte à la surface : les petites femmes rigolotes, les hommes qui discutent dans les cafés, avec des centaines de « Voilà! », et les couples, joue contre joue, qui dérivent sans fin vers un ailleurs de nulle part, où le plaisir ne coûte rien. Ils s'installèrent, pour attendre leur train, sous une arcade si haute que la musique, la fumée et le bruit des conversations pouvaient s'y épanouir à l'aise. L'orchestre se mit en frais pour eux, et leur offrit : *Yes, we have no bananas.* Le chef avait l'air si content de lui qu'ils se crurent obligés d'applaudir. La jeune fille du Tennessee avait oublié ses chagrins. Elle s'amusait beaucoup.

Elle avait esquissé un flirt avec Abe North et Dick, à grand renfort de roulements d'yeux et de déhanchements exotiques. Ils se moquaient gentiment d'elle.

Laissant enfin la poussière impalpable des Wurtembourgeois, des gardes prussiens, des chasseurs alpins, des filateurs de Manchester et des anciens élèves d'Eton se dissoudre interminablement sous la pluie chaude, ils prirent le train pour Paris. Ils mangèrent des sandwichs à la mortadelle, et au fromage de Bel Paese, qu'on leur avait préparés au buffet de la gare, et burent du beaujolais. Nicole était repliée sur elle-même. Elle se mordillait sans fin la lèvre, et lisait le guide des champs de bataille que Dick avait acheté. Il avait longuement étudié le problème avant de faire le voyage, l'avait décanté et schématisé, jusqu'à lui donner l'apparence d'un événement qu'il aurait orchestré lui-même.

14

Ils avaient décidé d'aller voir les illuminations du salon des Arts Décoratifs, mais, en arrivant à Paris, Nicole déclara qu'elle était trop lasse. Ils la reconduisirent à l'hôtel du Roi George. En la voyant disparaître, à travers les portes vitrées où s'entrecroisaient les lumières du hall, Rosemary eut l'impression de respirer plus librement. Nicole représentait une vraie force — moins facilement prévisible, moins bénéfique que celle de sa mère, mais une force impressionnante. D'une certaine façon, Rosemary en avait un peu peur.

A onze heures du soir, elle se retrouva, avec Dick et les North, dans une péniche transformée en bar, qui venait d'ouvrir sur la Seine. Les réverbères des ponts

se réfléchissaient dans le fleuve, qui berçait paresseusement de petites lunes blafardes. Lorsqu'elle
habitait Paris avec sa mère, quelques années plus
tôt, il leur arrivait, certains dimanches, d'aller jusqu'à Suresnes, en bateau à vapeur, et de bâtir sans
fin des projets d'avenir. Elles n'avaient pas beaucoup d'argent, mais Mrs. Speers trouvait sa fille
tellement belle, et avait su lui inspirer une telle
ambition, qu'elle était prête à parier le peu qu'elle
possédait sur des « avantages » si prometteurs. Il
était entendu qu'en retour Rosemary rembourserait
sa mère, dès qu'elle serait lancée.

Depuis qu'ils étaient à Paris, Abe North semblait
se couvrir peu à peu d'une sorte d'écorce, couleur
lie-de-vin, assez inquiétante. Sous l'effet du soleil et
de la boisson, il avait les yeux injectés de sang.
Rosemary s'était aperçue, peu à peu, qu'il s'arrêtait
partout où il trouvait quelque chose à boire, et elle se
demandait jusqu'à quel point Mary North était d'accord. Mary était une femme silencieuse, tellement
silencieuse que Rosemary ne savait pratiquement
rien d'elle — sinon qu'elle riait souvent aux éclats.
Elle aimait ses cheveux très souples et très noirs,
qu'elle laissait flotter librement, comme une source
naturelle — et si la source se permettait, de temps en
temps, une petite déviation, qui coulait le long de la
tempe, et finissait par lui recouvrir la paupière,
Mary secouait simplement la tête, et la mèche re-
belle reprenait aussitôt sa place.

— Abe, c'est le dernier verre. Après, on rentre.

Elle parlait d'une voix très calme, qui masquait
mal une ombre d'inquiétude.

— Tu ne veux quand même pas qu'on te porte
jusqu'au bateau ?

Dick approuva.

— C'est vrai qu'il est tard. On rentre tous.

Le visage sévère et digne d'Abe North prit une
expression butée.

— Ah non!

Il s'interrompit quelques secondes, parut réfléchir, reprit avec autorité.

— Non! On ne rentre pas. On boit d'abord une seconde bouteille de champagne.

— Pas moi, merci.

— Je parle de Rosemary. C'est une alcoolique-née — qui planque des bouteilles de gin dans la salle de bains, et des trucs de ce genre. Sa mère me l'a dit.

Il vida ce qui restait de la première bouteille dans la coupe de Rosemary. Le jour de son arrivée à Paris, elle s'était rendue pratiquement malade en buvant trop de limonade. Depuis, elle ne buvait plus rien. Ce soir-là, pourtant, elle prit sa coupe, en avala une gorgée. Dick eut l'air stupéfait.

— Mais qu'est-ce que ça veut dire? Vous m'avez dit que vous ne buviez pas.

— Je n'ai pas dit que je ne boirais jamais.

— Qu'en pensera votre mère?

— Une coupe et c'est tout.

Elle s'y sentait presque obligée. Dick buvait. Pas beaucoup, mais il buvait. C'était peut-être une façon de se rapprocher de lui. Une façon aussi d'acquérir les armes dont elle avait besoin pour faire ce qu'elle avait à faire. Elle but de nouveau, avec avidité, s'étrangla.

— De toute façon, dit-elle, c'était hier mon anniversaire. J'ai eu dix-huit ans.

Ils se récrièrent tous.

— Pourquoi ne pas l'avoir dit?

— Je savais que vous en feriez toute une affaire, et que ça compliquerait tout.

Elle vida sa coupe.

— On l'a fêté. Voilà.

— Certainement pas, protesta Dick. C'est le dîner de demain soir qui sera votre dîner d'anniversaire. N'allez pas l'oublier, surtout. Dix-huit ans... mais c'est un âge terriblement important!

— J'ai toujours pensé qu'avant dix-huit ans rien n'avait d'importance, dit Mary.

— Tout à fait d'accord, reconnut Abe. Après, non plus.

— Pour Abe, plus rien n'a d'importance, tant qu'il n'aura pas embarqué. Il a soigneusement préparé son séjour à New York, cette fois-ci. Il a fait des tas de projets.

On avait l'impression qu'elle était lasse de répéter des choses qui n'avaient plus de sens pour elle, comme si la voie qu'ils suivaient, son mari et elle, ou qu'ils ne parvenaient pas à suivre, avait fini par n'être plus qu'une velléité.

— Il va composer, à New York. Moi, je vais travailler le chant à Munich. Ainsi, quand on se retrouvera, on sera imbattables. On pourra tout faire.

— Ce sera merveilleux! dit Rosemary avec chaleur, car le champagne agissait déjà.

— En attendant, remplissons de nouveau la coupe de Rosemary. Elle pourra ainsi contrôler plus efficacement l'action de ses glandes lymphatiques. Ces glandes-là ne fonctionnent qu'à partir de dix-huit ans.

Dick eut un petit rire indulgent. Il avait beaucoup d'affection pour Abe, mais il avait cessé, depuis longtemps, de croire en lui.

— Médicalement, c'est faux. Et, de toute façon, on s'en va.

Flairant derrière tout ça un vague relent de condescendance, Abe dit d'un ton détaché :

— Quelque chose me dit que j'aurai mon petit succès à Broadway bien avant que vous n'ayez terminé votre « Essai scientifique ».

— Je l'espère, répondit Dick avec le plus grand calme. Je l'espère pour vous. Il est d'ailleurs possible que je renonce à ce que vous appelez mon « Essai scientifique ».

— Oh! Dick!

C'est Mary qui avait protesté, d'une voix vibrante, scandalisée. Dick avait un visage fermé que Rosemary ne lui connaissait pas. Elle comprit qu'il venait d'annoncer quelque chose de très grave pour lui, et elle avait envie de crier: « Oh! Dick! », à son tour, comme venait de le faire Mary. Mais Dick eut un nouveau petit rire, et ajouta:

— ...que j'y renonce pour autre chose.

Il se leva.

— Non, Dick, asseyez-vous. Expliquez-moi ce que...

— Une autre fois. Bonsoir, Abe. Bonsoir, Mary.

— Bonsoir, cher Dick.

Mary souriait, comme si c'était un vrai plaisir pour elle de rester ainsi, à boire du champagne, sur cette péniche pratiquement déserte. C'était une femme pleine d'optimisme et de courage. Elle suivait son mari où qu'il aille, changeant de personnalité au gré des circonstances, sans jamais parvenir à le faire dévier d'un pouce du chemin qu'il s'était choisi. Elle mesurait parfois, avec découragement, à quel degré de profondeur la raison de sa propre existence était ancrée en lui, mais elle affectait un bonheur de façade, comme si elle en était, à la fois, la preuve et le garant.

15

Dans le taxi, Rosemary regarda Dick bien en face, et demanda, avec un grand sérieux:

— A quoi voulez vous renoncer?

— Rien d'important.

— Vous êtes savant?

— Médecin.

— Oh!

Elle eut un sourire ravi.

— Mon père était médecin, lui aussi. Mais pourquoi n'avez-vous pas...?

Elle s'interrompit.

— Rien de mystérieux là-dessous. Je n'ai pas été contraint de m'enfuir, à la suite d'un scandale, au beau milieu de ma carrière, et de me cacher sur la Riviera. Je n'exerce plus, voilà tout. Peut-être recommencerai-je un jour, qui sait?

Très calmement, elle lui offrit son visage pour qu'il l'embrasse. Il la regarda un moment, comme s'il ne comprenait pas. Puis il passa un bras autour de ses épaules, frotta sa joue contre la sienne, qui était si douce, et la regarda de nouveau pendant un long moment.

— Bien jolie petite fille, dit-il à mi-voix.

Elle lui sourit. Ses doigts jouaient machinalement avec les revers de son veston.

— Je suis amoureuse de Nicole et de vous. C'est ça, mon secret, mon vrai secret. Je refuse de parler de vous à qui que ce soit. Je ne veux pas qu'on sache à quel point vous êtes merveilleux tous les deux. Je suis amoureuse de Nicole et de vous. C'est vrai. Tout à fait vrai.

On le lui avait dit si souvent — presque dans les mêmes termes...

Elle se rapprocha de lui, brusquement, et à l'instant où elle entrait dans son regard, où elle s'y enfonçait, il oublia qu'elle était si terriblement jeune. Il l'embrassa, à en perdre le souffle, comme si elle était sans âge. Elle se renversa dans le creux de son bras, soupira gravement:

— J'ai décidé de renoncer à vous.

Il sursauta. Qu'avait-il dit qui puisse lui laisser croire qu'il lui appartenait, d'une façon ou d'une autre? Il parvint à répondre, sur un ton désinvolte:

— Juste au moment où ça commençait à m'intéresser... Ce n'est vraiment pas gentil.

— Je vous aimais tellement!

Comme si ça remontait à plusieurs années. Elle se mit à pleurer doucement.

— Oui. Je vous aimais... ais... tellement... ent... ent!

Il aurait dû rire. Mais il s'entendit répondre:

— Non seulement vous êtes très belle, mais vous avez un singulier talent. Quoi que vous fassiez, jouer les timides, jouer les amoureuses, tout passe.

Au fond de ce taxi, plus sombre qu'une grotte, où flottait le parfum qu'elle avait acheté sur les conseils de Nicole, elle se rapprocha de nouveau, se serra contre lui de toutes ses forces. Il l'embrassa, sans y prendre plaisir. Il sentait bien qu'il y avait là de la passion, de l'emportement, mais il en cherchait l'ombre vainement, dans son regard et sur ses lèvres. Il n'y sentait qu'une odeur un peu éventée de champagne. Elle se serra davantage, dans un élan désespéré, et il l'embrassa encore une fois, mais il se sentait glacé par l'innocence de ce baiser, glacé surtout par le regard qu'elle jeta derrière lui, au moment précis où il l'embrassait, vers la nuit si noire, le monde si noir. Elle ignorait encore que l'illumination ne prend source que dans le cœur. Si elle avait pu le comprendre, si elle s'était fondue dans la passion universelle, il l'aurait acceptée aussitôt sans hésitation ni remords.

Elle occupait à l'hôtel une chambre légèrement en retrait de celle des Diver, et très proche de l'ascenseur. Au moment où ils arrivaient devant sa porte, elle dit brusquement:

— Je sais que vous ne m'aimez pas. Je ne compte pas que vous m'aimiez. Mais vous m'en vouliez de ne pas vous avoir dit que c'était mon anniversaire. Je l'ai fait. Maintenant, comme cadeau d'anniversaire, je vous demande d'entrer dans ma chambre une minute. J'ai quelque chose à vous dire. Juste une minute.

Ils entrèrent. Il ferma la porte. Elle se tenait dans l'ombre contre lui, sans le toucher. Son visage n'avait plus de couleurs. Elle était pâle dans la nuit, la pâleur même. Elle était comme un œillet blanc qu'on a jeté après le bal.

— Quand vous souriez...

Il avait retrouvé son attitude paternelle. Peut-être parce qu'il y avait, si près d'eux, le silence de Nicole.

— Oui, quand vous souriez, je m'attends toujours à découvrir un petit trou, comme si vous veniez de perdre une dent de lait.

Mais c'était trop tard. Elle était contre lui. Elle respirait avec difficulté.

— Prenez-moi.

— Pour aller où ?

La stupeur l'avait pétrifié.

— Faites, murmurait-elle. Faites, je vous en prie. Oh ! faites, quoi qu'on fasse. Peu importe si je n'aime pas ça. Je ne me suis jamais attendue à... comment dire ? J'ai toujours eu horreur de penser à ça. Mais maintenant, non. Maintenant, je veux que vous le fassiez.

Elle se surprenait elle-même. Elle ne se croyait pas capable de parler ainsi. Elle se servait de phrases qu'elle avait lues, ou qu'elle avait entendues en rêve, pendant dix années de couvent. Lorsqu'elle s'aperçut brusquement que c'était aussi l'un de ses meilleurs rôles, elle s'y abandonna avec une ardeur décuplée.

— Ça ne se passe pas comme ça, murmura Dick, qui gardait son sang-froid. C'est surtout le champagne, vous ne croyez pas ? Oublions tout ça, peu à peu.

— Oh non ! *maintenant*. Faites-le maintenant. Pre-

nez-moi. Apprenez-moi. Je suis à vous. Complètement à vous. Je veux l'être.

— Ceci d'abord : avez-vous pensé à quel point ça
pourrait faire souffrir Nicole ?

— Ça n'a rien à voir avec elle. Elle n'en saura rien.

— Ceci ensuite...

Il parlait avec une extrême douceur.

— Il se trouve que j'aime Nicole.

— On peut aimer plusieurs personnes. Regardez,
pour moi. J'aime ma mère, et je vous aime. Vous
plus qu'elle, oh ! beaucoup plus qu'elle, maintenant.

— Troisièmement, vous n'êtes pas amoureuse de
moi. Mais vous pourriez le devenir, et quel gâchis
terrible, pour commencer votre vie.

— Je ne vous reverrai plus. C'est juré. J'irai rejoindre ma mère, et je retournerai en Amérique.

Il préféra ne pas entendre. Il avait un souvenir un
peu trop précis de l'innocence et de la fraîcheur de
ses lèvres. Il changea de ton.

— C'est un simple mouvement d'humeur.

— Je vous en prie. Tant pis, si j'attends un enfant.
J'irai à Mexico. Il y a une fille, au studio, qui l'a fait.
Oh ! c'est si différent de ce que je pensais. Ceux qui
m'ont embrassée, avec un tel sérieux... J'ai toujours
eu horreur de ça.

Il comprit qu'elle espérait toujours que tout était
possible.

— Certains d'entre eux avaient des dents
énormes. Mais vous, c'est autre chose. Vous êtes très
beau. Je veux que vous le fassiez.

— Vous avez l'air de croire qu'il suffit qu'on s'embrasse d'une certaine façon. Vous voulez que je vous
embrasse de cette façon-là.

— Ne vous moquez pas de moi. Je ne suis pas une
enfant. Vous n'êtes pas amoureux de moi, je le sais.

Elle était devenue très calme, soudain, très sou-
mise.

— Je n'ai jamais cru que vous pourriez l'être. Je ne compte pas pour vous, absolument pas.

— Absurde. Mais vous me paraissez tellement jeune...

Il ajouta, en pensée : « Et il y aurait tellement à vous apprendre... »

Elle attendait, respirant sourdement, jusqu'à ce qu'il dise :

— Ceci enfin : les circonstances rendent impossible ce que vous demandez.

Elle baissa la tête, avec découragement, avec désolation. Il ajouta machinalement :

— Il suffit simplement de...

Il s'interrompit de lui-même, la suivit jusqu'à son lit, s'assit à côté d'elle pendant qu'elle pleurait. Il se sentait perdu brusquement, et c'était sans rapport avec ses principes moraux, car il avait envisagé sous tous ses angles l'impossibilité d'une telle situation. Il se sentait simplement perdu, et la grâce qui était en lui disparut pendant un moment, réduisant à néant cet équilibre si adroit et si résistant qui faisait sa force.

— Vous me méprisez, j'en suis sûre, sanglotait-elle. C'était un espoir sans espoir.

Il se leva.

— Bonne nuit, petite fille. J'ai vraiment honte de tout ça. On prend une gomme. On efface.

Pour lui permettre de s'endormir, il lui murmura deux phrases passe-partout, comme celles qui servent dans les hôpitaux.

— Songez à tous ceux qui vont vous aimer. Ce sera tellement merveilleux d'être tout à fait vierge, physiquement et sentimentalement, quand vous rencontrerez votre premier amour. C'est un peu démodé, bien sûr...

Il fit un pas vers la porte. Elle le regarda. Elle n'avait aucune idée de ce qu'il allait faire. Elle le vit s'éloigner lentement, se retourner, la regarder, et, pendant quelques secondes, elle éprouva le désir insensé de l'emprisonner, de le dévorer. Elle eut envie de tout dévorer, sa bouche, ses oreilles, le col de sa veste. Elle eut envie de l'engloutir, de l'anéantir. Elle le vit poser la main sur la poignée de la porte. Elle cessa alors d'espérer, et se renversa sur le lit. Quand il eut refermé la porte, elle se leva, s'approcha d'un miroir, commença à se brosser les cheveux, en reniflant doucement. Elle se donna cent cinquante coups de brosse, comme elle le faisait d'habitude, puis de nouveau cent cinquante coups de brosse. Elle finit par avoir très mal au poignet, changea de main, et continua de brosser.

16

Au réveil, elle se sentit honteuse et dégrisée. Se regarder dans un miroir, retrouver sa beauté intacte, loin de la rassurer, ne fit que raviver sa blessure de la veille. Une lettre, que lui faisait suivre sa mère, écrite par le garçon qui l'avait invitée, l'automne précédent, au bal de promotion de Yale, et qui lui annonçait qu'il était à Paris, n'arrangea pas les choses: elle était si loin de tout ça. C'était une épreuve pour elle d'aller rejoindre les Diver, et, lorsqu'elle sortit de sa chambre, elle se sentait doublement angoissée. Elle réussit pourtant à donner le change, et à se forger une carapace aussi impénétrable que celle de Nicole, tandis qu'elles se rendaient toutes les deux à une séance d'essayages. Elle fut même assez contente de l'entendre dire, à propos d'une vendeuse un peu trop fébrile: « La plupart des gens exagèrent l'importance des sentiments qu'on a pour eux. Ils croient toujours qu'on les porte aux nues ou qu'on les met plus bas que terre. » La veille encore, Rosemary avait un tel besoin d'ouvrir son cœur que cette réflexion l'aurait froissée. Ce jour-là, comme elle désirait avant tout minimiser ce qui s'était passé, elle l'accueillit avec une sorte de soulagement. Elle admirait Nicole, sa beauté, sa sagesse, mais en même temps, pour la première fois de sa vie, elle se sentait jalouse. Au moment où elle quittait l'hôtel Gausse, sa mère lui avait dit, sur un ton détaché (ton que Rosemary connaissait bien, car Mrs. Speers s'en servait pour formuler, sans avoir l'air d'y toucher, ses jugements les plus significatifs), que Nicole était une véritable beauté. Ce qui laissait sous-entendre que Rosemary n'en était pas une. Rosemary l'avait parfaitement accepté, car elle venait tout récemment de vérifier qu'elle était quand même désirable. Sa beauté n'avait pas l'air de lui appartenir totalement. Il semblait qu'elle ne l'avait acquise que peu à peu, comme son français. Dans le taxi, quoi qu'il en soit, elle détaillait Nicole, comme on détaille une rivale, en établissant des comparaisons. Ce corps parfait, ces lèvres délicates, fermées par moment sur elles-mêmes, entrouvertes à d'autres moments sur le monde, et comme en attente, contenaient toutes les promesses qu'exigeait un amour romantique. Dès son adolescence, Nicole avait été une beauté. Elle continuerait de l'être, lorsque sa peau flétrie finirait par se tendre autour de ses hautes pommettes : c'est là que résidait l'essence même de sa beauté. Ses cheveux étaient incroyablement blonds autrefois, d'un blond presque blanc, comme ceux d'une Allemande, mais elle était beaucoup plus belle, maintenant qu'ils avaient foncé, qu'ils ne la coiffaient plus comme un nuage d'or, plus éclatant qu'elle ne l'était elle-même.

— Oh ! nous avons habité là, dit soudain Rosemary, en montrant un immeuble de la rue des Saints-Pères.

— Comme c'est drôle! Quand j'avais onze ans, ma mère, Baby et moi, nous avons passé un hiver ici.

Elle montrait un hôtel situé juste en face. Ainsi, de chaque côté du trottoir, ces deux façades enfumées leur renvoyaient l'écho de leur lointaine enfance.

— Nous venions d'acheter une maison à Lake Forest. Il fallait donc faire des économies. Du moins, Baby, la gouvernante et moi, nous faisions des économies. Ma mère voyageait.

— Nous aussi, nous faisions des économies, dit Rosemary qui comprit que le mot n'avait pas le même sens pour elles deux.

— Quand elle en parlait, ma mère précisait toujours: un *petit* hôtel...

Nicole eut de nouveau son rire très bref, très fascinant.

— ...au lieu de dire: un hôtel minable, vous comprenez? Quand l'un de nos amis un peu snob nous demandait notre adresse, nous ne répondions jamais: « Nous habitons un trou à rats, dans le quartier apache, et nous sommes bien contentes d'avoir l'eau courante. » Non, nous répondions: « Nous habitons un *petit* hôtel. » Comme si les grands étaient trop bruyants pour nous, trop vulgaires. Les amis finissaient toujours par découvrir la vérité, bien sûr, et par l'apprendre à tout le monde, mais ma mère affirmait qu'elle donnait ainsi la preuve que nous connaissions l'Europe mieux que personne. C'était vrai pour elle, d'ailleurs. Elle était allemande de naissance, mais, comme sa mère était américaine, elle avait été élevée à Chicago, qui la rendait plus américaine qu'européenne.

Deux minutes plus tard, elles rejoignaient les autres, et, en descendant de taxi, rue Guynemer, le long du Luxembourg, Rosemary se forgea de nouveau une carapace. Ils devaient déjeuner chez les North, dont l'appartement, déjà presque entièrement déménagé, surplombait une mer de verdure. Pour Rosemary, cette journée n'avait rien à voir avec la journée précédente. Lorsqu'elle se trouva face à lui, leurs yeux se rencontrèrent, se frôlèrent, comme deux ailes d'oiseau. Et tout fut parfait, tout fut admirable. Elle venait de s'apercevoir qu'il devenait amoureux d'elle. Elle se sentit éperdument heureuse. Une bouffée de plaisir la fit trembler. Sa confiance en elle-même augmenta peu à peu, une confiance sereine et tranquille, qui se mit à chanter sourdement. C'est à peine si elle regardait Dick, mais elle savait que tout était parfait.

Après le déjeuner, ils allèrent jusqu'à la *Franco-American films*. Collis Clay, le garçon qui arrivait de New Haven, et à qui Rosemary avait téléphoné, les y attendait. Il était né en Georgie, et possédait cette mentalité curieusement puritaine et rigide qu'acquièrent les gens du Sud lorsqu'ils ont été élevés dans le Nord. Elle l'avait trouvé séduisant, l'année précédente. Ils s'étaient même tenu la main, en allant en voiture de New Haven à New York. Aujourd'hui, il avait cessé d'exister pour elle.

Elle s'assit, dans la salle de projection, entre Dick et Collis Clay. Le projectionniste finissait de mettre en place les bobines de *Daddy's Girl*, tandis qu'un technicien français s'agitait autour d'elle, en essayant de parler l'argot américain. « *Yes, boy,* disait-il, chaque fois qu'il y avait un petit problème avec l'appareil, *I have not any bénénas.* » Les lumières s'éteignirent. Il y eut un brusque déclic, un cliquetis intermittent, et elle fut enfin seule avec Dick. Ils se regardèrent dans la pénombre.

— Chère Rosemary, murmura-t-il.

Leurs épaules se touchaient. Au bout de la rangée,

Nicole bougea les jambes avec nervosité. Abe North se racla la gorge et se moucha bruyamment. Puis ils se calmèrent tous et le film commença.

Et voilà. C'était elle. La petite collégienne de l'an dernier, avec ses cheveux dans le dos, aux ondulations si nettement marquées qu'on aurait dit la chevelure d'un petit tanagra. C'était elle, si naïve, si jeune, telle que l'avait formée l'amour attentif de sa mère. C'était elle, en qui avait pris corps tout ce qui demeurait immature dans la conscience universelle, petite poupée toute neuve, découpée dans du carton, qui passait sous les yeux de chacun, image par image, l'esprit aussi vide qu'une prostituée. Elle se souvint de s'être trouvée tellement à l'aise dans cette robe neuve, incroyablement fraîche et neuve, dans cette robe de soie fraîche et neuve.

Daddy's girl. La fi-fille à son papa ! L'est pas courageuse cette petite fille-là ? Hein ? Va pas trop souffrir au moins ? O-O-O, l'est mignonne ! O-O-O-O-O-O, l'est si mignonne, regardez-moi ça ! L'est vraiment la mignonne des mignonnes ! Regardez si elle ferme son petit poing, et les hordes de la luxure et de la corruption reculent, épouvantées, devant ce petit poing fermé. Qu'est-ce que je raconte ? C'est le Destin lui-même qui se trouve stoppé dans sa course, et voilà que l'inévitable devient évitable, que tout s'écroule avec fracas, dialectique, syllogismes, et rationalisme ! Les femmes vont en oublier leur vaisselle, et pleurer toutes les larmes de leur corps. Dans le film lui-même, il y avait d'ailleurs une femme qui pleurait tellement qu'elle risquait de voler la vedette à Rosemary. Elle avait dû pleurer pendant tout le tournage, qui avait coûté une fortune, dans une salle à manger de style flamboyant, tout d'abord, qu'aurait pu signer l'ébéniste Duncan Phyfe, puis dans un aéroport, pendant une course de régates, dont on ne voyait que deux flashes très courts, dans le metro, et enfin dans une salle de bains. Mais Rosemary finissait quand même par triompher. L'élégance du personnage qu'elle interprétait, son obstination, son courage battaient en brèche la vulgarité de l'univers, et tout pouvait se lire sur son visage, car il ne ressemblait pas encore à un masque. Il était encore tellement émouvant que, pendant tout le film, ceux qui assistaient à la projection y retrouvaient de loin en loin leurs propres émotions. Il y eut un entracte. On ralluma la salle. Dick laissa s'éteindre le brouhaha des applaudissements, et dit, du fond du cœur :

— J'avoue que je suis stupéfait. Vous deviendrez sûrement une de nos plus grandes comédiennes.

La projection reprit. On arrivait aux jours heureux, et le film se termina sur un superbe plan de Rosemary qui embrassait son père. Le complexe paternel y devenait si évident que Dick ne put s'empêcher de tressaillir, comme l'aurait fait n'importe quel psychiatre devant une manifestation d'affectivité aussi nettement déviée. L'écran disparut. Les lumières revinrent. C'est le moment qu'attendait Rosemary.

— J'ai prévu autre chose, annonça-t-elle. On va faire faire un bout d'essai à Dick.

— Un quoi ?

— Un bout d'essai, pour le cinéma. On va le tourner tout de suite.

Il y eut un horrible silence, puis un fou rire irrésistible des North. Rosemary regardait Dick. Il avait mis un peu de temps à comprendre ce qu'elle venait de dire, et son visage s'animait peu à peu d'une façon très irlandaise. Rosemary sentit qu'elle venait de commettre une erreur en abattant cette dernière carte, sans comprendre en quoi c'était une erreur.

— Je refuse, dit-il carrément.

Prenant alors conscience de ce qui se passait vraiment, il ajouta plus doucement :

116

— Vous me décevez beaucoup, Rosemary. Le cinéma, c'est un métier parfait pour une femme. Mais il n'est pas question qu'on me fasse tourner. Je suis un vieux savant, tout emmitouflé dans sa vie privée.

Nicole et Mary se moquaient de lui et le poussaient à profiter de l'occasion. Peut-être étaient-elles vaguement vexées, l'une et l'autre, qu'on ne leur ait pas proposé de tourner elles-mêmes. Dick mit brutalement fin à la discussion, par quelques réflexions d'une ironie cinglante sur le métier de comédien :

— C'est à la porte du néant qu'on place les gardes les plus sûrs. Peut-être, l'état de vacuité est-il trop scandaleux pour qu'on le dévoile.

Dans le taxi où elle monta ensuite avec Dick et Collis Clay — ils devaient raccompagner Collis à son hôtel, puis se rendre à un thé auquel Nicole et les North avaient dû renoncer au dernier moment, car Abe avait laissé en suspens toute une série de problèmes à résoudre — dans le taxi, elle se tourna vers Dick.

— Si le bout d'essai avait été bon, je l'aurais emporté en Californie. Et, qui sait ? Ils l'auraient peut-être trouvé à leur goût, vous seriez venu me rejoindre, et on aurait tourné un film ensemble.

Il était positivement effaré.

— C'est gentil d'avoir pensé à ça. Mais je préfère vous regarder *vous*. Vous êtes sûrement le plus ravissant spectacle auquel j'ai assisté.

— Quel beau film ! soupirait Collis Clay. Je l'ai vu quatre fois. Je connais un garçon, à New Haven, qui l'a vu douze fois. Un jour, il a été jusqu'à Hatford pour le voir. Quand j'ai invité Rosemary à New Haven, il était tellement impressionné qu'il a refusé de la rencontrer. Vous imaginez ça ! Cette charmante petite fille qui les réfrigère complètement !

Dick et Rosemary se regardaient. Ils mouraient d'envie d'être seuls. Mais Collis refusait de comprendre.

— Dites-moi où vous allez. Je vous dépose. Moi, je suis au Lutetia.

— Non, non, c'est nous qui vous déposons.

— Ce serait plus simple que ce soit moi. Sans problème.

— C'est beaucoup mieux que ce soit nous.

— Mais....

Il finit par comprendre, et s'entendit avec Rosemary pour une prochaine rencontre.

Il descendit enfin, plus inconsistant qu'un fantôme, et tellement encombrant pourtant, d'une lourdeur insupportable, comme toujours quand on est en tiers. Le taxi les déposa (comment? Si vite? Mais qui lui a dit d'aller si vite?) à l'adresse indiquée par Dick. Il mit un peu de temps à reprendre son souffle.

— On y va?

— Personnellement, ça m'est égal. Je fais ce que vous voulez.

Il parut réfléchir.

— Je suis obligé d'y aller. Elle a l'intention d'acheter quelques tableaux à l'un de nos amis, qui a besoin d'argent.

Rosemary remit un peu d'ordre dans sa coiffure, légèrement ébouriffée.

— Juste cinq minutes, décida-t-il. Ce sont des gens qui ne vous plairont pas.

Elle crut qu'il s'agissait de gens très ennuyeux ou très conventionnels, de gens très vulgaires ou qui buvaient trop, de raseurs, d'importuns, bref, le genre de gens que les Diver fuyaient comme la peste. Elle n'était préparée en aucune façon à l'impression que cet endroit allait produire sur elle.

17

C'était, rue Monsieur, un appartement bâti dans le

corps de logis de l'ancien hôtel du cardinal de Retz, mais, à peine entré, plus rien ne vous rattachait au passé, ni même à un présent connu de Rosemary. C'est le futur qu'emprisonnaient les murs et la charpente, et l'on éprouvait une étrange secousse électrique, un véritable choc nerveux, quelque chose d'aussi diabolique qu'un mélange de porridge et de hachisch au petit déjeuner, lorsqu'on en franchissait le seuil (si tant est qu'on puisse parler d'un seuil) et qu'on pénétrait dans un vaste hall en acier, parcouru de reflets vermeils, où était incrustée, en milliers de facettes, une collection de miroirs anciens aux glaces biseautées. L'effet obtenu n'avait rien à voir avec un stand des Arts Décoratifs, car les gens ne se tenaient pas devant, mais *dedans*. Rosemary eut la troublante et trompeuse impression d'être sur un plateau de cinéma, et elle pensa que tous les invités devaient avoir la même.

Ils étaient une trentaine environ, principalement des femmes, habillées par Louisa M. Alcott ou Madame de Ségur. Ils se déplaçaient avec précision et circonspection, comme le fait une main qui ramasse des éclats de verre. Personne ne semblait avoir réussi, ni de lui-même, ni en groupe, à maîtriser complètement cet environnement, alors que le propriétaire d'une œuvre d'art, aussi hermétique soit-elle, réussit toujours à la maîtriser. Personne ne semblait savoir très exactement ce que représentait cette pièce, car elle marquait un passage, une évolution vers quelque chose d'autre, qui serait tout sauf une pièce. C'était donc aussi délicat de s'y déplacer que de monter un escalier roulant trop bien encaustiqué. Il fallait, pour y parvenir, les qualités susdites de la main ramassant des éclats de verre — qualités qui pouvaient servir de limites et de définition à la plupart de ceux qui étaient là.

Ils se divisaient en deux groupes. D'une part, des

Anglais et des Américains, qui s'étaient épuisés à faire les quatre cents coups, pendant le printemps et l'été, et ne vivaient plus que par pulsions nerveuses. Ils pouvaient rester immobiles pendant des heures, complètement hébétés, puis se déchaîner brusquement en bagarres frénétiques, crises de neurasthénie ou manœuvres de séduction. D'autre part, ceux qu'on pourrait appeler: « profiteurs », les pique-assiette, toujours parfaitement sobres, des gens extrêmement sérieux, comparés aux autres, qui s'étaient fixé un but dans la vie, et n'avaient plus une seconde à perdre. Ils parvenaient plus aisément que les autres à conserver leur équilibre dans un pareil décor, et, au-delà de l'aménagement frivole et sophistiqué de l'appartement, c'étaient eux qui donnaient le ton à l'ensemble.

Ce Frankenstein futuriste ne fit qu'une bouchée de Dick et de Rosemary, et ils se trouvèrent tout de suite séparés. Rosemary découvrit brusquement qu'elle n'était qu'une petite bécasse qui parlait faux, d'une voix beaucoup trop haut perchée, et qu'elle avait besoin d'un bon metteur en scène. Il régnait d'ailleurs un tel vacarme dans cette pièce, un tel bruissement de volière, que son comportement n'y semblait pas plus incongru que celui de n'importe qui d'autre. Elle possédait, de plus, un certain entraînement, et, à la suite d'une série de manœuvres de style militaire, mouvements tournants, marches et contre-marches, elle se trouva près d'une jeune fille, très mince et très élégante, avec qui elle était censée échanger quelques phrases, mais la jeune fille en question se passionnait visiblement pour une autre conversation, qui se déroulait à quelques mètres d'elle, entre les barreaux inclinés d'une sorte d'escabeau en bronze.

Trois jeunes femmes étaient assises sur un canapé. Grandes et sveltes, toutes les trois, avec de très petites têtes, aux cheveux parfaitement lisses, comme des mannequins de vitrine, et, tandis qu'elles parlaient, leurs trois petites têtes se balançaient au-dessus de leurs robes noires, portant la griffe d'un couturier célèbre, comme trois fleurs à haute tige, ou comme trois masques de cobras.

— Oh! disait la première, d'une voix profonde et sonore, le spectacle qu'ils offrent est parfait. Ce qui se fait de mieux à Paris. Je serai la dernière à dire le contraire. Mais, après tout (léger soupir), ces phrases qu'il n'arrête pas de répéter... *Le plus vieil habitant rongé par les rongeurs...* Ça fait rire, à la fin.

— Moi, disait la seconde, je préfère les gens dont la vie est quand même un peu plus cahotique. Quant à elle, je ne l'aime pas du tout.

— Moi, disait la troisième, ils ne m'ont jamais attirée. Leur entourage encore moins. Cet Abe North, par exemple, continuellement imbibé...

— Il quitte Paris, dit la première. Avouez pourtant que l'individu en question, quand il veut l'être, est plus fascinant que n'importe qui.

Rosemary venait enfin de comprendre que ces trois femmes parlaient des Diver. Elle eut un sursaut d'indignation. Mais la jeune fille, avec qui elle était censée échanger quelques phrases (c'était la jeune fille type, telle qu'on la voit sur les affiches, yeux bleus, joues roses, corsage amidonné, tailleur du meilleur gris), s'était enfin décidée à jouer le jeu. Elle cherchait désespérément à éliminer tout ce qui les séparait l'une de l'autre, effrayée à l'idée que Rosemary puisse ne pas la voir, et elle pratiquait ce dépouillement avec une telle énergie qu'il ne resta bientôt plus, pour la dissimuler, qu'un voile d'humour impalpable, derrière lequel Rosemary finit, avec répugnance, par la voir telle qu'elle était.

On ne pourrait pas dîner ensemble, ou souper? suppliait-elle. Ou déjeuner demain?

Rosemary cherchait Dick. Elle finit par le découvrir près de la maîtresse de maison, à laquelle il parlait depuis leur arrivée. Leurs yeux se rencontrèrent. Il lui fit un léger signe de tête. Les trois cobras s'en aperçurent, à la seconde même. Leurs trois cous ondulèrent dans sa direction. Leurs trois regards impitoyables se posèrent sur elle. Elle soutint ces regards, avec défi, pour bien montrer qu'elle avait entendu ce qui s'était dit au sujet des Diver. Puis elle rompit avec son suppliant vis-à-vis, par un mouvement de recul, courtois mais précis, qu'elle avait appris de Dick lui-même, et rejoignit la maîtresse de maison. C'était, elle aussi, une grande Américaine cousue d'or, qui errait, avec nonchalance, sur les plus hauts sommets de l'opulence internationale. Elle mitraillait Dick de questions concernant l'hôtel Gausse où elle brûlait manifestement d'aller, et luttait pied à pied contre le peu d'empressement qu'il mettait à répondre. En apercevant Rosemary, elle se souvint qu'elle manquait à tous ses devoirs, et regarda très vite autour d'elle en disant :

— Avez-vous rencontré des gens amusants ? Avez-vous rencontré Mr...?

Son regard tâtonnait à la recherche d'un quelconque individu mâle qui pût intéresser Rosemary. Mais Dick déclara qu'ils devaient partir. Ils s'en allèrent aussitôt, traversèrent le seuil si étroit du futur, retrouvèrent soudain le passé de la haute façade extérieure.

— Terrifiant, non ?

— Terrifiant, répondit-elle en écho.

— Rosemary ?

— Oui ?

Elle avait une voix tremblante.

— Je suis terrifié par tout ça.

Elle se mit à pleurer, à petits sanglots douloureux,

réussit à articuler : « Auriez-vous un mouchoir ? »
Mais il leur restait peu de temps pour pleurer. Ils
étaient amoureux maintenant, les secondes passaient trop vite. Il fallait qu'ils les dévorent, une à
une, tandis que le crépuscule jaune et vert sombrait
derrière les vitres du taxi, que les enseignes rouge
feu, bleu pétrole, vert fantôme, commençaient à
danser sous la pluie insistante. Il était six heures
environ. Les rues étaient pleines de monde. Les
bistros scintillaient. La place de la Concorde s'éloigna dans une splendeur rose, et la voiture partit en
direction du nord.

Ils pouvaient enfin se regarder, murmurer leurs
prénoms, comme une litanie. Leurs prénoms s'envo-
laient doucement, finissaient par se perdre dans
l'atmosphère, mais plus lentement que tous les
autres mots, tous les autres prénoms, beaucoup plus
lentement que la musique qu'ils avaient en tête.

— Je ne comprends pas ce qui m'a prise, cette
nuit. Le champagne, peut-être ? C'est la première
fois que je fais une chose pareille.

— Vous m'avez dit que vous m'aimiez, rien
d'autre.

— Je vous aime. Je n'y peux rien.

C'était le moment de pleurer, et elle pleura sans
bruit dans son mouchoir.

— Je crois que je suis amoureux de vous, dit-il. Ce
n'est pas ce qui pouvait arriver de mieux.

Leurs prénoms, de nouveau, puis, d'un seul coup,
comme si le taxi faisait une embardée, ils se jetèrent
l'un contre l'autre. Elle pressait sa poitrine contre la
sienne, et sa bouche était neuve, sa bouche était
fraîche, une bouche qui leur appartenait à tous
deux. Ils ne réfléchissaient plus, et c'était un tel
soulagement qu'il en devenait presque douloureux.
Ils ne se regardaient plus. Ils se contentaient de
reprendre souffle, et de se chercher. Ils venaient

d'entrer dans cet univers gris et tendre qu'apporte un reste de fatigue, où les nerfs se détendent ensemble comme des cordes de piano, et crépitent soudain comme des fauteuils en osier. Quand les nerfs sont aussi à vif, aussi sensibles, il faut à tout prix qu'ils touchent d'autres nerfs, les lèvres d'autres lèvres, la poitrine une autre poitrine.

Ils étaient encore au meilleur de l'amour. Ils étaient remplis d'illusions généreuses, l'un vis-à-vis de l'autre, d'illusions tellement démesurées que la fusion de leurs deux personnalités les entraînait vers des hauteurs où les relations humaines n'avaient plus aucune importance. Ils semblaient l'un et l'autre être parvenus à ces hauteurs-là dans un état de parfaite innocence, comme s'ils y avaient été conduits, malgré eux, par une série d'incidents bénéfiques, une si importante série d'incidents qu'il n'y avait plus d'hésitation possible : ils étaient destinés l'un à l'autre. Leurs mains étaient pures, en apparence tout au moins — pures de toute compromission avec la simple curiosité ou les plaisirs de contrebande.

Mais Dick n'avait droit qu'à un trajet très court. Il fallait qu'il revienne à lui avant d'arriver à l'hôtel.

— Rien à faire, dit-il avec une sorte de terreur. Je suis amoureux de vous. Mais ça ne change rien à ce que je vous ai dit cette nuit.

— Ça n'a plus aucune importance. Je voulais vous forcer à m'aimer. Si vous m'aimez, tout est bien.

— C'est, hélas, ce qui m'arrive. Mais Nicole doit tout ignorer. Elle ne doit pas avoir le moindre soupçon. Il faut que nous vivions ensemble, Nicole et moi. D'une certaine façon, vivre *ensemble* est plus important que simplement vivre.

— Embrassez-moi encore.

Il l'embrassa, s'éloigna d'elle de nouveau.

— Nicole ne doit pas souffrir. Elle m'aime et je l'aime. Vous devez comprendre ça.

Elle comprenait. Ne pas faire souffrir, c'était quelque chose qu'elle pouvait comprendre. Elle savait que les Diver s'aimaient. Elle l'avait deviné à la première seconde. Mais leur comportement lui avait laissé croire qu'il s'agissait d'un amour assagi, assez proche, en fait, de l'affection qui existait entre sa mère et elle. Quand les gens ont tellement à donner aux autres, n'est-ce-pas le signe qu'ils manquent de passion intérieure ?

— Je dis bien : aimer, reprit-il, comme s'il lisait dans ses pensées. Un amour vivant, véritable. C'est très complexe. Beaucoup trop pour que je vous explique. C'est de là qu'est venu cet absurde duel.

— Vous êtes au courant ? Je croyais que c'était un secret.

— Croyez-vous Abe North capable de garder un secret ?

Il parlait avec une ironie vengeresse.

— Confiez un secret à la radio. Publiez-le dans les journaux. Ne le confiez jamais à un homme qui boit plus de trois ou quatre verres par jour.

Elle rit en se serrant contre lui.

— Mes relations avec Nicole sont extrêmement complexes. C'est quelqu'un de fragile. On la croit solide, mais elle ne l'est pas. Ce qui nous arrive risque de tout compromettre.

— Oh ! vous m'en parlerez plus tard. Pour le moment, embrassez-moi. Aimez-moi. Je vous aime, et Nicole n'en saura rien.

— Oh ! *darling*...

Ils étaient arrivés à l'hôtel. Rosemary fit exprès de rester en arrière, pour mieux l'admirer, pour mieux l'adorer. Il avait une démarche incroyablement vive, comme s'il venait à peine d'accomplir de grandes choses et se préparait à en accomplir d'autres. Organisateur de fêtes secrètes, gardien d'un bonheur aux reflets irisés. Son chapeau était la perfection même.

Il avait une canne solide, des gants clairs. Elle pensa aux merveilleux moments qu'ils allaient passer, grâce à lui, ce soir-là.

Ils montèrent à pied. Cinq étages. Au premier, ils s'arrêtèrent pour s'embrasser. Au deuxième, elle devint prudente, plus prudente encore au troisième. Il n'en restait que deux. Elle s'arrêta à mi-chemin du quatrième, et l'embrassa très vite pour lui dire au revoir. Sur sa prière instante, elle redescendit une minute au troisième. Un étage encore. Le dernier, enfin. Il fallait se quitter. Leurs mains glissèrent le long de la rampe, leurs doigts s'effleurèrent et se séparèrent. Dick, qui avait des dispositions à prendre pour la soirée, redescendit au rez-de-chaussée. Rosemary regagna sa chambre en courant pour écrire à sa mère. Elle se sentait plutôt mauvaise conscience, car sa mère ne lui manquait absolument pas.

18

Ouvertement indifférents aux impératifs de la mode, les Diver étaient trop perspicaces, malgré tout, pour ignorer le *tempo* de l'époque, et son rythme haletant. Dick organisait donc des soirées tellement trépidantes que c'était un plaisir inestimable de pouvoir respirer, par intermittence, entre deux moments de surexcitation, quelques bouffées de fraîcheur nocturne.

Par son rythme endiablé, cette soirée ressembla à une *commedia dell'arte*. Ils étaient douze, ils étaient seize, ils s'engouffraient par quatre dans des voitures qui les entraînaient, à travers Paris, vers des Odyssées minuscules. Tout était prévu à l'avance. Ils voyaient des gens se joindre à eux, comme par enchantement, leur servir un moment de guides spécialisés, de *cicérones*, puis disparaître, pour être remplacés par d'autres, comme si on les avait gardés au frais, la journée entière, pour que chacun soit au mieux de sa forme. Rosemary se sentait si loin d'Hollywood, si loin des soirées qu'elle avait connues là-bas, aussi somptueuses soient-elles. Entre autres attractions, ils eurent droit à la voiture du Shah de Perse. Comment Dick l'avait-il déniché? Qui avait-il soudoyé pour l'avoir? C'était là des questions inutiles. Rosemary préférait y voir une preuve supplémentaire du climat de conte de fées qui depuis deux ans se mêlait à sa vie. La voiture avait été spécialement carrossée en Amérique. Les roues étaient en argent. Le radiateur aussi. L'intérieur était tapissé d'une multitude de cabochons, que l'orfèvre de la cour devait remplacer, la semaine suivante, par de vraies pierres précieuses, quand la voiture arriverait à Téhéran. Il n'y avait qu'un siège à l'arrière, car l'étiquette obligeait le Shah à se déplacer seul. Aussi chacun réservait-il son tour pour venir s'y asseoir et fouler le tapis de zibeline qui couvrait le plancher.

Et Dick était là, toujours là. Jamais, au grand jamais, devait-elle avouer au double de sa mère, qui l'accompagnait où qu'elle aille, elle n'avait rencontré quelqu'un d'aussi charmant, d'aussi absolument charmant que Dick avait su l'être, ce soir-là. Elle avait essayé de faire des comparaisons, de le mettre en balance avec les autres, avec ces deux Anglais qu'Abe North appelait cérémonieusement : « Major Hengest et Mr. Horsa », avec le prince héritier du trône de Scandinavie, avec un romancier qui rentrait de Russie, avec Abe North lui-même, si drôle et si désespéré, avec Collis Clay, enfin, qui les avait rejoints et ne voulait plus les quitter — à quoi

127

bon? C'était quelqu'un d'incomparable. Elle était subjuguée par la passion qu'elle devinait derrière tout ce spectacle, par son désintéressement absolu, par l'adresse avec laquelle il faisait manœuvrer des gens aussi divers, dont aucun n'était capable de manœuvrer seul, qui se sentaient tous tributaires des attentions que Dick leur témoignait, aussi tributaires que l'est des services d'intendance un régiment d'infanterie. Et tout ça semblait lui demander si peu d'efforts qu'il gardait encore en réserve, pour l'un ou l'autre, des éclairs de sa plus profonde personnalité.

Plus tard, elle tenta de récapituler ses instants de plus parfait bonheur. Celui, d'abord, où ils avaient dansé ensemble, et elle savait à quel point sa beauté devenait éclatante lorsqu'elle reposait contre cet homme si grand et si fort, et qu'ils semblaient planer au-dessus du sol, comme on plane parfois dans les rêves. Il la faisait tournoyer à droite et à gauche. Il la dirigeait avec tant d'élégance qu'elle se sentait comme un grand bouquet lumineux, une pièce de brocart qu'il aurait fait miroiter devant cinquante regards éblouis. Celui, ensuite, où ils ne dansaient plus, où ils étaient simplement accrochés l'un à l'autre. Celui, enfin, un peu avant l'aube, où ils se retrouvèrent seuls, et elle pressait contre le sien son corps si jeune, si souple, si vivant, dans un désordre de vêtements froissés, et ils restaient là, immobiles, à l'abri d'une série de manteaux et de chapeaux qui appartenaient aux autres.

Il y eut, un peu plus tard, un moment extrêmement drôle. Ils n'était plus que six, les meilleurs d'entre eux, les plus nobles rescapés de la nuit. Ils s'étaient glissés dans le hall encore sombre du Ritz, et ils expliquaient au portier de nuit que le général Pershing était dans la rue, et qu'il voulait du champagne et du caviar. « Et que ça saute, hein! Il ne supporte pas d'attendre. Chaque soldat, chaque canon, tout doit être à ses ordres ! » Quelques serveurs terrorisés surgirent du néant. On dressa une table dans le hall, et Abe North, personnifiant le général Pershing, fit son entrée, tandis qu'ils se mettaient au garde-à-vous, en chantonnant quelques mesures de marches militaires. Les serveurs se déclarèrent tellement offensés par cette plaisanterie qu'ils refusèrent de les servir. Ils décidèrent donc de fabriquer un piège à serveur — une énorme et invraisemblable machine, constituée de tous les meubles qu'ils avaient pu rafler dans le hall, et qui fonctionnait comme l'un de ces engins mystérieux surgis des bandes dessinées de Rube Goldberg. En regardant cette machine, Abe secouait la tête d'un air dubitatif.

— Il vaudrait mieux, à mon avis, se servir d'une scie musicale et...

— Ça suffit maintenant, dit Mary avec humeur. Quand Abe aborde ce sujet-là, c'est qu'il est temps de rentrer.

On la sentait inquiète. Elle se confia à Rosemary.

— Il faut absolument que je l'oblige à rentrer. Son train part à onze heures. Il faut qu'il le prenne. J'ai l'impression que tout notre avenir dépend de ce train. Mais chaque fois que je lui dis quelque chose, il fait exactement le contraire.

— Je peux essayer de le raisonner, proposa Rosemary.

— Vous voulez vraiment ?

Mary ne paraissait pas très convaincue.

— Vous y arriverez peut-être.

Dick s'approcha d'elle, à ce moment-là.

— Nicole et moi, nous rentrons. Vous avez peut-être envie de rentrer avec nous ?

Elle était blême de fatigue, dans l'étrange lueur de la nuit encore sombre, et deux petites taches grisâtres indiquaient, sur ses joues, l'endroit où, dans la journée, elle retrouverait ses couleurs.

— Je viens de promettre à Mary de rester avec elle. Sinon Abe refuse d'aller se coucher. Peut-être pouvez-vous tenter quelque chose de votre côté?

— Vous devriez savoir qu'on ne peut jamais rien pour personne. Si Abe avait partagé ma chambre au collège, s'il était ivre pour la première fois, ce serait différent. Mais là, vraiment, on ne peut rien faire.

— Je reste quand même. Il a promis qu'il irait se coucher, si on l'accompagnait aux Halles.

Elle ne paraissait pas très convaincue, elle non plus. Dick l'embrassa rapidement à la saignée du coude.

— Ne laissez surtout pas Rosemary rentrer seule, dit Nicole à Mary, au moment où ils s'en allaient. Nous sommes responsables d'elle vis-à-vis de sa mère.

Un peu plus tard, en compagnie des North, d'un fabricant de poupées parleuses de Newark, de l'omniprésent Collis, et d'un impressionnant Indien, au teint olivâtre, et superbement accoutré, qui répondait au nom de George T. Caparaçon, Rosemary était à califourchon sur un tas de carottes, dans la camionnette d'un maraîcher. La terre qui saupoudrait les fanes de carottes remplissait l'aube encore incertaine d'une douce odeur parfumée. Elle se trouvait juchée si haut, et il y avait si peu de réverbères, que, dans les longues zones d'ombre, c'est à peine si elle distinguait les autres. Leurs voix lui arrivaient de très loin, comme s'ils vivaient des aventures différentes des siennes, et c'est vrai qu'elles étaient différentes et lointaines, car son cœur était avec Dick, et elle s'en voulait d'être restée avec les North. Elle aurait tellement préféré être à l'hôtel, dormant à quelques pas de lui, de l'autre côté du couloir. Ou alors, qu'il soit là, avec elle, dans cette pénombre chaude où ils étaient plongés.

— Surtout, ne montez pas! cria-t-elle à Collis. Toutes les carottes vont s'écrouler.

Elle en jeta une à Abe North, qui était assis à côté du chauffeur, ankylosé comme un vieillard.

Plus tard encore, le jour levé, reprenant enfin le chemin de l'hôtel, elle regardait tournoyer les pigeons entre les tours de Saint-Sulpice. Et, tout naturellement, ils se mirent à rire tous ensemble, car ils savaient que la soirée se prolongeait encore, alors que les gens, dans la rue, s'imaginaient qu'ils voyaient déjà se lever le soleil du matin.

« J'aurai au moins participé à une *folle nuit*, se disait Rosemary. Mais, dès que Dick s'en va, ça cesse d'être drôle. »

Elle était un peu triste, avec le sentiment d'avoir été trahie. Mais quelque chose qui bougeait près d'elle attira soudain son regard. C'était un marronnier en fleur, qu'on transportait vers les Champs-Elysées. Arrimé à un énorme poids lourd, il semblait secoué d'un irrésistible fou rire — comme une exquise créature, qui se trouve dans une position plutôt humiliante, mais se dit que, quoi qu'il arrive, elle garde au moins sa beauté. Rosemary était fascinée par cet arbre. Elle finit par s'identifier à lui, par rire avec lui, par rire de tout son cœur, et tout, sur-le-champ, lui parut admirable.

19

Abe North devait s'embarquer à onze heures, gare Saint-Lazare. Il attendait sous l'immense verrière enfumée, vestige des années 70, comme l'est celle du Crystal Palace, à Londres. Il avait enfoncé les mains dans les poches de son manteau, pour qu'on ne voie pas à quel point elles tremblaient. Elles avaient pris cette teinte gris cendre qui ne vient qu'après vingt-quatre heures d'insomnie. Comme il n'avait pas de chapeau, on voyait qu'il n'avait brossé qu'une partie de ses cheveux — ceux du dessus. Le reste n'était qu'un désordre de mèches ébouriffées. Difficile de reconnaître en lui le fringant nageur, qui, quelques jours plus tôt, s'ébrouait sur la plage de l'hôtel Gausse.

Il était en avance. Ses yeux bougeaient sans cesse, regardaient à droite et à gauche. C'était, de tout son corps, la seule chose qui bougeait. Faire le moindre geste aurait exigé un trop grand effort. Des monceaux de bagages à la dernière mode passaient devant lui. De petites fourmis indistinctes, qui allaient voyager avec lui, se retrouvaient avec de mystérieux : « Cher Je-Wel... Hoo oo! », poussés d'une voix suraiguë.

Au moment précis où il se disait qu'il avait peut-être le temps d'aller boire un verre à la buvette, et où il froissait dans sa poche une liasse de billets de cent francs, son regard s'immobilisa. Nicole venait d'apparaître en haut des marches. Il la regarda attentivement. Il avait l'impression que son visage ne cachait plus rien, qu'elle était totalement elle-même, impression qu'on a souvent lorsqu'on observe quelqu'un qui ignore qu'on l'observe. Elle fronçait les sourcils, pensait sans doute à ses enfants, mais sans en tirer vanité, d'une façon purement animale — comme une chatte qui, du bout de la patte, vérifie le compte de sa portée.

En apercevant Abe, elle changea de visage. Dans la sourde clarté que laissait filtrer la verrière, ce matin-là, il avait l'air lugubre, et de grands cernes sombres marquaient son teint cuivré, tout autour des paupières. Ils allèrent s'asseoir sur un banc.

— Vous m'avez demandé de venir, dit Nicole, aussitôt sur la défensive. Je suis venue.

Mais Abe semblait ne plus savoir pourquoi il le lui

avait demandé, et elle se mit à observer le va-et-vient des voyageurs.

— Ah! voilà la future reine de votre traversée. Cette femme, là-bas, avec tous ces hommes qui lui disent au revoir. Vous comprenez pourquoi elle s'est offert ce genre de robe?

Elle parlait de plus en plus vite.

— Vous comprenez pourquoi personne ne peut s'offrir ce genre de robe, sauf la future reine d'une croisière autour du monde? Vous ne comprenez pas? Abe, voyons, réveillez-vous! C'est une robe-roman. Ces festons, ces volants superflus, cachent un vrai roman dans leurs plis, et, au cours de la croisière autour du monde, quelqu'un finira bien par se sentir suffisamment seul pour avoir envie de le feuilleter.

Elle parlait si vite qu'elle avala presque les derniers mots. C'était trop pour elle, qui parlait peu. En regardant son visage sévère et fermé, Abe n'était plus très sûr de l'avoir entendue parler. Il fit un effort pour se redresser, et ce fut soudain comme s'il n'était plus assis mais debout.

— L'après-midi où vous m'avez emmené à ce drôle de bal, commença-t-il, vous vous souvenez? A Sainte-Geneviève...

— Je m'en souviens. On s'est bien amusés, non?

— Pas moi. Je ne me suis pas du tout amusé avec vous, cette fois-là. Je suis fatigué. De vous, de lui, de vous deux. Ça ne se remarque pas, parce que, vous deux aussi, vous êtes fatigués de moi. Beaucoup plus fatigués encore. Vous savez très bien ce que je veux dire. S'il me restait un peu d'énergie, je me chercherais de nouveaux amis.

Nicole frottait à rebrousse-poil le velours de ses gants.

— Pourquoi cette hargne? dit-elle nerveusement. C'est stupide. Et vous n'en pensez pas un mot. Je ne vois pas pourquoi vous renonceriez à tout.

Abe parut réfléchir, tout en essayant de ne pas tousser, de ne pas se moucher.

— Je m'ennuie. Tout m'ennuie. Ce serait tellement long, de toute façon, de faire machine arrière, d'essayer d'arriver ailleurs.

Un homme est souvent capable de jouer les enfants perdus auprès d'une femme. Mais comment y parviendrait-il, lorsqu'il est vraiment un enfant perdu?

— Vous n'avez aucune excuse, dit Nicole d'un ton sec.

Chaque minute qui passait déchirait Abe davantage. Il ne trouvait rien d'autre à dire que des phrases blessantes, des mots désagréables. Nicole pensa qu'il valait mieux rester assise sans bouger, les mains sur les genoux, en regardant droit devant elle. Ils furent un long moment comme deux étrangers. Rien ne passait entre eux. Ils s'arrachaient l'un à l'autre, fuyaient le plus vite possible, et chacun ne pouvait reprendre son souffle qu'en apercevant devant lui un fragment de ciel bleu, un fragment de ciel invisible à l'autre. Contrairement aux amants, ils n'avaient pas de passé. Contrairement aux époux, ils n'avaient pas d'avenir. Jusqu'à ce matin-là pourtant, Nicole avait aimé Abe North plus que n'importe qui, à part Dick, et Abe North, pendant des années, avait eu pour elle un amour immense, effrayant, qui lui mettait la peur au ventre.

— Cet univers de femmes! dit-il brusquement. Je ne le supporte plus.

— Faites-en un à votre image.

— Je ne supporte plus les amis, non plus. Des adorateurs, voilà ce qu'il me faut. Des adorateurs inconditionnels.

Nicole regardait fixement l'horloge de la gare. Elle suppliait l'aiguille d'avancer. Mais:

— Pas d'accord? demanda-t-il.

— Je suis une femme. Mon rôle, c'est de tout faire tenir ensemble.

— Mon rôle, à moi, c'est de tout détruire.

— Quand vous êtes ivre, vous ne détruisez que vous-même.

Elle était froide, maintenant, inquiète et mal à l'aise. La gare était pleine de monde, mais elle cherchait en vain quelqu'un qu'elle connaissait. Son regard se posa enfin, avec soulagement, sur une grande femme, aux cheveux blond très clair, polis comme un casque, qui glissait des enveloppes dans une boîte aux lettres.

— Il faut que je dise bonjour à quelqu'un. Réveillez-vous, Abe! Allons! Ne soyez pas stupide!

Abe la regarda s'éloigner avec résignation. Il vit la jeune femme sursauter brusquement, en reconnaissant Nicole. Il savait plus ou moins qui elle était, pour l'avoir rencontrée quelquefois dans Paris. Il profita de l'absence de Nicole pour se racler la gorge, cracher dans son mouchoir et se moucher bruyamment. Il commençait à faire chaud, et il se sentait moite. Ses mains tremblaient si fort qu'il s'y reprit à quatre fois pour allumer une cigarette. Il fallait absolument qu'il aille boire un verre à la buvette, mais Nicole revenait déjà.

— Je me suis trompée, dit-elle, avec un petit rire hautain. Elle m'avait suppliée de venir la voir, et voilà qu'elle me snobe littéralement. Elle m'a regardée comme une moins que rien.

Elle eut de nouveau son petit rire hautain, mais deux tons trop haut.

— Il vaut mieux laisser les gens faire le premier pas.

La fumée de la cigarette faisait tousser Abe North.

— Le drame, dit-il, c'est que, quand vous n'avez pas bu, vous ne voulez voir personne, et, dès que vous avez bu, personne ne veut plus vous voir.

— Qui? Moi?

Nicole rit, une fois encore. La rencontre qu'elle venait de faire semblait l'avoir mise d'excellente humeur.

— Non. Moi.

— Parlez pour vous, oui. Moi, j'aime les gens. J'aime un tas de gens. J'aime...

Rosemary et Mary North apparurent enfin. Elles marchaient lentement en cherchant Abe. Nicole se mit à crier: « Hey! Ho! Hey! », avec une exubérance un peu trop appuyée, en riant, et en agitant le paquet de mouchoirs de batiste qu'elle avait achetés pour Abe.

Elles étaient là, toutes les trois, plutôt mal à l'aise. Abe les dominait de toute sa taille. Il se tenait de biais, comme une épave de navire, tellement impressionnant par sa seule présence qu'on oubliait ses lâchetés, son égoïsme, son manque de générosité, sa terrible amertume. Elles étaient parfaitement conscientes, toutes les trois, de la grandeur et de la dignité qui émanaient de lui, de cet effort qu'il s'imposait, de ce dépassement, de cet arrachement. Et elles étaient terrifiées par ce qui subsistait de volonté en lui, qui avait été jusqu'ici une volonté de vivre, mais s'était transformée en une volonté de mourir.

Et Dick arriva. Il apportait avec lui un tel rayonnement, une telle élégance, qu'elles se jetèrent sur lui, toutes les trois, comme de vrais petits singes, avec des soupirs de soulagement, se blottissant sur ses épaules, sur la coiffe impeccable de son chapeau, sur le pommeau d'or de sa canne. Elles pouvaient enfin se détourner, pour un moment, du spectacle monstrueux, presque obscène qu'offrait Abe North. Dick comprit sur-le-champ la situation et reprit tout en main. Il les obligea à se détacher d'elles-mêmes, les ramena doucement vers la gare, leur en fit découvrir les amusements. Il y avait des Américains, tout près d'eux, qui se disaient adieu avec des voix chevrotantes, et c'était comme un bruit de robinets rouillés remplissant une vieille baignoire. Debout dans cette gare, avec Paris en arrière-plan, ils avaient l'air d'être accoudés au bastingage, plus ou moins par procuration, de subir déjà la métamorphose qu'engendre l'océan, cette lente mutation d'atomes, d'où jaillit le noyau premier d'une race nouvelle.

Un flot continu d'Américains prospères remplissait donc la gare, coulait jusqu'au quai d'embarquement, et tous les visages étaient comme neufs, intelligents, ouverts, sans jamais réfléchir, car on réfléchissait pour eux. Un visage d'Anglais affleurait parfois à la surface de ce fleuve, curieusement insolite et comme raboteux. Mais plus le nombre d'Américains augmentait, plus cette impression de richesse et de propreté méticuleuse s'effaçait, pour faire place à une sorte d'équivoque raciale, aussi gênante et aveuglante pour eux-mêmes que pour ceux qui les observaient.

Nicole saisit le bras de Dick.

— Regarde! cria-t-elle.

Il se retourna juste à temps. La scène ne dura que trente secondes. Une scène violente, qui rompit le ronronnement suraigu des adieux. A deux wagons de là, la jeune femme aux cheveux polis comme un casque, celle à qui Nicole avait dit bonjour, parlait avec un homme debout à la portière d'un pullman. Elle fit soudain un bizarre petit pas de côté, fouilla dans son sac comme une furie. Deux coups de feu éclatèrent dans l'atmosphère enfumée de la gare. A la même seconde, la locomotive fit entendre un sifflement strident, et le train s'ébranla, donnant à ces deux coups de feu une résonance dérisoire. A la fenêtre de son compartiment, Abe agitait la main. Il ne s'était rendu compte de rien. Mais, avant que la foule se referme, les autres avaient vu le résultat des coups de feu. Ils avaient vu l'homme sur qui on avait tiré tomber à la renverse sur le quai.

Le train mit près d'un siècle à sortir de la gare et à permettre d'y voir clair. Mary, Nicole et Rosemary attendaient à l'écart. Dick avait réussi à se frayer un passage dans la foule. Il ne vint les rejoindre qu'au bout de cinq minutes. La foule avait fini par se séparer en deux. Une partie suivait l'homme qu'on emportait sur une civière. L'autre suivait la jeune femme, très pâle et très sûre d'elle, qui marchait entre deux gendarmes complètement effarés.

Dick expliqua rapidement :

— C'est Maria Wallis. L'homme sur qui elle a tiré est anglais. Ils ont mis beaucoup de temps à l'identifier, car la balle a traversé son passeport.

Ils suivaient le quai, mêlés à la foule.

— Je sais à quel commissariat on l'emmène. Je vais pouvoir y aller pour...

— Mais sa sœur habite Paris, intervint Nicole. Il faut lui téléphoner. C'est curieux que personne n'y ait pensé. Elle est mariée à un Français. Il sera beaucoup plus utile que nous.

Dick parut hésiter, secoua la tête et s'éloigna.

— Attends ! cria Nicole. C'est absurde. Tu ne pourras rien faire. Tu parles à peine français...

— Je pourrai au moins obtenir qu'elle soit bien traitée.

— Tu penses bien qu'ils vont la garder, dit Nicole vivement. Elle a *quand même* tiré sur cet homme. Le mieux, c'est de téléphoner tout de suite à Laura. Ce serait beaucoup plus efficace.

Dick n'était pas très convaincu — et il sentait que Rosemary l'observait.

— Attendez-moi, dit Nicole, d'un ton décidé.

Elle se précipita vers une cabine téléphonique.

— Quand Nicole prend les choses en main, il n'y a plus rien à faire, dit-il, avec une tendre ironie.

Il n'avait pas revu Rosemary depuis la veille. Ils se regardaient, essayaient de rejoindre leurs émotions passées. Ils se sentirent totalement étrangers l'un à l'autre, pendant un moment, presque fantomatiques — mais, peu à peu, la douce chaleur de l'amour les reprit.

— Vous aimez rendre service, n'est-ce pas? dit Rosemary.

— J'essaie.

— Ma mère aussi aime rendre service. Elle voudrait aider tout le monde. Mais elle ne peut pas aider autant de monde que vous, bien sûr.

Elle soupira.

— Je me dis parfois que personne au monde n'est plus égoïste que moi.

Loin d'amuser Dick, cette allusion à Mrs. Speers l'avait agacé au contraire, pour la première fois. Il aurait voulu écarter définitivement cette mère, échapper au climat enfantin dans lequel Rosemary s'obstinait à maintenir leur aventure. Mais cette réaction l'inquiéta. Elle prouvait qu'il avait perdu le contrôle de lui-même, et l'exigence de Rosemary était si impatiente que tout était possible, s'il se laissait aller. Il découvrait, avec angoisse, que cette aventure échappait lentement aux eaux calmes. Elle ne pouvait pas se stabiliser. Il fallait qu'elle progresse ou qu'elle régresse. Et il comprenait, pour la première fois, que Rosemary tenait les commandes d'une main beaucoup plus ferme que lui.

Nicole revint avant qu'il ait eu le temps d'envisager une quelconque marche à suivre.

— Laura était chez elle. Elle ignorait tout. J'entendais sa voix très lointaine, et soudain très présente — comme si elle perdait connaissance et revenait à elle. Elle prétend qu'elle le sentait. Qu'elle était sûre que quelque chose allait arriver ce matin.

— Maria devrait travailler avec Diaghilev, murmura Dick, en plaisantant, pour tenter de les apaiser. Elle a un sens étonnant du décor, pour ne pas dire : du rythme. Aucun de nous ne pourra voir un train s'ébranler, désormais, sans entendre des coups de feu.

Ils descendaient à pas lents le grand escalier métallique.

— Je suis désolée pour ce pauvre homme, dit Nicole. Je comprends pourquoi elle était si bizarre, quand je lui ai parlé. Elle se préparait à ouvrir le feu.

Elle se mit à rire. Rosemary rit avec elle, mais elles étaient horrifiées, toutes les deux, et elles auraient voulu, toutes les deux, que Dick tire une leçon de cette histoire, pour ne pas avoir à le faire elles-mêmes. C'était un désir plus ou moins conscient chez elles, chez Rosemary surtout, pour qui ce genre d'événements n'étaient jamais que fragmentaires, et ne lui traversaient l'esprit qu'accidentellement. Mais tant d'émotions s'étaient accumulées en elle qu'elle se sentait complètement traumatisée. Dick, de son côté, était tellement secoué par la violence des sentiments nouveaux qu'il découvrait en lui qu'il se sentait incapable d'envisager les choses sous l'angle du divertissement, et les deux femmes, frustrées dans leur attente, s'enfermèrent l'une et l'autre dans une sorte de désenchantement.

Puis ils se trouvèrent dans la rue, et leur existence reprit son cours normal, comme si rien ne s'était passé.

Il s'était pourtant passé quelque chose : Abe était parti. Mary, cet après-midi même, allait partir pour Salzbourg. Ce qui marquait la fin de leur séjour à Paris. Mais c'était sans doute ces coups de feu qui en marquaient vraiment la fin, ces ultimes soubresauts de Dieu sait quelle sombre histoire. Ils faisaient partie de leur vie désormais. L'écho de cette violence les avait suivis jusque sur le trottoir où ils attendaient un taxi. Derrière eux, deux porteurs en tiraient l'oraison funèbre :

— Tu as vu ce revolver ? dit l'un. Il était très petit. Un vrai bijou. Un jouet.

— Mais puissant ! répondit l'autre, gravement. Tu as vu sa chemise ? Assez de sang pour se croire à la guerre.

20

Sur la place qu'ils venaient de quitter flottaient de lourdes vapeurs d'essence, que chauffait doucement le soleil de juillet — tellement étrangères à ces chaleurs d'été, qui parlent d'échappées vers de belles campagnes. Elles évoquaient plutôt des routes suffocantes, où ce genre de vapeurs vous prennent à la gorge. Ils déjeunèrent en plein air, près du Luxembourg. Rosemary avait l'estomac serré. Elle se sentait nerveuse, impatiente, épuisée. C'était l'avant-goût de cet état-là qui l'avait poussée, à la gare, à s'accuser elle-même d'égoïsme.

Dick ne soupçonnait pas à quel point le changement survenu en lui était aigu. Profondément malheureux, replié sur lui-même, il était incapable de s'intéresser à ce qui se passait autour de lui, et la force d'intuition qui lui permettait d'habitude d'étayer ses jugements semblait l'avoir abandonné.

Mary North leur dit adieu. Un Italien, professeur de chant, qui les avait rejoints pour le café, l'accompagna à la gare. Rosemary se leva à son tour. Elle avait rendez-vous au studio, avec « des gens importants ».

— Oh ! à propos... dit-elle. Ce Collis Clay, vous savez, ce garçon du Sud... S'il arrive, et si vous êtes encore là, dites-lui que je n'ai pas pu l'attendre. Dites-lui qu'il me téléphone demain.

Sans-gêne, exprès, par réaction contre la violence de cette matinée. Jouant exprès les petites filles capricieuses, à qui tout est dû. Ce qui eut pour résultat de rappeler aux Diver qu'en matière d'enfants ils n'aimaient exclusivement que les leurs. Et, par une rapide passe d'armes entre les deux femmes, Rosemary fut proprement remise à sa place.

— Laissez le message à l'un des garçons, dit Nicole, d'une voix sèche. Nous partons tout de suite.

Rosemary comprit la leçon et l'accepta sans broncher.

— Entendu. Au revoir, vous deux.

Dick demanda l'addition. Les Diver se détendirent ensemble, en mâchonnant paresseusement des cure-dents.

— Bon..., soupirèrent-ils.

Dick vit un bref éclair de tristesse froncer les lèvres de Nicole, si bref que personne, à part lui, n'aurait pu s'en apercevoir, et qu'il pouvait parfaitement feindre de ne pas l'avoir aperçu. Que pouvait bien penser Nicole ? Rosemary faisait partie d'une douzaine de personnages qu'il avait pris « en charge », ces dernières années. Parmi eux : un clown de cirque français, Mary et Abe North, un couple de danseurs, un peintre, un romancier, une actrice du Grand-Guignol, un pédéraste à moitié fou de la troupe des Ballets Russes, un ténor plein de promesses qu'ils avaient installé pour un an à Milan. Nicole savait qu'aucun n'avait songé à se méprendre sur l'enthousiasme et l'intérêt que Dick leur témoignait. Elle savait également que, depuis leur mariage, Dick n'avait jamais passé une nuit loin d'elle, sauf au moment de la naissance de leurs enfants. D'un autre côté, il avait un tel charme en lui — un charme dont il fallait bien qu'il se serve.

Comment faire autrement? Ceux qui ont reçu ce don en partage s'en servent, malgré eux, ce qui les oblige à traîner en remorque une foule de gens dont ils ne savent que faire.

Dick refusait de s'attendrir. Il laissait passer le temps, sans ébaucher le moindre geste de complicité, sans lui donner la moindre preuve de cet émerveillement, toujours renouvelé, qui était le leur, d'être deux tout en n'étant qu'un.

Émergeant soudain de son Sud natal, Collis Clay se fraya alors un passage entre les tables rapprochées, et salua fort cavalièrement les Diver. Dick était toujours suffoqué par ce genre de comportement — des gens, que vous connaissez à peine, qui vous saluent d'un « *Hi!* » impertinent, et vous parlent comme si vous étiez seul. Il le supportait si difficilement que, dans ses moments de complète inertie, il préférait passer inaperçu. Qu'on puisse agir en sa présence avec une telle désinvolture lui paraissait presque une insulte, par rapport au ton qu'il avait donné à sa vie.

Collis, s'imaginant peut-être qu'il portait déjà la queue-de-pie du futur marié, souligna son arrivée d'un claironnant:

— En retard, j'imagine. Le zoziau s'est envolé!

Dick parvint, au prix d'un immense effort sur lui-même, à lui pardonner de ne pas avoir présenté d'abord ses hommages à Nicole. Elle les quitta presque aussitôt. Il fit asseoir Collis, vida lentement son verre de vin. Il trouvait ce garçon assez sympathique malgré tout — très « après-guerre », nettement moins exaspérant, en fait, que la plupart des garçons du Sud qu'il avait connus à New Haven, dix ans plus tôt. Il le regardait bourrer sa pipe avec une minutieuse application, et prêtait une oreille distraite à ce qu'il racontait. C'était le début de l'après-midi. Les enfants et leurs gouvernantes prenaient d'assaut le Luxembourg. C'était la première fois, depuis des mois, que Dick pouvait laisser se perdre entre ses doigts cette heure de la journée.

Mais son sang se glaça brusquement. Il venait de se rendre compte que le monologue de Collis avait pris un tour très confidentiel.

— ...beaucoup moins de marbre que vous ne le croyez. Moi aussi, j'ai cru longtemps qu'elle était de marbre, j'avoue. Mais, à Pâques, en allant de New York à Chicago, elle a eu de petits ennuis avec un de mes amis, un type qui s'appelle Hillis, et qu'elle croyait avoir complètement vampé, à New Haven. Elle voyageait dans le même compartiment qu'une de mes cousines, mais elle avait envie de rester seule avec Hillis, alors ma cousine est venue nous rejoindre dans notre compartiment, pour jouer aux cartes avec nous. Bien. Au bout de deux bonnes heures, on l'a raccompagnée à son compartiment, et on a trouvé Hillis et Rosemary dans le couloir, en train de discuter avec le contrôleur. Elle, elle était blanche comme un linge. D'après ce qu'on a compris, ils avaient verrouillé la porte, ils avaient tiré les rideaux, et quand le contrôleur est venu demander les billets, et qu'il a frappé à la porte, ils ont cru que c'était nous qui leur faisions une blague, et ils ont refusé d'ouvrir. Ça a fait toute une histoire. Ils ont ouvert, finalement. Le contrôleur était fou furieux. Il a demandé à Hillis ce qu'il faisait dans ce compartiment, si Rosemary était sa femme. Hillis s'est énervé. Il a prétendu qu'ils ne faisaient rien de mal. Il a prétendu également que le contrôleur avait insulté Rosemary et qu'il allait lui casser la figure. J'ai vu que ça risquait de tourner mal, et qu'il valait mieux arranger l'histoire, mais ça n'a pas été facile, croyez-moi.

Tant de détails à imaginer, et quelque chose comme de la jalousie vis-à-vis de ce drame qui avait éclaté dans un couloir... Dick soudain n'était plus le même. Il avait suffi qu'une ombre se glisse entre Rosemary et lui, même celle d'un inconnu, de quelqu'un dont il n'entendrait jamais plus parler, pour que son bel équilibre s'effondre, et que se déchaînent les ouragans de la douleur, du chagrin, du désir, du désespoir. Images si précises : une main qui touche la joue de Rosemary, une respiration qui s'accélère, un visage dans le couloir, blanc comme un linge, le secret inviolable de la chaude pénombre d'un compartiment.

« *Vous permettez que je tire les rideaux ?* »

« *Faites, je vous en prie. Il y a vraiment trop de lumière.* »

Collis Clay parlait maintenant de tout autre chose, de la politique des Fraternités à New Haven, avec la même voix et la même passion. Dick en conclut qu'il avait une bien curieuse façon d'être amoureux de Rosemary, une façon qui lui paraissait incompréhensible. Ce qui s'était passé avec Hillis ne semblait pas l'avoir particulièrement bouleversé. Il en avait simplement conclu, avec un certain plaisir, que Rosemary n'était pas de marbre, qu'elle était « humaine ».

— Des étudiants qui cravachent dur, il y en a des quantités. En fait, on a tous cravaché. Mais aujourd'hui, avec l'importance qu'a prise New Haven, on est obligé d'en éliminer des tas, et c'est bien dommage.

« *Vous permettez que je tire les rideaux ?* »

« *Faites, je vous en prie. Il y a vraiment trop de lumière.* »

Dick traversa Paris pour se rendre à sa banque. Tout en libellant son chèque, il observait les employés, un à un, se demandant à qui il le présenterait. Penché au-dessus du comptoir vitré, il formait ses lettres avec application, examinait soigneusement sa plume, se laissait complètement absorber par ce travail d'écriture. Il avait l'œil vague. Il regarda un moment du côté du service du courrier, revint aussitôt à sa plume et à son chèque.

Il ne savait toujours pas à qui le présenter. De tous ces hommes, sagement alignés derrière leurs bureaux, lequel avait le moins de chance de subodorer la situation douloureuse dans laquelle il se débattait ? A qui adresserait-il la parole avec le moins de réticence ? A Perrin, ce charmant New-Yorkais, qui l'avait plusieurs fois invité à déjeuner à l'American Club ? A Casasus, cet Espagnol, qui lui parlait toujours d'un ami qu'ils avaient en commun, bien que Dick ait perdu cet ami de vue depuis plus de douze ans ? A Muchhause, qui lui demandait chaque fois s'il tirait sur son compte ou sur celui de sa femme ?

Il porta le montant du chèque sur le talon, le souligna soigneusement de deux traits, et décida d'aller le présenter à Pierce, qui était jeune, et à qui il n'aurait pas besoin de jouer la comédie bien longtemps. C'est souvent plus facile de jouer une comédie que d'en supporter une.

Il se rendit d'abord au service du courrier — et, en regardant l'employée, qui s'occupait de lui, repousser, d'un mouvement de poitrine, un papier qui allait tomber, il se dit que les femmes se servaient de leur corps d'une tout autre façon que les hommes. Il prit son courrier, et s'installa un peu à l'écart pour l'ouvrir. Il y avait une facture d'un éditeur allemand, pour dix-sept volumes de psychiatrie, une facture de Brentano's, une lettre de son père, timbrée de Buffalo, et son écriture devenait de plus en plus illisible. Il y avait une carte postale de Tommy Barban, postée à Fez, qui ne comportait que quelques mots de plaisanterie. Il y avait un certain nombre de lettres de médecins de Zurich, dont deux écrites en allemand, une facture en litige d'un maçon de Cannes, une facture d'un marchand de meubles, une lettre d'un éditeur de Baltimore, qui publiait une revue médicale, divers prospectus, et une invitation pour le vernissage d'un jeune peintre débutant. Il y avait également trois lettres pour Nicole, et une pour Rosemary, qu'on avait fait suivre à son nom.

« *Vous permettez que je tire les rideaux ?* »

Il se dirigea vers Pierce, mais celui-ci était occupé avec une cliente. Dick fut donc obligé, à son grand regret, d'aller présenter son chèque à Casasus, qui était juste à côté, et qui était libre.

— Hello, Diver. Comment va ?

Il semblait d'excellente humeur. Il se leva, et sa moustache s'ouvrit en éventail autour de son sourire.

— On parlait de Featherstone, l'autre jour et j'ai pensé à vous. Il est en Californie, maintenant.

Dick écarquilla les yeux, avança légèrement le menton.

— En Californie ?

— C'est ce qu'on prétend.

Dick agitait doucement son chèque entre deux doigts. Pour concentrer sur lui l'attention de Casasus, il regarda vers le bureau de Pierce, échangeant avec ce dernier une série de clins d'œil facétieux renouant ainsi une plaisanterie vieille d'au moins trois ans, époque à laquelle Pierce était du dernier bien avec une comtesse lituanienne. Pierce entra dans son jeu avec un sourire complice, tandis que Casasus validait le chèque. Cherchant en vain comment retenir Dick, qu'il trouvait fort sympathique, il réajusta ses lunettes, et se contenta de répéter :

— Hé oui ! En Californie...

Dick avait remarqué entre-temps que Perrin, qui occupait le dernier bureau de la rangée, était en grande conversation avec le champion du monde de poids lourds, et lui jetait de petits regards tentateurs, pour lui proposer de le lui présenter. Il décida de décliner l'invitation. Pour couper court à l'amabilité un peu trop appuyée de Casasus, il retrouva cette concentration d'esprit si parfaitement mise au point sur la vitre du comptoir. Regardant fixement son chèque, en étudiant le libellé, puis portant un regard soucieux vers de sombres problèmes qui semblaient se dissimuler derrière la première colonne de marbre, juste à la droite du caissier, exécutant enfin avec sa canne, son chapeau, les lettres qu'il tenait en main une série de moulinets superbes, il dit au revoir et sortit. Les bonnes grâces du portier lui étaient acquises depuis longtemps. Un taxi se rangea aussitôt le long du trottoir.

— Je vais aux studios des *Films Par Excellence*. C'est à Passy, dans une petite rue. Allez jusqu'à la Muette. Après, je vous indiquerai le chemin.

Les événements de ces derniers jours l'avaient tellement désarçonné qu'il n'était plus sûr de ce qu'il faisait. A la Muette, il paya le taxi, et partit à pied vers les studios, changeant de trottoir au moment où il y arrivait. Malgré la coupe parfaite de ses vêtements, le raffinement du moindre accessoire, il avait perdu toute dignité. Il rôdait, comme un animal aux abois. Pour retrouver sa dignité, il aurait fallu qu'il renie son passé, qu'il anéantisse six ans d'efforts et de travail. Il fit rapidement le tour des bâtiments, aussi stupide et prétentieux que les adolescents qu'on rencontre dans les romans de Newton Booth Tarkington, fourrant son nez partout, les ruelles, les culs-de-sac, tant il avait peur de rater Rosemary quand elle quitterait les studios. Tout était sinistre alentour. Il y avait une enseigne, sur la maison voisine : *Aux cent mille chemises*, et des chemises en tas, dans la vitrine, avec des cravates, des rembourrages, des drapés aguichants. *Cent mille chemises !* Comptez-les donc ! A côté, il lut : *Papeterie, Soldes*,

Réclames. Puis : *Constance Talmadge dans « Déjeuner de soleil »*. Plus loin encore, les enseignes devenaient angoissantes : *Vêtements ecclésiastiques, Déclaration de décès, Pompes Funèbres*. La vie et la mort.

Il comprit que cette façon d'agir marquait un tournant dans sa vie, qu'il se mettait lui-même en marge, qu'il était en complet désaccord avec son passé, en complet désaccord également avec l'image qu'il espérait donner de lui à Rosemary. Dès le début, il avait représenté, pour elle, l'exemple même du savoir-vivre. En rôdant ainsi autour des bâtiments, il se comportait en intrus. Mais c'était plus fort que lui. Impossible de s'en défendre. Comme si quelque chose s'éveillait en lui, une vérité trop longtemps bâillonnée. Il fallait qu'il tourne ainsi sur lui-même, qu'il marche, qu'il s'arrête, qu'il reparte, avec la manche de sa chemise recouvrant son poignet au millimètre près, et la manche de sa veste recouvrant celle de sa chemise au millimètre près, et le col de sa veste épousant à la perfection l'arrondi des épaules, et ses délicats cheveux roux, coupés à la perfection, et sa main retenant, avec une nonchalance étudiée, sa petite sacoche de cuir — il fallait qu'il agisse ainsi, exactement comme un autre homme, il y a bien longtemps, avait dû se tenir en haillons et couvert de cendres, devant le portail de la cathédrale de Ferrare. Dick payait ainsi son tribut personnel à des faits impossibles à alléger, à anéantir, à absoudre.

21

Il attendait là, depuis trois quarts d'heure environ, lorsqu'il fut obligé, malgré lui, d'entrer en contact avec un inconnu. Exactement le genre de choses qu'il aurait voulu éviter, car il n'était pas d'humeur à rencontrer qui que ce soit. Il lui arrivait parfois de se replier si complètement sur lui-même, pour garder son intégrité, qu'il se laissait prendre à ses propres pièges. C'est ce qui arrive souvent, quand un acteur joue *en dessous*. Les têtes se dressent dans la salle, l'attention redouble, et il semble communiquer aux spectateurs le pouvoir de comprendre eux-mêmes ce qu'il passe ainsi sous silence. C'est également ce qui arrive avec ceux qui sollicitent trop ouvertement votre pitié. Même s'ils la méritent, on est rarement porté à leur répondre. La pitié étant un exercice abstrait, on préfère l'offrir à ceux qui vous y contraignent par de plus subtils artifices.

Telle est l'analyse que Dick aurait pu faire lui-même de l'incident qui se produisit. Il suivait la rue des Saints-Anges, lorsqu'il fut abordé par un Américain d'une trentaine d'années, très maigre de visage, qui ne paraissait pas sûr de lui, et esquissait un sourire inquiétant. Dick lui offrit le feu qu'il demandait, et le classa immédiatement dans une catégorie d'individus qu'il connaissait depuis l'enfance — ceux qui s'incrustent dans les bureaux de tabac, un coude sur le comptoir, et observent les allées et venues, à travers on ne sait quelle lézarde de leur cerveau. Toujours à tu et à toi avec les garagistes, pour lesquels ils exercent en sous-main d'obscures besognes, toujours fourrés dans les salons de coiffure ou les promenoirs de théâtre — et Dick n'avait aucun mal à imaginer dans ce genre d'endroits l'homme qui venait de l'aborder. Quant au visage, on le voit parfois émerger des caricatures les plus agressives de Thomas Aloysius Dorgan. Pendant son enfance, Dick avait souvent jeté des regards angoissés vers cette frontière incertaine de l'escroquerie, sur laquelle se tenait cet homme.

— Alors, mon gars, on se plaît à Paris?

Et, sans attendre la réponse, il lui emboîta le pas.

— T'es d'où? demanda-t-il, pour tenter d'engager la conversation.

— Buffalo.

— Moi, San Antone. Mais je suis ici depuis la guerre.

— Dans l'armée? Vraiment?

— Et *comment!* Quatre-vingt-quatrième Division. T'as jamais entendu parler de la Quatre-vingt-quatrième?

Il précédait Dick de quelques pas, et lui jetait des regards nettement menaçants.

— A Paris pour longtemps, mon gars, ou tu fais juste que passer?

— Que passer.

— A quel hôtel t'es descendu?

Dick commençait à rire intérieurement. L'homme avait donc l'intention de cambrioler sa chambre, cette nuit! Mais ses pensées devaient se lire sur son visage, sans qu'il s'en doute, car l'homme réagit aussitôt.

— Oh! pas besoin d'avoir peur, mon gars, bâti comme t'es. Y a quelques salauds, par ici, qui s'en prennent aux touristes américains. Moi, non. Pas besoin d'avoir peur de moi.

Dick commençait à le trouver assommant.

— Je me demande comment vous faites pour avoir tout ce temps à perdre.

— A Paris, je travaille.

— Quel genre?

— Je vends des journaux.

Le déséquilibre entre la mine patibulaire de cet homme et l'innocence de son métier avait quelque chose de burlesque. Mais il se chargea de mettre les points sur les *i*.

— T'inquiète pas pour moi. L'an dernier, j'ai fait

un maximum de fric. Dix ou vingt francs, pour un *Sunday Times*, qu'en valait à peine six.

Il sortit d'un portefeuille crasseux une coupure de journal, et la montra à celui qu'il avait choisi comme compagnon de balade. C'était une caricature, représentant un flot d'Américains, descendant la passerelle d'un paquebot avec de l'or dans leurs valises.

— Deux cent mille. Claquant dix millions dans l'été.

— Et qu'est-ce que vous faites à Passy?

L'homme regarda autour de lui avec méfiance.

— Cinéma..., murmura-t-il, sourdement. Y a un studio américain, par ici. Y cherchent des types qui parlent anglais. J'attends une occasion.

Dick l'envoya promener sur-le-champ.

Rosemary n'était évidemment plus là. Elle avait dû sortir pendant qu'il faisait le tour des bâtiments. Peut-être même avant qu'il n'arrive. Il entra dans un café, à l'angle de la rue, demanda un jeton de téléphone, et, coincé entre la cuisine et des toilettes irrespirables, il appela le Roi George. Il reconnaissait, au rythme de sa respiration, les symptômes d'angoisse cardiaque longuement décrits par le Dr Cheyne et le Dr Strokes — mais, comme tout le reste, ces symptômes ne servaient qu'à le rendre conscient de sa propre émotivité. Il donna au standard le numéro de la chambre de Rosemary. Puis, l'appareil à la main, tourné vers la salle, il attendit. Au bout d'un temps assez long, une étrange petite voix dit :

— Allô?

— C'est Dick. J'avais absolument besoin de vous parler.

Elle garda le silence un moment, puis, courageusement, bouleversée par la même émotion que lui, elle dit :

— Je suis contente.

— J'étais venu vous rejoindre au studio. Je suis à Passy, face à l'entrée. Je pensais que vous auriez peut-être envie d'aller faire un tour au Bois.

— Oh! je suis désolée. Je ne suis restée qu'une minute.

Un silence.

— Rosemary?

— Oui?

— Vous m'avez mis dans une situation épouvantable. Quand une petite fille réussit à troubler un homme d'un certain âge, les choses deviennent épouvantables.

— Vous n'êtes pas d'un certain âge. Vous êtes l'homme le plus jeune du monde.

— Rosemary...

Un silence. Il regardait distraitement une étagère, où les poisons français les plus courants étaient disposés côte à côte : Fernet Branca, Rhum Saint-James, Marie Brizard, Punch à l'orange, Cherry Rocher, Armagnac.

— Êtes-vous seule?

« *Vous permettez que je tire les rideaux?* »

— Avec qui voulez-vous que je sois?

— Avec moi. Oui, voilà où j'en suis. En ce moment précis, je voudrais que vous soyez avec moi.

Un silence. L'ombre d'un soupir.

— En ce moment précis, je voudrais moi aussi que vous soyez avec moi.

Cette chambre d'hôtel où elle était couchée, près du téléphone, ces petits lambeaux de musique plaintive autour d'elle

And two — for tea.
And me for you,
And you for me
Alow-own.

Cette trace de poudre, dont il se souvenait, cette trace si douce sur sa peau bronzée, et, lorsqu'il l'avait embrassée, cette moiteur à la naissance des cheveux, et l'éclat de ce beau visage contre le sien, et la courbe de son épaule...

— Ah! c'est impossible, dit-il, pour lui-même.

Une minute plus tard, il était dans la rue, sans savoir s'il se dirigeait vers la Muette, ou s'il lui tournait le dos, tenant sa petite sacoche de cuir, et sa canne à pommeau d'or, pointée de biais comme une épée.

Rosemary retourna s'asseoir à son bureau, et finit d'écrire à sa mère.

« Je l'ai très peu vu, finalement, mais je le trouve extrêmement séduisant. Je suis amoureuse de lui (bien sûr, c'est Dick que j'Aime Le Plus Au Monde, mais tu comprends ce que je veux dire). Il va faire la mise en scène du film. Il part pour Hollywood ces jours-ci. Je crois qu'il faut qu'on y retourne, nous aussi. Collis Clay est là. Je l'aime bien, mais je l'ai à peine vu, à cause des Diver, qui sont vraiment divins, les Gens les Plus Merveilleux que j'aie jamais rencontrés. Je ne me sens pas très bien aujourd'hui, et j'ai pris mon médicament, mais je n'en ai pas besoin, au fond. Je N'Essaierai Même Pas de te raconter Tout ce qui est Arrivé. Il faut que je TE voie! Aussi, dès que tu recevras cette lettre, TÉLÉGRAPHIE, TÉLÉGRAPHIE, TÉLÉGRAPHIE!!! Viens-tu me rejoindre à Paris, ou préfères-tu que je redescende dans le Midi, avec les Diver? »

A six heures, Dick appela Nicole.

— As-tu des projets pour ce soir? demanda-t-il. On devrait faire quelque chose de tout simple. Dîner à l'hôtel, par exemple, et aller au théâtre.

— Pourquoi pas? Je fais ce que tu veux. Je viens d'appeler Rosemary. Elle préfère dîner dans sa chambre. Je pense que ce qui s'est passé nous a tous complètement bouleversés. Tu ne crois pas?

— Bouleversés? Non, pas moi. Écoute, mon chéri,

il faut absolument qu'on fasse quelque chose, sauf si tu es trop fatiguée, bien sûr. Sinon, on va redescendre dans le Midi, et on se demandera, pendant une semaine, par quelle aberration on n'a pas été applaudir Victor Boucher. Ce sera beaucoup mieux que de broyer du noir.

C'était la chose à ne pas dire. Nicole réagit aussitôt avec nervosité.

— Broyer du noir à propos de quoi?

— De Maria Wallis.

Elle fut d'accord pour aller au théâtre. C'était une tradition chez eux de ne jamais renoncer à faire quoi que ce soit, sous prétexte qu'ils étaient fatigués, ce qui, à tout prendre, rendait leurs journées plus agréables, et donnait un meilleur équilibre à leurs soirées. S'ils se sentaient faiblir, ce qui était inévitable, ils s'arrangeaient pour en rendre responsables la fatigue ou les soucis des autres. Au moment de quitter l'hôtel — certainement le couple le plus parfait qu'on puisse rencontrer, ce soir-là, dans Paris — ils frappèrent doucement à la porte de Rosemary. Ne recevant pas de réponse, ils se dirent qu'elle dormait déjà, et plongèrent dans la nuit survoltée de Paris, prenant juste le temps d'avaler rapidement un vermouth, dans la pénombre du bar du *Fouquet's*.

22

Nicole dormit très tard, s'éveilla en parlant dans son rêve, eut du mal à ouvrir les paupières encore tout embrumées de sommeil. Le lit de Dick était vide. Il lui fallut près d'une minute pour comprendre qu'elle avait été réveillée par un coup frappé à la porte de leur petit salon.

— Entrez! dit-elle.

N'obtenant pas de réponse, elle enfila une robe de chambre et alla ouvrir. Elle se trouva nez à nez avec un fort aimable sergent de ville, qui fit un pas en avant.

— Misteur Afghan North? C'est ici?

— Pardon? Ah non! Il est parti pour l'Amérique.

— Quand ça, madame?

— Hier matin.

Le sergent de ville secoua la tête et remua l'index avec énergie.

— Il était à Paris cette nuit. Il a réservé une chambre dans cet hôtel. Mais il ne l'a pas occupée. En bas, à la réception, ils m'ont dit que le mieux c'était d'aller voir chez vous.

— Ça me paraît bien étonnant. Nous l'avons accompagné, hier matin, au train transatlantique.

— Peut-être, madame, mais on l'a vu à Paris cette nuit. On a même vu sa carte d'identité. Et vous, vous êtes là.

Nicole comprenait mal.

— Nous ne savons rien. Absolument rien.

Le sergent de ville parut réfléchir. C'était un assez bel homme, dégageant une odeur un peu insistante.

— Vous affirmez que vous n'étiez pas avec lui hier soir?

— Absolument.

— On vient d'arrêter un Noir. Cette fois, on est à peu près sûrs d'avoir arrêté le bon.

— Je ne comprends pas un mot de ce que vous me racontez. S'il s'agit vraiment de Mr. Abe North, celui que nous connaissons, bien sûr, et s'il était à Paris cette nuit, je vous répète que nous n'en savons rien.

Le sergent de ville hocha la tête, en mordillant sa lèvre supérieure. Il semblait convaincu, mais fort désappointé.

— Que s'est-il passé? demanda Nicole.

Il écarta les mains, paumes ouvertes, et pointa les lèvres en gonflant les joues. Il commençait à trouver du charme à Nicole, et lui jetait des petits clins d'œil égrillards.

— Ah! qu'est-ce que vous voulez, madame! Ce sont des histoires qui n'arrivent qu'en été. Misteur Afghan North a été volé. Il a porté plainte. On a arrêté le coupable. Maintenant, il faudrait que misteur North vienne l'identifier et confirme sa plainte.

Nicole serra sa robe de chambre autour d'elle, et se débarrassa rapidement du sergent de ville. Elle était complètement déroutée. Elle prit un bain et s'habilla. Il était un peu plus de dix heures. Elle appela Rosemary, qui ne répondit pas. Elle appela ensuite la réception de l'hôtel. On lui confirma qu'Abe North avait bien réservé une chambre, à six heures et demie du matin, mais qu'il ne l'avait pas occupée. Elle aurait voulu que Dick l'appelle. Elle s'assit pour l'attendre, dans leur petit salon. Au moment où elle perdait patience, et se décidait à sortir, le téléphone sonna. C'était la réception.

— Il y a un misteur Crawshow qui vous demande. C'est un Noir.

— Que veut-il?

— Il prétend qu'il vous connaît, qu'il connaît aussi le docteur Diver. Il prétend qu'un certain misteur Freeman a été arrêté, et que tout le monde le connaît. Il prétend que c'est une erreur judiciaire, et qu'il faut absolument faire sortir de prison ce misteur Freeman, avant qu'il soit arrêté à son tour.

— Nous ne sommes au courant de rien! cria Nicole dans l'appareil.

Et elle raccrocha, excédée. Elle rejetait tout, en bloc. Cette résurrection incompréhensible d'Abe North lui faisait clairement comprendre qu'elle ne supportait plus le désordre dans lequel il vivait. Elle le chassa définitivement de son esprit. Chez son couturier, elle rencontra, par hasard, Rosemary, et elles firent des courses ensemble. Elle acheta, rue de Rivoli, des fleurs artificielles, et plusieurs colliers de perles multicolores. Elle aida Rosemary à choisir un diamant pour sa mère, quelques écharpes, et des coffrets à cigarettes, tout à fait originaux, destinés à ses camarades de travail des studios de Californie. De son côté, elle acheta pour son fils toute une armée de soldats de plomb, des Grecs et des Romains, qui lui coûta près de mille francs. Une fois encore, elles avaient une façon très différente de dépenser leur argent, et une fois encore Rosemary se sentait fascinée par la façon dont Nicole dépensait le sien. Pour Nicole, il n'y avait aucun problème : l'argent lui appartenait depuis toujours. Rosemary gagnait le sien. Elle avait l'impression qu'il lui avait été accordé par miracle, et qu'il fallait y faire très attention.

Quel plaisir — oui, quel vrai plaisir de marcher ainsi au soleil, dans cette ville étrangère, et d'y dépenser son argent. Quel plaisir de sentir cette vie vous irradier le corps, et donner tant d'éclat à votre visage. De sentir vos mains et vos bras, vos jambes et vos chevilles fonctionner avec assurance. De bouger les bras, d'allonger les jambes avec l'assurance tranquille de deux femmes que regardent les hommes.

En arrivant à l'hôtel, et en retrouvant Dick, si animé, si jeune, dans cette chaude matinée, elles connurent l'une et l'autre un moment de joie enfantine absolument parfait.

Il venait justement d'avoir Abe North au téléphone — une conversation extrêmement embrouillée, qui laissait plus ou moins entendre qu'il avait dû rester caché une partie de la nuit.

— Extravagant ! Je n'ai jamais eu, par téléphone, une conversation aussi extravagante !

Dick n'avait pas seulement parlé à Abe. Il avait eu près d'une douzaine d'interlocuteurs anonymes, interlocuteurs qu'on lui présentait chaque fois de la même façon. « Ne quittez pas, surtout ! L'homme qui veut vous parler a été compromis dans le *"Teapot"* sandale... euh ! scandale, vous savez, le scandale du Président Harding, ou, du moins, il prétend qu'il est compromis... Attendez, enfin, mais qu'est-ce qui se passe ? »

— Allô ? Allez-vous vous taire, à la fin ?... Scandale ou pas, il ne peut pas, mais *absolument pas*, rentrer chez lui. Mon avis personnel, c'est que... euh ! Mon avis personnel, c'est qu'il a...

Ici, suite ininterrompue de hoquets, et ce que l'homme pouvait avoir ou ne pas avoir s'était à jamais perdu.

Une nouvelle réplique avait alors jailli de l'appareil.

— Je pensais qu'il pourrait vous intéresser, en tant que psychiatre, du moins.

Le personnage en pointillé, auquel cette phrase faisait allusion, s'était sans doute cramponné au fil du téléphone. Mais il fut incapable d'intéresser Dick, ni en tant que psychiatre, ni en tant que quoique ce soit d'autre. La conversation avec Abe North avait continué comme suit :

— Allô ?
— Alors ?
— Alors allô.
— Qui êtes-vous ?
— Oh ! alors...

Ici, quelques hennissements de fou rire.

— Alors, je passe l'appareil à quelqu'un d'autre.

De loin en loin, Dick avait réussi à distinguer la voix d'Abe, mêlée à des bruits de chutes, de bousculades, des bribes de discussions, du genre : « Non, misteur North, non, c'est impossible ! » Puis, très présente, dans l'appareil, très décidée, et nettement ironique, une voix avait dit : « Si vous êtes vraiment un ami de misteur North, il faut vous dépêcher de venir le chercher. »

Là-dessus, la voix lourde, pompeuse, solennelle d'Abe North, et l'on sentait qu'il cherchait à tout prix à retrouver son équilibre.

— Allô, Dick ? Cette nuit, à Montparnasse, j'ai provoqué une véritable émeute raciale. Il faut que j'y retourne et que je fasse sortir ce Freeman de prison. Si vous voyez arriver un Noir de Copenhague, un type qui est cireur de chaussures... Allô, Dick, est-ce que vous m'entendez ? Si vous voyez arriver quelqu'un qui...

De nouveau, dans l'appareil, toute une flambée de fous rires et de plaisanteries diverses. Dick avait demandé :

— Abe, pourquoi êtes-vous revenu à Paris ?

— J'ai été jusqu'à Evreux. Et j'ai eu envie de revenir en avion, pour pouvoir comparer Evreux et Saint-Sulpice. Mais non, je n'ai pas dit que je voulais rapporter Saint-Sulpice à Paris... Je n'ai pas parlé de Baroque ! J'ai parlé de Saint-Germain... Dick, gardez l'appareil une minute, je vais vous passer le chasseur.

— Non, non, surtout pas !

— Dites-moi une chose. Mary ? Elle est bien partie ?

— Oui.

— Dick, il faut absolument que vous parliez à quelqu'un que je viens de rencontrer. Le fils d'un officier de marine. Il a été voir tout ce qui existe comme médecins, en Europe. Il faut que je vous parle de lui et...

Dick avait raccroché — et peut-être s'était-il montré ingrat envers Abe, car sa cervelle tournait à vide, et il aurait eu bien besoin d'un peu de grain à engranger.

— Abe était quelqu'un de tellement charmant, dit

Nicole à Rosemary. Oui, de tellement charmant. Je parle d'il y a longtemps. Nous venions juste de nous marier, Dick et moi. Si vous l'aviez connu, à cette époque... Il s'installait chez nous, pour des semaines et des semaines. C'est à peine si on savait qu'il était là. De temps en temps, il jouait du piano. De temps en temps, il s'enfermait dans la bibliothèque, avec un clavier muet. Il était amoureux de ce clavier muet. Il lui faisait vraiment l'amour, pendant des heures. Tu te souviens de cette femme de chambre, Dick? Celle qui prenait Abe pour un fantôme? Parfois, pour s'amuser, il surgissait brusquement devant elle, en poussant des soupirs d'outre-tombe. Un jour, ça nous a coûté tout un service à thé. Mais quelle importance?

Tant de jeux, depuis tant d'années... Rosemary était jalouse de leurs jeux, imaginant une vie de détente absolue, de loisirs absolus, qui n'avait rien à voir avec la sienne. Ignorant tout de la détente et des loisirs, elle éprouvait une sorte de déférence envers eux, comme tous ceux qui n'ont jamais pu y goûter. Mais elle confondait loisirs et repos, sans comprendre que les Diver n'avaient pas plus droit au repos qu'elle n'y avait droit elle-même.

— Qu'est-il arrivé? demanda-t-elle. Pourquoi s'est-il mis à boire?

Nicole secoua lentement la tête, refusant toute responsabilité dans cette affaire.

— Aujourd'hui, il y a beaucoup de gens remarquables qui choisissent de se détruire eux-mêmes.

— Pourquoi aujourd'hui? demanda Dick. Ils l'ont toujours fait. Les hommes remarquables frôlent constamment le bord du précipice. Ils ne peuvent pas faire autrement. Quelques-uns ne le supportent pas. Ils renoncent.

— Ça vient d'autre chose. Quelque chose de beaucoup plus profond.

Nicole tenait à poursuivre la discussion. Elle était agacée que Dick lui donne tort devant Rosemary.

— Il y a des artistes, comme... disons, comme Fernand, qui ne sont pas du tout obligés de sombrer dans l'alcool. Pourquoi ceux qui se détruisent sont-ils toujours des Américains ?

Il y avait tellement de réponses possibles à ce genre de question que Dick préféra la laisser s'envoler, et bourdonner aux oreilles de Nicole, comme un petit chant de triomphe. Il devenait extrêmement sévère à son égard. Il pensait toujours qu'elle était l'être le plus séduisant qu'il ait rencontré. Tout ce qu'il désirait, il le trouvait en elle. Mais il avait comme un pressentiment de batailles prochaines, et, sans même en être conscient, il essayait de se durcir, d'heure en heure. Il se forgeait des armes. Il n'était pas du tout enclin à tout se pardonner lui-même, et il aurait trouvé particulièrement inélégant de le faire dans les circonstances actuelles. Mais il s'aveuglait, espérant que Nicole ne verrait dans son attirance pour Rosemary qu'une petite fièvre émotionnelle. Sans en être tout à fait sûr, cependant, car la veille, au théâtre, elle avait parlé de Rosemary comme s'il s'agissait d'une enfant.

Ils allèrent déjeuner tous les trois à la salle à manger de l'hôtel. C'était un endroit de tapis profonds et de garçons feutrés — rien à voir avec la démarche alerte et piaffante de ceux qui les avaient servis, ces jours derniers, dans les restaurants qu'ils avaient fréquentés. On ne voyait ici que des familles américaines, dévorant des yeux d'autres familles américaines, dans l'espoir d'engager la conversation.

La table voisine de la leur était occupée par un groupe dont ils ne parvenaient pas à s'expliquer la raison d'être. Il se composait d'un jeune homme brillant et bavard, genre parfait secrétaire, auriez-

162

vous-l'obligeance-de-répéter-je-vous-prie, et d'un certain nombre de femmes. Ces femmes n'étaient ni jeunes ni vieilles. Elles n'appartenaient à aucune classe sociale déterminée. Il émanait d'elles pourtant une étrange impression d'unité, d'intimité même, beaucoup plus profonde que celle qu'aurait pu faire naître, par exemple, un groupe d'épouses dont les maris participent à un congrès professionnel. Beaucoup plus profonde que celle de n'importe quel groupe de touristes.

Dick avait déjà, sur le bout de la langue, une plaisanterie féroce. Il y renonça d'instinct et interrogea le garçon.

— Ce sont des mères de soldats morts au champ d'honneur.

Ils étouffèrent une exclamation et les yeux de Rosemary se remplirent de larmes.

— Les plus jeunes sont sans doute les épouses, dit Nicole.

Dick les regarda de nouveau, par-dessus son verre de vin. Le rayonnement de leurs visages, cette dignité qui émanait d'elles et leur était commune lui permettaient de mesurer le degré de maturité qu'avait atteint la très vieille Amérique. Pendant un instant, ces femmes paisibles, qui étaient venues enterrer leurs morts, accomplir l'irréparable, donnèrent à la salle à manger une grandeur inattendue. Et, pendant un instant, il retourna s'asseoir sur les genoux de son père, tenant les rênes de Moseby, tandis qu'autour de lui s'affrontaient implacablement les dévouements anciens et les anciennes allégeances. Il dut faire un léger effort pour revenir vers la table, vers les deux femmes qui l'entouraient, pour faire face à ce monde entièrement neuf en qui il avait mis sa foi.

« Vous permettez que je tire les rideaux ? »

23

Abe North s'était réfugié au bar du Riz dès neuf heures du matin. Il s'y trouvait toujours. A son arrivée, les fenêtres étaient grandes ouvertes, et de larges faisceaux de lumière faisaient ressortir la poussière des coussins de cuir et des tapis lourds de fumée. Les chasseurs, libres de leurs mouvements et comme désincarnés, parcouraient les couloirs en coup de vent, car personne n'encombrait encore l'espace dans lequel ils évoluaient. Le salon de thé, réservé aux femmes, et qui faisait face au bar proprement dit, paraissait minuscule — comment imaginer qu'une telle cohue allait s'y entasser l'après-midi ?

Le célèbre Paul, concessionnaire du bar, n'était pas encore arrivé, mais Claude, qui faisait l'inventaire des réserves, interrompit son travail, sans paraître surpris, ce qui aurait été déplacé, et prépara pour Abe un petit cocktail. Abe s'était assis sur une banquette, contre le mur. Il se sentit beaucoup mieux après deux cocktails — tellement mieux qu'il eut la force de monter se faire raser au salon de coiffure. Lorsqu'il redescendit, Paul venait d'arriver — il avait eu la discrétion de garer boulevard des Capucines le coupé spécialement carrossé à son intention. Il vint échanger quelques mots avec Abe, qu'il aimait bien.

— En principe, lui dit Abe, je devais m'embarquer pour l'Amérique ce matin. Hier matin, je veux dire... Enfin, quelque chose comme ça.

— Pourquoi ne l'avez-vous pas fait ?

Abe réfléchit un moment, et finit par trouver une raison.

— Je suis plongé dans le feuilleton que publie *Liberty*, et le prochain numéro arrive à Paris aujourd'hui. Si je m'étais embarqué, je n'aurais pas pu l'acheter, et je n'aurais jamais connu la suite.

— Ça doit être un très bon feuilleton.

— Un feuilleton terr-r-rible !

Paul se leva avec un petit rire, puis s'immobilisa, appuyé au dossier d'une chaise.

— Si vraiment vous voulez partir, Mr. North, il y a deux de vos amis qui s'embarquent demain sur le *France*. Mr... ah? son nom m'échappe... et Slim Pearson. Mr... attendez, je vais retrouver... Un grand, qui vient de se laisser pousser la barbe.

Abe vint à son aide.

— Yardly.

— Voilà. Mr. Yardly. Ils s'embarquent tous les deux sur le *France*.

Il s'éloignait déjà, appelé par ses fonctions, mais Abe essaya de le retenir.

— Je suis malheureusement obligé de passer par Cherbourg. A cause de mes bagages. Ils sont partis dans cette direction-là.

— Vous récupérerez vos bagages à New York, dit Paul en s'en allant.

La parfaite logique de cette suggestion s'infiltra petit à petit dans le cerveau embrumé d'Abe — et il s'enchantait à l'idée d'être pris en charge, ou, plus exactement, de jouer encore les irresponsables.

D'autres clients étaient arrivés, pendant ce temps. Un gigantesque Danois, notamment, qu'Abe connaissait pour l'avoir rencontré plusieurs fois, qui s'était installé de l'autre côté du bar. Abe comprit qu'il allait y passer la journée, à manger, discuter, boire et lire les journaux, et décida de lutter d'endurance avec lui. Vers onze heures, quelques étudiants, qui regagnaient l'Amérique pour les vacances, firent une timide apparition, se déplaçant avec circonspection, de peur de se heurter l'un l'autre avec leurs valises. C'est à ce moment-là qu'il demanda au chasseur d'appeler les Diver. Lorsqu'on lui passa Dick, il était déjà en communication avec d'autres amis, et il s'imaginait qu'il leur parlait à tous en même temps, grâce à plusieurs appareils différents, ce qui finit par provoquer une confusion incroyable. De loin en loin, il pensait à un fait précis, à Freeman, qui était en prison, qu'il fallait délivrer, mais les faits perdaient vite toute réalité, et il finissait par les regarder comme les fragments de son cauchemar.

A une heure, le bar était comble. L'équipe des garçons travaillait avec précision dans ce tohu-bo-hu, épinglant leurs clients, les priant de bien vérifier leurs commandes et leurs additions.

— Nous avons dit : deux *stringers*, plus un... deux martinis, plus un... Rien pour vous, Mr. Quaterly ? Ça fait donc trois tournées. Soixante-quinze francs, Mr. Quaterly. Mr. Schaeffer me dit qu'il a réglé la sienne, que la dernière est pour vous... Je fais ce qu'on me dit... *Thanks vera-much*.

Dans la bousculade, Abe avait perdu sa place. Il se tenait debout, légèrement titubant, et discutait avec quelques clients, auxquels il s'était présenté lui-même. Un fox-terrier entortilla sa laisse autour de ses chevilles. Il parvint à se dégager sans perdre l'équilibre, et reçut en échange un déluge d'excuses. Quelqu'un l'invita à déjeuner, mais il refusa. C'est qu'il allait faire jour, expliqua-t-il, et dès qu'il ferait jour, il avait quelque chose d'important à régler. Il prit bientôt congé de ses interlocuteurs, avec cette exquise affabilité des alcooliques, qui ressemble à celle des prisonniers, ou des vieux serviteurs de famille, et s'aperçut, en se retournant, qu'après avoir fait le plein le bar s'était vidé d'un coup, aussi vite qu'il s'était rempli.

Face à lui, le gigantesque Danois et ses amis venaient de commander leur déjeuner. Il en fit autant, mais n'avala que quelques bouchées. Puis il resta là, simplement, sans bouger, avec l'impression merveilleuse d'avoir retrouvé son passé. La boisson permet, en effet, de confondre l'instant présent avec les meilleurs moments du passé, comme s'ils allaient de pair. Elle permet même d'y confondre aussi l'avenir, comme si ces instants merveilleux étaient sur le point de se reproduire.

A quatre heures, un chasseur s'approcha de lui.

— Il y a là un individu qui désire vous parler. Il est noir. Il dit s'appeler Jules Peterson.

— Grands dieux! Comment m'a-t-il découvert?

— Je ne lui ai pas dit que vous étiez là.

— Qui le lui a dit, alors?

Abe parut s'effondrer, au milieu des soucoupes et des verres, mais il reprit son équilibre.

— Il prétend qu'il a fait le tour de tous les hôtels et de tous les bars américains.

— Dites-lui que vous ne m'avez pas vu.

Le chasseur s'éloignait. Il le rappela.

— Le laisserait-on entrer ici?

— Je vais m'informer.

En réponse à cette question, Paul jeta un coup d'œil par-dessus son épaule et secoua la tête. Puis il vint vers Abe.

— Désolé, mais je ne peux pas le laisser entrer.

Abe eut un peu de mal à se mettre debout sans l'aide de quelqu'un, et sortit par la rue Cambon.

24

Sa petite sacoche de cuir à la main, Dick Diver se rendit d'abord dans le septième arrondissement — où il déposa, pour Maria Wallis, un petit mot signé « Dicole », diminutif dont ils signaient leurs lettres,

Nicole et lui, aux premiers temps de leur amour — puis chez son chemisier, où les vendeurs manifestèrent à son endroit un empressement que le montant de ses dépenses ne justifiait en rien. Il eut honte, brusquement. Honte de faire naître de tels espoirs chez ces Anglais si pauvres, uniquement parce qu'il était parfaitement éduqué et qu'il paraissait posséder les clefs de la sécurité. Honte de faire raccourcir d'un demi-centimètre la soie de ses poignets. Il entra ensuite au bar du Crillon, où il commanda un café léger, assorti de deux doigts de gin.

A son arrivée, le hall de l'hôtel lui avait paru anormalement éclairé. Il comprit pourquoi en sortant. C'est qu'il était quatre heures et que la nuit venait déjà. Une nuit lourde de vent, qui secouait les arbres des Champs-Elysées, faisait danser les feuilles mortes. Une nuit blafarde et furieuse. Dick s'engagea dans la rue de Rivoli, suivit les arcades jusqu'à sa banque, où il retira son courrier. Puis il prit un taxi, et remonta les Champs-Elysées, alors que la pluie commençait à tomber. Il se trouvait seul avec son amour.

Deux heures plus tôt, dans le couloir du Roi George, la beauté de Nicole lui avait paru aussi évidente, face à celle de Rosemary, que la beauté d'une vierge de Léonard, face à un portrait de jeune fille dû au premier crayon venu. Et voilà qu'il rentrait, à travers la pluie, possédé du démon et comme épouvanté, avec tant de passions en lui, éprouvées par tant d'hommes, et rien d'heureux à en attendre.

C'est remplie d'émotions diverses, inconnues de toute autre qu'elle, que Rosemary vint ouvrir sa porte. Elle était devenue ce qu'on pourrait appeler « un petit animal furieux ». Incapable de se ressaisir au bout de vingt-quatre heures, de redevenir elle-même, elle se débattait dans le chaos qui l'entourait, comme si son destin s'était pulvérisé. Elle recomptait sans cesse les avantages acquis, les espoirs possibles, obligeant tour à tour Dick, Nicole, sa mère et le metteur en scène rencontré la veille à tenir le rôle des nœuds de fixation dans un collier de perles.

Au moment où Dick avait frappé à sa porte, elle finissait de s'habiller, et regardait tomber la pluie, en pensant à un vague poème, et aux ruisseaux en crue de Beverley Hills. Elle vint ouvrir. Elle le regarda aussitôt comme quelque chose de solidement enraciné, une sorte de Dieu, ce qu'il avait toujours été, ce que sont les aînés aux plus jeunes, un être inflexible, immuable. Il la regarda, de son côté, avec un sentiment de déception inévitable. Il mit quelques secondes à répondre au charme désarmant de son sourire, à l'attrait de ce corps, qui avait l'exacte mesure d'une fleur sur le point de s'ouvrir. Il remarqua, sur le tapis qui fermait le seuil de la salle de bains, l'empreinte qu'avait laissée son pied nu.

— Miss Télévision, murmura-t-il, avec un enjouement forcé.

Il posa sa petite sacoche et ses gants sur la coiffeuse, sa canne contre le mur. Il raidissait le menton, pour effacer les marques de souffrance qui s'étaient formées autour de sa bouche, les obligeant à gagner le front, et le coin des paupières, comme on efface une frayeur qui doit rester cachée.

— Venez vous asseoir contre moi, dit-il à mi-voix, sur mes genoux, et laissez-moi regarder de tout près votre bouche si belle...

Elle obéit, vint s'asseoir comme il le demandait, et, tandis que les gouttes de pluie heurtaient les vitres doucement — drip, dri-i-ip... — , elle toucha des lèvres le visage glacial et superbe du Dieu qu'elle s'était créé.

Puis elle l'embrassa plusieurs fois sur la bouche, et chaque fois qu'elle s'approchait de lui, il lui semblait que son visage devenait immense. Il n'avait rien vu d'aussi bouleversant que la qualité de sa peau, et, comme l'image de la beauté nous entraîne souvent vers ce qu'il y a de meilleur en nous, il se mit à penser à Nicole, à la responsabilité qu'il avait envers elle, et à la responsabilité de Rosemary, qui était venue s'installer à deux portes d'elle, de l'autre côté du couloir.

— Plus de pluie, dit-il. Du soleil sur les ardoises. Vous le voyez comme moi ?

Elle se leva, se pencha, et dit ce qu'elle pensait, avec la plus grande franchise.

— Oh ! c'est que nous sommes de *parfaits comédiens* — vous comme moi.

Elle se dirigea vers sa coiffeuse. Au moment précis où elle enfonçait un peigne dans ses cheveux, on frappa de petits coups insistants à sa porte.

Ils restèrent comme pétrifiés. Les coups reprirent, plus insistants. Rosemary se souvint brusquement qu'elle n'avait pas fermé à clef. Elle posa son peigne, fit un signe de tête à Dick, qui effaça rapidement les plis du dessus-de-lit, là où ils venaient de s'asseoir, et alla ouvrir, tandis qu'il disait, d'une voix parfaitement naturelle, et sans hausser le ton :

—...mais si vous n'avez pas envie de sortir, je préviens Nicole, et nous passerons très calmement cette dernière soirée.

Ces précautions étaient inutiles, car ceux qui venaient de frapper étaient beaucoup trop angoissés pour pouvoir porter un jugement, même fugitif, sur ce qui ne les concernait pas directement. Ils étaient deux : Abe, vieilli de plusieurs mois en quelques heures, et un Noir terriblement effrayé, qu'Abe leur présenta comme étant Jules Peterson de Stockholm.

— Il se trouve dans une situation dramatique, expliqua-t-il. A cause de moi. Nous avons besoin d'un conseil.

Dick leur fit signe.

— Allons chez moi.

Abe insista pour que Rosemary les accompagne. Ils traversèrent le couloir, et pénétrèrent dans l'appartement qu'occupaient les Diver. Jules Peterson, un petit homme fort respectable, réplique affable de ces Noirs qui emboîtent le pas au Parti Républicain, dans les États-frontière, les suivit.

Apparemment, les faits se résumaient ainsi : le Peterson en question avait été témoin de la bagarre, qui avait éclaté au petit matin dans un bistrot de Montparnasse. Il avait accompagné Abe au commissariat de police, pour confirmer sa déposition — à savoir qu'un client Noir, qui était là, lui aurait volé un billet de mille francs. Identifier ce client représentait l'un des éléments de l'affaire. Abe et Jules Peterson étaient donc retournés sur les lieux, flanqués d'un agent de police, lequel avait un peu trop précipitamment identifié comme coupable un Noir, qui se révéla, au bout d'une heure d'enquête, n'être entré dans le bistrot qu'après le départ d'Abe. Pour compliquer encore l'affaire, l'agent de police avait arrêté le célèbre restaurateur Freeman, qui était noir lui aussi, et n'avait fait que traverser furtivement ces vapeurs d'alcool, avant de disparaître. Le vrai coupable, dont le seul crime, aux dires de ses amis, avait été d'emprunter à Abe un billet de cinquante francs, pour régler des consommations qu'Abe avait commandées lui-même, venait juste de faire sa réapparition, d'une façon plutôt inquiétante.

En bref, il avait fallu moins d'une heure à Abe pour être à jamais imbriqué dans l'existence, la conscience et l'arrière-plan émotionnel d'un Afro-Européen et de trois Afro-Américains, qui vivaient au Quartier Latin. Cet inextricable écheveau était loin d'être démêlé, et la journée avait été jalonnée de visages noirs inconnus, surgissant brusquement dans les passages et les recoins les plus inattendus, tandis que de sourdes voix noires proféraient des menaces par téléphone.

Abe avait personnellement réussi à leur échapper à tous, sauf à Jules Peterson. La situation dans laquelle se trouvait Peterson était à peu près semblable à celle d'un Peau-Rouge qui, par excès de sympathie, aurait porté secours à un Blanc. Cette trahison-là avait rendu les Noirs fous furieux, et ils étaient lancés aux trousses de Peterson beaucoup plus qu'à celles d'Abe. Ce qui explique pourquoi Peterson considérait Abe comme son seul défenseur et s'accrochait à lui désespérément.

Peterson avait monté à Stockholm une petite fabrique de cirage qui avait fait faillite. Il n'en avait rapporté que sa formule de composition exclusive, et quelques outils, qui tenaient dans une mallette. Dans les brumes du petit matin, son défenseur lui avait promis de lui trouver du travail à Versailles. L'ancien chauffeur d'Abe y était, en effet, installé comme cordonnier. Abe avait même versé à Peterson un acompte de deux cents francs.

Rosemary avait écouté avec une sorte d'écœurement cette histoire abracadabrante. Son sens de l'humour n'était pas assez développé pour en apprécier le grotesque et l'extravagance. Ce petit homme noir, qui transportait avec lui les restes de sa fabrique en faillite, son regard sournois, que traversaient parfois de petits cercles de frayeur, l'attitude d'Abe, son visage si maigre, avec ses traits tirés — il y avait dans tout ça quelque chose de maladif, qui lui demeurait étranger.

— Une chance, une chance de vivre, voilà ce que je demande, expliquait Peterson, avec l'accent fidèle et pourtant déformé qu'ont les peuples colonisés. Mes procédés de fabrication sont extrêmement simples. Quant à ma formule, elle est tellement bonne que j'ai été expulsé de Stockholm, sans un sou en poche, parce que j'ai refusé de m'en défaire.

Dick l'écoutait avec politesse. Son intérêt éveillé un instant, puis évanoui, il se tourna vers Abe.

— Prenez une chambre dans un hôtel, n'importe lequel, couchez-vous et dormez. Quand vous vous sentirez d'aplomb, Mr. Peterson ira vous voir.

Abe se récria :

— Vous ne voyez pas le pétrin dans lequel il se trouve ?

— Je vais attendre dans le couloir, annonça Peterson avec tact. Ce doit être un peu difficile pour vous de discuter de mes problèmes en ma présence.

Il esquissa une sorte de révérence très « grand siècle », et disparut. Abe se leva lui-même, avec une lourdeur de locomotive.

— Je n'ai pas l'air d'être très convaincant, aujourd'hui.

— Convaincant, mais peu vraisemblable, répondit Dick. Suivez mon conseil. Quittez cet hôtel, en passant par le bar, si vous voulez. Allez au Chambord. Si vous souhaitez un service impeccable, allez au Majestic.

— Je ne peux pas avoir quelque chose à boire, sans vous déranger ?

Dick mentit.

— Il n'y a rien à boire, ici.

Abe serra la main de Rosemary avec résignation. Il s'accrochait à cette main, et cherchait à se composer un visage, en commençant des phrases qu'il n'arrivait pas à finir.

— Vous êtes la plus... l'une des plus...

Rosemary était désolée, presque scandalisée, parce qu'il avait les mains sales, mais elle parvint à rire, en jeune fille bien élevée, comme si ça lui semblait parfaitement normal de voir un homme s'enfoncer dans un rêve éveillé. Les gens témoignent souvent aux ivrognes un étrange respect, analogue à celui que les peuplades primitives témoignent aux fous. Il ne s'agit pas de frayeur : de *respect*. Car quelqu'un qui a rejeté toutes ses inhibitions, qui se sent capable de faire n'importe quoi, a quelque chose d'impressionnant. Mais il faut qu'il paie très vite, bien sûr, et très cher, cet instant où il a réussi à vous dominer, à vous impressionner. Abe essaya une dernière fois d'apitoyer Dick.

— Si je vais dans un hôtel, si je me sèche, si je m'étrille, et si je me débarrasse de tous ces Sénégalais, est-ce que je peux vous rejoindre, et passer une soirée au coin du feu ?

Dick hocha la tête, plus ironiquement qu'affirmativement.

— Vous avez une haute opinion de vos facultés de récupération.

— Si Nicole était là, je suis sûr qu'elle accepterait que je revienne.

— Soit.

Dick alla prendre, dans une malle, une boîte qu'il posa sur la table. Cette boîte contenait une quantité de petits cartons portant chacun une lettre.

— Si vous acceptez de jouer au lexicon, vous pouvez revenir.

Abe examina les cartons avec une sorte de haut-le-cœur, comme si on voulait les lui faire avaler sous forme de flocons d'avoine.

— Le lexicon ? Qu'est-ce que c'est que ça, encore ? Vous ne croyez pas que les bizarreries, pour aujourd'hui...

— C'est un jeu très calme. Il s'agit de composer des mots à l'aide des cartons. Tous les mots possibles, excepté : *alcool*.

Abe plongea la main dans la boîte.

— Je parie que je suis capable de composer le mot : *alcool*. Si je réussis à composer le mot : *alcool*, vous me permettez de revenir ?

— Je vous répète que vous pouvez revenir si vous acceptez de jouer au lexicon.

Abe secoua la tête, d'un air navré.

— Si vous êtes dans cet état d'esprit, inutile. Je ne ferai que vous importuner.

Il agita le doigt en direction de Dick, comme un reproche.

— Mais souvenez-vous de la réflexion de George III, à propos de Grant, qui n'aurait fait qu'une bouchée des autres généraux, s'il avait été ivre.

Il jeta un dernier regard en direction de Rosemary, un dernier éclair désolé de ses yeux d'or sombre, et sortit. A son grand soulagement, Peterson ne l'attendait pas dans le couloir. Se sentant perdu, sans abri, il décida de retourner au Ritz, pour demander à Paul de lui rappeler le nom de ce bateau qui allait partir.

25

Dès qu'il eut disparu, d'un pas légèrement vacillant, Dick et Rosemary s'empressèrent de s'embrasser. Paris les avait recouverts d'une sorte de cendre fine, et ils se respiraient l'un l'autre à travers elle — le capuchon en caoutchouc du stylo de Dick, les épaules et le cou de Rosemary, qui gardaient un reste de chaleur, à peine perceptible. Dick s'y enfonça désespérément pendant une demi-minute. Rosemary reprit conscience la première.

— Il faut que je parte, jeune homme...

Ils se regardèrent, les paupières à demi fermées, tandis que l'espace qui les séparait s'élargissait de plus en plus, et Rosemary sortit de scène, d'une façon qu'elle avait apprise dans son enfance, et qu'aucun metteur en scène n'avait essayé de perfectionner.

Elle ouvrit la porte de sa chambre, alla droit à son secrétaire, car elle se souvenait brusquement d'y avoir laissé sa montre-bracelet. Elle s'y trouvait, en effet. En l'agrafant à son poignet, elle jeta un coup d'œil vers la lettre quotidienne qu'elle écrivait à sa mère, et qui n'était pas terminée. Elle formait déjà les dernières phrases dans sa tête, lorsque, sans avoir besoin de se retourner, elle eut peu à peu l'impression qu'elle n'était pas seule.

Il existe, dans toute chambre occupée, quelques surfaces réfléchissantes, dont on prend à peine conscience : le bois verni, le cuivre plus ou moins bien astiqué, l'argent, l'ivoire, auxquelles viennent s'ajouter des milliers de petits endroits, où l'ombre et la lumière peuvent jouer, endroits si innocents, en apparence, qu'on ne les soupçonne même pas : le haut d'un cadre, les facettes d'un stylomine, le bord d'un cendrier, un bibelot de cristal ou de porcelaine. C'est l'accumulation de ces divers reflets (entraînant du subtils réflexes optiques, tout en éveillant, par association, des fragments d'anciens souvenirs, que notre subconscient semble avoir gardés en réserve comme un ouvrier verrier garde en réserve certaines pièces moins bien façonnées, en se disant qu'il pourra peut-être s'en resservir), c'est donc l'accumulation de ces divers reflets qui explique pourquoi Rosemary put dire, par la suite, qu'avant même de se retourner elle avait « senti », de façon presque surnaturelle, qu'elle n'était pas seule dans sa chambre. Mais, cette impression aussitôt éprouvée, elle fit un rapide demi-tour sur elle-même, comme une danseuse, et aperçut le cadavre d'un Noir en travers de son lit.

Elle poussa un cri strident — « *aaouu* » — avec l'étrange sentiment qu'il s'agissait d'Abe. Son bracelet-montre, qui n'était qu'à moitié agrafé, retomba sur le secrétaire. Elle se jeta contre la porte et traversa le couloir en courant.

Dick rangeait ses affaires. Après avoir examiné les gants qu'il portait ce jour-là, il les avait jetés au fond d'une malle, avec d'autres paires de gants usagés. Il avait suspendu sa veste et son gilet à un cintre, sa chemise à un autre. C'était l'une de ses manies. « Une chemise légèrement défraîchie peut encore se porter ; une chemise froissée, non. » Nicole venait de rentrer. Elle vidait dans la corbeille à papiers l'un des incroyables cendriers d'Abe. Rosemary se précipita dans la pièce.

— *Dick !* Oh ! *Dick ?* Allez voir !

Dick courut jusqu'à la chambre. Il se pencha pour écouter le cœur de Peterson. Le corps était encore chaud. Le visage, hagard et sournois lorsqu'il était en vie, était devenu amer et bouffi dans la mort. L'un des bras retenait la mallette, contenant ses instruments de travail, mais la chaussure, qui pendait sur le bord du lit, n'était pas cirée, et la semelle était trouée. Selon la loi française, Dick n'avait pas le droit de toucher au corps. Il souleva pourtant le bras, pour vérifier quelque chose. Le dessus-de-lit vert était taché. Il y avait sûrement une tache de sang sur la couverture qu'il recouvrait.

Il alla fermer la porte, puis s'arrêta pour réfléchir. Il entendit dans le couloir quelques pas hésitants, puis la voix de Nicole qui l'appelait. Il entrouvrit la porte.

— Prends un dessus-de-lit et une couverture sur l'un de nos lits, et apporte-les-moi, murmura-t-il. Mais surtout que personne ne te voie.

Comme elle avait le visage extrêmement tendu, il ajouta rapidement :

— Écoute-moi. Il n'y a aucune raison de s'inquiéter. C'est une simple bagarre entre Noirs.

— J'espère qu'il ne va rien nous arriver.

Dick souleva le corps. Il était maigre, mal nourri, ne pesait pratiquement rien. Il le pencha de telle façon que le sang se répande sur les vêtements, si la blessure coulait encore. Il le coucha le long du lit, enleva le dessus-de-lit et la couverture, puis alla entrouvrir la porte et tendit l'oreille. Un bruit d'assiettes venait du couloir, suivi d'un sonore et obséquieux : « Merci, madame ! » Mais le garçon partit dans la direction opposée, vers l'escalier de service. Dick et Nicole échangèrent très vite leur ballots de fournitures. Dick refit le lit de Rosemary, et s'arrêta de nouveau pour réfléchir. Il transpirait abondamment. Deux points lui étaient devenus évidents, depuis qu'il avait examiné le corps. Premièrement : en suivant la piste d'Abe, le coupable était tombé sur le pauvre Peau-Rouge, qui avait trahi les siens par excès de sympathie. Il l'avait surpris dans le couloir. Et lorsqu'en désespoir de cause le pauvre Peau-Rouge s'était réfugié dans la chambre de Rosemary, il l'avait poursuivi et exécuté. Deuxièmement : si on laissait les choses suivre leur cours normal, aucune puissance au monde ne pourrait empêcher Rosemary d'être éclaboussée par les retombées de l'affaire. Le scandale Arbuckle n'était pas encore oublié. Elle s'était engagée, par contrat, à rester jusqu'au bout une irréprochable *Daddy's girl*.

Il ne portait qu'un maillot de corps, mais fit d'instinct le geste de retrousser ses manches. Il se pencha au-dessus du Noir, le saisit solidement par les épaules de sa veste, ouvrit la porte d'un coup de talon, le traîna le long du couloir, et lui fit prendre une posture crédible. Il revint ensuite dans la chambre de Rosemary, effaça du tapis toutes les traces apparentes. Il regagna enfin son appartement, décrocha son téléphone et appela le gérant de l'hôtel.

— Monsieur McBeth ? Ici, le docteur Diver. J'ai

quelque chose de très grave à vous apprendre. Sommes-nous sur une ligne privée ?

Comme il avait eu raison de faire ce qu'il fallait pour s'attirer les bonnes grâces de ce monsieur McBeth. Comme il avait eu raison de jouer de ce charme qui émanait de lui, sans même qu'il le veuille, jusque dans les endroits où il pensait ne jamais revenir.

— En regagnant notre appartement, nous nous sommes heurtés au cadavre d'un Noir... dans le couloir... non, non, un civil... Écoutez-moi une seconde. Je me suis dit que vous seriez extrêmement ennuyé si vos clients tombaient sur ce cadavre. C'est pour ça que je m'empresse de vous téléphoner. Je vous demanderai, bien sûr, de ne pas mêler mon nom à l'affaire. Je ne tiens pas du tout à ce qu'on me décore de la Légion d'honneur parce que j'ai découvert le corps.

Ah ! l'exquise façon de vouloir préserver la réputation de l'hôtel. Deux jours plus tôt, monsieur McBeth avait pu constater, de ses propres yeux, à quel point le Dr Diver était quelqu'un de distingué. Il ajouta donc foi à l'histoire, sans poser plus ample question.

Une minute plus tard, il était sur place. Une minute encore, et il était rejoint par un brigadier de gendarmerie. Dans l'intervalle, il avait eu le temps de murmurer à Dick :

— Soyez totalement rassuré, docteur. Le nom d'aucun de nos clients ne sera mêlé à l'affaire. Je vous dois une infinie reconnaissance pour la peine que vous avez prise.

Monsieur McBeth fit aussitôt prendre aux événements une tournure sur laquelle on ne peut émettre que des hypothèses, mais qui impressionna si fortement le brigadier qu'il se tortilla soudain la moustache, d'un air à la fois cupide et gêné. Après avoir pris quelques notes de pure forme, il téléphona à ses supérieurs. Entre-temps, avec une célérité qu'en tant qu'homme d'affaires Jules Peterson aurait à juste titre admirée, son cadavre avait été transporté dans l'une des suites de cet hôtel, comptant parmi les plus « select » du monde.

Dick regagna son appartement.

— Que s'est-il *passé* ? s'écria Rosemary. Tous les Américains qui vivent à Paris passent-ils leur temps à s'entre-tuer ?

— Il semble que la saison soit ouverte, répondit-il. Où est Nicole ?

— Dans la salle de bains, je crois.

Elle l'adorait plus que jamais. Parce qu'il venait de la sauver. Un tel drame aurait pu entraîner de si profonds désastres ! Elle n'avait pas grand mal à les imaginer. Il y avait eu cette voix tranquille, assurée, d'une parfaite distinction, qui avait tout remis en ordre. Elle l'avait écoutée, avec une ardeur passionnée, et tout la portait vers lui, maintenant, dans un grand élan de l'âme et du corps. Mais il était devenu attentif à autre chose. Il traversa la chambre, gagna la salle de bains. Rosemary finit par entendre, à son tour, le torrent de violence verbale qui en sortait, de plus en plus haut, de plus en plus fort, roulait à travers les serrures, forçait les joints de porte, envahissait l'appartement, et faisait surgir de nouveau le spectre de l'horreur.

Croyant que Nicole avait fait une chute, qu'elle s'était blessée, elle suivit Dick. Mais ce qu'elle eut le temps d'apercevoir, avant qu'il la repousse d'un mouvement d'épaule pour qu'elle n'en voie pas davantage, était d'une tout autre nature.

A genoux contre la baignoire, Nicole se balançait d'arrière en avant.

— C'est toi ! hurlait-elle. Toi qui t'introduis de force dans le seul endroit au monde où je puisse être seule ! Avec ta couverture... le sang rouge sur ta couverture. Je la porterai. Oui, je la porterai pour toi... Je n'ai pas honte. Mais quelle dérision! Le jour de la Fête des Fous, à Zurich, tous les fous étaient là, sur le lac. J'ai voulu y aller, moi aussi. Avec ta couverture. Mais ils m'ont empêchée d'y aller.

— Calme-toi... Calme-toi...

— Alors, je me suis enfermée dans la salle de bains, et ils m'ont apporté un domino. Ils m'ont dit de le mettre. J'ai obéi. Qu'est-ce que je pouvais faire d'autre ?

— Nicole, calme-toi...

— Je n'ai jamais demandé que tu m'aimes. C'est trop tard. Je te demande seulement de ne pas t'introduire de force dans la salle de bains. C'est le seul endroit où je puisse être seule. N'entre pas, en agitant ta couverture pleine de taches rouges, de taches de sang rouge, et en me demandant de la porter!

— Calme-toi... Lève-toi...

Rosemary entendit claquer la porte de la salle de bains. Elle resta immobile au milieu du salon. Elle tremblait. Elle savait maintenant ce que Violet McKisco avait découvert dans la salle de bains de la villa Diana. Le téléphone sonna. Elle répondit, et pleura presque de soulagement en reconnaissant la voix de Collis Clay, qui lui donnait la chasse jusque dans l'appartement des Diver. Elle lui demanda de l'y rejoindre, pendant qu'elle mettait un chapeau, car elle était épouvantée à l'idée de retourner seule dans sa chambre.

LIVRE DEUX

1

Le Dr Richard Diver avait vingt-six ans, lorsqu'il arriva pour la première fois à Zurich, au printemps de 1917. C'est un bel âge pour un homme — le plus beau de tous, s'il est célibataire. Les Etats-Unis venaient d'entrer en guerre, mais c'était quand même un bel âge pour Dick, car on avait tellement investi en lui, il représentait une telle mise de fonds qu'on ne pouvait plus courir le risque de l'envoyer au feu. En y réfléchissant, quelques années plus tard, il se demanda si cette mise à l'écart l'avait réellement protégé — mais il préféra ne pas trop approfondir le problème. En 1917, il se contentait de sourire en disant qu'il était désolé mais que la guerre n'avait rien à voir avec lui. Les autorités militaires dont il dépendait lui avaient donné l'ordre de se rendre à Zurich, comme il en avait l'intention, d'y terminer ses études, et d'y obtenir son diplôme.

La Suisse était alors une île, que venaient battre d'un côté les tempêtes de Gorizia, de l'autre les orages d'acier de l'Aisne et de la Somme. On pouvait croire, à première vue, qu'elle abritait plus de conspirateurs que de malades, mais cette impression méritait d'être examinée plus avant — car les hommes qui parlaient à voix basse, dans les petits cafés de Berne et de Genève, pouvaient être aussi bien de simples diamantaires ou des voyageurs de commerce. Quoi qu'il en soit, personne ne pouvait prétendre ignorer les interminables trains de soldats aveugles, infirmes ou mourants, qui se croisaient sans cesse entre les lacs ensoleillés de Constance et de Neuchâtel. Chaque brasserie, chaque vitrine de magasin s'étaient ornées longtemps d'affiches de couleurs vives, représentant le peuple suisse défendant ses frontières en 1914 — des hommes de tous âges, jeunes et moins jeunes, au regard farouche et illuminé, guettant, du haut de leurs montagnes, de problématiques envahisseurs allemands ou français. Il s'agissait alors de rassurer les Suisses, de leur rappeler que leur cœur avait partagé, lui aussi, la fièvre héroïque de cette époque-là. Le massacre se prolongeant, ces affiches avaient peu à peu disparu, et cette république sœur tomba littéralement des nues en apprenant que les Etats-Unis se jetaient à leur tour dans la guerre.

Le Dr Diver, pour sa part, avait déjà côtoyé la guerre d'assez près. Ayant obtenu, en 1914, une bourse de la fondation Cecil Rhodes, il avait quitté le Connecticut pour Oxford. Revenu en Amérique l'année suivante, il avait poursuivi ses études à l'université Johns Hopkins. En 1916, terrifié à l'idée que le génial Freud risquait de disparaître dans un bombardement aérien, il avait fait des pieds et des mains pour se rendre à Vienne. La ville était exsangue, menacée de mort, mais il avait réussi à se procurer suffisamment de charbon et d'alcool à brûler pour s'enfermer dans une chambre de la Damenstiff Strasse, et travailler à quelques essais, qu'il devait détruire par la suite, puis réécrire, et qui serviront d'ossature à l'ouvrage qu'il fera paraître à Zurich, en 1920.

Nous avons presque tous, dans notre vie, une période de prédilection, une période *héroïque*. Ce fut, pour Dick, cette période-là. Il était notamment inconscient de son charme, inconscient de ce que pouvaient avoir de déroutant, pour les gens normaux, les sentiments qu'il offrait ou qu'il inspirait. Au cours de sa dernière année à New Haven, quelqu'un l'avait appelé : Dick-la-chance. Ce nom lui tournait dans la tête.

— Dick-la-chance, tu parles! se murmurait-il à lui-même, en rôdant autour des dernières lueurs de son feu. Pour avoir décroché le gros lot, chapeau! Personne ne pouvait se douter qu'il était caché là. Il fallait vraiment que tu viennes!

Dans les premiers jours de 1917, le charbon devint pratiquement introuvable. Dick se résigna donc à brûler une bonne centaine de livres, qu'il avait amassés dans sa chambre. Avant d'en jeter un au feu, il s'amusait à vérifier, avec un petit sourire intérieur, qu'il en avait digéré l'essentiel, et que, si ce livre méritait un jour d'être résumé, il serait capable de le faire sur une durée de cinq ans. Il s'y exerçait aux heures les plus inattendues, un vieux tapis sur les épaules, avec cette sérénité admirable des étudiants, proche plus qu'aucune autre de l'extase mystique — mais qui, on le verra bientôt, touchait presque à sa fin.

C'est grâce à sa forme physique qu'il pouvait encore l'éprouver à l'époque, grâce à son corps, parfaitement entraîné sur les stades de New Haven, et qu'il obligeait à des bains glacés dans les eaux du Danube. Il partageait l'appartement d'un certain Ed Elkins, deuxième secrétaire d'ambassade. Deux charmantes créatures venaient les voir, de loin en loin. Elkins était ainsi, sans excès d'aucune sorte, ni dans sa vie privée, ni à l'ambassade d'ailleurs, et s'en trouvait très bien. Dick s'inquiétait, à son contact, se posait des questions sur ses propres capacités intellectuelles. Il ne savait pas mesurer à quel point elles différaient de celles d'Elkins, capable, entre autres choses, de vous réciter sans erreur les noms de tous les trois-quarts arrière de New Haven, dans les trente dernières années.

— ...mais Dick-la-chance est incapable d'un tel exploit. Il ne sera jamais assez astucieux. Il faudrait qu'il soit moins intègre, qu'une petite fêlure le ronge doucement. Si la vie ne veut pas s'en charger, à quoi bon espérer qu'une maladie, une peine de cœur, un complexe d'infériorité puissent le faire pour elle ? Et pourtant... Ce serait tellement agréable de reconstruire ce qui s'est fissuré, en l'améliorant même, qui sait ?

Il finissait par se moquer de ses raisonnements, qu'il qualifiait de *spécieux* et d'*américains*. Parler sans réfléchir représentait pour lui le critère même de la pensée américaine. Il savait malgré tout qu'il serait incomplet tant qu'il serait intègre.

— Que puis-je vous souhaiter de mieux, mon enfant, qu'un petit instant de souffrance ? soupire la Fée Blackstick, dans *La Rose et l'Anneau,* de Thackeray.

Mais, selon ses humeurs, il se raccrochait parfois à ces mêmes raisonnements.

— Honnêtement, si Pete Livingston s'est enfermé dans les vestiaires, le jour des élections pour les Fraternités, alors que tout le monde lui courait après, ce n'est pas moi qui l'y ai poussé. Moi, je n'avais aucune chance. Je ne connaissais pratiquement personne. J'ai pourtant intégré Elihu. Il était bien meilleur que moi. J'aurais dû m'enfermer dans les vestiaires à sa place. Peut-être l'aurais-je fait, si j'avais pensé que j'avais la plus petite chance d'être élu. Mercer est souvent venu dans ma chambre, à cette époque-là, d'accord. Je me doutais vaguement que j'avais une chance, d'accord. Mais ça m'aurait rendu un fier service d'avaler mon insigne de Fraternités sous la douche, et de faire naître en moi un début de conflit.

Il en discutait souvent, après les cours de l'université, avec un jeune intellectuel roumain, qui cherchait à le rassurer.

— Prenons Goethe, par exemple. Rien ne prouve qu'il ait souffert d'un « conflit » quelconque, au sens moderne du terme. Jung non plus. Tu n'es pas un philosophe romantique. Tu es un scientifique. Ce qu'il te faut, c'est de l'énergie, du caractère, de la mémoire. Et, par-dessus tout, du bon sens. Méfie-toi. Si tu te poses trop de questions sur toi-même, ça peut devenir un problème. J'ai connu un type qui s'est acharné, pendant deux ans, à étudier le cerveau des tatous, avec l'idée de devenir le spécialiste mondial de la question. J'ai passé mon temps à lui dire que c'était parfaitement arbitraire, que ça ne ferait pas progresser d'un pouce l'étendue du savoir humain. Finalement, lorsqu'il a soumis ses travaux aux revues médicales, elles les ont refusés, bien sûr. Tu sais pourquoi ? Parce qu'un autre type, quelques jours plus tôt, leur avait proposé une thèse sur le même sujet, et qu'elles l'avaient accepté.

Dick avait beaucoup de points faibles, à son arrivée à Zurich, beaucoup de « talons d'Achille ». Pas assez, sans doute, pour équiper un mille-pattes, mais quand même... Il était rempli d'illusions. Il avait foi en la vigueur, en la santé, en la bonté humaine. Il avait foi en la patrie. Il avait fait siens tous les mensonges accrédités par les femmes de pionniers, qui, pour endormir leurs enfants, leur chantonnaient qu'aucun loup n'était à l'affût devant leur cabane. Quand il eut obtenu son diplôme, les autorités militaires lui donnèrent l'ordre de rejoindre une antenne médicale, qui s'était constituée en France, à Bar-sur-Aube.

Le travail, plus administratif que pratique,

l'écœura vite. Pour se consoler, il termina le court essai qu'il avait en chantier, et rassembla une documentation pour un autre à venir. Il regagna Zurich, au printemps de 1919, après sa démobilisation.

Tout cela sonne un peu comme une biographie, sans qu'on ait la joie de savoir d'avance, comme pour le général Grant dans son bazar de Galena, que le héros est sur le point d'être appelé à une haute destinée. C'est d'autre part une impression assez troublante, lorsqu'on a connu quelqu'un dans sa maturité, de s'approcher d'une photographie qui le représente dans sa jeunesse, et de se trouver face à un étranger, avide et décharné, qui vous jauge d'un regard d'aigle. Autant vous rassurer tout de suite — pour Dick Diver, c'est maintenant que tout commence.

2

C'était en avril, un jour gris et pluvieux, avec de grands nuages effilochés aux flancs de l'Albishorn, et partout, dans les fondrières, de petits plans d'eau immobiles. Zurich ressemble assez à certaines villes américaines. Dick était là depuis deux jours, et quelque chose lui manquait, qu'il analysait mal. Il comprit enfin que c'était l'impression de *fini,* que lui avait donnée la campagne française, l'impression qu'il n'y a jamais rien au-delà. A Zurich, il y a toutes sortes de choses au-delà de Zurich. En suivant la pente des toits, le regard atteint des prairies à vaches, bruissantes de clochettes, qui le conduisent à leur tour vers des sommets toujours plus hauts — et la vie tout entière paraît suspendue à un ciel de carte postale. Ces pays alpins, terre d'asile des jouets et des funiculaires, des chevaux de bois et des boîtes à musique, n'ont pas l'air d'être vraiment *là*. Alors qu'en France il n'y a aucun doute : chaque plant de vigne est enraciné très profondément dans le sol.

Un jour, en visitant Salzbourg, Dick avait physiquement ressenti la présence de la musique, offerte ou monnayée, accumulée pendant un siècle. Un autre jour, à l'université de Zurich, tandis qu'il disséquait un fragile cortex cervical, il avait eu le brusque sentiment que l'impétueux étudiant, qui déboulait deux ans plus tôt à travers les vieux bâtiments rouge brique de Johns Hopkins, sans se laisser impressionner par l'œil ironique du Christ gigantesque qui en ornait le hall d'entrée, était devenu fabricant de jouets.

Éprouvant le plus grand respect pour les fabricants de jouets, dont la précision est illimitée et la patience incalculable, il avait décidé de passer deux nouvelles années à Zurich.

Ce jour d'avril, donc, il se rendit à la clinique Dohmler, située sur les bords du lac, pour y retrouver Franz Gregorovius. Vaudois de naissance, un peu plus âgé que Dick, Franz était l'un des psychiatres attitrés de la clinique. Il attendait Dick à l'arrêt du tram. Il avait quelque chose de sombre et de superbe, une sorte de Cagliostro, avec un regard d'ange. Il venait en troisième position dans la dynastie des Gregorovius. Son grand-père avait été le maître d'Emile Kraepelin, à l'époque où la psychiatrie sortait à peine des limbes. Franz était passionné, orgueilleux, doux comme un agneau — et s'imaginait grand hypnotiseur. Le génie propre à sa famille s'était légèrement essoufflé en arrivant à lui, mais il était fait, de toute évidence, pour être un parfait praticien.

Ils s'engagèrent sur la route de la clinique.

— Alors, cette guerre ? demanda Franz. Intéressant, comme expérience ? En sortez-vous transformé, comme les autres ? D'après ce que je vois, vous avez toujours un visage d'Américain stupide et sans âge, mais rassurez-vous, Dick, vous n'êtes pas stupide, je le sais.

— Je n'ai rien vu de la guerre, Franz. Si vous avez lu mes lettres, vous devez le savoir.

— Aucune importance. Nous avons des clients souffrant de traumatismes, qui n'ont entendu les raids aériens que de loin. Certains même ne les connaissent que par la lecture des journaux.

— Ça paraît insensé.

— Peut-être, Dick, mais, attention ! Nous sommes une clinique pour gens riches. Le mot « insensé » y est formellement interdit. Soyez franc. Est-ce moi que vous venez voir ou cette jeune fille ?

Ils échangèrent un regard de biais. Puis Franz esquissa un sourire sibyllin.

— J'ai lu ses premières lettres, évidemment, dit-il, de sa belle voix grave de professionnel. Quand j'ai senti qu'elle allait mieux, j'ai eu la discrétion de ne plus les décacheter. C'est vraiment un cas qui vous appartient.

— Elle va donc beaucoup mieux ?

— Elle va tout à fait bien. C'est moi qui en ai la charge. En fait, j'ai la charge de presque tous les malades anglais ou américains. Ils m'ont surnommé : Docteur Gregory.

— Puisqu'on parle de cette jeune fille, reprit Dick, laissez-moi vous expliquer. Je ne l'ai vue qu'une seule fois, en fait. Le jour où je suis venu vous dire au revoir, avant mon départ pour la France. J'étais en uniforme, ce jour-là. C'est la première fois que je le portais. J'avais l'impression d'une mascarade. Répondre au salut des simples soldats, toute cette comédie...

— Pourquoi ne le portez-vous plus, aujourd'hui ?

— Je suis démobilisé depuis trois semaines. Pour
en revenir à cette jeune fille, voilà exactement ce qui
s'est passé. Je venais de vous quitter. J'ai été reprendre ma bicyclette, près du pavillon qui surplombe le lac, vous savez...

— Le pavillon des Cèdres.

— C'était une nuit superbe... avec ce massif dans
le clair de lune...

— Le Krenzegg.

— Je marchais vite. J'ai rattrapé une infirmière,
accompagnée d'une jeune fille. Je n'ai pas pensé une
seconde que cette jeune fille pouvait être une malade. J'ai demandé à l'infirmière si elle connaissait
les horaires de tram. Nous avons continué à marcher
ensemble. La jeune fille était l'une des plus ravissantes que je connaisse.

— Elle l'est toujours.

— J'étais le premier officier américain en uniforme qu'elle voyait. Nous avons parlé un moment.
Je n'y ai attaché aucune importance, à ceci près...

Il s'interrompit quelques secondes, pour admirer
un paysage qui lui avait été familier.

— ...à ceci près, mon cher Franz, que je suis moins
endurci que vous. Quand je vois une telle beauté, je
ne peux pas m'empêcher d'être déchiré en sachant
ce qu'elle dissimule. C'est absolument tout ce qui
s'est passé. Jusqu'à l'arrivée des premières lettres.

— Une chance inespérée pour elle, dit Franz, avec
une certaine emphase. Un transfert complètement
imprévisible. C'est pour ça que je suis venu vous
attendre. J'ai beaucoup de travail, aujourd'hui.
Mais, avant de la rencontrer, il faut que vous veniez
dans mon bureau, et que je vous en parle. Elle est à
Zurich, en fait. Je l'ai envoyée faire des courses.

L'emphase se teinta d'enthousiasme.

— Je l'ai envoyée sans infirmière, avec une malade moins équilibrée qu'elle. C'est un cas dont je

suis très fier, que j'ai réussi à traiter, avec votre aide inattendue.

Après avoir suivi les bords du lac, la voiture roulait entre des prairies d'herbe grasse, de douces collines arrondies, parsemées de petits chalets. Le soleil naviguait dans un océan de ciel clair et c'était brusquement l'image rêvée d'une vallée suisse — bruits aimables, murmures du vent, avec un parfum de santé, de pureté, d'abondance.

La clinique du Dr Dohmler se composait de trois pavillons anciens, et de deux plus récents, étagés entre le rivage et une petite colline. Il l'avait ouverte dix ans plus tôt. C'était, à l'époque, la première clinique pour malades mentaux. Impossible pour un profane de saisir, au premier coup d'œil, que c'était le refuge de tous les délabrés, les inadaptés, les inachevés de ce monde — bien que deux des cinq pavillons fussent entourés de murs, couverts de vigne vierge, d'une hauteur décourageante. Des jardiniers ratissaient du foin au soleil. En tournant autour des pelouses, la voiture dépassait parfois une infirmière, qui accompagnait un malade, et agitait un petit drapeau blanc.

Franz conduisit Dick jusqu'à son bureau, et le pria de l'excuser. Il en avait pour une petite demi-heure. Resté seul, Dick fit quelques pas au hasard, cherchant à découvrir la personnalité de Franz à travers les objets qui encombraient son bureau, à travers les livres de sa bibliothèque, les siens, ceux qu'avaient écrits son père et son grand-père, ceux qu'ils lui avaient légués l'un et l'autre, à travers un immense portrait du fondateur de la dynastie, d'une étrange couleur lie-de-vin, qui ornait l'un des murs, symbole typiquement suisse de piété filiale. Comme il y avait un peu de fumée dans la pièce, Dick alla entrouvrir la porte-fenêtre. Un petit cône de lumière glissa lentement jusqu'à lui. Ses pensées basculèrent alors, l'entraînèrent vers la malade, la jeune fille.

Il avait reçu plus de cinquante lettres en huit mois. Dans la toute première, elle expliquait qu'elle se sentait un peu confuse, mais qu'elle avait entendu dire que les jeunes filles américaines se permettaient d'écrire à des soldats qu'elles ne connaissaient pas. Elle avait donc demandé son nom et son adresse au Dr Gregory, et elle espérait qu'il ne lui en voudrait pas, si elle venait lui dire bonjour, de temps en temps, prendre de ses nouvelles, etc.

C'était facile de reconnaître ce ton-là — un ton enjoué et sentimental, directement issu des feuilletons, genre *Papa-longues-jambes* ou *Molly-Make-Believe*, qui faisaient alors fureur aux Etats-Unis. Mais la ressemblance s'arrêtait là.

Il y avait deux catégories de lettres : celles écrites avant l'armistice, d'ordre nettement pathologique ; celles écrites après l'armistice, pratiquement normales, et laissant deviner une nature extrêmement riche, sur le point de s'épanouir. Dick, à Bar-sur-Aube, avait attendu ces lettres-là, avec une impatience de plus en plus grande. Mais, à la lecture des premières, il avait déjà découvert beaucoup plus de choses que ne le pensait Franz.

Mon capitaine,
Quand je vous ai vu avec cet uniforme je me suis dit que vous étiez vraiment très beau. Et je me suis dit je m'en fiche en français d'abord et puis en allemand. Vous aussi vous vous êtes dit que j'étais belle mais ça m'est déjà arrivé et j'y suis habituée depuis longtemps. Si vous revenez me voir avec cet air d'hypocrite et de malfaiteur et sans rien de ce qu'on m'a appris à associer au rôle de gentleman alors priez le ciel d'avoir pitié de vous. Vous avez l'air calme pourtant, plus calme que les autres, tout gentil comme un gros chat blanc. J'en suis arrivée finalement à ne m'intéresser qu'aux garçons un peu efféminés. Êtes-vous efféminé ? Il y en a et ça existe.

Pardonnez-moi tout ça. C'est la troisième lettre que je vous écris et il faut que je vous l'envoie tout de suite sinon je ne vous l'enverrai jamais. J'ai beaucoup réfléchi sur le clair de lune également, et si on me laissait sortir d'ici, je pourrais recueillir des quantités de témoignages.

Ils disent que vous êtes médecin, mais tant que vous serez un chat ce sera différent. J'ai tellement mal à la tête et il faut excuser ce petit tour de promenade avec un chat blanc qui comprendra, j'espère. Je sais parler trois langues, quatre avec l'anglais, et je suis sûre que je pourrais vous rendre un grand service comme interprète si vous pouviez arranger ça en France je suis sûre que je pourrais tout surveiller avec les courroies bien attachées sur tout le monde comme c'est arrivé mercredi. Maintenant c'est samedi et vous êtes très loin, tué peut-être.

Revenez me voir un jour, car je serai toujours sur cette colline verte. Sauf s'ils me laissent écrire à mon père que j'aime tendrement.

Pardonnez tout ça. Aujourd'hui je ne suis pas moi. Je vous écrirai quand j'irai mieux.

Cherio.

Nicole WARREN

Capitaine Diver,
Je sais que l'introspection ça n'est pas une bonne chose quand on est dans un état nerveux aussi grave que le mien, mais j'aimerais beaucoup que vous sachiez où j'en suis. L'an dernier ou avant peu importe enfin à Chicago quand ça m'arrivait je ne pouvais pas parler aux domestiques ni marcher dans la rue j'attendais que quelqu'un m'explique. C'était le devoir de quelqu'un qui aurait compris. C'est un devoir d'aider les aveugles de leur montrer le chemin. Mais personne ne voulait m'expliquer. Ils voulaient m'en expliquer la moitié seulement, et j'avais la tête tellement embrouillée que je ne pouvais pas additionner deux et deux. Il y

196

avait un homme gentil. Un officier français et lui il comprenait. Il m'a donné une fleur et il m'a dit qu'elle était « plus petite et moins entendue ». On était très amis. Et puis il l'a emportée. Je suis devenue plus malade et je n'avais plus personne pour m'expliquer. Ils avaient une chanson sur Jeanne d'Arc qu'ils avaient l'habitude de me chanter — ça me faisait surtout pleurer, parce que ça allait tout à fait bien dans ma tête à ce moment-là. Ils me parlaient de sport aussi mais ça ne m'intéressait pas à ce moment-là. Et puis ce fameux jour est arrivé où j'ai arpenté le boulevard Michigan d'un bout à l'autre sans arrêt pendant des kilomètres, et ils ont fini par venir avec une voiture mais j'ai refusé de monter. Ils m'ont poussée dedans finalement et il y avait des infirmiers. C'est à partir de ce moment-là que j'ai commencé à comprendre, quand j'ai vu ce qu'ils faisaient aux autres. Vous voyez où j'en suis, maintenant. Et rester ici, quel bien ça peut me faire, avec tous ces médecins qui rabâchent toujours la même chose à propos de ce que je dois réparer ? Aussi aujourd'hui je viens d'écrire à mon père pour qu'il vienne et qu'il m'emmène avec lui. Je suis contente que ça vous intéresse tellement de disséquer les gens et de les renvoyer. Ça doit être très amusant.

Dans une autre lettre :

Vous devriez laisser tomber votre prochain malade pour m'écrire. Ils viennent de m'envoyer quelques disques de phonographe pour être sûrs que je n'ai pas oublié ma leçon, mais je les ai cassés, alors l'infirmière ne me parle plus. C'étaient des disques en anglais, que les infirmières ne pouvaient pas comprendre. Il y a un médecin à Chicago qui a dit que je jouais la comédie, mais ce qu'il voulait dire en fait c'est que j'étais une sextuplée isolée et qu'il n'en avait jamais vu avant moi. Ça me prend beaucoup de temps d'être folle en ce moment et ce qu'il a dit m'est égal, car quand je suis *très occupée à être folle tout ce qu'ils peuvent dire m'est égal, même que je ne suis pas une sextuplée mais un million de filles à la fois.*

Ce soir-là, vous m'avez dit qu'un jour vous alliez m'apprendre. Eh bien, je crois que c'est tout ça l'amour ou alors ça n'est rien du tout. De toute façon, je suis contente que ça vous intéresse de disséquer les gens, et que vous ayez beaucoup de travail.

Tout à vous,

Nicole WARREN

Il y avait eu d'autres lettres, où certains silences désespérés dissimulaient des impulsions plus inquiétantes.

Cher capitaine Diver,

Je vous écris parce que je ne sais pas vers qui me tourner, en dehors de vous, et si l'absurdité de la situation dans laquelle je me trouve saute aux yeux de quelqu'un d'aussi malade que moi, elle doit sûrement sauter aux yeux de quelqu'un comme vous. Mes troubles mentaux sont terminés, et je ne sais pas si c'est ce qu'ils souhaitaient, mais je me retrouve complètement en morceaux et complètement humiliée. Ma famille m'a honteusement abandonnée. C'est inutile d'attendre d'elle le moindre secours ou la moindre pitié. J'en ai assez, et vouloir guérir ce que j'ai dans la tête, c'est simplement me faire perdre mon temps et vouloir ruiner ma santé.

Je crois qu'ils m'ont mise dans un asile pour demifous, tout ça parce que personne n'a jugé utile de me dire la vérité. Si j'avais pu comprendre ce qui m'arrivait, à ce moment-là, comme j'ai fini par le comprendre maintenant, je crois que je l'aurais beaucoup mieux supporté, car je suis joliment forte, vous savez, mais ceux qui auraient pu m'aider à comprendre ont jugé inutile de le faire. Et, maintenant que j'ai compris, et que j'ai payé si cher pour comprendre, ils sont là à me regarder en chiens de faïence, et ils me disent de continuer à croire ce que j'ai toujours cru. Un surtout, mais maintenant je sais.

Je suis tout le temps seule, tellement loin de mes amis, de ma famille, qui sont tous de l'autre côté de l'Atlantique, et je suis sans cesse à rôder au hasard, complètement hébétée. Si vous pouviez me trouver une place d'interprète (je parle couramment le français et l'allemand, assez bien l'italien, un peu l'espagnol), ou d'ambulancière à la Croix-Rouge, ou d'infirmière diplômée, bien que je n'aie pas de diplôme, vous feriez preuve d'une vraie grandeur d'âme.

Et encore :

Si vous refusez mes explications par rapport à ce qui m'arrive, vous pourriez au moins m'expliquer ce que vous en pensez, car vous avez le visage d'un gros chat gentil et non pas cet air inquiétant qui est tellement à la mode ici. Le Dr Gregory m'a donné une photo de vous. Vous êtes moins beau qu'avec votre uniforme, mais vous avez l'air nettement plus jeune.

Mon capitaine,

Quel plaisir de recevoir votre carte postale. Je suis si contente de savoir que vous vous occupez de renvoyer des infirmières. Oh ! j'ai parfaitement compris votre petit mot. J'avais simplement cru, quand je vous ai rencontré, que vous étiez différent des autres.

Cher capitaine,

Aujourd'hui je pense une chose, demain une autre. Voilà mon vrai problème, si je mets à part une méfiance maladive et un manque complet de mesure. J'accueillerai avec plaisir le psychiatre que vous voudrez bien me proposer, quel qu'il soit. Ici, ils vous allongent dans leurs baignoires, et ils chantent : « Allez donc jouer dans la cour qui est derrière votre maison », comme si j'avais une cour où jouer, derrière ma maison, ou le moindre espoir à attendre en regardant derrière moi ou devant moi. Ils ont encore essayé l'autre jour dans la confiserie, et j'ai presque assommé le vendeur avec un poids, mais ils m'ont retenue.

Je ne vous écrirai plus. Je suis trop fragile.

Puis un mois entier sans aucune lettre. Et soudain la transformation.

— *Je reviens doucement à la vie...*

— *Les fleurs aujourd'hui, les nuages...*

— *La guerre est finie, et c'est à peine si je savais qu'il y en avait une...*

— *Comme vous avez été gentil. Vous devez cacher une profonde sagesse derrière votre visage de gentil chat blanc, mais sur la photo que m'a donnée le Dr Gregory vous n'avez pas du tout cet air-là...*

— *Aujourd'hui, j'ai été à Zurich. Quelle curieuse impression de revoir une ville...*

— *Aujourd'hui, nous sommes allés à Berne. C'était tellement drôle, toutes ces pendules...*

— *Aujourd'hui, nous sommes montés suffisamment haut pour trouver des asphodèles et des edelweiss...*

A partir de là, les lettres s'étaient espacées, mais il y avait toujours répondu. Une, entre autres :

Je voudrais que quelqu'un devienne amoureux de moi, comme l'étaient les garçons, il y a tant d'années, avant ma maladie. Mais je crois qu'il faudra encore de nombreuses années avant de pouvoir penser à ce genre de choses.

Quand Dick tardait à répondre, pour une raison ou pour une autre, elle avait de brusques flambées d'inquiétude — une véritable inquiétude d'amoureuse : « *Je vous ennuie, peut-être...* », ou : « *J'ai bien peur d'avoir trop espéré...* », ou : « *J'ai passé la nuit à me dire que vous étiez sûrement malade...* »

Dick avait effectivement eu la grippe, à ce moment-là. Il s'était senti tellement fatigué, une fois guéri, qu'il avait éliminé de son courrier tout ce qui n'était pas d'ordre strictement professionnel. Un peu plus tard, le souvenir qu'il gardait d'elle s'était trouvé nettement estompé par la présence, bien réelle celle-là, d'une standardiste du quartier général de Bar-sur-Aube, qui arrivait du Wisconsin. Ses lèvres étaient plus rouges que celles d'une cover-girl, et on lui avait donné, au mess, le surnom légèrement licencieux de : « *Branche-moi* ».

Franz paraissait très content de lui lorsqu'il regagna son bureau. Dick pensa qu'il deviendrait sûrement un très bon praticien, car il dirigeait ses malades et ses infirmières avec des inflexions de voix, tour à tour saccadées ou ronflantes, qui n'étaient pas un réflexe nerveux chez lui, mais la marque d'une innocente et stupéfiante fatuité. Il contrôlait mieux ses vrais sentiments et savait les garder pour lui.

— Maintenant, dit-il, parlons de cette jeune fille. Il faudra que vous me racontiez votre vie, bien sûr, et que je vous raconte la mienne, mais commençons par elle. J'attends ça depuis trop longtemps.

Il ouvrit un classeur, y chercha un dossier qu'il finit par trouver, mais après l'avoir feuilleté rapidement il jugea sans doute que ça n'apportait rien, car il le posa sur le coin du bureau. Et il raconta toute l'histoire à Dick.

3

Un an et demi plus tôt, le Dr Dohmler avait entretenu une correspondance assez vague avec un certain Mr. Devereux Warren, apparenté à la famille Warren de Chicago, qui habitait Lausanne. Ils avaient fini par prendre rendez-vous et Mr. Warren s'était présenté un jour à la clinique, avec sa fille Nicole, qui avait seize ans à l'époque. Elle était visiblement souffrante. L'infirmière qui l'accompagnait l'avait entraînée vers le parc, pendant que le Dr Dohmler recevait Mr. Warren en consultation.

C'était un homme d'une quarantaine d'années, incroyablement séduisant. Grand, mince, bien bâti, le symbole même de l'Américain idéal — *un homme vraiment très chic,* avait dit le Dr Dohmler, lorsqu'il avait voulu le dépeindre à Franz. De grands yeux gris, comme illuminés par l'éclat de tout le soleil qu'ils avaient reflété, en faisant de l'aviron sur le lac de Genève, et, dans l'allure cet air inimitable, propre à tous ceux qui ont connu ce qu'il y a de mieux au monde. L'entretien s'était déroulé en allemand, car Mr. Warren avait fait ses études à Göttingen. Il était très nerveux, manifestement bouleversé par la démarche qu'il tentait.

— Voilà, docteur. Ma fille n'a plus vraiment toute sa tête. Je l'ai confiée à des infirmières, à des spécialistes. Elle a suivi plusieurs cures de repos. Mais le problème devient trop aigu pour moi, et on m'a vivement recommandé de venir vous voir.

— Parfait, a dit le Dr Dohmler. Pouvez-vous tout me raconter, du début, sans rien omettre ?

— Il n'y a pas de début. Je veux dire qu'on ne signale aucun cas de démence dans notre famille, d'un côté comme de l'autre, pour autant que je sache, du moins. Nicole avait douze ans à la mort de sa mère. J'ai donc été obligé de lui servir de père et de mère à la fois, avec l'aide d'une gouvernante. Oui, de père et de mère à la fois.

Il paraissait très ému. Le Dr Dohmler avait vu des larmes briller dans ses yeux. Il s'était en même temps rendu compte que son haleine sentait légèrement le whisky.

— C'était une enfant adorable. Tous ceux qui l'approchaient devenaient fous d'elle — oui, tous. Tellement vive, comme un coup de fouet, et heureuse du matin au soir. Tout l'intéressait, la lecture, le dessin, la danse, le piano — absolument tout. Ma femme disait que, de nos trois enfants, elle était la seule à n'avoir jamais pleuré la nuit. J'ai une fille plus âgée. J'avais également un garçon, qui est mort. Mais Nicole... Nicole, comment dire?... Nicole, c'était...

Sa voix s'était brisée. Le Dr Dohmler était venu à son aide.

— C'était une enfant ravissante, heureuse et parfaitement normale.

— Parfaitement.

Il y avait eu un silence. Mr. Warren baissait la tête. Après avoir pris une longue inspiration, il avait jeté un bref coup d'œil au Dr Dohmler, et regardé de nouveau le plancher.

— Il y a huit mois environ... peut-être dix, peut-être six... J'aimerais être plus précis, mais je n'arrive pas à me souvenir exactement de l'endroit où nous nous trouvions, quand elle a commencé à faire des choses bizarres. Des choses un peu folles. C'est sa sœur qui m'en a parlé la première. Parce que avec moi Nicole était toujours la même.

Il s'était empressé d'apporter cette précision, comme si quelqu'un l'avait accusé d'être dans son tort.

— Oui, avec moi, toujours la même petite fille adorable. Tout a commencé à propos d'un valet de chambre.

— Ah! bien sûr.

Le Dr Dohmler avait hoché sa tête de vieux sage, comme s'il avait soupçonné, avec le flair infaillible de Sherlock Holmes, que seul un valet de chambre pouvait faire son entrée en scène à ce moment-là.

— J'avais un valet de chambre, depuis des années. Un Suisse, d'ailleurs.

Il avait regardé le Dr Dohmler, quêtant une petite réaction de chauvinisme satisfait.

— Nicole s'est mis des idées en tête, à son sujet. Des idées absurdes. Elle a cru qu'il lui faisait des avances. Moi aussi, bien sûr, je l'ai cru, à l'époque, et j'ai mis cet homme à la porte. Aujourd'hui, je sais que c'est faux.

— De quoi l'accusait-elle, précisément ?

— C'est là le vrai problème. Aucun médecin n'a réussi à le lui faire avouer. Elle se contente de le regarder, avec l'air de dire : vous le savez très bien, ce qu'il m'a fait. Mais elle laisse clairement sous-entendre qu'il s'agissait de propositions indécentes. Il n'y a aucun doute là-dessus.

— Je vois.

— Il y a des femmes qui se sentent très seules, je le sais pour l'avoir lu quelque part, et qui s'imaginent qu'il y a un homme caché sous leur lit, ou des choses de ce genre. Mais Nicole ? Pourquoi aurait-elle réagi de cette façon-là ? Elle pouvait avoir tous les garçons qu'elle voulait. Nous habitions Lake Forest, un endroit, près de Chicago, où on passe les mois d'été. Nous y avons une maison. Elle était dehors toute la journée, à jouer au tennis et au golf avec des garçons. Certains la serraient de très près, croyez-moi.

Le Dr Dohmler était un vieil homme, à la peau desséchée. Tout en écoutant Mr. Warren, il laissait son esprit vagabonder vers Chicago. Il aurait pu y finir ses études autrefois, obtenir une place de boursier et de répétiteur stagiaire à l'université. Peut-être aurait-il réussi à y faire fortune, et à y fonder sa propre clinique, au lieu d'être accepté, comme modeste actionnaire, dans une clinique appartenant à quelqu'un d'autre. Mais, en réfléchissant à ce qu'il appelait « ses maigres connaissances », et en imaginant l'étendue du pays sur lequel elles allaient s'exercer, l'immensité des champs de céréales, les

204

pâturages à l'infini, il avait préféré y renoncer. Il s'était malgré tout documenté sur la région. sur les grandes familles féodales qui s'y partageaient le pouvoir, les Armour, les Palmer, les Field, les Crane, les Warren, les Swift, les McCormick, d'autres encore, et depuis cette époque lointaine la plus grande partie de sa clientèle, qui venait de New York ou de Chicago, appartenait à cette classe sociale.

— Son état n'a fait qu'empirer, continuait Mr. Warren. Elle a eu une attaque, ou quelque chose comme ça. Elle disait des choses de plus en plus folles. Sa sœur en a noté quelques-unes...

Il avait tendu un papier, soigneusement plié en quatre.

— Presque toujours des hommes qui l'auraient agressée. Des hommes qu'elle connaissait, des hommes croisés dans la rue, n'importe qui...

Il avait évoqué leurs angoisses, leurs désespoirs, les horreurs auxquelles sont exposées toutes les familles dans des circonstances semblables, la certitude enfin qu'en changeant de cadre de vie on pouvait espérer une amélioration. D'où la décision de braver le blocus maritime et la présence des sous-marins, pour conduire Nicole en Suisse.

— Sur un croiseur américain, avait-il précisé avec une sorte d'arrogance. Une occasion s'est présentée. Par chance, j'ai pu la saisir. Ai-je besoin d'ajouter...

Il avait eu un petit sourire d'excuse.

— ...que la question d'argent ne se pose pas, comme on dit?

— Pas besoin, en effet, avait répondu sèchement le Dr Dohmler.

Il était en train de se demander pourquoi, et en quoi, cet homme lui mentait. Ou du moins, si cette intuition était fausse, pourquoi, depuis que cet homme séduisant, vêtu du meilleur tweed, s'était laissé tomber dans un fauteuil, avec une élégance accomplie de sportif, un si lourd relent d'imposture avait imprégné son bureau? Dans les allées du parc, ce jour triste de février, il y avait quelqu'un qui souffrait gravement, un oiseau fragile aux ailes rompues, alors que tout, dans ce bureau, paraissait trop inconsistant — inconsistant et faux.

— Maintenant, j'aimerais la voir quelques minutes, avait dit le Dr Dohmler, en faisant exprès de parler anglais, comme pour se rapprocher de Mr. Warren.

Mr. Warren était reparti pour Lausanne, laissant sa fille à la clinique. Quelques jours plus tard, Franz et le Dr Dohmler notaient sur sa fiche d'admission:

« *Diagnostic: schizophrénie. Phase aiguë en décroissance. La peur des hommes est un des symptômes de la maladie. Elle n'est pas constitutionnelle. Tout pronostic doit rester réservé.* »

Comme Mr. Warren s'était engagé à revenir, ils l'avaient attendu, avec une curiosité de plus en plus grande.

Voyant qu'il mettait du temps à se décider, le Dr Dohmler lui avait écrit au bout de quinze jours. Aucune réaction. Il s'était alors décidé à faire ce qu'on considérait, à l'époque, comme une « folie »: il avait téléphoné au Grand Hôtel de Vevey. Il avait appris, par la bouche du valet de chambre de Mr. Warren, que celui-ci faisait ses malles et rentrait aux États-Unis. Mais quand ce même valet de chambre s'était entendu préciser que la communication téléphonique allait coûter quarante francs, et qu'elle serait facturée à la clinique, son sang de garde suisse, dont les ancêtres avaient bravement défendu les Tuileries, s'était échauffé, et, au grand soulagement du Dr Dohmler, il était allé chercher Mr. Warren.

— Il faut absolument que je vous voie. La santé de votre fille en dépend. Je ne peux pas me permettre d'en prendre la responsabilité.

— Mais vous êtes là pour ça, docteur. Je suis rappelé d'urgence aux Etats-Unis.

Jamais encore le Dr Dohmler n'avait parlé à quelqu'un sur une aussi longue distance. Ça ne l'avait pas empêché de lancer son ultimatum avec tant d'énergie qu'à l'autre bout du fil Mr. Warren, au supplice, avait fini par se soumettre. Il était venu, pour la seconde fois, sur les bords du lac de Zurich. Une demi-heure après son arrivée, il s'effondrait en larmes. Humilié, déshonoré, ses superbes épaules secouées de sanglots à travers son manteau de coupe impeccable, ses yeux plus rouges qu'un reflet de soleil sur le lac de Genève, il avouait l'inavouable.

— C'est arrivé. Voilà. Je ne sais pas comment. Je ne sais pas.

Il parlait d'une voix cassée.

— Après la mort de sa mère, elle était encore petite. Elle avait pris l'habitude de me rejoindre dans mon lit, tous les matins. Parfois même, elle dormait avec moi. J'étais tellement triste pour elle. Ensuite, quand nous étions en voyage, en train, en voiture, nous avions l'habitude de nous tenir les mains. Elle avait l'habitude de chanter pour moi. Nous avions l'habitude de dire : « Aujourd'hui, il n'y a plus personne au monde. Seulement toi et moi. Aujourd'hui, tu es à moi. »

Il eut un ricanement étouffé.

— Les gens nous citaient en exemple, le père et la fille modèles, l'image idéale. Ils en avaient les larmes aux yeux. Nous étions comme deux amants. Nous sommes devenus deux amants. Dix minutes plus tard, j'aurais dû me brûler la cervelle. Mais je dois être sacrément pourri, sacrément dégénéré. Je n'en ai pas eu le courage.

— Ensuite ? avait demandé le Dr Dohmler, qui repensait à cette clinique de Chicago, qui aurait pu lui appartenir, et à cet homme, très pâle et très doux, qui, trente ans plus tôt, l'avait examiné à travers ses lorgnons. Les choses ont-elles continué, ensuite ?

— Oh non ! Tout de suite après, elle est devenue de glace. Absolument de glace. Elle s'est contentée de dire : « Ce n'est rien, *Daddy*, ne t'inquiète pas, ce n'est rien. »

— Il n'y a pas eu de... conséquences ?

— Non.

Il avait eu un dernier sanglot convulsif, et s'était mouché plusieurs fois.

— C'est maintenant qu'il y en a. Des quantités.

Le Dr Dohmler connaissait ainsi toute l'histoire. Il s'était assis bien au centre de son fauteuil de grand bourgeois, et avait pensé pour lui-même, avec un terrible mépris : « Cul-terreux ! » L'un des rares jugements cinglants et définitifs qu'il se permettait, depuis plus de vingt ans. Puis il avait dit :

— Vous allez prendre une chambre à Zurich. Vous allez y passer la nuit. Vous reviendrez me voir demain matin.

— Et puis ?

Le Dr Dohmler avait tendu les mains, comme pour refouler un petit pourceau, et conseillé énergiquement :

— Chicago.

4

— Nous savions désormais sur quel terrain nous engager, poursuivit Franz. Dohmler a prévenu Warren qu'il fallait qu'il disparaisse, pendant une longue période, s'il voulait qu'on prenne sa fille en charge. Cinq ans, minimum. Sa crise de désespoir surmontée, Warren semblait n'avoir qu'une idée en

208

tête : éviter que l'histoire ne s'ébruite et qu'on l'ap
prenne en Amérique. Nous avons imposé à notre
malade un emploi du temps très précis, et nous
avons attendu. Les pronostics n'étaient guère opti-
mistes. A cet âge-là, vous le savez, le pourcentage de
guérisons est assez faible, même celles qui n'abou-
tissent qu'à une réinsertion dans la société.

— Les premières lettres étaient très inquiétantes,
en effet, reconnut Dick.

— Très inquiétantes et très révélatrices. Avant de
laisser la première franchir les portes de cette clinique, j'ai hésité longtemps. J'ai fini par me dire que
ça vous aiderait à comprendre le travail que nous
faisons. Vous avez été extrêmement gentil de lui
répondre.

Dick soupira.

— Elle est tellement ravissante. Elle glissait de
petites photos d'elle dans ses lettres. Et je n'avais
strictement rien à faire, à Bar-sur-Aube, le premier
mois. Je me contentais d'ailleurs de répondre :
« Soyez sage et faites confiance à vos médecins. »

— C'était suffisant. Ça lui permettait de penser à
quelqu'un qui vivait en dehors d'ici. Elle a vécu très
longtemps seule. Elle a une sœur, c'est vrai, mais
elles n'ont pas l'air très intimes. J'ajoute que la
lecture de ses lettres nous a beaucoup aidés. Elles
donnaient une image assez fidèle de ses réactions et
de ses progrès.

— J'en suis très heureux.

— Vous avez compris ce qui s'est passé ? Elle s'est
sentie en complicité avec vous. Ce qui ne gênait en
rien notre travail, et nous permettait, au contraire,
de mesurer son équilibre interne et sa force de
caractère. Il y a d'abord eu ce traumatisme. Puis on
l'a mise en pension. Là, elle a écouté ses camarades
parler de leurs petites aventures. Par un réflexe
d'autodéfense, elle a fini par se convaincre qu'elle ne

pouvait avoir aucune complicité avec qui que ce soit, et elle s'est enfermée dans un monde de fantasmes, où tous les hommes étaient des monstres. Plus on les aimait, plus on leur faisait confiance, plus ils étaient des monstres.

— A-t-elle parlé de ce... de cette abomination ?

— Jamais directement. Ça nous a d'ailleurs posé un problème, en octobre dernier, quand elle a commencé à aller mieux. Elle est tellement jeune. Pour une femme de trente ans, ç'aurait été tout simple. Nous l'aurions laissée modifier d'elle-même son jugement. Mais à son âge, avec tout ce qui se transforme en elle... Nous avons eu peur qu'elle se replie définitivement sur elle-même. Le docteur Dohmler lui a parlé très franchement. « Vous avez un devoir envers vous, maintenant. Ce qui s'est passé ne signifie pas que tout est fini. Au contraire. Votre vie commence à peine... » Et ainsi de suite. Elle a l'esprit très ouvert. Nous lui avons fait lire Freud, par petites doses. Ça l'a beaucoup intéressée. Tout le monde l'aime, ici. C'est un peu notre enfant gâtée. Mais...

Il hésita.

— ... mais nous sentons qu'elle est encore sur la défensive. Nous nous sommes demandé si les dernières lettres qu'elle vous a écrites, et qu'elle a postées elle-même à Zurich, expliquaient plus ou moins cet état d'esprit. Si elles parlaient de l'avenir ?

Dick réfléchit un instant.

— Pas vraiment. Je vous les montrerai, si vous voulez. Elle paraît pleine d'espoir, impatiente de vivre   d'une façon assez romantique, même. Elle fait allusion au « passé » parfois, mais à la façon des gens qui ont fait de la prison. Impossible de savoir s'ils font allusion au crime lui-même, à leur emprisonnement, ou aux deux à la fois. Qu'est-ce que je suis pour elle, en fait ? Une silhouette, une sorte de mannequin, rien de plus.

— Je comprends parfaitement votre position, et je vous remercie de tout, encore une fois. C'est pour ça qu'il fallait que je vous parle avant que vous la voyiez.

— Vous pensez qu'elle va me sauter au cou?

— Sûrement pas. Mais soyez très prudent, je vous en prie. Vous plaisez beaucoup aux femmes, Dick. Ne l'oubliez pas.

— Que le ciel me protège, alors! Rassurez-vous. Je serai prudent. Je serai même repoussant. Je croquerai une gousse d'ail avant de la voir, et j'aurai une barbe de trois jours.

Franz crut qu'il parlait sérieusement.

— Pas d'ail, surtout! Ne mettez quand même pas votre carrière en jeu. Mais je pense que vous voulez plus ou moins plaisanter...

— J'irai même jusqu'à boitiller. Et, pour vous rassurer tout à fait, il n'y pas de vraie baignoire, là où j'habite.

— Bon, d'accord. Vous plaisantez.

Franz se détendit — prit du moins l'air de quelqu'un qui se détend.

— Vos projets, maintenant?

— Je n'en ai qu'un, Franz. Devenir un très bon psychiatre. Disons: le meilleur qu'on ait jamais vu.

Franz se mit à rire de bon cœur, mais il avait compris que Dick, cette fois, ne plaisantait pas.

— Parfait, dit-il. Et typiquement américain. Pour nous, c'est beaucoup moins facile.

Il se leva, alla jusqu'à la porte-fenêtre.

— D'ici, j'aperçois tout Zurich. Juste en face, la flèche de la cathédrale. Mon grand-père est enterré dans la crypte. Puis, le pont. Un autre de mes ancêtres, Lavater, repose de l'autre côté de ce pont, car il a refusé d'être enterré dans une église. Plus loin encore, la statue d'Heinrich Pestalozzi, que je compte aussi parmi mes ancêtres, et celle du docteur

Alfred Escher. Je suis continuellement confronté à un panthéon de grands hommes.

— Je comprends.

Dick s'était levé à son tour.

— J'exagérais, bien sûr. C'est à peine si les choses reprennent. La plupart des Américains qui sont en France actuellement ont une furieuse envie de rentrer chez eux. Pas moi. Pour continuer à toucher ma solde, jusqu'à la fin de l'année, il suffit que je sois inscrit dans une université. Vous imaginez ça? Un gouvernement qui pense à l'avenir, et qui investit sur ses futurs grands hommes... Je rentrerai ensuite aux États-Unis, pour voir mon père, et je reviendrai. On m'a déjà proposé du travail.

— Qui?

— Vos concurrents. La clinique Gisler, à Interlacken.

— Ne vous y risquez pas, conseilla Franz. Ils ont essayé plus d'une dizaine de jeunes gens, en un an. Gisler est un maniaque dépressif. C'est sa femme qui dirige la clinique, avec son amant. Tout ceci, bien sûr, est confidentiel.

— Et vos projets à vous? demanda Dick avec un sourire. Ce vieux rêve que nous avions de travailler en Amérique? Nous devions regagner New York ensemble, et ouvrir une clinique dernier cri pour milliardaires.

— Oh! simples rêves d'étudiant...

Dick fut invité à dîner par Franz et sa femme, ce soir-là, dans le chalet qu'ils occupaient au flanc de la colline. Ils avaient un petit chien, qui sentait bizarrement le caoutchouc brûlé. Pendant toute la soirée, Dick éprouva une sorte de malaise, qui ne tenait pas l'atmosphère un peu trop confinée de ce chalet modeste, ni à Frau Gregorovius, identique en tous points à ce qu'il prévoyait. Non. C'était l'horizon si étroit brusquement, si limité, dont Franz semblait se satisfaire. L'ascétisme dans lequel il s'était enfermé. L'ascétisme, pour Dick, c'était tout autre chose : un moyen d'atteindre un but qu'on se fixe d'avance, peut-être aussi d'asseoir une réputation qui ne se nourrit que d'elle-même. Mais comment accepter de réduire sa vie aux dimensions d'un vêtement reçu en héritage, et qu'on est forcé d'endosser ? Il regardait Franz et sa femme tournoyer sur eux-mêmes, dans le petit espace de leur vie domestique. Où était la grâce ? L'esprit d'aventure ? Les quelques mois qu'il venait de passer en France, après l'armistice, les nombreux règlements de compte qui s'étaient opérés sous l'égide de la munificence américaine avaient sérieusement modifié les conceptions de Dick. D'un autre côté, il avait beaucoup emprunté à ceux qu'il avait rencontrés, tant aux hommes qu'aux femmes. Peut-être était-ce ce qui le poussait à reprendre humblement sa place au sein de l'immense horlogerie suisse : le sentiment, plus instinctif que raisonné, qu'il y avait là une sorte de piège, pour un homme qui se voulait sérieux.

Malgré les odeurs de chou-fleur, de plus en plus insinuantes, il fit ce qu'il fallait pour que Frau Gregorovius le trouve charmant — et il s'en voulait de découvrir en lui cette amorce d'un certain penchant à la futilité.

« Suis-je donc comme les autres ? » Cette question le hantait pendant ses insomnies. « Grand dieu, suis-je donc comme les autres ? »

Réactions assez peu orthodoxes pour un socialiste, mais convenant parfaitement à qui s'est choisi un métier en marge. Ce qu'il tentait depuis des mois, en vérité, c'était de départager les raisons qui peuvent conduire un jeune homme à faire, ou ne pas faire, le sacrifice de sa vie, alors qu'il n'a plus foi en elles. Dans le demi-jour blafard de Zurich, aux petites heures de l'aube, le regard plongeant dans une cuisine inconnue, vaguement éclairée par le reflet d'un réverbère, il se répétait inlassablement qu'il voulait être bon, qu'il voulait être aimable, qu'il voulait être sage et courageux, mais que c'était diablement difficile. Il se disait enfin, si c'était compatible, qu'il voulait être aimé.

5

On avait ouvert les portes-fenêtres, et la véranda du pavillon central en était tout illuminée, si blanche dans la nuit, avec des pans de murs très noirs, qui la coupaient de loin en loin, et l'ombre des chaises de fer qui s'étirait, presque irréelle, jusqu'à un massif de glaïeuls. Des formes indécises allaient lentement d'une pièce à l'autre. Miss Warren ne fut d'abord que l'une d'entre elles. Mais elle se précisa dès qu'elle l'aperçut. Elle vint le rejoindre. Au moment où elle franchissait la porte-fenêtre, son visage sembla dérober toute la lumière de la pièce pour l'entraîner au-dehors avec elle. Elle obéissait à un certain rythme, en marchant, le rythme des chansons qu'elle avait écoutées, toute cette semaine — des chansons qui parlaient de chaleur d'été, de ciel éclatant, d'ombre déserte, et, au moment où elle l'aperçut, la musique devint si violente en elle qu'elle aurait pu se mettre à chanter.

— Comment allez-vous, capitaine ?

Elle aurait voulu détacher son regard du sien, mais c'était impossible. Ils étaient comme enchevêtrés.

— On s'assied dehors un moment ?

Elle était immobile, mais son regard réussit enfin à se détacher.

— C'est presque un temps d'été.

Une femme l'avait suivie, une femme assez lourde, enveloppée d'un châle. Nicole la présenta à Dick.

— La señora...

Franz s'éloigna, après s'être excusé. Dick rapprocha trois chaises.

— Une si belle nuit..., dit la señora.

— *Muy bella*, reconnut Nicole.

Puis, à Dick :

— Vous êtes ici pour longtemps ?

— A Zurich, vous voulez dire ? Pour assez longtemps.

— La première vraie nuit de printemps, soupira la señora.

— Vous n'en bougerez pas ?

— D'ici juillet, sûrement pas.

— Moi, je pense partir en juin.

— Juin est un si beau mois, dit la señora. Vous devriez rester ici en juin, et ne partir qu'en juillet, quand la chaleur devient trop forte.

— Où allez-vous ? demanda Dick.

— Quelque part avec ma sœur. Un endroit amusant, j'espère. J'ai tellement perdu de temps... Mais ils pensent peut-être qu'il vaudrait mieux commencer par un endroit calme. Côme, par exemple. Si vous veniez à Côme, vous aussi ?

— Ah! Côme..., murmura la señora.

Elle fut interrompue par un trio de musiciens qui, à l'intérieur du pavillon attaquait : *Cavalerie légère*, de Suppé. Nicole en profita pour se lever. Devant tant de jeunesse, de beauté, Dick se sentit envahi par une émotion si profonde qu'il fut aussitôt bouleversé. Elle lui adressa un sourire d'enfant, un petit sourire déchirant, et ce fut comme si tous les enfants perdus à travers le monde souriaient en même temps qu'elle.

— Cette musique est trop forte, dit elle. On ne

s'entend plus. Marchons un peu. *Buenas noches, señora*.

— 'soir...

Ils descendirent deux marches, suivirent une allée qui s'enfonça bientôt dans l'ombre. Elle lui prit le bras.

— Ma sœur m'a envoyé quelques disques d'Amérique. La prochaine fois que vous viendrez, je vous les ferai écouter. J'ai découvert un endroit tranquille, pour installer le phonographe sans gêner personne.

— J'en serai ravi.

— *Hindoustan*, vous devez connaître.

Il y avait dans sa voix une ombre de tristesse.

— Moi, je ne connaissais pas. J'aime beaucoup. Elle m'a envoyé également : *Why do they call them babies?*, et : *I'm glad I can make you cry*. Vous avez sûrement dansé à Paris sur tous ces airs-là.

— Je n'ai pas été à Paris.

Cette robe, d'un blanc presque jaune, qui changeait de couleur dans l'ombre, devenait grise ou bleue à mesure qu'ils marchaient, ces cheveux d'un blond éclatant — Dick était ébloui. Elle lui souriait chaque fois qu'il la regardait, et la lumière des lampes à arc, qui venait d'une route voisine, lui donnait un visage d'ange. Elle lui disait merci sans cesse, comme s'il l'avait invitée à une soirée, et moins il voyait clair dans ce qui le poussait vers elle, plus elle prenait de l'assurance. Elle était envahie d'une animation passionnée, qui semblait refléter toute l'animation du monde.

— Ils me laissent tout à fait libre, maintenant. Je vous ferai entendre deux très jolies chansons : *Wait till the cows come home*, et : *Good-bye, Alexander*.

Il était en retard, la semaine suivante. Elle l'attendait à l'angle de l'allée qu'il était obligé de suivre, en sortant de chez Franz. Elle avait rejeté ses cheveux

216

en arrière. Ils lui dégageaient les oreilles et lui caressaient les épaules, et son visage semblait en émerger à la seconde même, comme quelqu'un, caché dans un bois, qui surgit soudain dans le clair de lune, et semble venu de nulle part. Dick aurait tant voulu que ce soit vrai, qu'elle soit vraiment sans passé, qu'elle ne soit qu'une jeune fille perdue, sans autre adresse que la nuit dont elle venait de surgir. Elle le conduisit jusqu'à la cachette qu'elle avait trouvée pour son phonographe. Ils contournèrent un atelier, escaladèrent un rocher, s'adossèrent à un petit mur bas. A leurs pieds, jusqu'à l'infini, le secret tremblement de la nuit.

Et ce fut l'Amérique. Ils y abordèrent ensemble. Personne — et Franz lui-même, qui considérait Dick comme un irrésistible don Juan — n'aurait pu se douter qu'ils étaient si loin. Oh! comme ils étaient tristes, *honey*. Avec quelle impatience ils avaient cherché un taxi, pour se rejoindre plus vite. Oh! comme ils souriaient, *honey*, comme ils ne pensaient qu'à sourire. C'est en Hindoustan qu'ils s'étaient rencontrés. Et voilà qu'après, tout de suite après, ils s'étaient disputés, et personne n'avait rien remarqué, personne n'avait rien empêché. Et voilà que l'un d'eux avait disparu maintenant, et l'autre était en larmes, car il se sentait tellement triste, *honey*, tellement triste et abandonné.

Chansons toutes simples, qui évoquaient le temps perdu, l'espoir de rencontres futures, et tournaient doucement dans la nuit du Valais. Pendant les silences du phonographe, un grillon occupait la scène, avec une note toujours la même. Nicole arrêtait le disque, de temps en temps, et chantait pour Dick.

Pose sur le sol
Un dollar en argent
Tu vas voir qu'il roule
Puisqu'il est rond...

Les lèvres, si pures, à peine entrouvertes, qu'aucun souffle ne traversait. Dick se leva brusquement.

— Pourquoi ? Vous n'aimez pas ?

— Mais si.

— Et celle-ci, que ma cuisinière m'a apprise, autrefois ?

Une femme ne peut pas savoir
Ce que vaut l'homme qu'elle a trouvé
Tant qu'elle l'a pas laissé tomber...

— Vous aimez ?

Elle lui souriait, et il savait que ce sourire lui offrait le meilleur d'elle-même, ce qu'elle avait de plus profond, et qu'elle n'attendait rien en échange, ou si peu, un simple début de réponse, l'assurance qu'ils avaient les mêmes réactions. Une douceur l'envahissait, peu à peu, une douceur qui venait des saules autour d'elle, et de l'univers au-delà, plongé dans les ténèbres.

Elle se leva à son tour, trébucha contre le phonographe, se raccrocha à son épaule, serrée un très court instant contre lui.

— J'ai encore un disque. *So long, Letty.* Vous l'avez entendu ? Je suis à peu près sûre que oui.

— Vous n'avez pas l'air de comprendre. Je n'ai rien entendu du tout.

Rien connu, rien senti, rien goûté, aurait-il pu ajouter. Rien que des filles aux joues en feu, dans des chambres trop bien fermées. Celles qu'il avait connues, à New Haven, en 1914, disaient : « Voilà ! », lorsqu'elles avaient embrassé un garçon, et le repoussaient aussitôt, en posant leurs deux mains contre sa poitrine. Et il y avait cette petite épave, maintenant, à peine sauvée d'un naufrage, qui lui offrait l'essence de tout un continent.

6

Il la revit en mai, et l'emmena déjeuner à Zurich —

déjeuner qui lui fit comprendre qu'il fallait être très prudent. En bonne logique, il aurait dû jouer les indifférents. Mais dès qu'un homme se permettait de la dévisager, d'une table voisine, avec un regard un peu trop insistant, qui risquait de la perturber, il se tournait aussitôt vers lui et l'obligeait, courtoisement mais fermement, à baisser les yeux.

— Ce n'est rien, disait-il très vite. Un simple curieux qui admire votre robe. J'ai remarqué que vous en aviez beaucoup. Expliquez-moi pourquoi.

— Ma sœur prétend que nous sommes très riches, depuis la mort de notre grand-mère.

Elle avait répondu avec beaucoup d'humilité.

— Je vous pardonne.

Comme il était un peu plus âgé qu'elle, il s'amusait de tout : de ses petites bouffées de vanité, de ses petits plaisirs, de la façon dont, après le déjeuner, elle s'arrêta un court instant devant le grand miroir qui ornait l'entrée du restaurant, pour que l'incorruptible surface d'étain lui renvoie son image. Lorsqu'elle se vit si belle et si riche, elle eut un mouvement des mains qu'il trouva merveilleux, comme si elle frappait de nouveaux octaves. Il s'efforçait, en toute bonne foi, de rompre les quelques obsessions qui auraient pu les lier l'un à l'autre, soulagé de voir qu'elle reprenait confiance en elle-même, et réapprenait à être heureuse en dehors de lui. Le problème, c'est qu'en fin de compte elle déposait tout à ses pieds, comme ces couronnes de myrte, ces coupes d'ambroisie qu'on déposait aux pieds des dieux, en offrande.

Dans les premiers jours de l'été, Dick se sentit tout à fait réacclimaté à Zurich. Il avait beaucoup travaillé, refondu complètement, à la suite des recherches faites pendant sa mobilisation, les quelques essais rédigés à Vienne. Il comptait en tirer un ouvrage intitulé : *Une psychologie pour psychiatres*. Il avait pressenti un éditeur, et découvert un étudiant nécessiteux, qui lui corrigeait ses fautes d'allemand. Franz jugeait ce travail beaucoup trop superficiel, mais Dick faisait valoir que le sujet choisi était d'une simplicité désarmante.

— Il n'y a rien à creuser. J'aurais beau y passer des mois, je n'apprendrais rien de plus. Si quelqu'un en avait donné une analyse positive, je suis sûr qu'on le regarderait depuis longtemps comme une donnée de base. Le drame de notre profession, c'est qu'elle attire des gens qui sont eux-mêmes un peu fragiles, un peu blessés. Une fois qu'ils sont dedans, ils ont l'impression d'être encadrés par des murs solides et rassurants, et l'aspect « pratique », l'aspect « clinique » de notre travail, leur permet de compenser leurs propres faiblesses. Ils finissent par gagner un combat, sans avoir combattu. Pour vous, Franz, c'est exactement le contraire. Vous êtes un bon psychiatre, parce qu'avant même votre naissance le destin vous a choisi pour ça. Remerciez le ciel de ne pas avoir été « attiré » par cette profession. Savez-vous pourquoi j'ai été « attiré » ? Parce qu'une jeune fille du collège St. Hilda d'Oxford faisait ces études-là. Vous pensez que je fais un travail de vulgarisation ? Peut-être, mais je refuse de laisser le cours de mes réflexions se noyer dans une douzaine de verres de bière.

— D'accord, répondit Franz. Vous êtes américain. Vous ne risquez rien à publier ce livre. Mais je n'aime pas beaucoup la vulgarisation. Vous finirez par rédiger de petits fascicules, genre : *Pensées profondes pour profanes*, tellement simplistes qu'on sera positivement sûr que leur lecture ne porte pas à réfléchir. Savez-vous ce que ferait mon père, s'il était encore là ? Il vous regarderait en bougonnant. Il prendrait sa serviette, la plierait soigneusement, la glisserait dans son rond de serviette, celui-là même (Franz le montra : une hure de sanglier sculptée dans un bois presque noir), en disant : « Mon impression, voyez-vous... » Puis il vous regarderait, penserait brusquement : « A quoi bon ? », bougonnerait de nouveau, laisserait sa phrase en suspens, et le déjeuner serait terminé.

— Très bien, soupira Dick, avec un peu d'humeur. Aujourd'hui, je suis seul de mon avis. Mais un jour viendra, vous verrez, où je cesserai d'être seul, et ce sera mon tour de plier ma serviette en bougonnant, comme votre père.

Franz garda le silence un instant.

— Et notre malade ? demanda-t-il enfin.

— Je ne sais rien.

— Vous devriez commencer à savoir.

— Je l'aime beaucoup. Elle est séduisante. Qu'attendez-vous de moi ? Que je l'emmène cueillir des edelweiss ?

— Maintenant que vous écrivez des livres scientifiques, je pensais que vous aviez au moins une petite idée.

— Que je lui consacre ma vie ?

Franz appela sa femme, restée dans la cuisine.

— *Du lieber Gott !* Apporte un autre verre de bière pour Dick, *bitte*.

— Non, non, je m'arrête de boire, puisqu'on a rendez-vous avec le docteur Dohmler.

— La meilleure chose, à notre avis, serait d'établir un vrai plan d'action. Vous êtes revenu depuis quatre semaines. La jeune fille est manifestement amoureuse de vous. Si nous vivions dans un univers normal, ça ne nous regarderait absolument pas. Mais ici, dans cette clinique, nous avons notre mot à dire.

Dick hocha la tête.

— Je me rangerai à l'avis du docteur Dohmler.

Sans doute. Mais le Dr Dohmler était-il à même d'y voir clair? Dick n'y croyait guère. La situation comportait un élément nouveau : Dick lui-même. Et comment mesurer cet élément nouveau? Sans l'avoir cherché, consciemment du moins, c'était lui désormais qui tenait tout en main. Il repensait à son enfance, au jour où on avait perdu la clef du placard renfermant l'argenterie. Tout le monde la cherchait désespérément. Il était le seul à savoir qu'elle se trouvait sous une pile de mouchoirs, dans le premier tiroir de la commode de sa mère. Le détachement qu'il avait éprouvé ce jour-là était d'ordre philosophique. Il éprouvait exactement le même en pénétrant avec Franz dans le bureau du Dr Dohmler.

Il fut aussitôt désarmé par la beauté de ce visage, encadré de deux favoris, qui le soutenaient à la perfection, comme deux belles colonnes de véranda, recouvertes de vigne vierge, dans une demeure d'autrefois. Dick avait déjà rencontré des hommes de plus grand savoir, aucun d'une aussi parfaite distinction. (Il se répéta, mot pour mot, la même chose, six mois plus tard, devant la dépouille mortelle du Dr Dohmler, alors qu'il n'y avait plus de lumière sous la véranda, que la vigne vierge pendait sur le col empesé, que les délicates paupières s'étaient à jamais refermées sur tant de combats devinés et suivis.)

— Bonsoir, monsieur.

Il s'était mis d'instinct au garde-à-vous, comme s'il était à l'armée.

Le Dr Dohmler croisa les mains. Franz prit la parole. Il avait à la fois le ton d'un secrétaire et d'un officier d'ordonnance. Son maître l'interrompit au beau milieu d'une phrase.

— Nous avons fait, de notre côté, une partie du chemin, dit-il avec douceur. Vous êtes désormais le seul, docteur Diver, à pouvoir nous aider à poursuivre.

Dick était pris de court.

— C'est que je n'y vois pas très clair en moi, avoua-t-il.

— Vos réactions personnelles ne m'intéressent pas. Ce que je sais, par contre, c'est que ce « transfert », comme on dit... (il jeta vers Franz un petit coup d'œil ironique, que Franz lui rendit aussitôt) c'est que ce transfert doit cesser. Miss Warren va beaucoup mieux. Elle ne survivrait pas à ce qu'elle pourrait regarder comme un échec dramatique.

Franz voulut dire un mot, mais le Dr Dohmler lui fit signe de se taire.

— J'imagine que votre position n'a pas dû être simple.

— Pas simple du tout, en effet.

Le Dr Dohmler se mit à rire, et se renversa dans son fauteuil. Ses petits yeux gris brillaient d'un éclat pénétrant.

— Peut-être, reprit-il, sur le dernier écho de son rire, êtes-vous sentimentalement impliqué dans l'affaire, vous aussi?

Comprenant qu'il cherchait à le faire parler, Dick se mit à rire à son tour.

— Elle est très jolie. N'importe qui s'y laisserait prendre. Mais je n'ai pas l'intention...

Une fois encore, Franz voulut dire un mot. Une fois encore, son maître lui coupa la parole, et s'adressant directement à Dick:

— Avez-vous songé à quitter Zurich?

— Je ne peux pas quitter Zurich.

Dohmler se tourna vers Franz.

— Éloignons donc Miss Warren.

— Comme vous voudrez, docteur Dohmler, concéda Dick. Mais ça pose vraiment un problème.

Le Dr Dohmler se redressa soudain, comme un homme qui n'a plus de jambes, et prend appui sur des béquilles.

— Problème purement professionnel! dit-il, en élevant la voix avec force.

Il poussa un petit soupir, se renfonça dans son fauteuil, et attendit que les échos du tonnerre qu'il avait déclenché s'éteignent un à un. Dick comprit que l'entretien venait d'atteindre son point culminant. Il n'était pas certain lui-même de pouvoir en supporter davantage. Le tonnerre apaisé, Franz réussit enfin à placer un mot.

— Le docteur Diver est quelqu'un de parfaitement honnête. Il va réfléchir au problème, et trouvera, j'en suis sûr, une solution acceptable. Je pense pour ma part que Dick peut parfaitement continuer de travailler avec nous, sans que nous soyons obligés d'éloigner qui que ce soit.

— Qu'en pensez-vous? demanda le Dr Dohmler à Dick.

Dick ne savait que répondre. Toute sa subtilité l'avait abandonné. Il se sentait pesant, maladroit. Il comprenait en même temps que son silence ne pouvait pas durer indéfiniment, qu'il fallait à tout prix répondre quelque chose. Il perdit pied, brusquement.

— Je suis amoureux d'elle. J'ai même songé à l'épouser.

— Tch! Tch! fit Franz entre ses dents.

— Attendez, conseilla le Dr Dohmler.

Mais Franz n'en pouvait plus d'attendre.

— Comment ça? Et vous passerez votre vie à lui servir de médecin, d'infirmier, de tout à la fois? Vous n'y pensez pas! Je sais où mène ce genre de choses. Neuf fois sur dix, le premier élan passé, ça s'effondre. Il vaut beaucoup mieux cesser de la voir.

— Qu'en pensez-vous? demanda de nouveau le Dr Dohmler.

— Franz a raison, c'est évident.

Il fallut définir la façon dont Dick allait s'y prendre, l'attitude qu'il adopterait. La discussion dura longtemps. Ils en vinrent à la conclusion qu'il devait se montrer le plus attentif possible, le plus prévenant, en faisant abstraction de ses sentiments personnels. Le soir venait déjà quand les trois médecins se levèrent. Dick regarda par la fenêtre. Une petite pluie fine s'était mise à tomber. Quelque part, sous cette pluie fine, Nicole devait l'attendre, pleine d'espoir. Il sortit du bureau, boutonna son imperméable jusqu'au menton, baissa les bords de son chapeau, et tout de suite il l'aperçut, sous la verrière de l'entrée principale.

— Je connais un autre endroit où nous pouvons nous réfugier, dit-elle. Quand j'étais malade, j'acceptais sans difficulté de passer mes soirées avec les autres, à l'intérieur du pavillon. Ce qu'ils disaient me paraissait normal. Maintenant, je sais que ce sont des malades, alors c'est devenu... comment dire ?... c'est...

— Vous partirez bientôt.

— Oh oui ! très bientôt. Ma sœur Beth, qu'on appelle Baby depuis toujours, doit venir me chercher pour me conduire je ne sais où. Ensuite, je reviendrai ici, pour un mois. Le dernier.

— C'est votre sœur aînée ?

— Oh ! elle est un peu plus âgée que moi. Vingt-quatre ans. Elle est très anglaise de cœur. Elle vit à Londres, avec la sœur de mon père. Elle était fiancée à un officier anglais, qui a été tué. Je ne l'ai pas connu.

Contre le ciel brouillé, où les derniers reflets du jour essayaient de vaincre la pluie, son beau visage ivoire et or était une promesse, que Dick découvrait pour la première fois. Il y avait, dans ces hautes pommettes, dans cette pâleur transparente, aérienne, sans un soupçon de fièvre, apaisée au contraire, et rafraîchissante, comme l'esquisse du cheval futur que laisse espérer un poulain de race — l'image de quelqu'un qui ne se contentera pas de projeter, toute sa vie, sur des écrans de plus en plus obscurs, ce qu'il était dans sa jeunesse, mais qui s'engage à grandir, au contraire, à atteindre son plein épanouissement. Ce visage-là sera beau à tout âge, même dans l'âge mûr, même dans la vieillesse. Il porte tout en lui : le dessin, la structure et l'économie.

— Que regardez-vous ?

— Je pensais simplement que le bonheur n'était plus très loin, pour vous.

Elle parut effrayée.

— Vraiment ? Vous croyez ? Alors, c'est bien. De toute façon, je crois que j'ai connu le pire.

Elle l'avait entraîné vers un bûcher couvert. Elle s'y assit, jambes croisées. Elle portait un *burberry* et des chaussures de golf. L'air humide redonnait un peu de couleur à ses joues. Elle lui rendit gravement son regard. Elle sentait quelque chose d'un peu guindé dans son attitude, d'un peu hautain, que la poutre à laquelle il s'était adossé ne suffisait pas à expliquer. Elle examina son visage. Il avait un penchant naturel à la drôlerie, à la plaisanterie, qu'il refrénait sans cesse, et cachait sous un masque de gravité pensive. C'est ce côté de lui, ce côté ironique, si bien accordé à son teint légèrement roux d'Irlandais, qu'elle connaissait le moins et qui lui faisait peur. Elle brûlait pourtant de mieux le connaître, car c'est par là qu'il se révélait le plus masculin. Le reste, ses manières, son éducation, le respect qu'il lui témoignait, l'extrême déférence qu'elle lisait dans ses yeux, elle l'acceptait naturellement, comme la plupart des femmes.

— Finalement, cette clinique m'aura beaucoup appris, sur le plan des langues, dit-elle. J'ai parlé français avec deux des médecins, allemand avec les infirmières, italien, ou quelque chose qui ressemble à ça, avec deux femmes de ménage, et avec une malade. J'ai même appris avec une autre quelques rudiments d'espagnol.

— C'est très bien.

Il se demandait quelle attitude prendre, mais rien de cohérent ne se présentait.

— La musique, aussi. Je ne m'intéresse pas qu'à la danse, vous savez. Je travaille tous les jours. Ces derniers mois, j'ai suivi des cours d'histoire de la musique à Zurich. C'est ça qui m'a permis de tout supporter, je crois : la musique et le dessin.

Elle se pencha brusquement, arracha un petit morceau de cuir qui se détachait de sa semelle.

— J'aimerais faire un croquis de vous, tel que vous êtes en ce moment.

Il était affreusement mal à l'aise. Cette façon qu'elle avait d'exposer ses talents, en espérant qu'il allait applaudir...

— Vous avez beaucoup de chance. Moi, actuellement, je ne m'intéresse qu'à mon travail.

— Oh! c'est parfait, pour un homme, répondit-elle très vite. Pour une femme, par contre... Nous avons besoin de petits talents mineurs, pour les transmettre à nos enfants.

— Peut-être.

Il répondait exprès avec indifférence. Elle resta immobile un moment. Il aurait aimé qu'elle parle encore. Ç'aurait été plus facile pour lui de continuer à jeter des cendres sur le feu. Mais elle restait immobile.

— Vous êtes guérie, maintenant, dit-il. Essayez d'oublier le passé, de ne pas trop vous fatiguer pendant le premier mois. Ensuite, regagnez l'Amérique, faites vos débuts dans le monde, devenez amoureuse... et soyez heureuse.

— Devenir amoureuse! Impossible.

Il y avait une petite trace de moisissure le long de la bûche où elle était assise. Elle la gratta, du bout de sa semelle abîmée.

— Très possible, au contraire. Peut-être pas au bout d'un an, mais tôt ou tard, croyez-moi.

Il insista, en appuyant bien sur les mots.

— Vous mènerez une vie normale, dans une belle maison, pleine de beaux enfants. La preuve, c'est qu'à votre âge vous avez triomphé de votre maladie. Les facteurs de fixation se sont remis en place. Ils ne demandent qu'à jouer. Croyez-moi, jeune demoiselle, vous jouerez encore les roublardes et les fanfaronnes, alors qu'on aura dû, depuis longtemps, interner vos amis.

Elle tentait d'avaler cet aigre cachet, cette médecine amère, mais toute sa souffrance se voyait dans ses yeux.

— Avant que je puisse épouser quelqu'un, il faudra du temps, je le sais, murmura-t-elle. Beaucoup de temps.

Dick était trop bouleversé pour pouvoir dire un mot. Il détourna les yeux, regarda au loin, vers les champs d'avoine, pour s'obliger à retrouver un semblant d'agressivité.

— Je répète que vous mènerez une vie parfaitement normale. Tout le monde le dit, ici. Tout le monde vous fait confiance. Regardez le docteur Gregory. Il est tellement fier de vous que...

— Je déteste le docteur Gregory.

— Vous avez tort.

Le monde s'écroulait autour d'elle. C'était un monde si fragile encore, qui venait à peine d'être reconstruit. Toutes les impulsions, toutes les émotions attendaient encore sur le seuil, prêtes à tout dévaster. L'avait-elle vraiment attendu, moins d'une heure plus tôt, sous la verrière du pavillon central, l'espoir à la ceinture, comme un bouquet de fleurs ?

Et chez lui ? Rien, chez lui. Aucun signe de rien. Des vêtements toujours impeccables, des boutons parfaitement boutonnés — et les narcisses toujours en fleur, la fraîcheur du soir toujours apaisante, qu'il continuait à pouvoir respirer...

— Oh ! murmura-t-elle, en tremblant, si je pouvais recommencer à m'amuser un peu...

Elle était si désespérée qu'elle joua, un moment, avec l'idée de lui révéler combien elle était riche, combien les demeures qu'elle possédait étaient belles, à quel point le placement qu'elle représentait était intéressant. Elle devint, pendant un moment, son propre grand-père, Sid Warren, le maquignon. Mais elle repoussa cette tentation, enferma de nouveau ses trésors dans l'obscurité des chambres victoriennes — sachant qu'il n'y avait plus de chambres, pour elle, qu'elle était vouée au chagrin et à la solitude.

— Il ne pleut plus. Je dois rentrer.

Dick marchait près d'elle, la voyait déchirée, aurait voulu boire la pluie sur ses joues.

— J'ai reçu quelques nouveaux disques. Je suis pressée de les entendre. Connaissez-vous...

Dick voulut l'inviter à dîner, ce soir-là, pour consommer définitivement la rupture. Il était fou furieux contre Franz, avec des envies de le rouer de coups. Pourquoi l'avoir contraint à une aussi basse besogne ? Il attendait dans le hall, et suivait des yeux un béret, qui n'était pas le béret de quelqu'un qui aurait attendu longtemps sous la pluie, comme Nicole, mais qui couvrait un crâne récemment trépané. Un regard humain filtrait en dessous, qui l'aperçut, et vint vers lui.

— Bonjour, docteur.

— Bonjour, monsieur.

— Il fait beau.

— Très beau, oui.

— Vous êtes ici, maintenant?

— Non. Pour la journée seulement.

— Ah bon! Alors, au revoir, docteur.

Heureux d'être parvenu à établir un nouveau contact, l'infortuné au béret s'éloigna. Dick attendait toujours. Une infirmière descendit enfin l'escalier, pour lui apporter un message.

— Miss Warren vous prie de l'excuser, docteur. Ce soir, elle a décidé de rester couchée. Elle veut qu'on lui serve à dîner dans sa chambre.

Elle semblait curieuse de sa réaction, persuadée qu'il allait trouver bien étrange cette décision de Miss Warren.

— Ah bon, je... Parfait, je...

Il essayait d'avaler sa salive et de calmer les battements de son cœur.

— J'espère qu'elle ira mieux. Merci.

Il était amer et désemparé. Mais libéré, en fait.

Il laissa un petit mot à Franz, pour s'excuser de ne pas dîner avec lui, et partit à pied, à travers la campagne, jusqu'à l'arrêt du tram. Au moment où il grimpait sur la plate-forme, dans la lumière du crépuscule, qui faisait scintiller les rails, et les vitrines des distributeurs automatiques, il eut l'impression que tout se mettait à tourner, l'arrêt du tram, la clinique, que tout basculait d'arrière en avant. Il eut terriblement peur. Il fut soulagé d'entendre sonner sous ses pas les solides pavés de Zurich.

Le lendemain, il attendit des nouvelles de Nicole. Pas un mot. Craignant qu'elle ne soit malade, il finit par appeler Franz.

— Hier, elle est descendue déjeuner. Aujourd'hui aussi. Elle semble un peu pensive, un peu dans les nuages. Ça s'est bien passé, finalement?

Dick tenta d'enjamber le gouffre insondable, qui sépare les sexes.

— Nous n'y sommes pas vraiment arrivés. Du moins, je ne crois pas. J'ai cherché à être le plus distant possible, mais pas suffisamment, je crois, pour modifier ses sentiments, même si ça l'a profondément touchée.

Peut-être sa vanité souffrait-elle de ne pas avoir pu donner le « coup de grâce » ?

— D'après certaines choses qu'elle a dites à son infirmière, j'incline à croire qu'elle a compris.

— Bien.

— C'était la meilleure chose à faire. Elle n'a pas du tout l'air agitée. Un peu dans les nuages, c'est tout.

— Très bien.

— A bientôt, Dick. Revenez me voir.

8

Il éprouva, pendant plusieurs semaines, une profonde insatisfaction. Cette histoire, née d'un trouble pathologique, qu'on s'était permis de faire avorter par un procédé purement mécanique, lui laissait un goût d'acier fade, comme la lame d'un scalpel. C'était parfaitement déloyal vis à vis de Nicole et de ses sentiments — et qui sait s'il ne ressentait pas les mêmes, à son tour ? Il devait s'interdire, pour un temps, toute idée de bonheur possible. Elle apparaissait souvent dans ses rêves — il la voyait marcher autour de la clinique, un chapeau de paille à la main.

Un jour, il la vit réellement. Il longeait le Palace Hotel, lorsqu'une somptueuse Rolls Royce s'engagea dans la contre-allée. Minuscule et perdue, au fond de cette gigantesque carrosserie, halée par cent chevaux à la puissance dérisoire, Nicole était assise à côté d'une jeune femme, qui devait être sa sœur. Elle l'aperçut. Ses lèvres s'entrouvrirent, avec une expression d'effroi. Il souleva son chapeau et s'éloigna. Mais un grondement furieux le poursuivit un long moment, comme si tous les farfadets de Gross-Münster l'avaient pris en chasse. Pour se délivrer d'elle, il essaya de travailler à un mémoire, décrivant point par point le traitement qu'elle aurait dû suivre, envisageant même l'hypothèse d'un retour de la maladie, consécutif aux chocs nerveux que provoquerait inévitablement chez elle sa réinsertion dans le monde — mémoire tellement détaillé qu'il aurait convaincu la terre entière, lui seul excepté, qui l'avait écrit.

Ce travail eut pour résultat de lui faire comprendre à quel point ses propres sentiments se trouvaient engagés. Il décida alors de s'administrer quelques contrepoisons. Le premier à se présenter fut la standardiste de Bar-sur-Aube, qui voulait battre le rappel de tous ceux qu'elle avait connus, au cours de vacances « comme-elle-n'en-aurait-jamais-d'autres », et qui s'offrait, de Nice à Coblence, un tour d'Europe de la dernière chance. Il s'occupa ensuite de retenir une place sur un transport de troupes, pour aller passer le mois d'août aux États-Unis. Il se plongea enfin dans la correction minutieuse des épreuves de son livre, qui devait paraître à l'automne, et intéresser tous les psychiatres de langue allemande.

C'était, de toute façon, un livre dépassé. Il voulait désormais aller beaucoup plus loin dans la pratique de son métier. S'il parvenait à obtenir un échange de bourse, il pourrait consacrer le plus gros de son temps à la clientèle.

Il avait cependant un autre livre en tête, qui aurait pour titre : *Essai de classification homogène et pragmatique des psychoses et des névroses, fondée sur l'étude de plus de mille cinq cents cas pré et post-kraepeliniens, tels qu'ils pourraient être diagnostiqués dans le vocabulaire des différentes écoles modernes.* Il y ajouterait ce sous-titre ronflant : *Suivi d'une chronologie de toutes les subdivisions de doctrines, qui se sont formées de surcroît.*

En allemand, ça ferait un titre monumental[1] !

Il pédalait lentement en direction de Montreux, émerveillé par ce qu'il découvrait, de loin en loin, de la Jugenhorn, et par les échappées ouvertes sur le lac, entre les hôtels du rivage. Il identifiait sans erreur les Anglais, à leur façon de jeter autour d'eux des regards soupçonneux, comme des détectives de roman policier, en se demandant, après quatre ans d'absence, s'ils n'allaient pas être assaillis, dans ce pays suspect, par des hordes d'Allemands rebelles. Partout, sur les remblais d'alluvions des torrents de montagne, on apercevait des signes de réveil, des constructions flambant neuves. A Berne, à Lausanne, comme il descendait vers le Sud, on lui avait plusieurs fois demandé, avec inquiétude, si les Américains allaient venir dès cette année. « Si on ne les voit pas en juin, on les verra peut-être en août ? »

Il portait un short de cuir, une chemise de l'armée, des chaussures de montagne. Dans son sac à dos, un complet de toile et du linge de rechange. A la gare du funiculaire hydraulique de Glion, il fit enregistrer sa bicyclette, alla s'asseoir à la terrasse du buffet et

1. Ein Versuch die Neurosen und Psychosen gleichmässig und pragmatisch zu klassifizieren auf Grund der Untersuchung von fünfzehn hundert pre-Kraepelin und post-Kraepelin Fällen wie sie diagnostiziert sein würden in der Terminologie von den verschiedenen Schulen der Gegenwart — suivi d'un sous-titre ronflant : Zusammen mit einer Chronologie solcher Subdivisionen der Meinung welche unabhängig entstanden sind.

commanda une bière, en observant l'insecte minuscule qui rampait contre la montagne, à quatre-vingt-dix degrés. Comme il s'était offert un sprint jusqu'à la Tour de Pelz, pour voir s'il n'avait rien perdu de sa forme sportive, il avait du sang séché dans l'oreille. Il demanda un peu d'alcool et se nettoya rapidement, pendant que la cabine entrait en gare. Il surveilla l'embarquement de sa bicyclette, déposa son sac à dos dans la soute à bagages, et s'installa dans le compartiment du bas.

Pour qu'une cabine puisse grimper le long d'une paroi rocheuse, il faut la construire en oblique, selon l'exacte inclinaison que donne aux bords de son chapeau quelqu'un qui a peur qu'on le reconnaisse. En entendant l'eau s'échapper du réservoir placé sous la cabine, Dick fut frappé par la simplicité du mécanisme. Une autre cabine, à la même seconde, remplissait d'eau ses réservoirs, en haut de la montagne, et, quand les freins seraient lâchés, elle entraînerait par son poids celle qui venait de s'alléger. Une véritable idée de génie ! En face de lui, un couple d'Anglais s'intéressait au câble lui-même.

— Ceux qu'on fabrique en Angleterre durent toujours entre cinq et six ans. Il y a deux ans, les Allemands ont repris le marché. Leur câble a duré combien, à ton avis ?

— Je ne sais pas.

— Un an et dix mois. Alors les Suisses l'ont revendu aux Italiens. Le contrôle des câbles est beaucoup moins sévère chez eux.

— Une rupture de câble, pour les Suisses, ce serait une tragédie.

Le conducteur ferma les portes et téléphona à son collègue. On sentait déjà les premiers soubresauts. Soudain, avec une brusque secousse, la cabine se trouva projetée en avant, et mit le cap sur une pointe d'épingle, plantée dans le vert éclatant de la montagne. Lorsqu'elle eut dépassé les toits, les voyageurs découvrirent, en un vaste cyclorama, les paysages du Valais, du canton de Vaud, de la Savoie suisse, et de la ville de Genève. C'était là, au milieu du lac, rafraîchi par les courants impétueux du Rhône, que se situait le centre même du monde occidental. Des cygnes nageaient tout autour, qu'on pouvait prendre pour des barques, et des barques y nageaient aussi, qu'on pouvait prendre pour des cygnes, comme extasiés, les uns et les autres, par tant de beauté implacable. La journée s'annonçait superbe, avec des éclats de soleil sur les pelouses du rivage, et sur les courts blancs du Kursaal, où les joueurs n'avaient pas d'ombre.

En apercevant Chillon, et l'île de Salagnon avec son château fort, Dick devint rêveur. Le funiculaire avait dépassé les dernières maisons, et glissait dans un enchevêtrement prodigieux de fleurs et de feuillages, qui jaillissaient de chaque côté de la voie, dans une frénésie de couleurs. C'était comme un jardin, et la cabine portait une pancarte : *Interdit de cueillir les fleurs*.

Interdit, peut-être, mais les fleurs s'offraient d'elles-mêmes, à travers les vitres ouvertes — des brassées de roses Dorothy Perkins, qui pénétraient dans les compartiments, avec de doux frissons, dus au mouvement de la cabine, et ne se résignaient qu'au dernier moment à réintégrer leurs massifs. Mais, comme d'autres prenaient aussitôt leur place, c'était un incessant va-et-vient de fleurs.

Un groupe de touristes, qui occupaient le compartiment supérieur, face à Dick, allaient d'une fenêtre à l'autre, en poussant des cris d'admiration devant les profondeurs insoupçonnées du ciel. Il y eut parmi eux une soudaine agitation. Ils furent obligés de s'écarter, afin de laisser passer un jeune couple, qui arrivait de l'extérieur, en demandant pardon, et qui finit par enjamber le garde-fou pour atterrir dans le compartiment inférieur — celui où était Dick. Le garçon était manifestement italien, avec de grands yeux de chevreuil empaillé. La jeune fille, c'était Nicole.

Cet exercice de haute voltige les avait passablement essoufflés. Ils se laissèrent tomber sur la banquette, en riant. Les deux Anglais se poussèrent pour leur faire de la place.

— Hello, dit Nicole.

Elle était ravissante. Dick sentit qu'elle avait quelque chose de changé. Il mit deux ou trois secondes à comprendre que c'était ses cheveux d'une soie légère, qu'elle avait fait couper comme ceux d'Irène Castle, la danseuse de cabaret, et qui frisaient délicatement. Elle portait un gilet bleu pastel, une chemise de tennis blanche — elle avait la fraîcheur d'un matin de mai, sans rien qui puisse rappeler son séjour en clinique.

— Oh! Seigneur-Dieuuuuu! soupira-t-elle. Ce garde-fou! Ils sont capables de nous arrêter à la prochaine gare! Docteur Diver... Comte de Marmora...

Elle soupira de nouveau, en arrangeant sa nouvelle coiffure.

— Ma sœur avait pris des billets de première classe. C'est un principe, chez elle.

Elle échangea un petit clin d'œil avec Marmora.

— Mais le compartiment de première, c'est un vrai corbillard! A cause du conducteur. Il a tiré tous les rideaux, comme s'il pleuvait, et on ne voit rien. Mais Baby se drape dans sa dignité.

Ils rirent ensemble, avec une complicité de très jeunes gens.

— Où allez-vous? demanda Dick.

— A Caux. Vous aussi?

Elle examina son costume.

— C'est votre bicyclette qui est arrimée à l'avant?

— Oui. Je redescends lundi.

— Avec moi sur votre guidon? Sérieusement, vous voulez? Ce serait tellement drôle...

Marmora protesta avec véhémence.

— Je peux très bien vous prendre dans mes bras, et vous porter jusqu'en bas! En patins à roulettes, si vous préférez. Ou je peux très bien vous jeter dans le vide, et vous tomberez en vous balançant doucement, comme une plume.

Un si brusque plaisir, sur le visage de Nicole — ne plus être un boulet de plomb mais une plume, ne plus se traîner lourdement, mais voler en se balançant... Tous ces masques, l'un après l'autre, comme un merveilleux carnaval: timide, compassé, maniéré, imitant, grimaçant — avec l'ombre, parfois, qui se refermait, le poids de tout ce qu'elle avait souffert, qui coulait gravement entre ses doigts. Dick aurait voulu disparaître, tant il avait peur de lui rappeler ce monde qu'elle venait de quitter. Il décida de ne pas descendre dans le même hôtel.

Le funiculaire stoppa brusquement. Ceux qui le prenaient pour la première fois s'effrayèrent d'être ainsi arrêtés entre deux fragments de ciel bleu. Mais il s'agissait simplement d'un mystérieux échange entre le conducteur de la cabine qui montait et celui de la cabine qui descendait. L'ascension reprit. Ils longèrent un sentier de forêt, une gorge rocheuse, puis une colline qui se transforma peu à peu en une masse solidifiée de narcisses. A Montreux, sur les courts de tennis qui bordaient le lac, les joueurs n'étaient plus que des points d'aiguille. L'atmosphère changeait. Elle exhalait une fraîcheur nouvelle — fraîcheur qui se gonfla, peu à peu, de musique, et lorsqu'ils atteignirent Glion, ils entendirent un orchestre jouer dans le jardin de l'hôtel.

Ils quittèrent le funiculaire, pour un petit tortillard de montagne, et la musique se perdit dans le bruit de l'eau qui sortait des conduits hydrauliques. Ils apercevaient Caux, juste au-dessus d'eux, et les mille fenêtres du grand hôtel étincelaient dans le soleil couchant.

Ce fut un tout autre voyage. Une machine à soufflets de cuir s'enroulait, comme un tire-bouchon, le long d'une voie qui montait et descendait sans cesse. Ils s'enfoncèrent dans une couche de nuages très bas, et Dick crut un instant que le visage de Nicole se perdait dans les fumées de la chaudière. L'hôtel grandissait, de virage en virage, dans de brusques bouffées de vent, et soudain, stupéfaits, ils s'arrêtèrent en plein soleil.

Dans la bousculade de l'arrivée, au moment où Dick prenait son sac à dos et s'engageait sur le quai pour récupérer sa bicyclette, Nicole se trouva près de lui.

— Pourquoi ne pas descendre dans le même hôtel que nous?

— Par mesure d'économie.

— Voulez-vous dîner avec nous?

Nouvelle bousculade à propos des bagages.

— Oh! voici ma sœur... Le docteur Diver, de Zurich.

Dick s'inclina devant une jeune femme, d'environ vingt-quatre ans, très grande et très sûre d'elle. Ayant déjà vu d'autres femmes, dont les lèvres, gonflées comme des fleurs, se fendillaient par place, il se dit que sous ses dehors impressionnants elle devait être étrangement vulnérable.

— Je viendrai après le dîner, promit-il. Il faut d'abord que je m'installe.

Il enfourcha sa bicyclette. Il sentait que Nicole le suivait des yeux. Il sentait qu'elle aimait pour la première fois d'un amour sans espoir. Il sentait cet amour bouger au fond de lui. Il parcourut trois cents mètres, s'arrêta dans un autre hôtel, retint une chambre, et se trouva soudain dans la salle de bains, sans plus savoir ce qui s'était passé pendant les dix dernières minutes. Elles n'avaient été qu'une sorte d'ivresse fiévreuse, traversée de voix indifférentes, ignorant à quel point il était aimé.

9

Ils l'attendaient. Il leur manquait visiblement. Leur groupe, sans lui, paraissait incomplet. Il représentait, là encore, un élément nouveau impossible à évaluer. Beth Warren et le jeune Italien étaient aussi impatients que Nicole, et ne cherchaient pas à le dissimuler. Le salon de l'hôtel, à l'acoustique légendaire, était réservé aux danseurs, mais on avait aménagé une petite galerie, où s'étaient regroupées quelques Anglaises d'un certain âge (cheveux teints, tours de cou, visages poudrés de gris-rose) et quelques Américaines, d'un âge également certain (perruques neigeuses, bouches cerise, robes noires). Beth Warren et Marmora occupaient une table de coin. Nicole se tenait de biais, à une trentaine de mètres. Dick l'entendit parler distinctement, au moment où il arrivait.

— *Hello, docteur Diver. M'entendez-vous ?*

— Très bien, oui.

— *Je parle pourtant sans élever la voix.*

— Que se passe-t-il ?

— *Vous rendez-vous compte que les gens qui sont au centre de la pièce n'entendent pas ce que je dis, et que vous, vous pouvez l'entendre ?*

— C'est l'un des barmans qui nous a révélé ce phénomène, expliqua Beth Warren. On peut se parler d'un angle à l'autre. Une vraie télégraphie sans fil.

Il régnait, au sommet de cette montagne, une excitation pareille à celle d'un navire de croisière. Les parents du jeune Marmora vinrent les rejoindre. Ils faisaient preuve d'une extrême déférence vis-à-vis des Warren. Dick crut comprendre que leur fortune avait quelque chose à voir avec une banque de Milan, qui avait elle-même quelque chose à voir avec la fortune des Warren. Mais Baby désirait absolument parler à Dick. Elle désirait lui parler, avec cette fièvre impétueuse qui la poussait d'instinct vers les hommes qu'elle rencontrait pour la première fois, comme si, s'étant aventurée sur une corde raide, elle jugeait préférable d'arriver au bout le plus vite possible. Elle n'arrêtait pas de croiser les jambes, comme les femmes un peu trop fortes que tourmente leur virginité.

— Nicole m'a dit que vous vous étiez occupé d'elle, que vous aviez joué un rôle dans sa guérison. Ce que je n'arrive pas à comprendre, c'est ce qu'*ils* comptent faire, exactement, dans ce sanatorium. Ils sont tellement imprécis ! Vous savez ce qu'ils m'ont dit ? Qu'il fallait qu'elle soit gaie, qu'elle soit spontanée. Un point c'est tout. Je savais que les Marmora étaient ici. J'ai donc demandé à Tino de venir nous attendre au funiculaire. Et vous avez vu ce qui s'est passé ? La première chose qu'a faite Nicole ? Elle l'a obligé à ramper le long des parois ! On aurait dit deux fous !

Dick se mit à rire.

— C'est parfaitement normal. Je dirais même que c'est très bon signe. Ils se sont lancé un défi l'un à l'autre.

— Mais *moi* ? Comment puis-je savoir, *moi* ? Sans même me prévenir, pratiquement sous mes yeux, elle s'est fait couper les cheveux à Zurich, à cause d'une photographie qu'elle a vue dans *Vanity Fair* !

— Excellent! C'est une schizoïde. Une excentrique permanente. Vous ne la changerez pas.

— Ça veut dire quoi?

— Ce que j'ai dit. Une excentrique.

— Écoutez... J'aimerais bien qu'on me dise où finit l'excentricité et où commence la folie.

— Il n'y a aucune folie, aucun danger sur ce plan-là. Surtout ne vous inquiétez pas. Nicole est parfaitement saine. Parfaitement heureuse.

Baby décroisa les jambes. Elle semblait résumer toutes les femmes insatisfaites, qui, au siècle dernier, s'étaient éprises de Lord Byron. Malgré sa tragique aventure avec cet officier des Horse-Guards, elle avait quelque chose de figé, de fossilisé, à la frange de l'onanisme.

— Je n'ai pas peur des responsabilités, mais je suis complètement perdue. Il n'y a jamais rien eu de semblable dans notre famille. Nicole a été victime d'un choc nerveux. A mon avis, c'est à cause d'un garçon, mais personne n'en est sûr. Mon père dit qu'il le tuerait, s'il savait qui c'est.

L'orchestre jouait *Poor butterfly*. Le jeune Marmora dansait avec sa mère. La chanson n'était pas encore démodée pour eux. Dick l'écoutait en regardant Nicole. Elle dansait avec le père du jeune Marmora, dont les mèches blanches et noires évoquaient le clavier d'un piano. Elle lui parlait, en bougeant les épaules, et leur forme évoquait pour Dick les tendres courbes d'un violon. Sa pensée bascula soudain vers le passé, vers l'infamie. Oh! pauvre *butterfly*, pauvre papillon... ce bref instant qui devient des heures, des années...

— J'ai un projet, continuait Baby, avec une obstination dont elle semblait vouloir s'excuser. Ça va sûrement vous paraître absurde, mais ils m'ont dit, là-bas, que Nicole aurait besoin d'être suivie médicalement pendant des années. Je ne sais pas si vous connaissez Chicago...

— Non.

— Bon. La ville est nettement coupée en deux. Il y a le *North Side* et le *South Side*. Le *North Side*, c'est très chic, très élégant, vous voyez ? C'est là que nous habitons depuis toujours, enfin depuis très longtemps, mais il y a beaucoup d'anciennes familles, des familles appartenant au vieux Chicago, si vous comprenez ce que je veux dire, qui habitent encore le *South Side*. C'est là que se trouve l'université. Ça doit être assez étouffant pour certaines personnes, j'imagine, mais c'est différent du *North Side*, malgré tout. Je ne sais pas si vous me suivez.

Il hocha la tête. En se concentrant un peu, il arrivait à suivre.

— Bon. Nous connaissons beaucoup de monde, là-bas, évidemment. Mon père fait partie du conseil d'administration de l'université. Il contrôle certains cours, attribue des bourses, enfin ce genre de choses. Alors, je suis en train de me dire que, si nous ramenons Nicole à Chicago, si nous lui ouvrons les portes de ce milieu-là... elle est très bonne musicienne, vous savez, et elle parle plusieurs langues... je suis donc en train de me dire que ce serait vraiment très bien, vraiment parfait, si elle tombait amoureuse d'un bon médecin...

Dick retint une violente envie de rire. Voilà donc à quoi songeait la famille Warren : offrir un médecin à Nicole. Qui sait ? Peut-être en connaissez-vous un qui ferait l'affaire ? Inutile de s'inquiéter. Les Warren ont de grands moyens. Ils pourront lui offrir un joli médecin tout neuf, à peine sorti de la fabrique de jouets, dont le vernis est juste sec.

— Mais lui ?

Il n'avait pas pu se retenir.

— Qu'en pensera-t-il, lui ?

— Une chance pareille ? Ils seront nombreux, croyez-moi, à sauter dessus.

Les danseurs revenaient vers eux. Baby eut le temps de murmurer:

— Voilà le genre de choses que j'ai en tête. Et Nicole, maintenant? Où a-t-elle disparu? Dans sa chambre, peut-être. C'est terrible. Je ne sais jamais ce que je dois faire, si c'est sans importance, où s'il faut lui courir après.

— Elle a peut-être eu envie d'être seule, sans plus. Les gens qui ont l'habitude de vivre seuls s'accommodent très bien de la solitude.

Mais Baby Warren ne l'écoutait plus. Il se leva.

— Je vais jeter un coup d'œil dehors.

Le brouillard assourdissait tout. C'était comme le printemps, quand on tire les rideaux. Il n'y avait de vie qu'aux abords de l'hôtel. En passant devant les fenêtres d'une taverne en sous-sol, Dick aperçut les chauffeurs d'autocars, qui jouaient aux cartes, assis sur des tonneaux, en buvant du vin d'Espagne. Il entra dans le parc. Les étoiles commençaient à briller doucement au-dessus des Alpes enneigées. Nicole était immobile, entre deux lampadaires, sur l'allée en fer à cheval qui dominait le lac. Il traversa sans bruit la pelouse. Lorsqu'elle tourna le visage vers lui, il eut l'impression qu'elle pensait: « Ah! c'est *vous*... », et il s'en voulut d'être là.

— Votre sœur s'inquiète.

— Oh!

Elle avait l'habitude d'être surveillée. Elle essaya de s'expliquer, mais c'était difficile.

— Parfois, je suis... comment dire? Enfin, ça me paraît un peu excessif. Ma vie était tellement calme, jusqu'ici. Alors, cette musique, j'ai trouvé que c'était trop... Ça me donnait envie de pleurer.

— Je comprends.

— Cette journée a été terriblement excitante.

— Je sais.

— Je ne voudrais rien faire qui puisse blesser les

autres. J'ai causé suffisamment d'ennuis comme ça. Je ne me révolte pas contre la société. Mais, ce soir, j'avais envie d'être un peu à l'écart.

Dick se rappela soudain — comme un homme en train de mourir se rappelle soudain qu'il a oublié de dire où se trouvait son testament — que Nicole venait d'être « rééduquée » par le Dr Dohmler, et par toute une lignée de fantômes dont il était issu. Il se rappela en même temps qu'elle avait encore beaucoup à apprendre. Mais il enfouit ces vérités au plus profond de lui, et affronta la situation telle qu'elle se présentait, avec son charme insistant.

— Vous êtes vraiment trop gentille. Ce qui compte, c'est vous, et rien d'autre. Ce que vous ressentez.

— Je vous plais ?

— Bien sûr.

— Auriez-vous pu...

Ils avançaient en hésitant, à travers le brouillard, vers l'endroit où l'allée en fer à cheval tournait doucement sur elle-même.

— Je veux dire : si je n'avais pas été malade, auriez-vous pu... enfin, suis-je le genre de fille qui aurait pu... Bon, bref, vous voyez ce que je veux dire.

Comment s'en tirer, maintenant ? Il n'était plus maître de lui. Sa raison se perdait dans cette immensité. Il sentait Nicole si proche de lui qu'il ne pouvait plus respirer. Une fois encore, pourtant, sa parfaite éducation vint à son secours. Il crut s'en tirer par un rire d'adolescent et une réflexion désinvolte.

— Vaines inquiétudes, ma très chère enfant. J'ai connu un homme qui était amoureux de son infirmière...

Il se lança dans une histoire sans queue ni tête, que soulignait le rythme de leurs pas. Mais Nicole l'interrompit, avec une brutalité héritée en droite ligne de Chicago.

— Vous vous *foutez* de moi ou quoi ?

— Vous devenez bien vulgaire!

— Et après?

Elle était exaspérée.

— Vous imaginez quoi? Que je suis complètement idiote? Je l'ai été, c'est vrai. J'ai été malade. Maintenant, c'est fini. Vous êtes l'homme le plus séduisant que j'ai rencontré. Si je ne suis pas capable de m'en rendre compte, alors, d'accord, je suis complètement idiote. Vous avez le droit de le penser. C'est terrible. C'est une catastrophe. Mais ne croyez pas que je ne *sais* pas. Sur vous et moi, je sais tout.

C'était pour Dick un handicap supplémentaire. Il se souvint de Baby Warren, de ce qu'elle venait de lui dire, à propos des jeunes médecins qu'elle avait l'intention de débusquer parmi le cheptel intellectuel du *South Side* de Chicago. Il se durcit, devint cassant.

— Vous êtes une petite allumeuse, mais je ne peux pas tomber amoureux.

— Donnez-moi une chance.

— *Quoi?*

Il était effaré par tant d'impertinence. De quel droit se permettait-elle d'empiéter sur sa vie? Il manquait totalement de réflexe devant les comportements anarchiques, et voyait mal le genre de chances que méritait Nicole Warren.

— Donnez-moi une chance, maintenant.

Sa voix était devenue sourde, comme étouffée dans sa poitrine et, lorsqu'elle s'approcha de lui, sa blouse, étroitement serrée, sembla se fermer sur son cœur. Il sentit ses lèvres, la fraîcheur de ses lèvres, le soupir d'abandon de ce corps qu'il serrait dans ses bras, qu'il serrait de plus en plus fort, tant il fléchissait. Ils n'avaient plus rien, désormais, plus aucune intention, plus aucune volonté. C'était comme si, sans le savoir, Dick avait provoqué la fusion soudaine de deux atomes, qui venaient enfin de se joindre et qui étaient inséparables. On pouvait essayer de les dissocier, de les arracher l'un à l'autre. Jamais plus ils n'iraient reprendre leur place dans la hiérarchie des atomes. Tout en la soutenant, tout en la respirant, tandis qu'elle se serrait et se dépliait contre lui, de plus en plus étroitement, et qu'elle s'étonnait de découvrir ses propres lèvres, si neuves pour elle, si gonflées, si noyées d'amour, et qu'elle se sentait peu à peu triomphante, peu à peu apaisée, il s'émerveillait de n'être plus rien, de n'être qu'un reflet dans l'eau de son regard.

— Oh! Seigneur...

Il pouvait à peine parler.

— Vous embrasser, c'est incroyable...

Des mots. Mais Nicole le tenait, maintenant. Elle avait prise sur lui. Elle voulut l'éprouver, joua les coquettes, se détacha de lui, le laissant suspendu entre ciel et terre, comme il l'avait été, cet après-midi-là, dans le funiculaire. « Et voilà, se disait-elle. Ça lui apprendra! Quelle façon d'agir avec moi, quelle prétention! Mais c'est incroyable, c'est moi qui ai gagné... Il est à moi! » Et c'est exprès qu'elle s'éloignait, mais tout était si tendre et si neuf qu'elle traînait un peu le pas, tant elle voulait y revenir.

Elle frissonna brusquement. Très loin, en contrebas, elle vit scintiller les lumières de Montreux et de Vevey, comme un collier et un bracelet de perles, avec, dans le lointain, le pendentif indistinct de Lausanne. Une musique confuse montait vers elle. Elle avait retrouvé toute sa lucidité, maintenant, et c'est avec le plus parfait sang-froid qu'elle cherchait à rassembler ses émotions d'enfance, comme un soldat s'enivre méthodiquement après une bataille. Mais Dick lui faisait encore peur. Il était à côté d'elle, adossé à la rambarde qui bordait l'allée, dans une attitude qu'elle connaissait bien, qui la força à dire, très vite :

— Dans le jardin, je me souviens, quand je vous attendais, j'avais l'impression de me tenir moi-même dans mes bras, comme une corbeille de fleurs. C'est exactement l'impression que j'avais, car je me trouvais très jolie, ce soir-là, très fragile. Oui, je vous attendais pour vous offrir cette corbeille.

Elle l'entendait respirer. Il l'obligea à se tourner vers lui. Elle l'embrassa plusieurs fois, et chaque fois qu'elle s'approchait de lui, son visage devenait immense, et elle se raccrochait à ses épaules.

— Il pleut! Il pleut même très fort!

Le tonnerre éclata soudain du côté des vignes qui bordaient le lac. C'étaient les canons paragrêles qui tiraient contre les nuages. Les lampadaires s'éteignirent puis se rallumèrent. La tempête se déchaîna aussitôt, un déluge tombé du ciel, que les torrents de la montagne vinrent grossir très vite, et les trombes d'eau rebondissaient avec violence sur les chemins et dans les caniveaux. Le ciel était noir, rayé d'éclairs sauvages, avec des grondements de tonnerre terrifiants, comme si la terre s'ouvrait en deux. Les nuages déchiquetés fuyaient en désordre. On ne voyait plus rien, ni les montagnes, ni le lac, rien que l'hôtel recroquevillé d'épouvante, au centre du vacarme, des convulsions et des ténèbres.

Dick et Nicole avaient réussi à regagner le hall. Baby Warren et les trois Marmora les y attendaient dans la plus extrême inquiétude. C'était si drôle d'émerger ainsi de ce rideau de pluie, avec ces portes qui claquaient, et d'être là, complètement trempés, à rire et à trembler nerveusement, avec le hurlement du vent dans les oreilles. L'orchestre jouait une valse de Strauss, dans une sorte d'enivrement suraigu.

...« Qu'est-ce que vous me racontez là? Le docteur Diver épouse l'une de ses malades? Mais ça s'est fait comment? Ça a commencé où? »

Baby dévisageait Dick avec attention.

— Vous vous changez et vous nous rejoignez?

— Je n'ai rien pour me changer. Juste un peu de linge.

On lui prêta un imperméable, et il regagna péniblement son hôtel. Il était secoué d'un petit rire nerveux.

— Dick-la-chance! Tu parles d'une chance! Ils veulent acheter un bon médecin! Parfait. Qu'ils s'en tiennent au stock de Chicago. Ça vaudra mieux pour tout le monde!

Mais ce cynisme le révoltait lui-même. Il en demandait pardon à Nicole. Il se disait qu'il n'avait jamais rien connu d'aussi jeune que la jeunesse de ses lèvres. Il se souvenait de la pluie sur ses joues fragiles, comme autant de larmes qu'elle versait pour lui. Quand la tempête s'apaisa, vers trois heures du matin, il y eut un tel silence qu'il se réveilla. Il alla jusqu'à la fenêtre. Nicole vint vers lui, dans toute sa beauté, à travers les sentiers de montagne, et le rejoignit dans sa chambre, en glissant entre les rideaux, comme un fantôme.

Le lendemain, il grimpa jusqu'aux Rochers de Naye, et constata avec amusement que le conducteur du funiculaire mettait à profit son jour de congé pour faire la même ascension.

Il descendit ensuite jusqu'à Montreux, se baigna dans le lac, ne regagna l'hôtel que pour dîner. Deux messages l'y attendaient.

Je n'éprouve aucune honte pour ce qui s'est passé la nuit dernière. C'est ce qui m'est arrivé de plus beau, et même si je ne dois plus jamais vous revoir, mon capitaine, je suis contente que ce soit arrivé.

D'une franchise désarmante... L'ombre pesante de Dohmler se dissipa pendant qu'il ouvrait la seconde enveloppe.

Cher docteur Diver,

Je vous ai téléphoné, mais vous étiez sorti. J'ai un grand service à vous demander. Des obligations imprévues me rappellent d'urgence à Paris. Je m'aperçois qu'en passant par Lausanne je gagnerai beaucoup de temps. Pourriez-vous permettre à Nicole de rentrer à Zurich avec vous, puisque vous repartez lundi ? Et la reconduire jusqu'au sanatorium ? Est-ce trop vous demander ?

Sincèrement à vous,   *Beth Evan Warren*

Dick était furieux. Elle sait pratiquement que j'ai fait la route à bicyclette, mais son message est rédigé de telle façon que je ne peux pas refuser. On nous jette dans les bras l'un de l'autre ! Tendre promiscuité, cautionnée par l'argent des Warren !

Il se trompait du tout au tout. Baby Warren n'avait pas d'arrière-pensées. Elle avait dévisagé Dick avec son regard de femme du monde. Elle l'avait mesuré à sa jauge faussée d'anglophile, et avait estimé qu'il n'était pas à la hauteur, même si, sur un plan purement personnel, elle le trouvait fort savoureux. Il était beaucoup trop intellectuel pour elle, et beaucoup trop pauvre. Elle le rangeait dans cette catégorie de « clochards snobinards » qu'elle avait rencontrés à Londres. Il donnait d'ailleurs beaucoup trop de lui-même pour être d'une bonne étoffe. Elle voyait mal qu'il puisse un jour coïncider avec l'image qu'elle s'était faite de l'aristocratie.

En outre, il refusait de se laisser convaincre. Pendant qu'elle lui parlait, elle l'avait vu se retrancher, une bonne douzaine de fois, derrière ce regard absent qu'ont parfois les gens, et qu'elle trouvait insupportable. Nicole enfant avait un caractère très libre et très enjoué, qui l'avait toujours agacée. Aujourd'hui, elle la considérait comme « irrécupérable », et de toute façon le Dr Diver n'était pas le genre de médecin qu'on pouvait accueillir dans la famille.

Elle lui demandait simplement un service, parce que ça l'arrangeait.

Mais Dick s'imagina qu'elle le lui demandait pour de tout autres raisons. Un voyage en chemin de fer peut avoir quelque chose de tragique, ou de douloureux pour le cœur, ou de franchement amusant. Il peut être un ballon d'essai, ou la préfiguration d'un voyage futur. Une journée entière avec un ami peut également paraître longue. Elle commence dans l'excitation fébrile du départ, qui dure jusqu'au moment où les deux amis découvrent qu'ils ont faim et prennent leur repas ensemble. Vient ensuite l'après-midi et le voyage s'éternise, pour retrouver, dans les derniers instants, un semblant d'animation. Nicole y prit un bien maigre plaisir, et Dick était triste de le constater. Mais c'était un soulagement pour elle de rejoindre la seule maison qu'elle connaissait. Il ne fut pas question d'amour, ce jour-là, mais lorsqu'elle franchit le lugubre portail de la clinique, au bord du lac de Zurich, lorsqu'il la vit se retourner, pour le regarder une dernière fois, il sut que son problème n'était pas seulement son problème, qu'ils avaient désormais à le résoudre ensemble.

10

A Zurich, en septembre, le Dr Diver prit le thé avec Baby Warren.

— Ça ne me paraît pas très sensé, dit-elle. Je ne suis pas sûre de comprendre vos véritables motifs.

— Ne soyez pas blessante.

— Je suis la sœur de Nicole, après tout.

— Ça ne vous donne pas le droit d'être blessante.

Dick s'énervait. Il pensait à tout ce qu'il savait et qu'il ne pouvait pas lui dire.

— Que Nicole soit riche ne fait pas forcément de moi un sinistre aigrefin.

— Justement, souligna Baby avec un soupir. Elle est riche.

— Combien, exactement?

Il la vit sursauter, et continua, avec un petit rire silencieux :

— Vous voyez comme c'est absurde. Je préférerais discuter avec un homme.

— C'est moi qui suis chargée de tout, dit-elle en appuyant bien sur les mots. Il ne s'agit pas de vous prendre pour un aigrefin. Il s'agit de savoir qui vous êtes.

— Je suis médecin. Mon père était clergyman. Aujourd'hui, il a pris sa retraite. Nous habitons Buffalo. On peut fouiller dans mon passé. Il n'y a rien d'inavouable. J'ai fait mes études à New Haven. Puis j'ai obtenu une bourse de la fondation Cecil Rhodes. Mon grand-père était gouverneur en Caroline du Nord. Je descends en ligne directe de Mad Anthony Wayne.

— Qui était-ce? demanda-t-elle d'un ton soupçonneux.

— Mad Anthony Wayne?

— Pourquoi *Mad*? Était-il fou? Vous ne trouvez pas qu'il y a suffisamment de fous dans cette histoire?

Il hocha la tête avec désespoir. Nicole venait d'apparaître sur la terrasse et cherchait leur table des yeux.

— Beaucoup trop fou, en effet, pour laisser derrière lui une fortune semblable à celle de Marshall Field.

— Tout ça est parfait, mais...

Baby avait raison, et elle le savait. Aucun clergyman ne pouvait l'emporter sur son père. Ils appartenaient à une très ancienne famille américaine, issue d'une maison ducale. Ils avaient renoncé au titre, mais il suffisait que leur nom apparaisse sur les registres d'un hôtel, au bas d'une lettre d'introduction, ou qu'il soit prononcé dans une situation un peu délicate, pour que l'attitude des gens change du tout au tout. Ce qui avait donné à Baby un sentiment concret de sa position sociale. Sentiment qui n'avait fait que s'affirmer au contact des Anglais, car ce nom leur était familier depuis plus de deux cents ans. Mais elle ignorait que, deux fois déjà, Dick avait été sur le point de lui jeter ce projet de mariage à la tête. Nicole, qui avait enfin repéré leur table, sauva la situation, en venant vers eux, si blanche, si pure, si neuve, dans cet après-midi de septembre.

— Comment allez-vous, mon cher maître ? Nous partons pour Côme demain. Une semaine, et nous revenons à Zurich. C'est pour ça que j'ai insisté. Je voudrais que tout soit définitivement conclu avec Baby. Le montant de la somme que vous m'accorderez n'a aucune importance. Nous avons l'intention de vivre à Zurich, très calmement, pendant deux ans, et Dick gagne suffisamment d'argent pour nous faire vivre. Non, Baby, je suis beaucoup plus réaliste que tu ne le crois. Cet argent, c'est juste pour mes vêtements, mes objets personnels. Combien ? Tant que ça ? La succession Warren peut vraiment m'offrir tant que ça ? Jamais je n'arriverai à tout dépenser. Toi, Baby, tu en as autant ? Ah bon ! tu en as plus. Et pourquoi ? Parce que je suis considérée comme « irresponsable », sans doute ? Parfait. Nous laisserons donc une partie de mes revenus fructifier en banque. Non, Dick refuse absolument d'être mêlé à tout ça. Il faut que je me sente grisée pour deux. Baby, tu ne peux pas savoir. Dick, c'est comme... comme... Bon, je signe où ? Oh ! pardon, je suis désolée...

— Oh! Dick, c'est tellement étrange cette impression d'être ensemble et de n'être qu'un. Si près qu'on ne peut pas être plus près. On va s'aimer, s'aimer, rien d'autre que s'aimer? Ah! pour moi, c'est s'aimer d'abord. Dès que tu t'éloignes, aussi peu que ce soit, je le sens. Oh! Dick, être enfin comme tout le monde, allonger la main, et te sentir là, tout chaud, contre moi, dans ce lit.

— Soyez gentil, téléphonez directement à mon mari à l'hôpital. Oui, oui, ses petits livres ont du succès partout. Ils veulent les éditer en six langues. Je devais faire moi-même la traduction française, mais je suis un peu fatiguée, en ce moment. J'ai toujours peur de tomber. Je suis tellement lourde, tellement maladroite, comme ces puddings à la confiture, vous savez, qui ont trop cuit et qui débordent de partout. Quand j'ai ce stéthoscope si froid contre ma poitrine, je ne pense qu'une chose : « Je me fiche de tout. » Oh! cette pauvre femme à la maternité, avec son enfant bleu. Beaucoup mieux qu'il soit mort, oui. C'est merveilleux qu'on soit trois, maintenant.

— Non, Dick. Ça n'est pas raisonnable. Nous avons toutes les raisons du monde de prendre la plus grande chambre. Pourquoi veux-tu nous punir? Parce que l'argent Warren est plus important que l'argent Diver? Oh! merci beaucoup, *cameriere*, mais nous avons changé d'avis. Ce pasteur anglais vient de nous dire qu'ici, à Orvieto, vous avez un vin excellent. Il ne voyage pas? C'est sûrement pour ça que nous ne le connaissons pas, car nous sommes de grands amateurs de vin, vous savez.

— Les lacs sont creusés dans une argile très sombre, et les collines ont de petits plis partout comme un ventre. Le photographe a pris un cliché de moi, avec tous mes cheveux qui flottent par-dessus la rambarde du bateau de Capri. « Adieu, grotte bleue, chantait le batelier. Retrouvons-nous bientôt... ôt...ôt! » Nous avons ensuite longé, sur le flanc gauche, la sinistre et brûlante botte italienne, avec le vent qui murmurait autour des châteaux fantastiques, et les morts qui nous surveillaient du haut des collines.

— J'aime beaucoup ce bateau. Nous faisons les cent pas sur le pont, à la même cadence. Là où nous faisons demi-tour, le vent est toujours très violent. Je suis obligée de lutter contre lui, en serrant mon manteau autour de moi, sans perdre la cadence imposée par Dick. Nous improvisons des chansons idiotes :

Oh!... Oh!... Oh!... Oh!...
Rien que les flamants roses et moi,
Oh!... Oh!... Oh!... Oh!...
Rien que les flamants roses et moi...

C'est tellement amusant de vivre avec Dick. Les gens qui sont installés dans leurs chaises longues nous regardent. Une femme essaie de comprendre ce que nous chantons. Dick est fatigué de chanter. Bon, très bien, marche seul. Tu verras quand tu seras seul, mon chéri, tu marcheras à une autre cadence, l'atmosphère deviendra plus épaisse, tu auras du mal à trouver ton chemin au milieu des chaises longues, à cause de toute cette fumée qui sort des cheminées. Tu verras ton propre reflet trembler dans le regard des autres. C'est fini, maintenant, tu n'es plus sur une île. Tu as besoin de prendre pied, je comprends, de te retremper dans la vie, pour trouver la force de repartir.

— Je suis assise sur l'épontille d'un canot de sauvetage. Je regarde la mer, au loin. J'ai les cheveux qui volent partout et qui brillent. Je suis immobile contre le ciel. La seule raison d'être de ce bateau est d'entraîner mon apparence extérieure vers l'ombre bleue de l'avenir. Je suis une Pallas Athénée, sculptée comme une figure de proue, à l'avant d'une galère. On entend gronder la chasse d'eau dans les toilettes publiques, et les gerbes d'écume, comme des frondaisons vert émeraude, se referment en soupirant à la poupe.

— Nous avons beaucoup voyagé, cette année. De Woolloomooloo Bay à Biskra. A la frontière du Sahara, nous nous sommes trouvés dans un nuage de sauterelles, et le chauffeur nous a tranquillement expliqué que c'étaient de simples abeilles. Le soir, le ciel semblait très bas, habité par un dieu mystérieux, qui surveille. Oh! la pauvre petite Ouled-Naïl, toute nue. Il y avait tant de bruits, cette nuit-là, avec les tams-tams des Sénégalais, le chant des flûtes, le cri des chameaux, et tous ces indigènes qui dansaient, avec des chaussures fabriquées dans de vieux pneus d'automobile.

— J'étais de nouveau malade, à ce moment-là. Les trains, les plages, tout était pareil. C'est pour ça qu'il m'a fait tellement voyager. Mais, après la naissance de mon deuxième enfant, Topsy, ma petite fille, tout est redevenu noir.

— Je voudrais dire un mot à mon mari, un seul mot, parce qu'il a cru bon de m'abandonner ici, entre les mains de gens incompétents. Qu'est-ce que vous dites? Que mon enfant est noir? C'est honteux. C'est une plaisanterie stupide et honteuse. On a été en Afrique, c'est vrai, pour voir Timgad, parce que j'étais passionnée d'archéologie, à ce moment-là. Je suis fatiguée maintenant, fatiguée de ne plus rien savoir, fatiguée qu'on passe son temps à me le rappeler.

— Oh! Dick, quand j'irai mieux, je voudrais être comme toi. Quelqu'un de parfait comme toi. J'aurais volontiers fait mes études de médecine. C'est trop tard, malheureusement. On devrait s'acheter une maison, avec mon argent. Je suis fatiguée de tous ces appartements, et d'être toujours à t'attendre. Toi, de ton côté, tu ne supportes plus Zurich, tu n'as plus le temps d'écrire, et tu m'as dit que, pour un savant, ne plus écrire c'était une preuve de faiblesse. Écoute. Je vais passer en revue le champ de toutes les connaissances humaines, et je finirai bien par en trouver une, que j'étudierai. Si je sens que je m'effondre de nouveau, j'aurai au moins ça pour me raccrocher. Tu m'aideras, Dick. Je n'aurai plus ce sentiment de culpabilité. On va s'installer près d'une plage ensoleillée. On pourra bronzer, et rester toujours jeunes ensemble.

— Oui, ce sera l'atelier de Dick. Comment l'idée nous est venue ? A tous les deux en même temps. Nous avons traversé Tarmes une bonne dizaine de fois, puis nous sommes arrivés jusqu'ici, nous avons découvert ces maisons abandonnées, avec les deux écuries. Nous avons discuté le contrat de vente avec un Français, mais quand la Marine a appris que des Américains venaient d'acquérir une partie du village, à flanc de colline, elle a aussitôt envoyé des espions. Ils ont fouillé les matériaux de construction, persuadés qu'ils allaient trouver des canons. Heureusement, Baby connaît des gens au ministère des Affaires étrangères, à Paris. Elle a fait ce qu'il fallait.

— En été, personne ne vient sur la Riviera. Nous pensons donc inviter quelques amis, et travailler tranquillement. Il y a quand même des Français, de temps en temps. Mistinguett, la semaine dernière, tout étonnée que l'hôtel soit ouvert, et Picasso, et celui qui a écrit *Pas sur la bouche*.

— Dick, quand tu nous as inscrits sur le registre de l'hôtel, pourquoi as-tu mis : Mr. et Mrs. Diver, au lieu de : Docteur et Mrs. Diver ? Une question que je pose, c'est tout, qui vient de me passer par la tête. Tu m'as toujours expliqué que le travail comptait avant tout, et je t'ai cru. Tu m'as toujours dit qu'un homme devait apprendre et travailler, que lorsqu'il s'arrêtait d'apprendre il devenait n'importe qui, donc qu'avant de s'arrêter d'apprendre il fallait qu'il se fasse une solide réputation. Si tu as l'intention de tout mettre sens dessus dessous, d'accord, mon chéri, mais ta pauvre petite Nicole est-elle obligée de te suivre en marchant sur les mains?

— Tommy prétend que je suis silencieuse. Après ma première guérison, j'ai beaucoup parlé avec Dick, toutes les nuits, pendant très longtemps. On était assis dans notre lit, on fumait des cigarettes, et quand le bleu de l'aube pointait, on plongeait dans nos oreillers, pour ne pas avoir la lumière dans les yeux. Ça m'arrive de chanter. Je joue souvent avec les animaux. J'ai des amies, aussi. Mary, par exemple. Quand nous parlons, Mary et moi, aucune n'écoute ce que dit l'autre. Parler, c'est pour les hommes. Quand je parle, j'ai l'impression de ne plus être moi, de devenir Dick. Ça m'arrive aussi de devenir mon fils, parce qu'il est tellement calme, tellement réfléchi. Pafois même je deviens le docteur Dohmler. Un jour, je peux très bien devenir une image de vous, Tommy Barban. Je crois que Tommy est amoureux de moi, mais d'une façon très tendre, très rassurante. Suffisamment claire pourtant que Dick et lui commencent à se regarder de travers. De toute façon, tout est parfait. J'ai des amis que j'aime. Je suis sur cette plage, où il ne vient personne, avec mon mari et mes enfants. Tout est absolument parfait. Je peux finir de traduire en français. Tout est absolument parfait. Je peux finir de traduire en français, sans m'en faire, cette sacrée recette du poulet Maryland. Mes orteils sont bien dans le sable. Ils ont chaud.

Une seconde, attendez, je regarde. Encore des nouveaux venus? Ah! cette jeune fille? Vous dites qu'elle ressemble à qui? Non, je n'ai pas vu. Vous savez, ici, on n'a pas souvent l'occasion de voir les nouveaux films américains. Rosemary comment? Mon dieu, mais nous sommes à la pointe de la mode, pour un mois de juillet ! C'est si loin de moi, tout ça. Oui, d'accord, elle est très jolie, mais on est déjà bien nombreux.

11

En août, le Dr Diver et Mrs. Elsie Speers se retrouvèrent à la terrasse du café des Alliés. Les arbres poussiéreux leur faisaient un peu d'ombre. Les rues chauffées à blanc scintillaient comme du mica, et de petites bouffées de mistral, venues de l'Esterel, faisaient parfois danser les barques de pêche, dont les mâts pointaient çà et là contre le ciel morne.

— J'ai reçu une lettre, ce matin, dit Mrs. Speers. Vous avez dû passer des moments affreux à cause de tous ces Noirs. Rosemary m'écrit que vous avez été parfait pour elle.

— Rosemary mérite vraiment d'être décorée. C'était assez éprouvant, en effet. Le seul qui ait traversé tout ça sans problème, c'est Abe North. Il s'est embarqué au Havre, et je suis sûr qu'il ignore complètement ce qui s'est passé.

— Je suis désolée pour Mrs. Diver, dit Mrs. Speers avec précaution. Elle a été très affectée, je crois.

Rosemary lui avait écrit: *Nicole semble avoir complètement perdu la tête. J'ai préféré ne pas redescendre dans le Midi avec eux. Dick a suffisamment d'ennuis comme ça.*

— Elle va tout à fait bien, maintenant.

Dick avait répondu avec une pointe d'agacement.

— Ainsi vous partez demain ? Et quand embarquez-vous ?

— Tout de suite après.

— C'est tellement triste que vous soyez obligées de partir.

— Ce séjour nous a ravies. Il aura été merveilleux, grâce à vous. Vous êtes le premier homme auquel Rosemary se soit intéressée.

Une nouvelle bouffée de vent souffla des rochers pourpres en direction de La Napoule. Le temps allait changer. Quelque chose dans l'atmosphère le laissait pressentir. Cet instant de la mi-été, presque miraculeux, cet instant hors du temps, était sur le point de s'éteindre.

— Rosemary a déjà eu quelques petits béguins. Tôt ou tard, elle finissait toujours par aiguiller vers moi l'homme en question pour que...

Elle eut un petit rire.

— ...pour que je le dissèque.

— J'ai donc trouvé grâce à vos yeux.

— Je ne pouvais rien faire. Elle était amoureuse de vous, avant même que je vous rencontre. Je lui ai conseillé d'aller de l'avant.

Dick comprit que ses propres réactions n'entraient pas en ligne de compte dans les calculs de Mrs. Speers. Celles de Nicole non plus. Il comprit également que cet amoralisme lui était nécessaire pour trouver la force de s'effacer. C'était ce qui lui était dû, la pension qu'elle devait percevoir en échange de ses sentiments personnels. Dans leur lutte pour la survie, les femmes doivent être capables de tout, ou de presque tout. Les occasions de les taxer de « cruauté », ou de crimes de ce genre, inventés par les hommes, sont assez rares. Tant que l'amour et le chagrin ne dépassaient pas les limites raisonnables, Mrs. Speers se sentait capable de les affronter, avec un détachement et un humour dignes d'un eunuque. L'idée que Rosemary ait pu être blessée ne l'effleurait même pas — mais peut-être était-elle convaincue qu'elle ne pouvait pas l'être ?

— Si ce que vous dites est vrai, je pense qu'elle n'en a pas souffert.

Il voulait se prouver jusqu'au bout qu'il restait parfaitement objectif, lorsqu'il pensait à Rosemary.

— Elle ne risque plus rien, maintenant. Bien que... Les moments les plus importants de la vie semblent, au début, accidentels.

— Ça n'a rien eu d'accidentel, affirma Mrs. Speers. Pour elle, vous êtes le premier. L'homme idéal. Elle me l'a écrit dans toutes ses lettres.

— Elle est extrêmement bien élevée.

— Vous êtes, Rosemary et vous, les êtres les mieux élevés que je connaisse.

— Ma politesse, à moi, c'est un artifice du cœur.

C'était en partie vrai. Dick avait hérité de son père quelques principes de bonne éducation, que tout jeune Sudiste, venu s'installer dans le Nord après la guerre civile, se devait d'appliquer. Ils lui servaient souvent, mais il les méprisait tout aussi souvent, car ce qu'ils entendaient stigmatiser, ce n'est pas à quel point l'égoïsme est odieux, mais à quel point il paraît l'être.

— Je suis amoureux de Rosemary, dit-il soudain. Vous l'avouer, à vous, est une façon de me faire plaisir à moi-même.

Tout lui paraissait insolite et cérémonieux, comme si les tables et les chaises du café des Alliés devaient s'en souvenir à jamais. Dans ces paysages qu'il retrouvait, l'absence de Rosemary lui était partout évidente. Sur la plage, il ne voyait que ses épaules brûlées par le soleil. A Tarmes, lorsqu'il arpentait son jardin, il recherchait la trace de ses pas. Et voilà que l'orchestre s'était mis à jouer une des chansons du Carnaval de Nice, et, dans cet écho des plaisirs enfuis de l'année passée, il redécouvrait malgré lui sa petite démarche dansante. Elle n'avait pas mis plus d'une centaine d'heures à tout découvrir des sorcières, du domaine des philtres noirs : la belladone, qui rend aveugle, la caféine, qui trans-

260

forme en pulsion nerveuse l'énergie physique, la mandragore, qui dicte l'harmonie.

Il parvint, une fois encore, à se persuader qu'il partageait le détachement de Mrs. Speers.

— Vous êtes très différentes, Rosemary et vous. La sagesse qu'elle tient de vous a modifié sa personnalité, façonné le masque qu'elle offre au monde. Mais elle ne réfléchit jamais. Tout au fond d'elle-même, elle est romantique, illogique, irlandaise.

Mrs. Speers savait également que, sous sa gracieuse apparence, Rosemary était un cheval encore indompté, une sorte de jeune mustang, qui tenait beaucoup du capitaine Hoyt, médecin-major de l'armée américaine. Si on avait pu pratiquer, dans cette ravissante enveloppe, une coupe transversale, on aurait découvert qu'elle recouvrait un cœur, un foie, une âme, de dimensions énormes, serrés l'un contre l'autre à étouffer.

En disant adieu à Mrs. Speers, Dick était très conscient du charme qui émanait d'elle. Très conscient qu'elle n'était pas seulement un ultime reflet de Rosemary, dont il se séparait malgré lui. Peut-être avait-il inventé Rosemary de toutes pièces. Il n'aurait pas pu inventer sa mère. Depuis qu'il ne la voyait plus, il avait paré Rosemary de toute une série d'accessoires romantiques, de diamants, d'éperons, de manteaux du soir. Il pouvait en revanche admirer sans arrière-pensée l'élégance de sa mère, car il n'y jouait aucun rôle. Elle semblait comme en attente, peut-être d'un homme qui avait quelque chose d'important à faire, une bataille à gagner, une opération à mener à bien, quelque chose qui passait avant elle, et elle savait qu'il ne fallait pas déranger cet homme-là, ni exiger qu'il se dépêche. Elle se contentait de l'attendre, sans inquiétude ni impatience, assise quelque part, sur un haut tabouret, en lisant tranquillement son journal.

— Au revoir. N'oubliez jamais, l'une et l'autre, que nous avions pour vous, Nicole et moi, une affection de plus en plus profonde.

Il regagna la villa Diana, entra dans son atelier, écarta les persiennes, fermées contre la trop grande lumière. Les notes concernant ses livres étaient posées, dans un savant désordre, sur deux longues tables. Le Volume I, qui n'était que l'esquisse de son *Essai de classification,* et avait été édité grâce à une subvention, avait obtenu un certain succès. Il en négociait la réédition. Le Volume II devait être un approfondissement de son premier essai : *Une psychologie pour psychiatres.* Il s'était rendu compte qu'il n'avait, comme beaucoup d'hommes, qu'une ou deux idées personnelles, et que cet essai, réédité une cinquantaine de fois en allemand, contenait en germe tout ce qu'il avait appris ou pensé.

Ce problème le mettait toujours mal à l'aise. Il s'en voulait de tout ce temps perdu à New Haven. Il ressentait surtout une profonde contradiction entre le luxe de plus en plus grand dans lequel vivaient les Diver, et la nécessité d'être reconnu, qui semblait en être la conséquence. Il repensait à son ami roumain, à l'histoire de l'homme qui, pendant des années, avait étudié le cerveau des tatous. Il se disait qu'en ce moment même, dans les bibliothèques de Vienne et de Berlin, un certain nombre de chercheurs devaient travailler d'arrache-pied, pour anticiper sur ses propres travaux. Il était pratiquement décidé à les interrompre au stade où ils en étaient arrivés et à publier un volume, d'environ deux cents pages, excluant toute documentation précise, qui serait comme une préface aux volumes plus approfondis qu'il comptait écrire par la suite.

Il y réfléchit de nouveau, en faisant les cent pas dans son atelier. Le soleil de fin d'après-midi y pénétrait de biais. S'il s'en tenait à cette décision, il aurait fini au printemps prochain. Quand un homme aussi dynamique que lui se laisse harceler, pendant près d'un an, par des doutes de plus en plus grands, c'est qu'il y a une erreur à la base.

Il posa, sur ses liasses de notes, les barres de métal doré qui lui servaient de presse-papiers, balaya rapidement, car aucun domestique n'avait le droit d'entrer, vaporisa du *Bon Ami* dans son cabinet de toilette, répara un rideau, rédigea une commande pour un libraire de Zurich. Puis il s'offrit un doigt de gin, additionné de deux doigts d'eau.

Il aperçut Nicole dans le jardin. Il fallait qu'il aille lui parler. Cette idée le paralysait. Il fallait garder un visage serein devant elle, le garder continuellement, aujourd'hui, demain, dans une semaine, dans un an. A Paris, il l'avait tenue dans ses bras pendant toute la nuit. Elle dormait d'un sommeil agité, à la lueur de la veilleuse. Au petit jour, pour éviter que les troubles mentaux ne reviennent, il lui avait parlé longtemps, des mots de tendresse et de protection. Elle s'était rendormie. Il avait enfoui son visage dans l'odeur fiévreuse de ses cheveux. Avant son réveil, tout était réglé. Il avait téléphoné à Rosemary, de la pièce voisine. Il fallait qu'elle change d'hôtel. Il fallait qu'elle continue d'être une *Daddy's girl*, qu'elle évite même de leur dire au revoir. Monsieur McBeth, le gérant de l'hôtel, avait promis d'être sourd, aveugle et muet, comme les trois singes chinois. En fin de matinée, après avoir fait leurs bagages, au milieu des cartons empilés et des papiers d'emballage, Dick et Nicole avaient pris le train pour la Riviera.

La réaction s'était produite à ce moment-là. Au moment où ils s'installaient dans leur wagon-lit. Il savait que Nicole guettait cette réaction. Qu'elle s'y attendait. Et elle s'était produite, de façon brutale et désespérée. Le train, qui venait de quitter la gare, roulait encore très lentement. Il avait eu l'envie brutale et désespérée de sauter en marche, de courir comme un fou, de savoir où était Rosemary, ce qu'elle était en train de faire. Il avait ouvert un livre, sorti ses lunettes. Il savait que Nicole le surveillait, allongée sur sa couchette, de l'autre côté du compartiment. Il s'était senti incapable de lire. Il lui avait dit qu'il était fatigué, et il avait fermé les yeux, mais il savait qu'elle continuait de le surveiller, malgré le somnifère qu'il lui avait fait prendre, qui l'endormait déjà, et qu'elle se sentait rassurée, presque heureuse, parce qu'elle l'avait de nouveau tout à elle.

Les yeux fermés, c'était pire, car il était bercé par le rythme des roues : gagnée, perdue, gagnée, perdue... Mais, pour ne pas laisser voir son angoisse, il était resté immobile jusqu'au déjeuner. Les choses s'étaient arrangés, à ce moment-là. Les repas, c'était toujours parfait. Ils en avaient tellement pris ensemble, plus de mille peut-être, dans les restaurants, les auberges, les chemins de fer, les buffets de gare, les aérodromes. L'excellente nourriture qu'offrait le P.L.M., l'agilité bon enfant des serveurs, les petites bouteilles de vin et d'eau minérale, tout pouvait donner l'illusion que rien n'était changé entre eux. C'était pourtant la première fois qu'un voyage avec Nicole ne répondait pas à l'envie d'aller vers un pays nouveau, mais au désir de s'éloigner. Il avait bu toute une bouteille de vin, en avait permis un verre à Nicole. Ils avaient parlé de la maison et des enfants. Mais le silence était retombé, dès qu'ils avaient regagné leur compartiment, comme il était retombé le jour où ils déjeunaient en plein air près du Luxembourg. Quand on fuit devant une souffrance, il semble qu'on soit obligé de parcourir en sens inverse le chemin qui vous y a conduit. Dick était dévoré par une étrange inquiétude, qu'il n'avait jamais éprouvée. Nicole avait dit, brusquement :

— Ce n'est pas bien d'avoir laissé tomber Rosemary. Tu crois qu'elle n'aura pas trop de problèmes ?

— Bien sûr que non. Elle est parfaitement capable de se débrouiller seule.

Pour ne pas avoir l'air de sous-entendre que Nicole n'en était pas capable, il avait aussitôt ajouté :

— C'est une actrice, ne l'oublie pas. Et, même si sa mère est toujours derrière elle, il *faut* qu'elle apprenne à se débrouiller seule.

— Elle est très séduisante.

— C'est une petite fille.

— Ça ne l'empêche pas d'être séduisante.

Ils avaient alors échangé quelques phrases décousues, où chacun parlait à la place de l'autre. Dick avait dit le premier :

— Elle est moins intelligente que je ne le pensais.

— Elle a l'esprit très vif.

— Pas tellement. Il y a quelque chose d'enfantin, chez elle, comme une odeur de nursery.

— Elle est très, très jolie.

Nicole avait détaché chaque mot, avec une sorte d'emphase.

— Et je l'ai trouvée, très, très bien dans ce film.

— Elle était très bien dirigée. En y repensant, je trouve qu'elle manque de personnalité.

— Je ne suis pas du tout de ton avis. En tout cas, je me suis rendu compte qu'elle plaisait beaucoup aux hommes.

Dick avait senti son cœur se serrer. Quels hommes ? Combien d'hommes ?

« *Vous permettez que je tire les rideaux ?* »

« *Faites, je vous en prie. Il y a vraiment trop de lumière.* »

Où, à cet instant même ? Avec qui ?

— Dans quelques années, elle aura l'air d'avoir dix ans de plus que toi.

— Tu te trompes. Un soir, j'ai fait un croquis d'elle, sur un programme de théâtre. Je crois qu'elle se défendra très longtemps, au contraire.

Cette nuit-là, ils n'avaient dormi ni l'un ni l'autre. Dick allait s'efforcer, d'ici un jour ou deux, d'exorciser le fantôme de Rosemary, pour qu'il ne hante pas les murs de leur maison. Pour le moment, il n'en avait pas la force. C'est souvent plus difficile de renoncer à ce qui blesse qu'à ce qui rend heureux. Il était tellement possédé par l'image de Rosemary qu'il ne pouvait que mentir et tenter de donner le change. C'était d'autant plus difficile que Nicole l'inquiétait. Après tant d'années, elle aurait dû diagnostiquer d'elle-même les premiers symptômes d'une dépression nerveuse, et s'obliger à les combattre. Elle avait craqué deux fois en quinze jours. La première fois, c'était à Tarmes, le soir du dîner, lorsqu'il l'avait retrouvée dans sa chambre, en proie à un rire hystérique, expliquant à Mrs. McKisco qu'on ne pouvait plus entrer dans la salle de bains, parce qu'elle venait de jeter la clef dans le puits. Mrs. McKisco paraissait stupéfaite, offensée, décontenancée, mais indulgente malgré tout. Ce soir-là, Dick ne s'était pas senti très inquiet, car Nicole s'en était voulu tout de suite. Elle avait même téléphoné à l'hôtel Gausse. Mais les McKisco venaient de partir.

Ce qui s'était passé à Paris semblait beaucoup plus grave, et donnait son vrai sens au premier incident. Peut-être annonçait-il une nouvelle phase de la maladie, une brusque rechute. Après la naissance de Topsy, Nicole avait été longtemps malade. Dick avait traversé, à ce moment-là, de terribles crises d'angoisse, qui n'avaient rien à voir avec son rôle de médecin. Ce qui l'avait nécessairement conduit à s'endurcir lui-même, à séparer résolument les deux Nicole, celle qui était malade, et celle qui était bien portante. Il avait donc de plus en plus de mal à reconnaître, à coup sûr, ce qui n'était qu'un détachement professionnel, un réflexe d'autodéfense, et ce qui indiquait peut-être une désaffection de son cœur. Lorsqu'on s'habitue à l'indifférence, ou qu'on la laisse s'atrophier, on finit par se sentir vide. Dick s'était habitué à se sentir vide de Nicole, et il la soignait contre sa volonté, en refusant toute contrainte émotionnelle. On dit des cicatrices qu'elles se referment, en les comparant plus ou moins aux comportements de la peau. Il ne se passe rien de tel dans la vie affective d'un être humain. Les blessures sont toujours ouvertes. Elles peuvent diminuer, jusqu'à n'être plus qu'une pointe d'épingle. Elles demeurent toujours des blessures. Il faudrait plutôt comparer la trace des souffrances à la perte d'un doigt, ou à celle d'un œil. Peut-être, au cours d'une vie entière, ne vous manqueront-ils vraiment qu'une seule minute. Mais quand cette minute arrive, il n'y a plus aucun recours.

12

Il finit par rejoindre Nicole dans le jardin. Elle était debout, bras croisés à hauteur des épaules. Elle le regarda aussitôt. Il y avait quelque chose d'enfantin derrière ses yeux gris, une sorte de plaisir étonné.

— J'arrive de Cannes, dit-il. Je suis tombé sur Mrs. Speers, tout à fait par hasard. Elle s'en va demain. Elle voulait venir jusqu'ici, pour te dire au revoir, mais je l'en ai dissuadée.

— C'est dommage. Ça m'aurait fait plaisir de la voir. Je l'aime bien.

— Je te donne en mille qui j'ai aperçu d'autre. Bartholomew Tailor.

— Tu as fait comme si tu ne le voyais pas?

— Impossible de l'éviter, ce vieux renard. Il était sur la piste de la Ménagerie Ciro. J'ai bien l'impression qu'ils vont tous débarquer ici, l'an prochain, et que Mrs. Abrams jouait plus ou moins les avant-courriers.

— Quand je pense à Baby, tellement scandalisée le premier été où nous sommes venus...

— Pourquoi ne restent-ils pas à Deauville, à se geler tranquillement, puisqu'ils se moquent éperdument de l'endroit où ils sont?

— On ne peut pas faire courir le bruit qu'il y a une épidémie de choléra, ou quelque chose comme ça?

— J'ai dit à Bartholomew qu'on mourait ici comme des mouches. Je lui ai même dit que la vie d'un pique-assiette était aussi éphémère que celle d'un canonnier pendant la guerre.

— Tu ne lui as quand même pas dit ça?

— Non, reconnut-il. Je ne lui ai pas dit ça. Il a été absolument charmant. Nous nous sommes longuement serré la main sur le boulevard. C'était un superbe spectacle. La rencontre de Sigmund Freud et de Ward McAllister.

Il n'avait pas envie de parler. Il avait envie d'être seul, de penser de nouveau à son travail et à l'avenir, pour ne plus penser au présent et à son amour. Nicole le devinait, de façon tragique et confuse, et elle le haïssait un peu, par réflexe animal, tout en ayant envie de se frotter contre son épaule.

— *Darling*, murmura-t-il.

Il monta jusqu'à la maison, ne sachant plus ce qu'il voulait y faire, et se souvint brusquement qu'il voulait jouer du piano. Il s'assit devant le clavier, en sifflotant doucement et joua de mémoire.

Just picture you upon my knee
With tea for two and two for tea
And me for you and you for me...

Mais il se rendit compte qu'en entendant cette chanson Nicole y lirait aussitôt un regret nostalgique des quinze derniers jours. Il plaqua un accord, au hasard, et se leva.

Où aller? Difficile à savoir. Il regardait cette maison, réaménagée par Nicole, entièrement payée par le grand-père de Nicole. L'atelier seul était à lui, et le petit morceau de terrain sur lequel il était construit. Avec les trois mille dollars que lui rapportaient, chaque année, ses deux livres, il payait ses vêtements, ses dépenses personnelles, l'approvisionnement de la cave, et l'éducation de Lanier, qui se limitait pour l'instant aux gages de la gouvernante. Chaque fois qu'ils avaient déménagé, Dick avait versé sa quote-part. En menant une vie d'ascète, en voyageant en troisième classe lorsqu'il était seul, en s'offrant le vin le plus ordinaire, en prenant grand soin de ses vêtements, en se refusant toute dépense superflue, il avait réussi à garder une relative indépendance financière. Au-delà d'un certain niveau, les choses se compliquaient pourtant. Il fallait décider, d'un commun accord, ce qu'on allait faire de l'argent de Nicole. Le problème se posait sans cesse. Et Nicole n'avait qu'un désir, bien sûr: que Dick soit tout à elle, qu'il ne change jamais. Elle encourageait donc le moindre signe de paresse qu'elle percevait chez lui, et s'arrangeait pour qu'il soit constamment submergé d'objets, de cadeaux et d'argent. Cette villa, par exemple, l'idée de la construire au flanc de la colline, idée qui leur était venue, un jour, comme une extravagance, illustrait parfaitement ce qui les éloignait de plus en plus des premiers accords conclus à Zurich.

— Ce serait tellement drôle si...

Ça avait commencé comme ça, et c'était vite devenu:

— Ce sera tellement drôle quand...

Mais ce n'était pas tellement drôle. Les problèmes de Nicole l'empêchaient de vraiment travailler. Elle avait, d'autre part, des revenus qui augmentaient si vite, ces derniers temps, que son travail même devenait dérisoire. Ceci enfin : pour aider à sa guérison, il s'était astreint, pendant des années, à une vie de famille rigoureusement parfaite, dont il désirait s'éloigner peu à peu, car il avait de plus en plus de mal à donner le change dans cette atmosphère d'oisiveté stagnante, où chacune de ses réactions était immédiatement examinée au microscope. Ne plus pouvoir jouer au piano ce qu'il avait envie de jouer prouvait que la vie s'inscrivait désormais dans des limites bien étroites. Il resta longtemps immobile au milieu du salon, écoutant le ronflement sourd de l'horloge électrique, écoutant s'écouler le temps.

En novembre, la mer devint noire. Des vagues furieuses franchirent la jetée, et noyèrent la route qui longeait la côte. Les derniers vestiges de l'été s'effacèrent, et, sous le mistral et la pluie, les plages prirent un aspect mélancolique et désolé. L'hôtel Gausse était fermé pour travaux et agrandissements. La charpente du futur casino de Juan-les-Pins devint de plus en plus impressionnante. Dick et Nicole allaient parfois à Nice ou à Cannes. Ils rencontraient des gens nouveaux : des musiciens, des restaurateurs, des pépiniéristes passionnés, des constructeurs de bateaux (Dick avait acheté un vieux dinghy), des membres du Syndicat d'Initiative. Ils s'entendaient très bien avec leurs domestiques, suivaient de près l'éducation de leurs enfants. En décembre, Nicole semblait de nouveau bien portante. Comme elle venait de passer tout un mois sans nervosité apparente, sans lèvres pincées, sans réflexions impénétrables, sans sourires incompréhensibles, ils allèrent passer les vacances de Noël dans les Alpes suisses.

13

Avant d'entrer, Dick fit tomber avec son chapeau la neige qui couvrait son costume de ski bleu marine. La grande salle, dont le parquet, piétiné depuis plus de vingt ans par des bataillons de chaussures à clous, faisait penser à un visage marqué de petite vérole, avait été vidée de ses meubles, pour laisser la place aux danseurs. C'était l'heure du thé. Près d'une centaine de jeunes Américains, inscrits dans les collèges des environs de Gstaad, se trémoussaient allégrement sur l'air de *Don't bring Lulu*, ou s'éclataient frénétiquement sur les premiers rythmes du charleston. Ils formaient une petite colonie, joyeuse et bon enfant, à la vie facile. Mais les gens vraiment riches, les grands ténors de la fortune, se retrouvaient à Saint-Moritz. Baby Warren avait donc fait preuve d'un grand esprit de sacrifice en acceptant de rejoindre les Diver dans un endroit pareil.

Dick n'eut aucun mal à repérer les deux sœurs dans cette salle si joyeusement fréquentée, et qui paraissait osciller sur elle-même. Elles étaient là, contre le mur du fond, rutilantes comme deux affiches de mode, dans leur tenue de ski : Nicole, d'un bleu céruléen, Baby rouge brique. Le plus jeune des Anglais leur parlait, mais elles n'écoutaient pas, fascinées qu'elles étaient, et comme hypnotisées, par ces sauteries adolescentes.

En apercevant Dick, le visage de Nicole, déjà très animé par la neige, s'éclaira davantage.

— Il n'est pas là ?

— Il a raté son train. J'irai le chercher tout à l'heure.

Il s'assit, croisa les jambes, balança lentement l'une de ses lourdes bottes.

— Vous êtes éblouissantes, toutes les deux. J'en

arrive parfois à oublier que nous faisons partie du même clan et à m'émerveiller en vous apercevant.

Baby était très grande, très élégante, très préoccupée par l'approche de la trentaine. Pour preuve, ces deux Anglais qu'elle traînait derrière elle depuis Londres : l'un, fort jeune, à peine sorti de Cambridge ; l'autre, nettement plus âgé, très doué pour les sous-entendus victoriens à caractère licencieux. Certaines réactions de Baby appartenaient en propre aux célibataires prolongées : elle ne supportait pas les contacts physiques. Elle sursautait, si on la touchait brusquement. Quant aux contacts un peu plus insistants, les baisers, les étreintes, ils traversaient rapidement son épiderme pour se transformer en notions purement intellectuelles. Elle ne bougeait jamais le torse, à peine le corps, mais elle frappait du pied, rejetait la tête en arrière d'une façon un peu démodée. La mort lui plaisait. Elle en savourait l'avant-goût dans toutes les catastrophes qui arrivaient à ses amis — et elle se nourrissait constamment de l'idée que Nicole était condamnée à un destin tragique.

Le plus jeune des deux Anglais servait de chaperon aux deux femmes, les accompagnait sur les pistes, les terrifiait en leur faisant faire du bobsleigh. Dick, qui s'était luxé la cheville en exécutant un télémark un peu trop ambitieux, était tout heureux de skier avec les enfants, sur les petites pentes « de la nursery », ou de boire du kvas à l'hôtel avec un médecin russe.

— Dick, amuse-toi, je t'en prie, suppliait Nicole. Tu devrais t'intéresser à quelques-unes de ces *pitites-mamazelles*, et, l'après-midi, tu les ferais danser.

— Qu'est-ce que je leur dirai ?

Nicole haussa de plusieurs tons sa voix grave, un peu rauque, pour imiter un timide amoureux.

— Tu leur diras : « Pitite-mamazelle, z'êtes une

bien zolie pitite soze. » Qu'est-ce que tu veux leur dire d'autre ?

— Je n'aime pas les pitites-mamazelles. Elles sentent le savon de Marseille et la pastille de menthe. Quand je danse avec elles, j'ai l'impression de pousser une voiture d'enfant.

C'était un sujet délicat. Il était mal à l'aise, et prenait bien garde, en parlant, de regarder très loin, au-dessus de la tête des jeunes filles.

— Nous avons du travail, dit Baby. Je viens de recevoir des nouvelles de chez nous. De cette propriété, que nous appelons *La Gare*. La compagnie des chemins de fer n'en avait acheté que le centre. Elle vient d'acheter le reste. Ça appartenait à notre mère. Il s'agit de savoir comment placer cet argent.

Pour bien marquer que ce sujet de conversation lui déplaisait souverainement, le plus jeune des deux Anglais se leva, et invita une jeune fille à danser. Baby le suivit des yeux, un instant, avec le regard dubitatif d'une jeune Américaine qui s'est entêtée toute sa vie à être anglophile, et poursuivit avec une sorte de défi :

— Ça représente beaucoup d'argent. Trois cent mille dollars pour chacune. Je suis tout à fait capable de m'occuper de mes propres placements, mais Nicole ignore tout des opérations de Bourse. Vous aussi, j'imagine ?

Dick préféra ne pas répondre et se leva.

— Il faut que j'aille attendre le train.

La nuit était venue. Il sentait les flocons de neige, sans les voir. Trois enfants, montés sur une luge, lui crièrent de faire attention, dans une langue incompréhensible. Il entendit le même avertissement se répéter au virage suivant, et plus loin, dans l'obscurité, les grelots d'un traîneau qui grimpait la colline. Il régnait une telle atmosphère d'impatience et d'espoir, dans cette gare de vacances, avec ces garçons et ces filles, venus attendre d'autres garçons et d'autres filles, qu'au moment où le train arriva Dick était tellement électrisé lui-même qu'il reprocha à Franz Gregorovius de s'être privé par sa faute d'une grande demi-heure de plaisirs infinis. Mais Franz avait bien d'autres préoccupations en tête, et il ne se laissa pas gagner par cette humeur joyeuse. « *Je peux très bien aller passer une journée à Zurich,* lui avait écrit Dick. *A moins que vous ne préfériez venir vous-même jusqu'à Lausanne.* » Franz s'était arrangé pour venir jusqu'à Gstaad.

Il avait maintenant quarante ans. En parfaite santé, dans la force de l'âge, il avait mis au point tout un arsenal de sourires officiels et d'amabilités stéréotypées, qui lui procuraient une certaine sécurité, étouffante peut-être, mais derrière laquelle il se sentait à l'aise, et qui lui permettait de regarder avec mépris les malades richissimes qu'il avait à rééduquer. Son hérédité scientifique aurait pu lui ouvrir des vastes horizons, mais il semblait s'être délibérément cantonné à des ambitions plus modestes — ce qu'illustrait parfaitement le choix qu'il avait fait de son épouse. Baby Warren l'examina rapidement. Ne découvrant sur lui aucune des estampilles qu'elle jugeait respectables, aucun de ces raffinements d'élégance et de courtoisie grâce auxquels les classes privilégiées se reconnaissent entre elles, elle décida que c'était un sous-fifre. Nicole avait toujours eu un peu peur de lui. Quant à Dick, il l'aimait bien, comme il aimait tous ses amis, sans réserve.

Ils descendirent au village pour dîner, en empruntant l'un de ces traîneaux, qu'on utilise, dans ces régions-là, comme les gondoles à Venise. L'hôtel qu'ils avaient choisi était typiquement suisse, avec un restaurant à l'ancienne mode, tout en bois, très sonore, rempli de pendules, de petits tonneaux et de têtes de cerfs empaillées. Il y avait de longues tables,

où les gens s'installaient pour partager une fondue
— préparation particulièrement indigeste de fromage brûlant, arrosée d'un vin chaud fortement
épicé.

Il y régnait une atmosphère joviale. C'est du moins
ce que prétendit le plus jeune des Anglais, et Dick
reconnut que c'était en effet le meilleur adjectif.
Comme ce vin montait très vite à la tête, il se
détendit peu à peu, et affecta de croire que le monde
se rééquilibrait grâce à quelques messieurs à cheveux gris, issus des glorieuses années 90, qui brail-
laient des refrains à quatre voix autour du vieux
piano, grâce aussi aux cris des plus jeunes, et à tous
ces vêtements bariolés, qui trouaient la grisaille des
nuages de fumée. Il s'imagina un moment être sur
un bateau, à l'instant où la vigie vient de crier:
« Terre à l'avant! » La même espérance naïve pouvait se lire sur le visage de toutes les jeunes filles,
espérance de ce qui pouvait surgir de cette nuit-là,
de cet endroit-là. Il chercha des yeux une certaine
jeune fille, eut le sentiment qu'elle se trouvait derrière eux, à la table voisine. Il l'oublia donc aussitôt,
se lança dans une facétie burlesque, et fit en sorte
que tout le monde se sente bien autour de lui.

— Il faut que je vous parle, lui dit Franz, en
anglais. Je n'ai que vingt-quatre heures à passer ici.

— Vous avez quelque chose en tête?

— Un projet, qui serait... ah! qui serait merveilleux!

Il posa la main sur le genou de Dick.

— Qui serait notre réussite à tous deux.

— C'est-à-dire?

— Une clinique, Dick... Une clinique que nous
pourrions diriger ensemble. Celle de Braun, sur le
lac de Zoug. A quelques détails près, l'installation
est très moderne. Braun est malade. Il veut partir
pour l'Australie, mourir là-bas, sans doute. C'est une

chance qui ne se retrouvera plus. Vous et moi! Vous imaginez ce duo! Attendez, laissez-moi aller jusqu'au bout. Vous parlerez ensuite.

Il y eut un petit éclair jaune dans l'œil de Baby, et Dick comprit qu'elle écoutait.

— C'est une entreprise à diriger ensemble. Ça ne vous prendra pas beaucoup de temps, et ça vous donnera des assises, un laboratoire, un centre de recherches. Il suffit que vous y restiez six mois par an, à la belle saison. En hiver, vous pourrez retourner en France ou en Amérique, et écrire vos livres, qui bénéficieront de vos expériences de clinicien.

Il baissa la voix.

— Par rapport à vos problèmes de famille, l'atmosphère de la clinique, la régularité de vie qu'on y trouve auront un excellent effet thérapeutique.

Devant l'expression du visage de Dick, Franz comprit qu'il ne fallait pas insister, passa la langue sur ses lèvres et enchaîna :

— Nous pouvons nous associer. Moi, je serai l'administrateur, vous le théoricien, le brillant spécialiste, etc. Personnellement, je suis sans illusion. Je n'ai pas de génie, je le sais. Vous, vous en avez. J'ai quand même une certaine compétence, notamment en ce qui concerne les méthodes cliniques les plus avancées. A Zurich, ça m'est arrivé de prendre l'établissement en charge pendant plusieurs mois. J'en ai parlé à mon patron. Il trouve que c'est un projet excellent. Il me conseille de foncer. Il prétend qu'il est fait pour vivre cent ans, et qu'il travaillera jusqu'à la dernière minute.

Avant même de porter un jugement sur l'affaire, Dick tenta de la préciser.

— Sur le plan financier, ça se présente comment?

Franz haussa brusquement le menton, les sourcils, les quelques rides de son front. Il leva les mains, les épaules et les coudes. Il tendit si violemment les jambes que son pantalon fit des plis partout. Il envoya son cœur au fond de sa poitrine, et fit grimper sa voix au plus haut de son palais.

— Ah! l'argent! gémit-il. Ah! nous y voilà! Moi, j'en ai très peu. Si on calcule en monnaie américaine, le prix est de deux cent mille dollars. Les améliorations no-va-trices... (il essayait le mot, avec une certaine méfiance), celles du moins que vous jugerez nécessaires, s'élèvent à vingt mille dollars. Mais la clinique elle-même est une mine d'or. Je peux vous en parler savamment. J'ai examiné les livres de comptes. Pour un investissement de deux cent vingt mille dollars, nous aurons un revenu annuel de...

La curiosité de Baby était si flagrante que Dick la fit entrer en jeu.

— Vous qui êtes une femme d'expérience, Baby, avez-vous remarqué que lorsqu'un Européen veut voir un Américain, *de toute urgence,* c'est toujours pour quelque chose qui a rapport à l'argent?

— De quoi s'agit-il? demanda-t-elle, d'un air innocent.

— Cet éminent *Privat-docent* pense que nous devrions nous lancer dans une gigantesque entreprise, qui attirerait jusqu'à nous tous les Américains souffrant de dépression nerveuse.

Franz, très mal à l'aise, se tourna vers Baby.

Mais qui sommes-nous? poursuivit Dick. Franz porte un nom célèbre. Moi, j'ai écrit deux petits livres. Est-ce suffisant pour attirer qui que ce soit? Quant à l'argent, je n'en ai pas autant. Je n'en ai même pas le dixième.

Franz esquissa un petit sourire ironique.

— Sérieusement, Franz, je n'en ai pas autant. Nicole et Baby sont riches comme Crésus, mais moi je n'ai pas encore décroché le gros lot.

Ils écoutaient tous, maintenant. Dick se demanda si la jeune fille écoutait, elle aussi, à la table voisine. Cette idée lui plut. Il décida de laisser parler Baby à sa place, comme on permet souvent aux femmes de discuter de problèmes, dont la solution ne leur appartient pas. Baby était brusquement devenue son grand-père, froide, calculatrice, rompue aux affaires.

— Je pense qu'il s'agit là d'une proposition à laquelle vous devriez réfléchir, Dick. Je ne sais pas ce que vous a dit le docteur Gregory, mais il me semble que...

Derrière lui, la jeune fille venait de se pencher, dans un nuage de fumée, et ramassait quelque chose qui était tombé. Face à lui, le visage de Nicole était comme accroché au sien. Sa beauté, provisoirement lovée dans une attitude de séduction, attendait tout de son amour, destiné à la protéger.

— Oui, Dick, réfléchissez-y sérieusement, renchérit Franz, très excité. Quand on écrit sur la psychiatrie, on se doit d'avoir une expérience de clinicien. Regardez Jung, Bleuler, Freud, Forel, Adler... Ils écrivent tous, mais ils sont en contact constant avec des malades mentaux.

— Pour Dick, je suis là, dit Nicole en riant. Comme malade mentale, ça doit lui suffire.

— C'est différent, murmura Franz avec circonspection.

Baby était en train de se dire qu'elle serait beaucoup plus tranquille, si elle savait Nicole tout à côté d'une clinique.

— Oui, dit-elle, nous allons y réfléchir sérieusement.

Ce cynisme amusait Dick, mais il préféra couper court.

— Non, Baby, dit-il gentiment. C'est très aimable à vous de vouloir m'offrir une clinique. Mais cette décision me concerne seul.

Baby comprit qu'elle était allée un peu loin, et fit aussitôt machine arrière.

— Bien sûr, Dick. Ça ne concerne que vous.

— Une affaire aussi importante demande une bonne semaine de réflexion. Je me demande si l'idée d'aller vivre à Zurich avec Nicole est tellement séduisante.

Il se tourna vers Franz, sachant ce qu'il allait dire.

— D'accord, Zurich a l'eau courante, le gaz, et l'électricité. Je sais. J'y ai vécu trois ans.

— Prenez tout le temps d'y penser, dit Franz. Mais j'ai bon espoir.

Une centaine de paires de bottes raclaient lourdement le parquet, en direction de la sortie. Ils suivirent le mouvement. Dehors, le clair de lune était cassant comme du verre. Dick vit que la jeune fille attachait sa luge à l'un des bobsleighs qui la précédaient. Ils s'empilèrent eux-mêmes dans un traîneau. Un coup de fouet claqua. Les chevaux s'enfoncèrent dans la nuit. Il y avait toutes sortes de cris autour d'eux, des silhouettes qui couraient en tout sens, des jeunes gens qui se poussaient hors des traîneaux, s'affalaient dans la neige, parvenaient à se redresser et rattrapaient les chevaux, hors d'haleine, ou suppliaient qu'on les attende. Puis ce fut le silence, entre les champs déserts. Les chevaux paraissaient glisser sous un grand ciel illimité. Plus personne n'osait parler, comme si la peur ancestrale les avait rejoints et qu'ils guettaient les loups dans l'immensité de la neige.

A Saanen, ils entrèrent au bal municipal. Se retrouver sains et saufs, dans cette salle étouffante et fermée sur elle-même, après avoir affronté les terreurs panthéistes de l'univers nocturne, leur donna l'impression d'être de ces preux chevaliers, dont les noms ridicules et ronflants sonnaient autrefois comme les éperons des cavaliers pendant la guerre, ou les crampons des chaussures de football sur le sol en ciment des vestiaires. Ils eurent droit aux inévitables jodleurs, et, pour Dick, ce rythme par trop attendu fit perdre à la scène tout romantisme. Il crut d'abord que c'était à cause de la jeune fille, à laquelle il voulait ne plus penser. Mais il se souvint de Baby, de cette façon dont elle avait dit : « *Nous allons y réfléchir sérieusement* », de ce que cette phrase sous-entendait : « Vous nous appartenez. Vous finirez tôt ou tard par le reconnaître. Pourquoi vous obstiner à jouer les indépendants ? C'est absurde. »

La rancune est un sentiment que Dick ignorait depuis bien longtemps — très exactement, depuis le jour où il était tombé, à New Haven, sur une brochure de vulgarisation, intitulée : *L'hygiène mentale*. Il avait beau se maîtriser, le cynisme de Baby, son insolence de femme riche commençaient à l'énerver sérieusement. Combien de siècles faudra-t-il encore, avant qu'une nouvelle génération d'Amazones finisse par comprendre qu'un homme n'est vulnérable que si l'on touche à son orgueil ? Mais dès que l'orgueil est atteint, il s'effondre en miettes, comme le pauvre *Humpty-Dumpty* de Lewis Carroll — bien que beaucoup d'entre eux ne l'admettent que du bout des lèvres. De par son métier, qui consistait à recoller les coquilles en miettes de personnages beaucoup moins féeriques, le Dr Diver avait extrêmement peur de la moindre fêlure. Et pourtant :

— Être bien élevé, dit-il, alors qu'ils remontaient vers Gstaad, c'est parfois une erreur.

— Moi, je trouve ça très agréable, dit Baby.

— Ça ne l'est pas toujours.

Il semblait discuter avec un monceau de fourrures anonymes.

— Être bien élevé, c'est admettre que les gens sont tellement fragiles qu'il faut prendre des gants pour les manipuler. Le respect humain interdit de traiter

280

quelqu'un de menteur ou de lâche, mais si on passe sa vie à ménager les sentiments des gens, et à entretenir leur vanité, on finit par ne plus savoir ce qui, en eux, *mérite* d'être respecté.

— J'ai l'impression que les Américains prennent l'éducation très au sérieux, dit le plus âgé des Anglais.

— J'en ai l'impression, moi aussi. Mon père a été élevé à une époque où il fallait dégainer d'abord, et s'excuser ensuite. Chez vous, en Europe, il y a longtemps que les civils n'ont plus pris les armes. Depuis le début du dix-huitième siècle, environ...

— Actuellement, c'est peut-être vrai.

— Actuellement, c'est absolument vrai !

— Dick, vous avez toujours fait preuve d'une parfaite éducation, dit Baby pour clore la discussion.

Les femmes le regardaient avec une sorte d'inquiétude, par-dessus leur pelage de bêtes fauves. Le plus jeune des Anglais n'avait manifestement rien compris. C'était une sorte de Roméo, toujours prêt à grimper aux corniches et aux balcons, comme s'il s'agissait des gréements d'un voilier. Il se lança dans une histoire parfaitement insipide, qui occupa le reste du voyage — l'histoire d'un match de boxe qu'il avait disputé avec son meilleur ami, match qui s'était prolongé durant plus d'une heure, et au cours duquel ils s'étaient tour à tour haïs et adorés. Dick se sentit d'humeur facétieuse.

— Ainsi, chaque fois qu'il vous cognait dessus, ce cher ami vous devenait plus cher encore ?

— Je l'en respectais davantage.

— C'est le début que je comprends mal. A propos de quoi vous êtes-vous disputé avec lui ? A propos d'un incident parfaitement ordinaire...

— Si vous ne comprenez pas, je ne peux pas vous l'expliquer, répondit le plus jeune des Anglais d'un ton méprisant.

« Voilà tout ce que je récolterai, si je commence à dire ce que je pense », murmura Dick en lui-même.

Il n'était pas très fier d'avoir tourmenté ce garçon, car il se rendait compte que l'absurdité de l'histoire tenait autant à ses relents d'adolescence qu'au ton sophistiqué dont il la racontait.

L'atmosphère de fête était à son comble. Ils suivirent le gros de la foule jusqu'à un restaurant, dont le barman tunisien jouait en virtuose avec les éclairages, les faisant varier selon un savant contrepoint, dont l'autre voix était le clair de lune sur la neige, qu'on apercevait dans les hautes fenêtres. Sous cette lumière, le visage de la jeune fille semblait comme dévitalisé. Elle avait perdu tout intérêt pour Dick, et il se tourna vers la salle obscure, admirant le point rouge des cigarettes, qui tournait au vert argenté, quand les projecteurs devenaient pourpres, et ce grand morceau de lumière blafarde, qui se déployait au milieu des danseurs, chaque fois qu'on ouvrait la porte.

— Une question, Franz. Quand vous aurez passé la nuit à boire de la bière, croyez-vous que vous pourrez regagner la clinique et persuader vos malades que vous avez une certaine personnalité? Croyez-vous qu'ils ne vont pas vous prendre pour un gastro-entérologue?

— Je vais me coucher, annonça Nicole.

Dick l'accompagna jusqu'à l'ascenseur.

— J'aimerais monter avec toi, mais il faut que j'explique à Franz que le rôle de clinicien ne m'intéresse pas.

Nicole entra dans l'ascenseur.

— Baby a beaucoup de bon sens, dit-elle pensivement.

— Baby est une...

La porte se referma — et, dans le ronflement étouffé du moteur, Dick acheva sa phrase pour lui-même: « ...est une femme égoïste et vulgaire. »

Le lendemain, en reconduisant Franz à la gare, il lui avoua pourtant que sa proposition l'intéressait.

— Nous commençons à tourner en rond, reconnut-il. Nous avons atteint un tel niveau de vie que les occasions de tension nerveuse se multiplient, et Nicole devient incapable de les surmonter. Nous avions trouvé sur la Riviera une atmosphère idyllique et champêtre. Elle est en train de se perdre. L'an prochain, nous aurons une vraie « saison ».

Leur traîneau longeait la patinoire, comme un miroir d'un vert fragile. Les écharpes bariolées des collèges des environs y tournoyaient sur le ciel pâle, aux accents d'une valse de Vienne.

— J'espère que nous réussirons, Franz. Une entreprise de cet ordre, il n'y a qu'avec vous que j'ai envie de la tenter.

Adieu, Gstaad ! Adieu, fleurs de givre, doux visages, flocons dans la nuit. Adieu, Gstaad, adieu !

14

Dick se réveilla en sursaut vers cinq heures du matin. Il venait de rêver de la guerre. Il se leva, alla jusqu'à la fenêtre, regarda fixement le lac de Zoug en contrebas. C'était un rêve obscur et impressionnant, au début : des militaires, en uniforme bleu marine, traversaient une place très sombre, à la suite d'un orphéon qui jouait le second mouvement de *L'Amour des trois oranges,* de Prokofiev. Il avait aperçu ensuite des pompes à incendie, annonciatrices de cataclysmes, puis une terrifiante mutinerie d'infirmes dans un hôpital de campagne. Il revint allumer sa lampe de chevet, nota scrupuleusement les détails de son rêve, et conclut sur cette remarque ironique : « *Traumatisme évident d'un non-combattant.* »

Assis sur le bord de son lit, il eut le sentiment d'un vide immense autour de lui : sa chambre, la maison, la nuit même. Dans la pièce voisine, Nicole marmonnait en dormant. Comme une plainte triste, le constat d'une solitude qu'elle ressentait dans son sommeil et qui le rendait malheureux. Le temps ne bougeait pas pour lui. C'était une notion immobile, avec de brusques accélérations, certaines années, comme un film qu'on rembobinerait à toute vitesse. Pour Nicole au contraire le temps obéissait au rythme des horloges, des saisons, des naissances, avec la certitude déchirante que sa beauté diminuait inéluctablement.

Ces dix-huit mois passés au bord du lac de Zoug avaient été du temps perdu pour elle. Elle n'avait déchiffré les saisons que sur le visage des cantonniers : rose tendre en mai, brun-rouge en juillet, presque noir en septembre, et de nouveau blême au printemps. Après sa première guérison, elle s'était aveuglée de trop d'espoirs nouveaux, alors qu'elle n'avait aucune existence personnelle, qu'elle tirait tout de Dick, mettant au monde des enfants qu'elle ne pouvait que faire semblant d'aimer tendrement, comme des orphelins qu'elle aurait pris en charge. Les gens qui l'attiraient, des révoltés pour la plupart, l'angoissaient et lui étaient néfastes. Elle était à l'affût de cette force vitale, qui avait fait d'eux des indépendants, des créateurs ou des têtes brûlées, mais elle la recherchait en vain. Car le secret de cette force vitale était enfoui au plus profond de leur enfance, au milieu de combats qu'ils avaient eux-mêmes oubliés. De leur côté, ce qui les attirait en elle était son charme, l'harmonie de ses traits, sa beauté extérieure — le revers de sa maladie. Elle était seule, vivait seule, n'ayant que Dick pour tout bien, et Dick refusait d'être regardé comme un bien.

Il avait essayé sans succès de diminuer l'emprise

qu'il avait sur elle. Ils avaient été si heureux ensemble, connu tant de nuits blanches, à parler jusqu'à l'aube, entre de longs moments d'amour. Mais dès qu'il se détournait d'elle, pour tenter de se retrouver, elle n'avait plus, entre les mains, qu'une sorte de Néant, qu'elle regardait fixement, en lui donnant des quantités de noms, mais elle savait que le seul nom possible était l'espoir qu'il revienne bientôt.

Il écrasa son oreiller, en un rouleau rigide qu'il glissa sous sa nuque en se recouchant, comme font les Japonais pour ralentir leur circulation sanguine, et se rendormit un moment. Plus tard, pendant qu'il se rasait, il entendit Nicole se lever et parcourir la maison, en donnant des ordres rapides et précis aux domestiques et aux enfants. Puis Lanier entra dans la salle de bains pour le regarder se raser. Depuis qu'il vivait près d'une clinique psychiatrique, Lanier avait voué à son père une confiance et une admiration tout à fait surprenantes, qui s'accompagnaient d'une indifférence de plus en plus marquée pour les autres adultes. Les malades étaient à ses yeux des gens excentriques, ou des créatures sans personnalité, inachevées en quelque sorte. C'était un beau garçon, plein de promesses, et Dick lui consacrait le plus de temps possible. Leurs rapports rappelaient ceux d'un officier amical mais sévère et d'un simple soldat extrêmement respectueux.

— Quand tu te rases, demanda Lanier, pourquoi y a-t-il toujours un peu de mousse sur le haut de tes cheveux ?

Dick entrouvrit avec précaution ses lèvres couvertes de savon.

— Je me le suis souvent demandé. Je n'ai jamais réussi à comprendre. Ça vient, je crois, de ce que j'ai toujours un peu de savon sur l'index, quand je rase mes pattes, contre l'oreille. Mais je ne sais pas pourquoi ça m'en met sur le haut du crâne.

— Je viendrai vérifier demain.

— Est-ce le seul problème qui se pose avant le petit déjeuner?

— Je n'appelle pas ça un problème.

— Pour toi, c'en est un.

Une demi-heure plus tard, Dick se dirigeait vers les bureaux de l'administration. Il avait trente-huit ans, maintenant — et, bien qu'il n'ait pas encore adopté la barbe, il ressemblait beaucoup plus à un médecin que sur la Riviera. Il s'occupait de cette clinique depuis dix-huit mois. C'était l'une des mieux équipées d'Europe. Une clinique de style moderne, comme celle du Dr Dohmler, c'est-à-dire qu'elle ne se composait pas d'un seul grand bâtiment sinistre, mais de plusieurs pavillons dispersés, qui avaient un peu l'apparence d'un village. Dick et Nicole avaient apporté le plus grand soin à la décoration, et l'ensemble dégageait une telle impression de beauté que tous les psychiatres de passage à Zurich faisaient un détour pour l'admirer. En y ajoutant une maison de caddies, on aurait pu se croire dans un *country-club*. Le pavillon des *Hêtres* et celui des *Eglantines,* réservés aux malades plongés dans les ténèbres, étaient séparés des autres par des taillis, comme de petites forteresses camouflées. Il y avait un grand potager, dont les malades s'occupaient en partie, et trois ateliers d'ergothérapie, réunis dans le même bâtiment. C'est par là que le Dr Diver commença ses visites. L'atelier de menuiserie était en plein soleil. Il y régnait une douce odeur de sciure de bois, venue d'un autre âge. Une douzaine d'hommes y travaillaient, maniant le marteau, le rabot ou la scie — des hommes silencieux, qui levaient les yeux de leur travail, lorsque Dick passait devant eux, et le regardaient avec une gravité solennelle. Comme il était lui-même assez bon menuisier, il pouvait discuter de

286

l'efficacité de certains outils, sur un ton détendu, intéressé et naturel. Dans l'atelier voisin, on faisait de la reliure. Il était ouvert aux malades qui avaient les meilleurs réflexes, ce qui ne voulait pas dire qu'ils avaient les meilleures chances de guérir. Le troisième atelier était consacré au tissage, au cuivre et aux perles. On avait l'impression, en dévisageant ceux qui travaillaient là, qu'ils venaient de pousser un profond soupir et de renoncer à élucider quelque chose d'insoluble. Mais ce soupir les entraînait vers d'autres réflexions, qui, loin de s'enchaîner naturellement, comme chez les gens normaux, se mettaient à tourner sur elles-mêmes. A tourner, à tourner, à tourner, interminablement, comme un cercle infernal. Les matériaux avec lesquels ils travaillaient étaient si brillants cependant, de couleurs si éclatantes, que les étrangers s'y laissaient prendre, et pensaient qu'ils étaient tous en parfaite santé, comme dans un jardin d'enfants. Ces malades-là s'animaient dès qu'ils voyaient entrer le Dr Diver. Ils le préféraient presque tous au Dr Gregorovius. Surtout ceux qui avaient vécu dans la haute société. Certains l'accusaient de les négliger, d'être trop distant, ou d'avoir l'air prétentieux. Les conversations qu'il avait avec eux ressemblaient à celles qu'il avait dans la vie courante — mais curieusement faussées et déformées.

Il y avait notamment une Anglaise, qui abordait toujours le même sujet, car elle estimait qu'il lui appartenait en propre.

— Aurons-nous de la musique, ce soir?

— Je ne sais pas. Je n'ai pas encore vu le docteur Ladislau. Avez-vous aimé ce que Mrs. Sachs et Mr. Longstreet ont joué, hier soir?

— Couci-couça.

— Moi, j'ai trouvé ça très bien, le Chopin surtout.

— J'ai trouvé ça couci-couça.

— Quand vous déciderez-vous à nous jouer quelque chose vous-même ?

Elle haussa les épaules, car depuis des années cette question lui procurait le même plaisir.

— Un jour, sûrement. Mais, vous savez, je joue couci-couça.

Tout le monde savait qu'elle ne jouait pas. Elle avait deux sœurs, excellentes musiciennes, mais, pendant leur jeunesse commune, elle avait été incapable d'apprendre ses notes.

Dick se rendit ensuite aux pavillons des *Hêtres* et des *Églantines*. D'extérieur, ils étaient aussi charmants que les autres. Pour les décorer et les aménager, Nicole avait obéi à un impératif absolu : qu'on ne voie rien des grilles, des barreaux, ni des fixations qui retenaient les meubles au sol. Elle avait fait preuve d'une telle imagination (et si l'imagination lui faisait défaut, elle cherchait la solution à travers les données mêmes du problème) qu'il fallait un œil averti pour découvrir que le léger treillis, presque arachnéen, tendu devant les fenêtres était en réalité un réseau de petits chaînons, impossible à tordre, que les meubles, qui semblaient obéir aux tendances modernes du style tubulaire, étaient en réalité plus lourds que les créations édouardiennes, que les fleurs elles-mêmes, dans leurs vases de métal, le moindre objet, la moindre garniture, tout jouait un rôle essentiel, comme l'armature d'un gratte-ciel. Avec une attention infatigable, elle avait voulu que chaque chambre ait un maximum d'efficacité. Lorsqu'on l'en félicitait, elle se regardait brusquement comme un plombier professionnel.

Pour ceux qui avaient encore toute leur lucidité, il se passait d'étranges choses dans ces pavillons. Le Dr Diver s'en amusait souvent. Ainsi, lorsqu'il visitait celui des *Églantines*, réservé aux hommes, il tombait sur un étrange petit exhibitionniste, qui estimait que s'il pouvait aller tout nu, sans qu'on l'agresse, de la Concorde à l'Étoile, beaucoup de ses problèmes s'en trouveraient résolus — et qui sait, pensait Dick, peut-être a-t-il parfaitement raison?

C'est dans le pavillon central que se trouvait sa malade la plus intéressante. Une femme d'environ trente ans, qui était là depuis six mois. Américaine, et peintre, elle avait longtemps habité Paris. Ils n'avaient pas réussi à comprendre ce qui lui était arrivé. Un de ses cousins l'avait découverte un jour dans un état de démence complète. Il lui avait fait suivre une cure de désintoxication, dans l'une de ces maisons de la banlieue parisienne, qui servent surtout à remettre sur pied les touristes ayant abusé de la boisson et de la drogue. Voyant que cette cure n'aboutissait à rien, il l'avait emmenée en Suisse. Le jour de son admission, elle était étonnamment belle. Ce n'était plus, maintenant, qu'une plaie vivante. Les analyses de sang n'ayant donné aucun résultat positif, on avait baptisé *eczéma nerveux* le mal qui la tenait depuis deux mois, et l'enfermait comme une suppliciée dans une cage de torture. Elle restait parfaitement lucide, et, dans la limite de ses propres hallucinations, d'une intelligence remarquable.

Dick s'en occupait tout particulièrement. Durant ses crises d'exaltation nerveuse, il était le seul médecin à pouvoir « en faire quelque chose ». Quelques semaines plus tôt, Franz avait réussi à l'hypnotiser, au cours d'une de ces nuits interminables où l'insomnie la torturait, et à lui procurer un repos indispensable. Il n'avait jamais pu recommencer. Dick, qui se méfiait de l'hypnose, n'y avait recours qu'exceptionnellement, sachant qu'il n'était pas toujours capable d'atteindre lui-même l'état de concentration nécessaire. Il avait essayé une fois sur Nicole, mais elle s'était moquée de lui avec un rire méprisant.

Il entra dans la chambre 20. La femme qui était couchée là ne pouvait pas le voir, tant ses paupières étaient enflées.

— Combien de temps encore? demanda-t-elle. Est-ce fait pour durer toujours?

Elle avait une voix énergique et profonde, qui vous bouleversait aussitôt.

— Ça va bientôt finir. Le docteur Ladislau m'a dit que le bord des paupières commençait à désenfler.

— Si je savais ce que j'ai fait pour mériter ce châtiment, je l'accepterais avec sérénité.

— Pourquoi chercher une raison d'ordre religieux ou mystique? Pour nous, c'est strictement nerveux. Rougissiez-vous facilement, quand vous étiez petite?

Elle était allongée dans son lit, le visage vers le plafond.

— Depuis qu'on m'a arraché mes dents de sagesse, je n'ai plus aucune raison de rougir.

— Vous avez quand même eu votre lot de petites erreurs et de péchés véniels?

— Je n'ai rien à me reprocher.

— Vous avez beaucoup de chance.

Elle réfléchit un moment. A travers les pansements qui lui couvraient le visage, sa voix avait des accents souterrains.

— Je partage le sort de toutes les femmes qui ont voulu provoquer les hommes au combat.

— A votre grand étonnement, ce combat ressemblait à tous les combats.

Il adoptait le même langage, la même diction formaliste.

— Strictement à tous les combats.

Elle y réfléchit davantage.

— Ou vous êtes la plus forte, ou vous vous en tirez par une victoire à la Pyrrhus, ou vous vous retrouvez complètement dégradée, complètement anéantie. Vous n'êtes plus que l'ombre d'un fantôme à l'intérieur d'un mur en ruine.

— Vous n'êtes ni dégradée, ni anéantie. Êtes-vous sûre d'avoir livré un véritable combat?

— Regardez-moi! cria-t-elle, avec une brusque fureur.

— Vous avez souffert. Mais beaucoup de femmes ont souffert, avant de se prendre elles-mêmes pour des hommes.

Il sentait qu'il commençait à discuter, et préféra faire machine arrière.

— L'insuccès passager et l'échec sont deux choses qu'il ne faut confondre à aucun prix.

Elle eut un rire méprisant.

— Des mots!

Il y avait une telle souffrance dans sa voix qu'il se sentit humilié.

— Nous cherchons à découvrir les vrais motifs qui vous ont conduite jusqu'ici, et...

Elle l'interrompit.

— Je suis ici comme le symbole de quelque chose. Mais de quoi? Je pensais que vous le sauriez.

— Pas un symbole, une malade, répondit-il d'instinct.

— Qu'étais-je alors sur le point de connaître?

— Une aggravation de la maladie.

— Rien de plus?

— Rien de plus.

Il mentait, il s'entendait mentir, et il avait honte, mais à cet instant-là, dans cet endroit-là, il ne pouvait que résumer ce trop vaste problème en un simple mensonge.

— Sorti de là, il n'y a que confusion et chaos. Je ne cherche pas à vous faire un sermon. Nous avons un sentiment trop aigu des souffrances que vous endurez. Mais c'est en affrontant les petits problèmes de chaque jour, même s'ils vous paraissent inutiles et ennuyeux, que vous remettrez peu à peu chaque chose à sa place. Peut-être alors serez-vous de nouveau capable d'explorer...

Il parlait de plus en plus lentement, car il avait peur d'arriver à la conclusion inévitable de sa pensée : « ...d'explorer les frontières de la conscience. »

Ces frontières, que tous les artistes sont tenus d'explorer, lui étaient désormais interdites. Elle était subtile, instinctive. Elle trouverait peut-être une sorte de repos dans le mysticisme. Pour franchir les frontières de la conscience, il faut une santé solide, un sang bien épais, de grosses chevilles, des cuisses musclées, tout ce qui permet d'accepter la souffrance et le châtiment, dans chaque fibre de son corps et de son esprit, comme le sel et le pain de la bienvenue.

Il était sur le point de dire : « Pas pour vous. C'est un jeu trop cruel pour vous. »

Dans l'effrayante majesté de sa douleur, il se sentait attiré vers elle, presque sexuellement. Il avait envie de la prendre dans ses bras, comme il l'avait si souvent fait pour Nicole, et d'aimer jusqu'à ses erreurs, toutes ces erreurs qui étaient devenues une part d'elle-même. La lumière orange derrière les rideaux, ce lit où elle était couchée comme une momie dans son sarcophage, la tache blême de son visage bandé, cette voix qui criait dans le vide de sa maladie et ne découvrait que des abstractions imprécises...

Au moment où il se levait, il vit des larmes jaillir des pansements, comme un flot de lave.

— C'est pour quelque chose, balbutia-t-elle. Quelque chose doit naître de là.

Il se pencha, l'embrassa sur le front.

— Nous devons tous nous efforcer d'être bons.

Il sortit de la chambre, envoya une infirmière auprès d'elle. Il avait d'autres malades à visiter : une jeune Américaine de quinze ans, élevée dans l'idée que l'enfance n'était qu'une suite de plaisirs. Il fallait qu'il aille la voir, parce qu'elle s'était tailladé les cheveux avec une paire de ciseaux à ongles. On ne pouvait pas grand-chose pour elle. Il y avait plusieurs cas de névroses dans sa famille, et son passé n'offrait aucune base solide permettant de reconstruire quoi que ce soit. En voulant préserver sa couvée des problèmes de l'existence, le père, un homme parfaitement normal et conscient, n'avait fait qu'éteindre chez elle les forces qui lui auraient permis de les affronter. Dick se contenta de lui dire :

— Helen, quand vous avez un problème quelconque, il faut appeler l'infirmière. Il faut apprendre à demander conseil. Vous me promettez de le faire ?

Mais que signifie la promesse d'une tête malade ? Il alla ensuite voir un exilé caucasien, qu'on attachait par prudence dans une sorte de hamac, avant de le plonger dans un bain chaud de plantes médicinales. Puis les trois filles d'un général portugais, qui glissaient lentement vers la paralysie. Il entra enfin dans la dernière chambre, et affirma à un médecin psychiatre, complètement prostré, qu'il allait mieux, qu'il allait même de mieux en mieux, et l'homme, pour s'en convaincre, interrogeait avidement le visage du Dr Diver, car cette voix seule le rattachait encore au monde réel, et la moindre nuance de certitude ou d'incertitude qu'il y décelait venait renforcer ou détruire les siennes. Dick renvoya ensuite un infirmier par trop inefficace, et ce fut l'heure du déjeuner.

15

Partager le repas des malades était une obligation quotidienne qu'il voyait arriver avec résignation. A première vue, tout semblait normal dans la salle à manger (on n'y acceptait pas, bien entendu, les pensionnaires des *Hêtres* et des *Églantines*), mais l'atmosphère était d'une mélancolie étouffante. Les médecins essayaient d'entretenir la conversation, mais les malades, épuisés peut-être par leurs travaux de la matinée, ou déprimés de se retrouver tous ensemble, répondaient à peine et ne quittaient pas des yeux leur assiette.

Dick rentra chez lui après le déjeuner. Il trouva Nicole dans le salon, le visage étrangement tendu.

— Lis ça.

Il prit la lettre. Elle était écrite par une malade, qui avait quitté la clinique quelques jours plus tôt, contre l'avis des médecins. Sa fille était venue s'installer à son chevet, pendant la période la plus aiguë de sa maladie. Elle accusait Dick, sans la moindre équivoque, d'avoir séduit cette fille, et pensait que Mrs. Diver serait contente de découvrir ainsi ce qu'était *réellement* son mari.

Il lut la lettre deux fois. Malgré la clarté et la précision des phrases, c'était de toute évidence la lettre d'une maniaque. La jeune fille en question, une petite brune assez provocante, lui avait un jour demandé de la conduire en voiture à Zurich. Il avait accepté, et l'avait raccompagnée à la clinique dans la soirée. Il l'avait embrassée, avec une indifférence un peu condescendante. Elle avait essayé de pousser l'affaire plus avant, mais ça ne l'intéressait absolument pas. Elle lui en avait voulu et, par voie de conséquence, avait décidé de faire sortir sa mère de clinique.

— C'est une lettre de malade, dit-il. Je n'ai eu aucune relation d'aucune sorte avec cette jeune fille. Elle ne me plaisait même pas.

— J'aimerais le croire.

— Nicole, sérieusement, tu ne vas pas te laisser prendre à ça ?

— Je ne suis sûre de rien.

Il sentait dans sa voix une sorte de reproche. Il s'assit à côté d'elle.

— C'est absurde. Cette lettre est écrite par une malade mentale.

— J'ai été une malade mentale.

Il se leva d'un bond, et changea brusquement de ton.

— Pas ce genre d'absurdités entre nous. Lève-toi. Appelle les enfants. On s'en va.

La route épousait les petits promontoires du lac. Les éclats de lumière, qui dansaient à la surface, incendiaient le pare-brise, puis ils s'enfonçaient dans de grands tunnels de verdure. Dick avait pris sa voiture, une Renault si étroite qu'ils étaient entassés les uns sur les autres, les enfants occupant la banquette arrière, avec Mademoiselle, leur gouvernante, dont la tête pointait comme un mât. Ils connaissaient cette route par cœur, savaient d'avance à quel endroit ils allaient sentir l'odeur des pins, apercevoir la fumée des bûcherons. Le soleil, qui ressemblait à un visage, avec tous ses traits dessinés, frappait brutalement les chapeaux de paille des enfants.

Nicole gardait le silence. Son regard fixe et dur mettait Dick mal à l'aise. Lorsqu'il était avec elle, il se sentait souvent très isolé. Elle déversait sur lui, par à-coups, de petites bouffées de révélations personnelles, du genre : « Je ressens ceci... ou plutôt, non, je ressens ça », qu'elle ne réservait qu'à lui seul, et qui finissaient par le fatiguer. Cet après-midi, par contre, il aurait donné n'importe quoi pour l'entendre prononcer quelques mots, de sa voix précise et martelée, pour connaître, même fragmentairement, le sujet de ses réflexions. Lorsqu'elle s'enfonçait ainsi en elle-même, toutes portes barricadées, c'était plus angoissant que tout

Mademoiselle descendit à Zoug. Ils continuèrent jusqu'à la foire d'Agiri, à travers une véritable ménagerie de rouleaux compresseurs, impressionnants comme des mammouths, qui leur ouvraient la route. Dick gara sa voiture. Nicole le regardait sans bouger.

— Descends, *darling*, dit-il.

Elle eut un brusque sourire, si effrayant qu'il sentit son cœur se serrer, mais il fit comme s'il n'avait rien remarqué.

— Descends, répéta-t-il, pour que les enfants puissent descendre.

— Oui, oui, bien sûr, je vais descendre.

Elle parlait si vite que les mots semblaient appartenir à une histoire qu'elle se racontait à elle-même, et Dick avait du mal à la comprendre.

— Ne t'inquiète pas. Je vais descendre.

— Alors, descends.

Il voulut marcher près d'elle, mais elle s'écarta. Elle gardait ce sourire sarcastique et lointain. Lanier fut obligé de lui répéter plusieurs fois la même chose pour qu'elle s'intéresse à ce qu'il lui montrait, un théâtre de marionnettes, et elle retrouva un semblant d'équilibre en concentrant son attention sur le spectacle.

Dick ne savait que faire. Le double rôle qu'il tenait auprès d'elle — celui de mari, celui de psychiatre — le rendait incapable de réfléchir calmement. Combien de fois, depuis six ans, l'avait-elle entraîné bien au-delà de la frontière qui séparait ces deux rôles, car il éprouvait tant de pitié pour elle, tant de compassion, qu'il était complètement désarmé. Parfois même, il était envahi d'une sorte de compréhension presque divinatoire, comme s'il se dédoublait lui-même, et c'est seulement lorsque la crise était passée, lorsqu'il sentait sa propre angoisse s'apaiser, qu'il découvrait qu'elle venait de marquer un point contre lui, contre ses propres facultés de jugement.

Après une petite discussion avec Topsy, à propos du personnage de Guignol — celui qu'ils avaient vu à Cannes l'an dernier, était-ce ou non le même que ce Guignol-là ? —, la famille reprit sa promenade entre les baraques foraines, sous le ciel éclatant. Les femmes portaient de grands bonnets, des vestes de velours, des jupes très larges aux couleurs des différents cantons, qui semblaient presque ternes à côté de l'orange et du bleu criards des roulottes et des étalages. On entendait une flûte plaintive, des bruits étouffés de clochettes, comme une sorte de danse orientale.

Brusquement, Nicole partit en courant. Si brusquement que Dick ne s'en aperçut pas tout de suite. Il reconnut au loin sa robe jaune, qui se faufilait à travers la foule, comme un petit point de broderie entre la frontière du réel et de l'irréel. Il se jeta à sa poursuite. Elle fuyait en secret et il la suivait en secret. Dans l'atmosphère étouffante de cet après-midi, cette fuite était si terrifiante pour lui, si déchirante, qu'il en avait oublié les enfants. Il revint aussitôt sur ses pas, les saisit chacun par un bras, et les entraîna d'une baraque à l'autre, en cherchant à qui les confier. Il remarqua une jeune femme, près d'une roue de loterie toute blanche.

— Madame, cria-t-il, est-ce que je peux vous laisser ces enfants deux minutes ? C'est très urgent. Je vous donnerai dix francs.

— Mais bien sûr.

Il poussa les enfants dans la baraque.

— Bon, vous allez rester là, avec cette gentille dame.

— Oui, Dick.

Il repartit en courant, mais il avait perdu la trace de Nicole. Il fit le tour d'un manège de chevaux de bois, mit un peu de temps à comprendre qu'ils tournaient tous les deux à la même vitesse, et qu'il regardait toujours le même cheval. Il entra dans une buvette, traversa la foule en jouant des coudes, se souvint brusquement qu'elle avait une passion pour les tireuses de cartes, souleva le coin d'une toile de tente et regarda à l'intérieur. Une voix épuisée l'accueillit.

— ...la septième fille d'une septième fille née sur les bords du Nil... Entrez, monsieur...

Il laissa retomber la toile de tente, continua de courir jusqu'à l'endroit où le champ de foire rejoignait le lac. Un petit manège de bateaux tournait lentement sur le ciel. Il l'aperçut enfin.

Elle était seule, dans le bateau qui se trouvait tout en haut de la roue, à ce moment-là. Quand la descente s'amorça, il vit qu'elle riait d'un grand rire hystérique. Il rejoignit la foule. Le manège tournait toujours. Le bateau de Nicole reprit de la hauteur, et les gens finirent par remarquer son comportement hystérique.

— Regardez-moi ça !
— Regardez cette Anglaise !

Le bateau amorçait une nouvelle descente, mais c'était la dernière. La musique s'éteignit peu à peu et la roue s'immobilisa. Une douzaine de personnes entouraient Nicole et riaient bêtement de la voir rire ainsi. Elle reconnut Dick. Son rire s'arrêta brusquement. Elle voulut s'enfuir, mais il la saisit par le bras, de toutes ses forces, et l'entraîna rapidement.

— Pourquoi as-tu perdu la tête ?
— Tu le sais très bien.
— Non.
— Tu mens ! Lâche-moi. Tu me prends pour une idiote ? Tu crois que je ne l'ai pas vue, cette fille, cette petite noiraude ? Elle te mangeait des yeux. Ridicule, grotesque. A peine quinze ans, une vraie môme. Tu crois que je n'ai rien vu ?
— Arrêtons-nous ici une minute, et calme-toi.

Ils prirent une table à la buvette. Elle le regardait avec une méfiance haineuse, et elle passait la main devant ses yeux, d'un petit geste convulsif, comme si quelque chose la gênait.

— J'ai soif. Je voudrais un cognac.

— De la bière, si tu veux. Pas de cognac.

— Pourquoi pas de cognac?

— La question n'est pas là. Écoute-moi bien. Cette histoire, à propos de cette fille, est une invention. Une pure invention. Tu comprends ce mot-là?

— Quand je vois quelque chose que tu ne veux pas que je voie, c'est toujours une pure invention.

Il se sentait curieusement coupable, comme dans un cauchemar, quand on vous accuse d'un crime, et on sait que c'est vrai, on est obligé d'avouer qu'on l'a vraiment commis, et c'est seulement au réveil qu'on finit par savoir qu'on ne l'a pas commis. Il détourna les yeux.

— Il faut aller rechercher les enfants. Je les ai laissés dans une baraque, avec une bohémienne. Viens.

— Tu te prends pour qui? Pour l'hypnotiseur Svengali?

Un quart d'heure plus tôt, ils formaient une famille unie. Et elle était là, maintenant, coincée contre le mur. Il était obligé de lui barrer la route, et tout lui semblait une erreur, le mariage, les enfants — une dangereuse erreur.

— On rentre à la maison.

— La maison!

Comme un rugissement, et sa voix, qu'elle ne contrôlait plus, se brisa en tremblant sous tant de violence.

Et rester assise, et savoir qu'on est tous en train de pourrir, que dans toutes les boîtes que j'ouvrirai je trouverai les cendres de mes enfants en train de pourrir. C'est obscène!

Il comprit, avec une sorte de soulagement, que les mots qu'elle prononçait étaient comme un remède pour elle, qu'elle se désinfectait à travers eux. Et Nicole, qui réagissait comme une écorchée vive, lut aussitôt sur son visage qu'il se rassurait peu à peu. Son propre visage s'adoucit.

— Dick, balbutia-t-elle, aide-moi, aide-moi...

Une angoisse horrible le submergea. Comment supporter que cette femme si belle, cette tour élancée, ne sache pas se tenir droite, qu'elle cherche toujours un appui, qu'elle ne puisse le trouver qu'en lui? Elle avait raison, d'une certaine façon. Les hommes sont là pour ça, pour la charpente et le dessin, pour la poutre du toit et l'assise logarithmique. Mais Dick et Nicole n'étaient plus deux êtres opposés et complémentaires. Ils étaient égaux et inséparables. Nicole était Dick. Elle était la moelle de ses os. Il ne pouvait pas la voir se détruire sans se détruire lui-même. Son intuition d'elle se changeait en tendresse et en compassion. Il ne pouvait qu'avoir recours aux méthodes modernes, et faire intervenir un tiers — il fallait qu'une infirmière de Zurich la prenne en charge pour la nuit.

— Tu *peux* m'aider.

Comme une douce obstination pour le déraciner lui-même.

— Tu m'as aidée autrefois. Tu peux m'aider maintenant.

— Je n'ai qu'une façon de t'aider, toujours la même.

— Quelqu'un peut m'aider.

— Peut-être. Mais toi, avant tout. Allons chercher les enfants.

Il y avait des quantités de baraques de loterie avec des roues très blanches. Lorsqu'il entra dans la première, et que personne ne comprit ce qu'il demandait, il eut un moment de panique. Nicole restait à l'écart, le regard lointain. Elle refusait les enfants. Ils faisaient partie d'un monde trop bien équilibré, qu'elle cherchait à anéantir. Dick finit par les retrouver, au milieu d'un cercle de femmes admiratives, qui les examinaient comme des objets fragiles, et de petits paysans ébahis.

— Merci, monsieur. Oh! monsieur est trop généreux. C'était un plaisir, monsieur. Madame, monsieur... Au revoir, mes petits.

Ils reprirent la route. Une tristesse étouffante les accompagnait. La voiture semblait alourdie par tout ce poids d'angoisse, et les enfants, terriblement déçus, avaient un visage fermé. Le chagrin était là, avec ses couleurs sombres, étrangères, menaçantes. A un moment, non loin de Zoug, comme la route passait près d'une maison d'un jaune brumeux, Nicole fit un effort désespéré, et dit qu'elle ressemblait à un tableau pas encore sec, réflexion qu'elle avait déjà faite quelques jours plus tôt, mais c'était comme si elle voulait se raccrocher à une corde usée trop vite.

Dick essayait de retrouver son calme. Il savait que la vraie bataille allait reprendre à la maison, qu'il serait obligé de s'asseoir près d'elle, de travailler longtemps à recoller ensemble les débris de leur univers. On appelle « schizophrène » celui dont la personnalité s'est désintégrée. Nicole comprenait tout, par moments, et n'avait pas besoin qu'on lui explique quoi que ce soit. A d'autres moments, il était impossible de *rien* lui expliquer. Il fallait sans cesse affirmer, insister. Il fallait que la route conduisant au monde réel reste toujours ouverte, que celle qui permettait de le fuir devienne de plus en plus inaccessible. Mais, dans son acuité et sa mobilité, la folie rappelle la prodigieuse habileté de l'eau, lorsqu'elle veut fendre, contourner ou noyer un barrage. Pour lutter contre elle efficacement, il fallait s'y mettre à plusieurs et lui offrir un front uni. Nicole devait se prendre en charge, cette fois. C'était nécessaire et Dick le savait. Il allait lui laisser le temps de se souvenir des crises précédentes, pour qu'elle se révolte à ce souvenir. Il était fatigué. Il pensa au régime, qu'ils avaient assoupli depuis un an, auquel il allait falloir revenir.

Il prit un raccourci, qui conduisait à la clinique à travers les collines. Au moment où il accélérait, pour s'engager sur une ligne droite, la voiture fit une brusque embardée à gauche, puis à droite, et bascula sur deux roues. Assourdi par les cris de Nicole, Dick parvint à écarter cette main démente qui avait empoigné le volant, et à redresser la voiture, qui fit une nouvelle embardée, quitta la route, continua de rouler dans des taillis très bas, bascula de nouveau et vint s'encastrer dans un arbre, en dessinant un angle de quatre-vingt-dix degrés.

Les enfants hurlaient, Nicole hurlait, en blasphémant, en cherchant à griffer le visage de Dick. Il ne pensait qu'à la position de la voiture. Jusqu'à quel point était-elle dangereuse ? Il repoussa Nicole, réussit à ouvrir la portière la plus haute et délivra les enfants. La voiture ne menaçait pas de basculer davantage. Il resta là, un moment, hors d'haleine, les mains tremblantes.

— Oh ! toi... cria-t-il.

Elle riait aux éclats, sans éprouver ni honte, ni frayeur, comme si elle n'y était pour rien. Personne, en la voyant, n'aurait pu croire qu'elle venait de provoquer l'accident elle-même. Elle riait comme une enfant, qui a fait une petite fugue.

— Tu as eu peur, avoue ?

Elle le narguait.

— Peur pour ta vie, avoue ?

Elle l'affirmait avec une telle autorité, et il était encore si bouleversé, qu'il se demanda s'il avait vraiment eu peur pour lui-même. Mais, devant l'air terrifié des enfants, qui regardaient alternativement leur père et leur mère, il eut envie d'écraser cet affreux visage grimaçant.

Il y avait une auberge, juste au-dessus d'eux. Cinq cents mètres environ, par la route en lacet, mais moins de cent mètres, si on grimpait à travers la colline. On apercevait entre les feuillages une aile du bâtiment.

— Lanier, prends la main de Topsy, comme ça, serre-la bien fort, et monte jusque là-haut, par ce petit sentier, tu vois? Quand tu arriveras à l'auberge, tu diras, en français : « La voiture des Diver est cassée. » Quelqu'un viendra sûrement.

Lanier n'avait pas très bien compris ce qui s'était passé, mais il soupçonnait quelque chose de terrible et d'extraordinaire.

— Et vous deux, vous allez faire quoi? demanda-t-il.

— On va attendre ici, près de la voiture.

Les enfants partirent, sans un regard pour leur mère.

— Sois prudent en traversant la route, cria Dick. Regarde bien à droite et à gauche.

Ils étaient face à face, maintenant, Nicole et lui, et ils se regardaient, comme de deux fenêtres éclairées de chaque côté d'une cour. Puis Nicole sortit son poudrier, se pencha vers le petit miroir, remit en place une mèche sur sa tempe. Dick surveillait les enfants qui montaient la colline. A mi-chemin, ils disparurent entre les pins. Il fit alors le tour de la voiture pour constater les dégâts, et chercher un moyen de la remonter sur la route. On voyait dans les taillis la trace de leur course en zig-zag, sur plus de cinquante mètres. Il était envahi par un profond dégoût, qui n'avait rien à voir avec de la colère.

Au bout de quelques minutes, le propriétaire de l'auberge arriva en courant.

— Grands dieux ! mais qu'est-ce qui s'est passé ? Vous rouliez trop vite ? Vous avez eu une sacrée chance. Si vous n'aviez pas rencontré cet arbre, vous auriez roulé jusqu'en bas !

Il fallait se servir de la présence bien réelle d'Emile l'aubergiste, de son large tablier noir, des traces de transpiration bien visibles sur son visage rebondi. D'un geste, il fit comprendre à Nicole qu'il allait l'aider à sortir de la voiture, qu'elle se laisse faire. Mais elle voulut sauter elle-même, par la portière la plus basse, tomba sur les genoux, finit par se relever. Elle regarda les deux hommes, qui essayaient de bouger la voiture. Comme son expression devenait sarcastique, Dick lui dit rapidement :

— Va rejoindre les enfants là-haut.

Il se souvint trop tard qu'elle avait voulu boire un cognac, et qu'il y en avait sûrement à l'auberge. Il dit à Emile de ne plus s'occuper de rien. Il suffisait d'attendre que le chauffeur vienne, avec une plus grosse voiture, et la remorque jusqu'à la route. Et ils regagnèrent l'auberge le plus vite possible.

16

— Il faut que je m'absente, dit-il à Franz. Un mois, peut-être plus. Enfin, le plus longtemps possible.

— C'est normal, Dick. Ça fait partie de nos accords. C'est vous qui avez refusé de vous absenter jusqu'ici. Si Nicole et vous...

— Je pars sans Nicole. Je pars seul. Ce qui vient de se passer m'a complètement épuisé. Je dors à peine deux heures par nuit. C'est l'un des miracles de votre Zwingli.

— Vous avez besoin d'une cure d'abstinence ?

— D'absence serait le mot juste. Écoutez-moi. Si je vais au congrès de Psychiatrie de Berlin, pouvez-vous veiller à ce que la paix règne ici ? Ça fait trois mois que la crise est passée. Elle s'entend très bien avec son infirmière. Franz, vous êtes le seul être au monde à qui je puisse demander ça.

Franz poussa un petit grognement, sans être vraiment sûr qu'on puisse toujours compter sur lui pour prendre en charge les problèmes personnels de son associé.

Huit jours plus tard, Dick se fit conduire à l'aéroport et prit un avion pour Munich. L'appareil s'éleva en grondant vers le ciel. Il se sentit comme engourdi et put mesurer sa fatigue. Un calme profond l'envahit, et il finit par se laisser convaincre d'abandonner aux malades la maladie, aux moteurs ce bruit de tonnerre, au pilote les commandes. Il était fermement décidé à n'assister qu'à une seule séance du congrès. Il savait d'avance ce qui l'y attendait : les nouveaux opuscules de Bleuler et de l'aîné des Forel, qu'il pouvait aussi bien étudier chez lui, l'exposé d'un médecin américain, qui soignait la démence précoce en arrachant les dents de ses malades, ou en cautérisant leurs amygdales, exposé qui serait accueilli avec un respect à peine teinté d'ironie, parce que l'Amérique était un pays riche et puissant. Les autres délégués américains, il les voyait déjà : Schwartz, avec ses cheveux brun-roux, son visage d'ascète, la patience infinie avec laquelle il cherchait à faire coïncider deux mondes, mais, à côté de lui, des dizaines d'aliénistes aux préoccupations purement commerciales, inquiétants comme des renards, venus là pour gonfler leur standing afin d'accéder aux charges les plus en vue d'experts en criminalité, et apprendre à maîtriser quelques nouveaux sophismes, qu'ils pourraient faire figurer en bonne place, dans leur stock de produits à vendre, créant ainsi une définitive confusion des valeurs. Il y aurait aussi quelques Italiens cyniques, quelques disciples de Freud, venus de Vienne. Dominant cette faune, on apercevrait le grand Jung, affable et super-énergique, naviguant entre les ombrages touffus de l'anthropologie et les névroses des étudiants. Le congrès prendrait au début une tournure nettement américaine, presque « rotarienne » dans son forma-lisme et son cérémonial. Puis la vitalité plus dense et plus drue des Européens se manifesterait. Les Amé-ricains abattraient alors leur dernier atout, en an-nonçant des subventions mirobolantes, des inves-tissements colossaux, des créations d'immenses laboratoires et de centres de formation. Submergés par cette avalanche de chiffres, les Européens ne pourraient que blêmir et partir sur la pointe des pieds. Mais il ne serait plus là pour les voir.

L'avion survolait les montagnes du Vorarlberg. Dick s'enchanta d'apercevoir les petits villages qui s'y nichaient, et leur trouva un charme bucolique. Il y en avait toujours cinq ou six en vue, lovés autour de leur église. C'était si rassurant de regarder la terre de si haut, aussi rassurant que de jouer à la guerre avec des soldats de plomb et de petites pou-pées. C'est ainsi que les hommes d'État, les géné-raux, les retraités, devaient regarder les choses. Et c'était, de toute façon, un superbe tracé du relief.

Un Anglais, assis de l'autre côté du couloir central, essaya d'engager la conversation, mais depuis quel-que temps Dick trouvait les Anglais plutôt anti-pathiques. L'Angleterre ressemblait pour lui à un homme très riche, qui vient de participer à une orgie écœurante, et qui tente d'amadouer sa famille en disant un mot aimable à chacun, mais personne n'est dupe, car il est par trop évident que cet homme ne cherche qu'à regagner sa propre estime pour réusurper son pouvoir.

Il avait acheté à l'aéroport tous les magazines qu'il avait pu trouver : *The Century, The Motion Picture, L'Illustration,* et *Der Fligende Blätter.* Mais c'était tellement plus amusant de s'enfoncer en imagination dans ces petits villages, de marcher dans les rues, de serrer la main des paysans, d'entrer dans l'église et de s'y asseoir, comme il s'asseyait, à Buffalo, dans l'église de son père, avec tous les fidèles en habits du dimanche soigneusement amidonnés. Il écoutait la grande leçon du Credo, *a été crucifié, est mort, a été enseveli,* et il se demandait s'il allait donner cinq ou dix *cents* à la quête, parce qu'il y avait sur le banc, derrière lui, une jeune fille qui le regardait.

L'Anglais lui emprunta ses magazines, contre une menue monnaie de petites phrases aimables, et Dick, ravi de s'en débarrasser, se mit à rêver au voyage qu'il voulait entreprendre. Comme un loup déguisé en agneau, dans son manteau de laine d'Australie à longs poils, il imagina l'univers de plaisir qui allait s'ouvrir devant lui — la Méditerranée, et ses rivages immuables, la douce poussière du passé sur le tronc des vieux oliviers, la petite paysanne de Savone, son visage rose et vert, comme une enluminure de missel. Il aurait voulu lui tendre les mains, l'aider à franchir la frontière, mais...

...mais il l'abandonna soudain, attiré par les îles grecques, le brouillard des ports inconnus, la fille perdue sur la plage, la lune des refrains populaires. La conscience de Dick s'était en grande partie formée grâce aux images clinquantes de son enfance. Il était pourtant parvenu, à travers ce faux luxe et cet éclat trompeur, à alimenter le brasier douloureux et secret de son intelligence.

17

Tommy Barban était un meneur. Tommy Barban

était un héros. Dick le rencontra par hasard, à Munich, dans un café de la Marienplatz, où des joueurs sans envergure agitent leurs cornets à dés au-dessus de petits napperons de laine. L'atmosphère était lourde de discussions politiques, rythmées par le bruit des cartes abattues.

Assis à une table, Tommy riait de son grand rire martial — *Um-buh... ah! ah!... Um-buh... ah! ah!* Il buvait très peu, par principe. Il jouait sans cesse avec son courage, et ses compagnons avaient toujours un peu peur de lui. Un chirurgien de Varsovie lui avait enlevé, quelques semaines plus tôt, un important fragment de boîte crânienne, qui était en train de se reformer, à l'abri de sa chevelure, et le plus chétif des consommateurs aurait pu le tuer sans problème, avec une simple serviette à laquelle il aurait fait un nœud.

— ...vous présente le prince Chillicheff... (une épave russe plutôt grisonnante, aux abords de la cinquantaine), Mr. McKillen... Mr. Hannan...

Ce dernier, une sorte de clown rondouillard et surexcité, noir de cheveux, noir de regard, attaqua Dick sans attendre.

— Une question, avant de vous serrer la main : qu'est-ce qui vous prend de folâtrer avec ma tante ?

— Moi ? Mais...

— Vous m'avez parfaitement entendu. Qu'est-ce que vous faites à Munich, en tout cas ?

— Um-buh... ah! ah!, rugit Tommy.

— Vous manquez de tantes, dans votre famille ? Vous ne pouvez pas folâtrer avec l'une d'entre elles ?

Dick se mit à rire, et l'autre changea de tactique aussitôt.

— Assez parlé de tantes. Qui me dit que ce n'est pas vous qui avez monté toute l'affaire ? Il y a moins d'une demi-heure, j'ignorais jusqu'à votre existence. Vous m'étiez complètement étranger, et vous venez me raconter une histoire sans queue ni tête, à propos de tantes. C'est peut-être pour vous camoufler, pour qu'on ne sache pas qui vous êtes.

Tommy rugit de nouveau, et dit, d'un ton très gentil mais très ferme :

— Ça suffit, Carly. Asseyez-vous, Dick. Comment allez-vous ? Comment va Nicole ?

Il n'aimait guère les autres hommes, et leur présence le laissait indifférent. Il était dans un état de décontraction absolue, toujours prêt à se battre. Comme un parfait athlète, qui joue les suppléants, se repose vraiment en attendant son tour, alors qu'un homme moins bien entraîné fait croire qu'il se détend, mais n'est pas capable de maîtriser une tension nerveuse qui lui enlève tous ses moyens.

Hannan n'avait pas dit son dernier mot. Il y avait un piano à côté de leur table. Il alla s'y asseoir, et se mit à frapper de longs accords, en regardant Dick avec une rancune évidente, et en murmurant : « Vos tantes... vos tantes... », puis, sur un rythme de plus en plus lent : « Je n'ai pas parlé de tantes, mais de rentes... »

— Bon, comment allez-vous ? répéta Tommy. Vous avez l'air moins...

Il cherchait ses mots.

— ...comment dire ? Moins sémillant que d'habitude, moins tiré à quatre épingles, si vous voyez ce que je veux dire.

C'était une façon assez désobligeante de lui laisser entendre qu'il avait perdu peu à peu son dynamisme et sa vitalité, et Dick, agacé, s'apprêtait à répondre par une réflexion vengeresse, concernant l'accoutrement de Tommy et du prince Chillicheff — accoutrement tellement extravagant, quant au tissu et à la coupe, que même à Beale Street, un dimanche, il aurait fait scandale — mais le prince le devança.

— Je vois que vous regardez nos complets. C'est que nous arrivons de Russie.

— Ils ont été faits en Pologne, précisa Tommy. Confectionnés par le tailleur de la Cour. Parfaitement. Le propre tailleur de Pilsudski.

— Vous y étiez en touristes? demanda Dick.

Ils éclatèrent de rire, et le prince riait si fort qu'il donnait de grandes tapes dans le dos de Tommy.

— Oui, oui, en touristes, exactement ça, en touristes. Nous avons fait le grand tour de toutes les Russies. En première classe.

L'explication lui fut fournie, en quatre mots, par Mr. McKillen.

— Ils se sont évadés.

— Vous étiez prisonniers en Russie?

— Moi, oui, dit le prince, en posant sur Dick un regard jaunâtre. Pas exactement prisonnier. Caché.

— Avez-vous eu beaucoup de mal à vous évader?

— Beaucoup. Nous avons laissé trois cadavres à la frontière. Trois cadavres de Gardes Rouges. Tommy en a laissé deux.

Il leva deux doigts écartés, à la façon des Français.

— Moi, un.

— C'est ça que je n'arrive pas à comprendre, dit Mr. McKillen. Pourquoi refusaient-ils de vous laisser partir?

Hannan, toujours au piano, tourna la tête, et fit un clin d'œil aux deux autres.

— Ce cher McKillen s'imagine qu'un marxiste, c'est quelqu'un qui a étudié au collège Saint-Marc.

C'était une histoire d'évasion, dans la plus parfaite tradition: un aristocrate, qui reste caché neuf ans, avec son plus vieux serviteur, qui travaille à la boulangerie d'État. Sa fille, âgée de dix-huit ans, qui rencontre Tommy Barban à Paris... En écoutant toute l'histoire, Dick jugea que l'évasion de cette relique en papier mâché d'une époque révolue ne justifiait en aucune façon la mort de trois jeunes gens. On demanda ensuite à Tommy et au prince s'ils avaient eu peur.

— Quand j'avais froid, oui, avoua Tommy. Le froid, c'est la seule chose qui me terrifie. Pendant la guerre, chaque fois que j'avais froid j'avais peur.

McKillen se leva.

— Il faut que je parte. Je prends la route demain matin pour Innsbruck, avec ma femme et mes enfants. Et leur institutrice.

Dick sourit.

— J'y vais demain, moi aussi.

— Vraiment? Pourquoi ne pas voyager avec nous? Ma Packard est très grande. Je n'emmène que ma femme et mes enfants. Et leur institutrice.

— Je ne peux pas. Je...

— Ce n'est pas vraiment une institutrice, avoua McKillen, en jetant à Dick un regard assez attendrissant. Et ma femme connaît votre belle-sœur, Baby Warren, figurez-vous.

Dick n'avait pas envie de faire plus ample connaissance.

— J'ai promis à deux de mes collègues de voyager avec eux.

McKillen blêmit.

— Dans ce cas... Je vous dis au revoir.

Il alla délivrer deux fox-terriers de race, attachés à la table voisine, mais on sentait qu'il n'avait pas envie de partir. Dick imaginait la Packard, pleine de monde, se traînant pesamment sur la route d'Innsbruck, avec les McKillen, leurs enfants, leurs bagages, leurs chiens qui aboieraient sans cesse — et l'institutrice, bien sûr.

— Le journal prétend qu'on connaît l'assassin, dit Tommy. Mais ses cousins refusent que la presse en parle, parce que ça s'est passé dans l'un de ces tripots qu'on appelle *speakeasy*. Incroyable, non?

— C'est très exactement de l'orgueil familial.

Hannan plaqua un bruyant accord, pour attirer l'attention sur lui.

— Je ne crois pas du tout que ses premières œuvres tiennent, dit-il. Même si on exclut les Européens, il y a une bonne dizaine d'Américains capables d'écrire ce qu'a écrit North.

Première indication permettant à Dick de comprendre qu'ils parlaient d'Abe North.

— La seule différence, dit Tommy, c'est qu'Abe l'a écrit avant eux.

— Je répète que je ne suis pas d'accord. Ses amis lui ont fait une réputation de grand musicien, parce qu'il buvait tellement qu'il fallait bien trouver une explication.

— Que se passe-t-il avec Abe North? De quoi parlez-vous? A-t-il des ennuis?

— Vous n'avez pas lu le *Herald Tribune,* ce matin?

— Non.

— Il est mort. Il a été battu à mort dans un tripot, à New York. Il a quand même eu la force de se traîner jusqu'au Racquet Club pour mourir.

— *Abe North?*

— Lui-même. Ils disent...

— *Abe North?*

Dick s'était redressé.

— Êtes-vous sûr qu'il soit mort?

Hannan se tourna vers McKillen.

— Il n'a pas pu se traîner jusqu'au Racquet Club. Il n'en faisait pas partie. Ce doit être le Harvard Club.

— Le journal parle du Racquet Club, insista McKillen.

— C'est une erreur. C'est sûrement une erreur.

— *Battu à mort dans un speakeasy...*

— Je connais pratiquement tous les membres du Racquet Club. Ce ne *peut* être que le Harvard Club.

Dick se leva. Tommy aussi. Le prince Chillicheff interrompit le cours des rêveries nébuleuses qu'il entretenait à propos de rien — peut-être des chances qu'il avait de pouvoir s'évader de Russie, rêveries qui l'avaient occupé si longtemps qu'il ne pouvait pas encore s'en distraire — et les rejoignit.

— *Abe North battu à mort...*

Sur le chemin de l'hôtel, que Dick parcourut sans même s'en rendre compte, Tommy lui expliqua:

— Nous attendons que le tailleur finisse nos complets neufs et nous partons pour Paris. Je vais travailler chez un agent de change. Si je me présente dans cette tenue-là, on me mettra à la porte. Tout le monde réussit à gagner des millions dans votre pays. Vous partez vraiment demain matin? C'est absurde, on ne peut même pas dîner avec vous. Le prince avait une très vieille amie à Munich. Il lui a téléphoné, mais elle est morte depuis cinq ans, et nous dînons avec ses deux filles.

Le prince hocha la tête.

— Je peux peut-être m'arranger pour qu'elles invitent le docteur Diver.

Dick refusa d'un geste.

— Non, non, n'en faites rien.

Il dormit lourdement. Lorsqu'il s'éveilla, un cortège sinistre passait lentement devant sa fenêtre. Des hommes en uniforme, coiffés du casque à pointe, d'autres en redingote et chapeau haut de forme, bourgeois, aristocrates, gens du peuple. C'était une section d'anciens combattants qui allaient fleurir les tombes de leurs morts. Ils marchaient en se rengorgeant, avec une sorte de défi envers une splendeur perdue, un sursaut déjà oublié, une blessure cicatrisée. Leur tristesse n'était qu'apparente, mais le cœur de Dick se serra soudain, tant il regrettait la mort d'Abe North, et celle de sa propre jeunesse, dix ans plus tôt.

18

Il atteignit Innsbruck en fin d'après-midi, déposa ses

bagages à l'hôtel, et partit faire un tour en ville. A genoux, dans le crépuscule, l'Empereur Maximilien priait parmi ses pénitents de bronze. Quatre novices du couvent des jésuites arpentaient, un livre à la main, les jardins de l'université. Puis le soleil disparut, effaçant les vestiges de marbre, qui célébraient le souvenir de la ville assiégée, des mariages anciens et des anniversaires. Il mangea une soupe de pois cassés, où nageaient des rondelles de saucisse, but quatre pichets de Pilsener, et refusa un énorme dessert, pompeusement baptisé « Kaiser-Schmarren ».

Malgré les montagnes qui l'entouraient, la Suisse était loin. Nicole était loin. Il faisait tout à fait nuit, maintenant. Il se trouvait dans un jardin, et il pensait à elle avec indifférence, car il l'aimait pour ce qu'elle avait de meilleur. Il se souvint d'un jour où l'herbe était humide. Elle l'avait rejoint en courant, et ses sandales étaient couvertes de rosée. Elle s'était serrée contre lui, en prenant appui sur ses propres chaussures, et lui avait offert son visage, comme un livre ouvert.

— Pense à quel point tu m'aimes, avait-elle murmuré. Je ne te demande pas de m'aimer toujours à ce point-là, mais je te demande de t'en souvenir. Quoi qu'il arrive, il y aura toujours en moi celle que je suis ce soir.

Et voilà que pour le salut de son âme il était obligé de s'éloigner d'elle. Il cherchait à comprendre. Il s'était perdu lui-même — sans savoir quand, précisément : quelle heure, de quel jour, de quelle semaine, de quel mois, de quelle année. Il était capable de trancher autrefois, de faire la part des choses, de résoudre aussi facilement les équations les plus complexes que les problèmes les plus simples de ses malades les moins atteints. Mais, entre le moment où il avait rencontré Nicole, comme une fleur perdue sous une pierre du lac de Zurich, et celui où il avait rencontré Rosemary, le tranchant s'était émoussé.

Il était profondément désintéressé de nature. Mais il avait vu son père se débattre si souvent contre des problèmes insolubles, dans des paroisses misérables, qu'il s'était promis d'avoir de l'argent. Sans chercher par là à se rassurer. Il était sûr de lui, au contraire, lorsqu'il avait épousé Nicole, parfaitement sûr de ses aptitudes et de ses facultés. Comme jamais sans doute il ne l'avait été. On l'avait pourtant annexé, comme on s'annexe un gigolo, et il s'était laissé faire. Il avait accepté que tout son arsenal, tout ce qu'il possédait de forces et de savoir, soit mis à l'abri dans les coffres-forts de la famille Warren.

— J'aurais dû signer avec eux un accord financier, comme on le fait en Europe. Mais rien n'est fini. J'ai perdu huit ans de ma vie à apprendre aux gens riches le B.A.BA du respect humain, mais je n'ai pas dit mon dernier mot. J'ai d'autres cartes dans mon jeu.

Il marchait dans l'obscurité, entre des buissons de roses fanées et de grands tapis de fougères humides. Il faisait très doux pour un mois d'octobre, mais on supportait un manteau de tweed, fermé jusqu'au cou par une petite tresse élastique. Une silhouette se détacha de l'ombre d'un arbre, et il reconnut la jeune femme qu'il avait croisée dans le hall de l'hôtel, en sortant. Il était amoureux de toutes les jolies femmes, maintenant, même aperçues de loin, même d'une ombre sur un mur.

Elle lui tournait le dos et regardait les lumières de la ville. Il fit craquer une allumette. Elle l'entendit sûrement mais resta immobile.

« Est-ce une invite ? Ou une façon de me faire comprendre qu'elle pense à autre chose ? » Il avait quitté depuis si longtemps le monde où les désirs s'avouent franchement et se satisfont sans problème qu'il se sentait stupide et maladroit. Sans doute existait-il un code, permettant à ceux qui hantent la pénombre des stations à la mode de se reconnaître à coup sûr. Mais comment en trouver la clef ?

« Peut-être est-ce à moi de tenter un geste ? Les enfants qui se rencontrent pour la première fois se sourient simplement et disent : *On joue ?* »

Il s'approcha. L'ombre fit un pas de côté. Risquait-il de se faire remettre à sa place, comme les petits voyous prétentieux, dont il avait entendu parler dans sa jeunesse ? Il se tenait, le cœur battant, au bord de l'inconnu, de l'inexpliqué, de l'inexploré, de l'inanalysable. Il tourna le dos, brusquement, et l'ombre, au même instant, se détacha de l'arbre, fit lentement le tour d'un banc, et, d'un pas décidé, s'engagea dans l'allée qui reconduisait à l'hôtel.

Le lendemain, en compagnie de deux autres touristes, et sous la conduite d'un guide, Dick fit l'ascension du Birkkarspitze. C'était un plaisir merveilleux de traverser ainsi les plus hauts pâturages, dans le tintement des cloches de vaches — et il se réjouissait déjà de la nuit qu'il allait passer au refuge, enchanté par sa propre fatigue, par la compétence du guide, par cet anonymat dans lequel il vivait. Mais le ciel se couvrit vers midi. Neige fondue, grêle, tonnerre. Dick et l'un des deux autres touristes auraient voulu continuer, mais le guide s'y opposa. Ils regagnèrent Innsbruck à contrecœur, et remirent l'excursion au lendemain.

Après avoir dîné, dans la salle à manger déserte de l'hôtel, et bu toute une bouteille d'un vin de pays très râpeux, il se sentit nerveux sans comprendre pourquoi, mais l'image du jardin de la veille finit par s'imposer. Juste avant le dîner, il avait de nouveau croisé la jeune femme dans le hall. Elle l'avait regardé, cette fois, comme pour l'encourager. Mais il continuait à ne pas comprendre : « Pourquoi ? A une certaine époque, j'aurais pu m'offrir presque toutes les jolies femmes. Il suffisait de demander. Alors pourquoi me laisser tenter, maintenant ? Attiré par une ombre, poussé par un vague désir ? Pourquoi ? »

Son imagination cherchait à l'entraîner, mais son vieil ascétisme finit par triompher, joint à sa maladresse et à son manque d'habitude : « Descendre sur la Riviera, et coucher avec Janice Caricamento ou la fille Wilburhazy, ça pourrait encore s'expliquer. Mais discréditer toutes ces années, par quelque chose de si facile, de si vulgaire ? »

Il ne parvenait pas à se calmer, et il quitta la véranda pour regagner sa chambre, et y réfléchir plus à l'aise. Se sentir solitaire, tant d'esprit que de corps, incline vers la solitude, et la solitude elle-même incline à plus de solitude encore.

Il se mit à marcher dans sa chambre, en repensant à ce jardin, et en faisant sécher sur le radiateur tiède les vêtements qu'il portait pendant son excursion. Il retrouva, dans l'une des poches, le télégramme de Nicole, qu'il n'avait pas encore ouvert — télégramme par lequel elle accompagnait chaque jour son voyage. Il n'avait pas voulu l'ouvrir avant d'avoir dîné — à cause du jardin peut-être. C'était un télégramme de Buffalo, réexpédié de Zurich.

Votre père mort calmement cette nuit. Signé : Holmes.

La douleur fut si violente qu'il rassembla toutes ses forces pour s'y opposer, mais elle fut la plus forte, et atteignit les reins, le ventre, la poitrine.

Il relut le télégramme, se laissa tomber sur son lit, le regard fixe. Il respirait difficilement. Il réagissait avec l'égoïsme inné des enfants, qui s'éveille toujours à la mort des parents : que vais-je devenir, maintenant que mon plus ancien et plus sûr refuge s'est effondré ?

Mais cette peur ancestrale s'apaisa et il recommença à marcher dans la chambre. De temps en temps il s'arrêtait pour relire le télégramme. Holmes était, en principe, le vicaire de son père, mais depuis une dizaine d'années c'est lui qui avait pris la paroisse en charge. De quoi est-il mort ? De vieillesse ? Soixante-quinze ans. Longue vie...

Quelle tristesse de mourir seul. Il avait survécu à sa femme, à ses frères et sœurs. Il avait encore des cousins en Virginie, mais ils étaient trop pauvres pour venir dans le Nord. C'est donc Holmes qui avait rédigé le télégramme. Dick était très attaché à son père. Chaque fois qu'il avait un jugement à formuler, il se demandait ce que son père aurait dit ou pensé. A sa naissance, ses deux sœurs venaient de mourir, et, craignant que le comportement de sa femme ne s'en ressente, et qu'elle passe tout à son fils, son père s'était chargé de l'élever lui-même. C'était un homme bien fatigué pourtant, mais il s'était imposé cet effort.

En été, le père et le fils allaient faire cirer leurs chaussures en ville — Dick dans un costume marin de toile blanche amidonnée, son père dans son impeccable tenue de pasteur. Et le père était tellement fier de son petit garçon. Il lui apprenait tout ce qu'il savait de la vie, pas grand-chose peut-être, mais c'était toujours si juste et si simple, des notions de conduite morale qui convenaient à son rôle de pasteur. « Un jour, dans une ville où je venais d'arriver, juste après mon ordination, je suis entré dans une pièce pleine de monde, sans savoir qui était la maîtresse de maison. Des gens que je connaissais sont venus vers moi, mais j'ai fait comme si je ne les voyais pas, parce que j'avais remarqué une femme, avec des cheveux gris, qui était assise près d'une fenêtre, à l'autre bout de la pièce. Je suis allé vers elle. Je me suis présenté. Et je me suis fait beaucoup d'amis dans la ville, après ça. »

Il avait agi selon son bon cœur. Il était toujours sûr de ce qu'il était. Il avait une dignité profonde, héritée de deux dignes veuves, qui lui avaient appris que les « bons instincts » comptent plus que tout : l'honneur, le courage et la courtoisie.

Il avait toujours estimé que le peu d'argent laissé par sa femme appartenait à son fils. Quand Dick était à New Haven, puis quand il avait fait ses études de médecine, il lui avait expédié un chèque, tous les trois mois, très régulièrement. C'était un de ces hommes, dont on dit, sur un ton un peu condescendant : « Un parfait gentleman, mais sans grande envergure. »

Dick se fit apporter un journal. Le télégramme était ouvert sur son bureau. Tout en allant et venant dans sa chambre, il consulta la liste des départs, et choisit le navire sur lequel il allait s'embarquer. Puis il appela Nicole à Zurich, et, tout en attendant la communication, il repensait à bien des choses et se demandait s'il s'était toujours montré aussi bon qu'il aurait voulu l'être.

19

La mort de son père l'avait si profondément bouleversé qu'en découvrant sa terre natale et ses rivages magnifiques, en entrant dans le port de New York, il eut l'impression d'assister, pendant plus d'une heure, à un spectacle aussi triste que grandiose. Mais cette impression disparut, sitôt débarqué, et elle ne revint jamais plus — ni dans les rues, ni dans les hôtels, ni dans les trains qui le conduisirent d'abord à Buffalo, puis dans le Sud, en Virginie, avec le cercueil de son père. Ce ne fut pourtant qu'à l'instant où le petit convoi local roula en cahotant sur la terre rouge du comté de Westmorland, entre les touffes d'arbustes nains, qu'il se sentit en plein accord avec le paysage. Il reconnut, au-dessus de la gare, une étoile qui lui était familière, et la lune blafarde qui rayonnait sur Chesapeake Bay. Il reconnut le grincement rauque des charrettes, le murmure des voix naïves, le grondement sourd des rivières paresseuses, qui roulaient doucement depuis des millénaires, sous de doux noms indiens.

Le lendemain, on enterra son père dans le cimetière où reposaient déjà des centaines de Diver, de Dorsey, de Hunter. Il devait se sentir plus heureux, avec tous ces parents et ces amis autour de lui. On jeta des fleurs dans la terre ouverte. Plus rien désormais n'attachait Dick à ce pays, et il se dit qu'il n'y reviendrait pas. Il s'agenouilla. Ces morts il les connaissait tous. Il connaissait leurs visages, brûlés par le grand air, leurs regards bleu vif, leurs corps si maigres et si nerveux, leurs âmes si longtemps façonnées par l'ombre inconnue des épaisses forêts du dix-septième siècle.

— Adieu, père. Adieu, tous mes pères.

Lorsqu'on arrive sur les quais où sont amarrés les navires, derrière des hangars à toits plats, on se trouve dans un pays qui n'est déjà plus celui d'où l'on vient, pas encore celui où l'on va. Les bruits assourdissants tournent sous les verrières jaunâtres. On entend le roulement sec des trains de marchandises, le déferlement des chariots à bagages, le sifflement strident des grues, et l'odeur salée de la mer vous suffoque. Même si rien ne vous presse, on se sent obligé de se dépêcher. Le continent qu'on laisse derrière soi représente le passé. L'avenir prend l'aspect des soutes béantes, ouvertes dans le flanc des navires. Dans leur tumulte et leur agitation confuse, les quais tiennent lieu de présent.

Tout change, dès qu'on a franchi la passerelle, monde rétrécit. On devient citoyen d'une républic plus étroite que celle d'Andorre. On perd toute ass rance. Les cabines paraissent étranges, les homm qui occupent le bureau du commissaire de bord plu étranges encore. Dans le regard des autres voyageurs et dans celui de leurs amis, on ne lit que distance et mépris. La sirène lance alors son hurlement lugubre. Le navire, cette invention de l'homme, est parcouru d'inquiétants tremblements — et s'écarte du bord. Le quai glisse lentement le long de ses flancs, tous visages confondus, et, pendant un moment, c'est comme si un fragment du quai lui-même se détachait accidentellement. Les visages ne sont bientôt plus qu'une brume. Les voix s'estompent. Le quai devient une ombre parmi d'autres en bordure de mer. Puis le port lui-même bascule. Le navire est au large.

Albert McKisco s'était embarqué sur le même navire. Il représentait, pour les journalistes, la plus précieuse des cargaisons. McKisco était à la mode. Il pastichait ouvertement, dans ses livres, les plus grands écrivains de l'époque, exploit qui inspire le respect, et comme il avait le don d'affaiblir et de vulgariser tout ce qu'il empruntait aux autres, ses nombreux lecteurs s'émerveillaient de pouvoir le lire aussi facilement. Le succès, en le bonifiant, l'avait rendu plus humble. Il s'était découvert une capacité de travail supérieure à celle de bien des écrivains plus doués que lui, et, puisqu'il avait du succès, il entendait l'exploiter au maximum. « Je n'ai pas encore fait grand-chose, avait-il l'habitude de dire. Le génie, je ne suis pas sûr d'en avoir. Mais, en travaillant sérieusement, je finirai peut-être par écrire un bon livre. » Certains plongeurs réussissent des plongeons superbes à partir de tremplins beaucoup moins élastiques. Il avait oublié les innom-

brables avanies dont il avait souffert. Sur le plan psychique, c'est son duel avec Tommy Barban qui était à l'origine de son succès — du moins, tel que sa mémoire l'avait embelli et transformé. Il y avait puisé un amour-propre entièrement remis à neuf.

Il repéra Dick Diver le second jour, s'arrêta devant lui d'un air engageant, se présenta lui-même avec un grand sourire, et s'installa sur la chaise longue voisine. Dick referma son livre, et lorsqu'il eut compris, après quelques minutes, que McKisco avait beaucoup changé, qu'il avait notamment perdu ce complexe d'infériorité qui le rendait insupportable, il prit grand plaisir à sa conversation. McKisco était « très ferré » sur un nombre incalculable de choses, plus « ferré » que Goethe lui-même ne l'avait jamais été. C'était fascinant de voir avec quelle adresse et quelle facilité il réussissait à faire la synthèse de tout ce qui passait à sa portée — synthèse qu'il présentait ensuite comme une opinion personnelle. Ils renouèrent donc connaissance, et prirent plusieurs repas ensemble. Les McKisco avaient été invités à la table du commandant, mais ils expliquèrent à Dick, avec une pointe de snobisme qui commençait à se faire jour, qu'ils n'avaient rien à voir avec ce genre de « cirque ».

Violet avait pris un côté « très grande dame ». Elle était harnachée par les grands couturiers, et découvrait avec éblouissement tout ce que les jeunes filles bien nées découvrent au cours de leur adolescence. Elle aurait pu faire ce genre de découvertes à l'ombre de sa mère, bien sûr, mais son âme s'était mélancoliquement éveillée dans les petits cinémas de Boise (Idaho), et elle n'avait pas eu le temps de s'intéresser à sa mère. Elle s'était enfin « détachée du peloton » — avec plusieurs millions d'autres personnes — et se sentait pleinement heureuse, malgré l'humeur de son mari, qui lui imposait brutalement silence dès qu'elle se montrait trop naïve.

Les McKisco débarquèrent à Gibraltar. Le lendemain soir, à Naples, dans l'autobus qui le conduisait de l'hôtel à la gare, Dick hérita de deux jeunes filles, accompagnées de leur mère, qui semblaient pitoyables et comme déboussolées. Il les avait aperçues sur le bateau. Poussé par un brusque élan chevaleresque, il décida de voler à leur secours — peut-être avait-il simplement besoin d'être admiré. Il réussit à les faire rire. Il leur offrit du vin, et remarqua avec plaisir qu'elles retrouvaient peu à peu leur égoïsme naturel. Il se racontait des histoires à leur sujet, leur inventait des vies, buvait plus que de raison pour entretenir ses illusions, et les trois femmes s'émerveillaient d'avoir mérité un tel cadeau du ciel. Il ne les quitta qu'au petit matin. Le train zigzaguait bruyamment entre Cassino et Frosinone. A Rome, ils se firent des adieux secrets, typiquement américains, et Dick, mort de fatigue, se fit conduire à l'hôtel Quirinal.

En arrivant à la réception, il leva soudain la tête et s'immobilisa. Une brusque chaleur l'envahit, comme une longue gorgée d'alcool, qui se serait infiltrée jusqu'au cœur, et lui aurait incendié le cerveau. Celle qu'il voulait voir, celle pour laquelle, sans se l'avouer, il venait de traverser la Méditerranée était là. Il venait de l'apercevoir.

Rosemary l'aperçut à la même seconde, et réagit d'instinct, avant même de l'identifier. Elle tourna la tête, comme effrayée, abandonna la jeune fille avec laquelle elle parlait, et s'avança vers lui. Il s'efforçait de rester calme, de contrôler sa respiration. Il lui fit face. Elle était si soignée, si nette — tout l'éclat d'un jeune cheval savamment étrillé, à la robe soyeuse, aux sabots vernis — qu'il fut comme réveillé en sursaut. Mais tout allait trop vite, et il cherchait seulement à masquer sa fatigue. En réponse au regard lumineux qu'elle posait sur lui, il se livra à une sorte de mimique un peu trop appuyée, qui voulait dire : « De tous les êtres qui sont au monde, il *faut* que ce soit vous ! »

Elle lui prit les mains dans ses mains gantées.

— Dick... On tourne : *Combien Rome était grande.* Enfin, on espère pouvoir le tourner. Mais ça peut s'arrêter d'un jour à l'autre.

Il la regardait fixement, pour qu'elle se sente un peu désarçonnée, et ne remarque pas trop qu'il était mal rasé, qu'il avait un col sale, une chemise chiffonnée. Elle semblait heureusement très pressée.

— La brume de chaleur se lève vers onze heures, ce qui nous oblige à tourner très tôt. Téléphonez-moi à deux heures.

Une fois dans sa chambre, il essaya de retrouver ses esprits. Il demanda qu'on le réveille à midi, se déshabilla en vitesse, et plongea dans un sommeil sans rêves.

On le réveilla à midi, comme prévu, mais il se rendormit jusqu'à deux heures, et se sentit tout à fait reposé. Il ouvrit ses valises, donna son linge et ses costumes à nettoyer. Il se rasa, marina une bonne demi-heure dans un bain chaud, et prit son petit déjeuner. Le soleil plongeait dans la Via Nazionale. Il le fit entrer dans sa chambre, en ouvrant les doubles rideaux, dans un glissement d'anneaux métalliques. En attendant qu'on lui rapporte son costume, il ouvrit le *Corriere della Serra,* et apprit que *Wall Street,* le roman de Sinclair Lewis, était la peinture de « *la vita sociale di una piccola citta Americana* ». Puis il s'efforça de penser à Rosemary.

Il ne trouva rien, au début. Jeune, d'accord, attirante, mais Topsy l'était tout autant. Il se dit ensuite que, depuis quatre ans, elle avait eu quelques amants, et qu'elle avait dû les aimer. D'accord, là aussi. On ne sait jamais la place qu'on occupe dans la vie des gens. Peu à peu, cependant, l'attachement qu'il avait pour elle se dégagea de ce brouillard. Les relations les plus solides s'établissent toujours sur l'envie qu'on a de les faire durer, et la connaissance exacte de ce qui les menace. Dick voulait s'emparer de tout ce qu'elle cachait en elle, ce trésor évident, cette richesse fabuleuse, et que rien n'existe en dehors de lui. Il fit le bilan de ce qui pouvait encore la séduire — nettement moins fourni qu'il y a quatre ans. Quand on a dix-huit ans, on regarde ceux qui en ont trente-quatre à travers le brouillard doré de l'adolescence. Quand on en a vingt-deux, on regarde ceux qui en ont trente-huit en toute lucidité. De plus, lorsqu'ils s'étaient rencontrés, Dick était dans un état d'extrême sensibilité affective. Depuis, ses facultés d'enthousiasme s'étaient nettement amenuisées.

Le valet de chambre lui rapporta son costume. Il mit une chemise blanche, un col neuf, noua une cravate noire piquée d'une perle. Le cordon qui retenait ses lunettes passait à travers une perle de même grosseur, et se balançait à hauteur de sa taille. Maintenant qu'il avait dormi, son visage avait retrouvé la couleur brun-rouge des étés de la Riviera. Pour se prouver qu'il n'avait rien perdu de sa souplesse, il fit l'arbre droit, en prenant appui sur une chaise, jusqu'à ce que son stylo et sa monnaie roulent sur le tapis. A trois heures, il appela Rosemary et fut autorisé à la rejoindre. Comme ses exercices acrobatiques l'avaient légèrement étourdi, il s'arrêta au bar pour boire un gin-tonic.

— Hello, docteur Diver !

S'il reconnut Collis Clay sans erreur, c'est que Rosemary habitait l'hôtel. Toujours sûr de lui, le jeune homme, et plus florissant que jamais, avec des joues énormes.

— Savez-vous que Rosemary est ici ?

— Je vais la rejoindre.

— J'étais à Florence. Quand j'ai su qu'elle tournait à Rome, je suis arrivé dare-dare. Incroyable ce qu'elle a changé, la petite-fille-à-sa-maman...

Il se reprit aussitôt.

— Je veux dire que sa mère l'a si bien élevée qu'elle évolue dans le grand monde avec une aisance parfaite, si vous comprenez ce que je veux dire. Les jeunes Romains sont sur les dents. Vous verrez qu'elle finira par en emporter un dans ses valises! Comme si c'était fait!

— Vous travaillez à Florence?

— Moi? Oui, j'étudie l'architecture. Je reste ici jusqu'à dimanche, à cause des courses.

Dick eut toutes les peines du monde à empêcher Collis de faire inscrire son gin-tonic sur l'ardoise qu'il avait au bar, et qui était déjà aussi impressionnante qu'un relevé de valeurs en Bourse.

20

Il sortit de l'ascenseur, s'engagea dans un couloir, qui semblait tourner sur lui-même, et finit par entendre une voix qui venait d'une porte entrouverte. Vêtue d'un pyjama noir, Rosemary buvait du café. La table roulante sur laquelle on lui avait servi son déjeuner était au milieu de la pièce.

— Vous êtes vraiment très belle, dit-il. Plus belle que jamais.

— Voulez-vous du café, jeune homme?

— Pardonnez-moi pour ce matin. Je n'étais pas présentable.

— Vous aviez l'air mal en point, en effet. Ça va mieux, maintenant? Vous voulez du café?

— Non merci.

— Vous m'avez inquiétée, ce matin, c'est vrai, mais c'est fini, vous êtes superbe. Ma mère doit venir me rejoindre, le mois prochain, si le tournage n'est pas arrêté d'ici là. Elle me demande toujours si j'ai l'occasion de vous rencontrer, comme si nous vivions sur le même palier. Elle vous aime beaucoup. Elle est toujours persuadée que ça m'a fait le plus grand bien de vous connaître.

— Je suis très flatté qu'elle pense encore à moi.

— Elle y pense, rassurez-vous. Elle y pense beaucoup.

— Je vous ai vue plusieurs fois, dans des films. J'ai même eu droit, un jour, à une projection privée de *Daddy's girl*.

— Dans ce qu'on tourne en ce moment, j'ai un très beau rôle. J'espère qu'ils ne couperont pas tout au montage.

Elle traversa la pièce, lui effleura l'épaule en passant, et demanda, par téléphone, qu'on vienne chercher la table roulante. Puis elle s'enfonça dans un grand fauteuil.

— Quand je vous ai connu, j'étais une petite fille. Je suis une femme, maintenant.

— Racontez-moi tout.

— Et Nicole? Et Lanier? Et Topsy?

— Ils vont très bien. Ils parlent souvent de vous, et...

Le téléphone sonna. Pendant qu'elle répondait, Dick regarda les deux romans qu'elle lisait — un d'Edna Ferber, l'autre d'Albert McKisco. Le garçon vint chercher la table. La pièce parut soudain très vide, et Rosemary très seule, dans son pyjama noir.

— ...Je suis avec quelqu'un... Non, non, c'est impossible. Il faut que j'essaie un costume chez l'habilleuse, et ça risque d'être très long... Non, non, pas maintenant...

Elle sourit à Dick, comme si la disparition de la

table roulante l'avait libérée — un sourire qui semblait dire qu'ils s'étaient arrangés, l'un et l'autre, pour écarter tout ce qui appartenait au monde extérieur, et pouvait les gêner, que leur paradis s'était refermé, qu'ils s'y trouvaient enfin tranquilles.

— Voilà qui est fait, dit-elle. Savez-vous que j'ai mis plus d'une heure à me préparer pour vous recevoir?

Mais le téléphone sonna de nouveau. Dick se leva pour prendre son chapeau, qu'il avait laissé sur le canapé, et le déposer sur la petite banquette réservée aux bagages. Brusquement inquiète, Rosemary posa la main sur le récepteur.

— Vous ne partez pas?

— Non, non.

Lorsqu'elle eut raccroché, il essaya d'obtenir d'elle qu'elle lui consacre son après-midi.

— En ce moment, dit-il, j'ai besoin des autres pour me nourrir.

— Moi aussi, avoua-t-elle. Savez-vous pourquoi cet homme vient de me téléphoner? Parce qu'il a connu autrefois le cousin d'un de mes cousins. Vous vous rendez compte? Prendre un tel prétexte pour téléphoner à quelqu'un!

Elle se préparait à l'amour en voilant les lumières. Pour quelle autre raison, sinon, aurait-elle voulu se cacher de lui? Il lui parlait, et ses phrases étaient comme de petites lettres qu'il lui aurait écrites, car, une fois qu'il les avait prononcées, elles mettaient un petit moment à l'atteindre.

— C'est difficile d'être assis là, si près de vous, et de ne pas vous embrasser.

Alors, ils s'embrassèrent, avec emportement, au centre de la pièce. Elle se serra contre lui, puis retourna s'asseoir dans son fauteuil.

Ils ne pouvaient pas continuer ainsi, comme un simple jeu, à avancer, à reculer. Quand le téléphone sonna de nouveau, Dick gagna la chambre à coucher, s'allongea sur le lit, et ouvrit le roman de McKisco. Elle finit par le rejoindre, s'assit près de lui.

— Vous avez des cils incroyablement longs.

— Et nous nous trouvons de nouveau au bal de Promotion des Juniors, mes chers auditeurs. Parmi les nombreux invités, nous remarquons Miss Rosemary Hoyt, qui s'intéresse passionnément à la longueur des cils...

Elle l'embrassa, et il la fit basculer sur le lit pour qu'ils soient allongés côte à côte. Ils s'embrassèrent jusqu'à perdre le souffle. Elle avait un souffle si jeune, si frais, si troublant. Des lèvres un peu gercées, si tendres aux commissures.

Ils étaient là, tout engoncés, avec leurs vêtements, leurs chaussures, et ils se débattaient, lui avec ses bras, son dos, elle avec ses seins, sa poitrine, et elle finit par murmurer:

— Non, non, pas maintenant. Ces choses-là obéissent à un certain rythme...

Il céda, refoula son désir dans un coin de sa tête, prit dans ses mains ce corps léger, et le souleva doucement pour qu'il vienne au-dessus de lui.

— C'est sans importance, dit-il en souriant.

Son visage n'était plus le même, maintenant qu'il la regardait d'en dessous. Il semblait caressé par un clair de lune hors du temps.

— Il y aurait eu comme une justice poétique à ce que ce soit vous, dit-elle.

Elle lui échappa, se dirigea vers un miroir, se recoiffa rapidement du bout des doigts. Puis elle tira une chaise près du lit, et lui caressa doucement la joue

— Dites-moi toute la vérité, demanda-t-il.

— Je l'ai toujours dite.

— En partie, mais rien ne concorde.

Ils rirent tous les deux, mais il poursuivit :

— Vous êtes vierge ?

— No...o...on, chantonna-t-elle. J'ai couché avec six cent quarante messieurs, si vous voulez savoir !

— Ça ne me regarde pas.

— Me considérez-vous comme un cas psychique intéressant ?

— Je vous considère comme une jeune fille de vingt-deux ans, parfaitement normale, et, comme nous sommes en 1929, je suis à peu près sûr que vous vous êtes risquée à quelques expériences amoureuses.

— Qui ont toutes... avorté.

Dick refusait de la croire. Il se demandait si elle cherchait délibérément à dresser des barrières entre eux, ou si c'était une façon de donner plus de prix à une éventuelle reddition.

— Allons faire un tour au Pincio, proposa-t-il.

Il remit de l'ordre dans ses vêtements, se brossa les cheveux. Le moment était arrivé, et le moment s'était enfui. Pendant trois ans, Dick avait été un archétype pour Rosemary, celui auquel elle comparait tous les autres hommes. Il avait fini par atteindre une dimension héroïque. Elle ne voulait pas qu'il soit comme les autres, et il était là pourtant, avec les mêmes désirs que les autres, les mêmes exigences, comme s'il voulait simplement lui dérober quelque chose, et l'emporter dans l'une de ses poches.

Ils marchaient lentement à travers les pelouses, au milieu des anges de pierre, des faunes, des penseurs, des cascades. Elle lui prit le bras gentiment, cherchant à tout remettre en place, par une série de petits gestes tendres, comme si elle voulait que tout s'apaise entre eux, parce que c'était fait pour durer toujours. Elle cassa une petite branche, la mordilla, mais sans y trouver de promesse. En lisant enfin, sur le visage de Dick, l'apaisement qu'elle attendait, elle lui prit la main et l'embrassa. Puis elle se mit à faire l'enfant, l'obligea peu à peu à sourire, sourit à son tour, et ils furent heureux d'être ensemble.

— Je ne peux pas dîner avec vous, ce soir. Je suis invitée depuis très longtemps. Mais si vous acceptez de vous réveiller de bonne heure, je vous emmène sur le tournage.

Il dîna seul à l'hôtel, se coucha très tôt. A six heures et demie, le lendemain matin, il rejoignit Rosemary dans le hall. Elle était radieuse, dans le premier soleil, avec un visage tout animé, comme neuf. La voiture franchit la Porta San Sebastiano, longea la Via Appia, et finit par atteindre un Forum en carton-pâte, dix fois plus grand que le Forum lui-même. Rosemary confia Dick à un régisseur, qui le guida entre d'immenses colonnades, des arcs de triomphe, des amphithéâtres en gradins et des arènes sablonneuses. On tournait une scène, qui se passait dans une prison où étaient enfermés des chrétiens. Lorsqu'ils y arrivèrent, le célèbre Nicotera, l'un des nombreux Valentino en herbe, paradait devant une douzaine de « captives », dont les regards mélancoliques filtraient sous des paupières lourdes de mascara.

Rosemary les rejoignit. Elle portait une tunique qui lui arrivait aux genoux.

— Regardez très attentivement, murmura-t-elle à Dick. Et dites-moi exactement ce que vous pensez. Tous ceux qui ont vu les rushes disent...

— Les rushes ? C'est-à-dire ?

— La projection de ce qui a été tourné la veille. Ceux qui les ont vus disent que c'est le premier film où j'ai du sex-appeal.

— Ça ne m'a pas frappé.

— Vous, bien sûr. Mais j'en ai.

Superbement drapé dans une peau de léopard,

Nicotera parla longuement à Rosemary. Pendant ce temps, le metteur en scène discutait avec un chef électricien, en s'accrochant à lui comme s'il allait tomber. Il finit par le repousser brutalement et s'essuya le front, qui était couvert de sueur.

— S'est encore drogué, dit le régisseur, qui avait accompagné Dick. Salement, même.

— Qui ? demanda Dick.

Le régisseur n'eut pas le temps de répondre. Le metteur en scène fonçait droit sur eux.

— Qui s'est drogué ? Vous, mon vieux. C'est vous qui vous êtes drogué.

Il se tourna vers Dick, comme pour l'insulter.

— Quand il se drogue, il prétend toujours que ce sont les autres. Salement, même !

Il regarda fixement le régisseur, pendant un long moment, puis frappa dans ses mains.

— O.K. Tout le monde en place !

C'était comme de rendre visite à une famille de farfelus. Une comédienne s'approcha de Dick et lui parla pendant cinq bonnes minutes, en le prenant pour un acteur anglais, qui venait d'arriver de Londres. Quand elle découvrit son erreur, elle poussa un petit cri épouvanté, et se sauva. Vis-à-vis du monde extérieur, la plupart des gens de l'équipe se divisaient en deux catégories : ou ils se sentaient nettement supérieurs, ou ils se sentaient nettement inférieurs — ceux de la première catégorie étant, de loin, les plus nombreux. C'étaient des gens très courageux, très travailleurs. Ils occupaient une situation privilégiée dans un pays qui ne demandait qu'une chose, depuis dix ans : qu'on l'amuse.

Il fallut arrêter le tournage, à cause des brumes de chaleur — parfaite lumière pour les peintres, mais les caméras s'accommodent mieux du ciel transparent de la Californie. Nicotera suivit Rosemary jusqu'à sa voiture, en lui parlant à voix basse. Elle le regarda gravement avant de lui dire au revoir.

Elle déjeuna avec Dick au *Castelli dei Caesari,* superbe villa à terrasses, qu'on avait transformée en restaurant, et d'où l'on dominait les ruines d'un forum, datant d'une époque de la décadence difficile à préciser. Elle but un cocktail et un verre de vin. Dick en but davantage, pour effacer ce qui restait en lui de secrète insatisfaction. Puis, tout heureux et tout échauffés, ils reprirent la voiture et rentrèrent à l'hôtel, avec une sorte de ferveur tranquille. Elle voulait être à lui, et elle fut à lui, et ce qui avait commencé sur une plage, comme un engouement enfantin, trouva enfin son terme et son accomplissement.

21

Ce soir-là non plus Rosemary n'était pas libre pour dîner : quelqu'un de l'équipe fêtait son anniversaire. Dick croisa Collis Clay dans le hall de l'hôtel, mais il préférait dîner seul, et prétexta un rendez-vous à l'Excelsior. Il accepta pourtant de boire un verre avec lui, et ce qui n'était qu'insatisfaction tourna vite à l'agacement. Il fallait qu'il rentre. La clinique avait besoin de lui. Il n'avait plus aucune raison de faire l'école buissonnière. Ce n'est pas le caprice qui l'avait entraîné, mais un goût romantique pour les souvenirs. Nicole était sa seule femme. Trop souvent, c'est vrai, il avait eu le cœur déchiré à cause d'elle, mais c'était sa seule femme. Ce moment passé avec Rosemary n'était que plaisir égoïste. Ce moment passé avec Collis Clay n'était que sottise et néant.

En arrivant à l'Excelsior, il se heurta à Baby Warren. Elle le dévisagea, avec étonnement et curiosité, et ses grands yeux, très beaux, avaient la dureté du marbre.

— Dick! Mais je vous croyais en Amérique. Nicole est avec vous?

— J'ai débarqué à Naples.

Le brassard qu'il portait au bras lui rappela ce qu'elle devait dire.

— Oh! je suis navrée pour ce qui est arrivé.

Comment éviter de dîner avec elle?

— Racontez-moi, demanda-t-elle.

Il lui donna une certaine version des faits. Elle fronçait les sourcils. Il fallait absolument qu'elle fasse porter à quelqu'un la responsabilité d'un tel drame.

— A votre avis, le docteur Dohmler a-t-il fait tout ce qu'il fallait, au début?

— Les traitements sont toujours plus ou moins les mêmes, vous savez. L'important, c'est de trouver le médecin qui convient le mieux à chaque cas particulier.

— Dick, je n'ai pas la prétention de m'y connaître, ni de vouloir vous donner des conseils, mais ne croyez-vous pas qu'un petit changement lui ferait du bien? Quitter cette ambiance de malades, et vivre comme tout le monde, si vous voyez ce que je veux dire?

— C'est vous qui avez insisté pour que je prenne cette clinique. Vous m'avez dit, rappelez-vous, que vous ne seriez jamais totalement tranquille à son sujet.

— Attention! C'était quand vous meniez cette vie de moines, sur la Riviera, accrochés à votre colline, dans une solitude absolue. Je ne parle pas de reprendre cette vie-là. Je pense à quelque chose comme Londres, par exemple. Les Anglais sont les gens les mieux équilibrés du monde.

Il secoua la tête.

— Pas tout à fait vrai.

— Absolument vrai. Je les connais, croyez-moi. Vous auriez une petite maison à Londres, vous y passeriez le printemps, ce serait parfait. J'en connais une, adorable, et toute meublée, à Talbot Square, que vous pourriez avoir très facilement. Vous vivriez au milieu du peuple anglais, un peuple parfaitement sain, parfaitement équilibré, si vous voyez ce que je veux dire ?

Elle se préparait à lui servir tout chauds les vieux clichés de propagande, datant de 1914. Il se mit à rire.

— J'ai lu *The Green Hat*, le roman de Michael Arlen, et si la haute société londonienne est vraiment...

D'un brusque moulinet de son couvert à salade, elle balaya Michael Arlen et son roman.

— Il ne s'intéresse qu'aux dégénérés. Je parle des Anglais qui en valent la peine.

Puisqu'elle éliminait ainsi ses propres amis, il ne restait à Dick qu'une seule image de l'Angleterre à évoquer : les visages rébarbatifs et fermés, qui hantaient les petits hôtels d'Europe.

— Ça ne me regarde pas, je le sais, reprit Baby, avec une longue inspiration, comme si elle se préparait à plonger de nouveau, mais l'abandonner ainsi, livrée à elle-même, dans une ambiance aussi déprimante...

— J'étais en Amérique pour enterrer mon père.

— Je comprends très bien, et je vous ai dit à quel point j'étais désolée, mais...

Elle jouait nerveusement avec les perles de son collier de verre.

— ...mais nous avons *tellement* d'argent, maintenant. Tellement que nous pouvons nous offrir n'importe quoi. Il faut donc qu'il serve à Nicole, pour qu'elle aille de mieux en mieux.

— A ceci près que je ne me vois pas vivre à Londres.

— Pourquoi? A mon avis, vous pourriez y travailler aussi bien qu'ailleurs.

Il se renversa sur sa chaise et la regarda. Si elle avait eu le plus petit soupçon de la vérité, l'horrible vérité, ce qui s'était vraiment passé, ce qui avait vraiment provoqué la maladie de Nicole, elle l'aurait rejeté. Elle l'aurait nié, refusé, enfermé au fond d'un placard poussiéreux, comme certaines de ces toiles, qui se révèlent être des croûtes, et qu'elle achetait par erreur.

Ils continuèrent leur conversation à l'Ulpic, un cabaret en sous-sol, où s'entassaient les barriques de vin. Collis Clay les y rejoignit et s'assit à leur table, tandis qu'un guitariste de talent grattait ses cordes et les faisait gronder en jouant *Suona Fanfara Mia*.

— Je ne suis peut-être pas l'homme qu'il aurait fallu à Nicole, reconnut Dick. Mais de toute façon elle aurait épousé quelqu'un comme moi. Quelqu'un sur qui s'appuyer. Sur qui compter... indéfiniment.

— Vous croyez qu'elle serait plus heureuse avec un autre homme? demanda Baby brusquement, comme si elle réfléchissait à voix haute. Ça peut peut-être s'arranger.

C'est en voyant Dick éclater de rire sans pouvoir s'en empêcher qu'elle sentit qu'elle venait de dire une sottise.

— Comprenez-moi, dit-elle, pour tenter de se rattraper. Nous vous sommes très reconnaissants de tout ce que vous avez fait, n'allez surtout pas croire le contraire, et nous savons que vous avez vécu des moments extrêmement difficiles...

— Dieu du ciel, mais j'aime Nicole! s'écria Dick. Si je ne l'aimais pas, ce serait différent.

— Vous l'aimez vraiment? demanda Baby avec inquiétude.

Voyant que Collis Clay voulait se mêler à la conversation, Dick préféra parler d'autre chose.

— Et vous, Baby? Si nous parlions un peu de vous? Pourquoi n'êtes-vous pas mariée? Je me suis laissé dire que vous étiez fiancée à Lord Paley, le cousin du...

— Mais non!

Elle était devenue secrète et lointaine.

— C'était l'an dernier.

Dick insista exprès.

— Pourquoi ne vous mariez-vous pas?

— Je ne sais pas. J'ai aimé deux hommes. L'un a été tué pendant la guerre. L'autre m'a laissée tomber.

— Racontez-moi ça. Parlez-moi de vous, de votre vie privée. Vous ne l'avez jamais fait. Nous parlons toujours de Nicole.

— Ils étaient anglais, l'un et l'autre. Je ne pense pas qu'il existe au monde un type d'homme supérieur à un Anglais de grande famille. Vous n'êtes pas d'accord? En tout cas, si ça existe, je n'en ai jamais rencontré. Cet homme... Oh! c'est une longue histoire, et je n'aime pas les longues histoires. Vous non plus, je pense?

— Et comment! soupira Collis Clay.

— Si elles sont bonnes, je ne suis pas contre, avoua Dick.

— C'est que vous faites ça tellement bien. Vous avez l'art d'animer une soirée, de lancer une petite phrase de loin en loin, de dire un petit mot par-ci, par-là. C'est un talent tellement merveilleux...

— Oh! dit-il doucement, ce n'est qu'un artifice.

C'était la troisième fois qu'ils se trouvaient en désaccord.

— Je suis formaliste, c'est vrai, continua Baby. J'aime que chaque chose soit à sa place, à tous les niveaux. Vous n'êtes sûrement pas comme moi. Reconnaissez pourtant que c'est un signe d'équilibre et de stabilité.

Il jugea inutile de la contredire.

— Je sais ce que les gens disent, bien sûr, que Baby Warren parcourt l'Europe à bride abattue, toujours à l'affût de la toute dernière nouveauté, et qu'elle laisse passer ce qui donne du prix à la vie. J'estime, au contraire, que je fais partie des quelques personnes, très rares, qui auront connu ce qui donne *vraiment* du prix à la vie. J'aurais rencontré les gens les plus intéressants de mon époque.

De nouveaux grondements des cordes de guitare couvrirent sa voix, mais elle réussit à les dominer.

— J'aurai fait très peu d'erreurs graves.

— Uniquement les plus graves, Baby.

Elle vit danser dans son regard une pointe d'ironie, et parla d'autre chose. Jamais ils ne seraient d'accord sur rien. C'était impossible. Il y avait pourtant quelque chose en elle qu'il était forcé d'admirer, et, en la raccompagnant à l'Excelsior, il lui fit tant de compliments qu'elle en demeura éblouie.

Le lendemain, Rosemary insista pour que Dick déjeune avec elle. Ils choisirent une petite *trattoria*, tenue par un Italien qui avait travaillé aux États-Unis, mangèrent des œufs au bacon et des crêpes, et rentrèrent à l'hôtel. Ayant découvert qu'il ne l'aimait pas, et qu'elle ne l'aimait pas, l'envie qu'il avait d'elle s'amplifiait au lieu de s'éteindre. Maintenant qu'il était certain de ne jouer aucun rôle dans sa vie, elle était devenue la femme inconnue, mystérieuse. N'est-ce pas ce qu'entendent la plupart des hommes, lorsqu'ils disent qu'ils sont amoureux ? Si loin de cet engloutissement de l'âme, de cette immersion véhémente, qui donnent à toutes les couleurs la même teinte ombrageuse : ce qu'avait été son amour pour Nicole. Parfois, lorsqu'il pensait qu'elle pouvait mourir, sombrer dans une folie définitive, ou s'enfuir avec un autre homme, il en ressentait un malaise physique.

Nicotera se présenta chez Rosemary. Il venait discuter d'un problème professionnel. Lorsqu'elle lui fit comprendre qu'il devait s'en aller, il se livra à quelques plaisanteries douteuses, et lança à Dick un clin d'œil parfaitement insolent. Puis le téléphone sonna, comme toujours. Rosemary répondit pendant dix bonnes minutes. Dick était de plus en plus agacé.

— Allons chez moi, proposa-t-il.

Elle accepta. Elle s'allongea sur le canapé, posa la tête sur ses genoux. Il se mit à jouer avec ses cheveux, si merveilleusement bouclés.

— Ai-je le droit d'être encore indiscret?

— A quel propos?

— Les hommes. Je *veux* savoir. C'est comme une brûlure.

— Vous voulez dire: combien de temps après vous avoir rencontré?

— Ou avant.

— Oh! avant...

Elle était blessée.

— Personne, avant. Vous êtes le premier qui ait vraiment compté. Et le seul qui compte vraiment.

Elle réfléchit un moment.

— Un an, environ.

— Qui?

— Oh! un homme...

Il ne supportait pas ses faux-fuyants.

— Moi, je vais vous dire. Je suis sûr de ne pas me tromper. La première aventure a été tellement décevante que vous êtes restée sage très longtemps. La deuxième, c'était déjà mieux, mais vous n'étiez pas vraiment amoureuse. La troisième, c'était très bien...

Il se torturait lui-même en continuant.

— Puis vous êtes tombée sur la vraie, celle qui compte. Vous avez eu peur, à ce moment-là. Peur de ne rien avoir à donner à l'homme que vous aimiez.

Il se sentait devenir de plus en plus victorien.

— Là-dessus, une demi-douzaine de petites passades, pour arriver à aujourd'hui. Exact?

Elle riait, mais elle avait les larmes aux yeux.

— Archi-faux.

Et il se sentit délivré.

— Mais je finirai par rencontrer quelqu'un et je finirai par l'aimer, par l'aimer, par l'aimer, et je l'empêcherai de s'enfuir.

Le téléphone sonna. Dick reconnut la voix de Nicotera, qui cherchait Rosemary. Il mit la main sur l'appareil.

— Vous voulez lui parler?

Elle prit l'appareil, dit quelques mots, en italien, si vite que Dick ne réussit pas à comprendre.

— Ce téléphone vous prend vraiment beaucoup de temps, dit-il. Il est quatre heures passées. J'ai un rendez-vous à cinq heures. Allez donc faire joujou avec votre signor Nicotera.

— Ne soyez pas stupide.

— Alors, débarrassez-vous de lui, tant que je suis à Rome.

— C'est difficile.

Elle se mit à pleurer, brusquement.

— Je vous aime, Dick. Jamais personne autant que vous. Mais qu'avez-vous à m'offrir?

— Et Nicotera? Qu'a-t-il à offrir à qui que ce soit?

— C'est autre chose.

« La jeunesse attire la jeunesse, bien sûr... »

— Un Rital grotesque!

Il était fou de jalousie, et il souffrait, et il ne supportait pas de souffrir.

— C'est un enfant, rien qu'un enfant. Je suis à vous d'abord, vous le savez.

Elle pleurait toujours, et il la serra dans ses bras, mais elle rejeta la tête en arrière, et il la tint longtemps ainsi, comme à la dernière figure d'un adage, les yeux fermés, les cheveux tendus comme une noyée.

— Lâchez-moi, Dick. Je n'ai jamais été aussi déchirée de ma vie.

Il était là, comme un oiseau de proie, sanglant, féroce, et il lui faisait peur. Elle cherchait à fuir, car cette jalousie injustifiée effaçait, peu à peu, la déférence et la compréhension dont il avait toujours fait preuve et qui la rassuraient.

— Je veux la vérité, dit-il.

— Soit. Nous sortons ensemble. Il veut m'épouser, mais je refuse. Voilà tout. Et alors? Que voulez-vous que je fasse? M'avez-vous offert de m'épouser? Allez-vous m'obliger à sortir indéfiniment avec de petits serins comme Collis Clay?

— Hier soir, vous étiez avec ce Nicotera?

— Ça ne vous regarde pas!

Elle eut un brusque sanglot.

— Je suis désolée, Dick, mais ça ne vous regarde pas. Vous êtes, avec ma mère, le seul être au monde qui compte pour moi.

— Et lui?

— Comment savoir?

Elle avait une façon de répondre tellement évasive que les phrases les plus anodines se chargeaient de sous-entendus.

— Ressentez-vous ce que vous ressentiez pour moi à Paris?

— Quand je suis avec vous, je suis tranquille, je suis bien. A Paris, c'était autre chose. Mais comment savoir ce qu'on éprouvait autrefois? Vous le pouvez, vous?

Il se leva, et commença à préparer ses affaires pour se changer. Même s'il fallait s'emplir le cœur, à déborder, de toute l'amertume et de toute la haine du monde, il ne redeviendrait pas amoureux d'elle.

— Nicotera ne compte pas, dit elle. Mais je pars

pour Livourne, demain, avec toute l'équipe. Oh! pourquoi êtes-vous venu?

De nouveau, elle était en larmes.

— Une telle humiliation. Pourquoi êtes-vous venu? Pourquoi ne pas avoir gardé la mémoire des choses? Simplement la mémoire des choses? C'est comme si je venais de me brouiller avec ma mère.

Elle se leva, parce qu'il s'habillait.

— Je me décommande, ce soir. Je n'irai pas à la soirée prévue.

Elle tentait un dernier effort.

— Je reste pour vous. Je ne sortirai pas.

Il sentait comme un flot de passion qui remontait en lui, mais il s'en défendit.

— Je reste dans ma chambre. Au revoir, Dick.

— Au revoir.

— Quelle humiliation, oh! quelle humiliation! Que signifie tout ça?

— Je me le demande depuis longtemps.

— Mais pourquoi me le faire supporter?

— Parce que je suis la Peste Noire, dit-il, à mi-voix. Je ne dois plus être capable d'apporter le bonheur à quelqu'un.

22

Ils étaient cinq, après dîner, au bar du Quirinal: Dick et Collis Clay, tous deux américains, une grue d'assez haut niveau, italienne et maigrichonne, juchée sur un tabouret, qui harcelait le barman de questions, auxquelles il ne répondait que par des: « Si... si... si... » excédés, et un Egyptien séduisant et sophistiqué, manifestement ennuyé d'être seul, mais que cette femme rendait circonspect.

Dick avait toujours été très perméable à ce qui l'entourait. Chez Collis Clay, au contraire, les mécanismes de perception sensible s'étaient atrophiés dès l'enfance, ce qui le faisait vivre dans une sorte de nébuleuse, où les impressions les plus véhémentes finissaient par se perdre à jamais. Résultat : Dick parlait, Collis écoutait sans rien entendre, comme un homme assis dans un courant d'air.

Ulcéré par les événements de l'après-midi, Dick s'était pris de haine pour l'ensemble des Italiens. Il regardait fiévreusement autour de lui, espérant que l'un d'eux l'entendrait et en serait blessé à mort.

— Cet après-midi, j'ai pris le thé à l'Excelsior, avec ma belle-sœur. Il n'y avait plus qu'une table libre. Nous venions à peine de nous y asseoir, quand deux hommes sont arrivés, ont cherché une table et n'en ont pas trouvé. L'un d'eux est venu vers nous en disant : « La princesse Orsini n'a-t-elle pas retenu cette table ? » J'ai répondu : « Rien ne l'indiquait. » Il n'a pas voulu en démordre : « Je suis sûr que la princesse Orsini l'a retenue. » Il n'écoutait même pas ce que je répondais.

— Qu'a-t il fait ?

— Il a fini par s'en aller.

Il se tourna vivement sur sa chaise.

— Je déteste ces gens-là. L'autre jour, j'ai abandonné Rosemary pendant deux minutes, devant une boutique. Un officier a surgi aussitôt et s'est mis à lui tourner autour en soulevant son petit feutre à plumes.

— Peut-être, dit Collis Clay, au bout d'un moment, mais moi, je me sens plus à l'aise ici qu'à Paris. A Paris, il y a toujours quelqu'un qui cherche à vous piquer votre portefeuille.

Il s'était beaucoup amusé, et il refusait qu'on lui abîme son plaisir.

— Peut-être, reprit-il, mais moi, personnellement, je n'ai rien contre ce pays.

Dick repensait aux images de ces derniers jours, à ce qu'en gardait sa mémoire. La longue promenade jusqu'à l'Américan Express, l'odeur des confiseries de la Via Nazionale, le souterrain nauséabond débouchant sur les escaliers de la place d'Espagne, et son esprit s'était émerveillé des éventaires des fleuristes et de la maison où Keats était mort. Il ne s'intéressait qu'aux êtres humains, ne connaissait les lieux que par le temps qu'il y faisait, jusqu'au moment où des événements précis venaient leur donner des couleurs. Rome avait les couleurs de la fin de son rêve concernant Rosemary.

Un chasseur lui tendit un message.

« Je ne suis pas allée à la soirée prévue. Je reste dans ma chambre. Nous partons pour Livourne demain matin de très bonne heure. »

Il rendit le message au chasseur avec un pourboire.

— Dites à Miss Hoyt que vous ne m'avez pas trouvé.

Puis, se tournant vers Collis Clay, il proposa le *Bonbonieri*.

Ils dévisagèrent en passant la petite grue installée au bar, lui témoignant le minimum d'intérêt que requérait sa profession, et elle les toisa avec arrogance. Puis ils traversèrent le hall désert, où d'épaisses tentures conservaient dans leurs plis des strates de poussière nettement victorienne, adressèrent un petit salut au veilleur de nuit, qui le leur rendit aussitôt, avec l'amertume obséquieuse de ceux qui travaillent la nuit, firent signe à un taxi, et s'enfoncèrent dans la nuit morne de novembre. Aucune femme, dans les rues. Uniquement des hommes blafards, sanglés jusqu'au cou dans de grands manteaux noirs, qui s'assemblaient par petits groupes dans l'ombre glacée des arcades.

— Bon dieu! soupira Dick.

— Qu'y a-t-il?

— Je repense à cet homme : « La princesse Orsini n'a-t-elle pas retenu cette table? » Vous connaissez la vérité, sur ces vieilles familles romaines? Ce sont des forbans, qui ont fait main basse sur tout, à la chute de Rome, qui ont pillé les palais et les temples, et qui ont pressuré le peuple.

— Moi, j'aime bien Rome, dit Collis. Pourquoi n'essayez-vous pas les courses?

— Je déteste les courses.

— Toutes les femmes y assistent pourtant, et...

— Je déteste tout, ici. Je n'aime que la France, parce qu'en France tout le monde se prend pour Napoléon. Ici, tout le monde se prend pour le Christ.

Au *Bonbonieri*, ils descendirent dans un cabaret en sous-sol, orné de boiseries qui semblaient bien fragiles sous les voûtes de pierre. Un petit orchestre asthmatique jouait un tango, et une douzaine de couples s'épuisaient à exécuter, sur la piste, ces figures périlleuses et entortillées, qui sont une véritable offense pour un regard d'Américain. Il y avait tant de serveurs que tout était exclu d'avance, le moindre mouvement, la moindre animation, qu'auraient pu créer les clients, même peu nombreux. C'était une atmosphère d'attente et de menace, comme si quelque chose allait brusquement s'interrompre, la danse, la nuit même, par la rupture des forces d'équilibre. Quelqu'un d'un peu sensible comprenait aussitôt que, quoi qu'il espère, ce n'est pas dans cet endroit-là qu'il le trouverait.

Ce fut, pour Dick, l'évidence même. Il regarda autour de lui, cherchant ce qui pourrait lui accrocher l'œil, et meubler l'heure qui allait suivre, sans faire appel à son imagination. Mais il n'y avait rien, absolument rien, hormis Collis Clay. C'est donc à Collis qu'il se raccrocha. Il se mit à dire n'importe quoi, tout ce qui lui passait par la tête, mais Collis ne retenait rien, et ne répondait rien, si bien qu'au bout d'une demi-heure, terrassé d'ennui, il sentit nettement s'ouvrir une faille dans sa propre énergie vitale.

Ils avaient commandé une bouteille d'*Asti*. Dick devint pâle, et commença à faire du bruit. Il invita le chef d'orchestre à sa table. C'était un Noir des Bahamas, prétentieux et antipathique. La bagarre éclata très vite.

— Vous m'avez demandé de m'asseoir.

— Bon! Et je vous ai donné cinquante lires, oui ou non?

— Bon, bon, bon!

— Je vous ai donné cinquante lires, oui ou non? Et maintenant, vous venez me réclamer une rallonge!

— Vous m'avez demandé de m'asseoir, oui ou non?

— Je vous ai demandé de vous asseoir et je vous ai donné cinquante lires, oui ou non?

— Bon, bon!

Le Noir se leva, et s'éloigna, vexé. L'humeur de Dick s'assombrissait de plus en plus. Il aperçut alors une jeune fille, qui lui souriait de l'autre côté de la salle, et les ombres romaines qui l'entouraient devinrent soudain moins agressives et moins démesurées. C'était une Anglaise, très blonde, avec un joli visage d'Anglaise, éclatant de santé. Elle lui sourit de nouveau, un sourire parfaitement clair, une invitation qu'il comprenait sans peine, qui refusait toute aventure physique, tout en ayant l'air de la proposer.

— Ou je n'y connais rien au bridge, dit Collis Clay, ou voilà une levée rapidement faite.

Dick se leva et traversa la pièce.

— Vous dansez?

L'Anglais d'un certain âge, qui accompagnait la jeune fille, répondit, comme en s'excusant:

— Je vais être obligé de partir bientôt.

Dick dansa. L'excitation l'avait dégrisé. Il respirait, à travers cette jeune fille, toutes les promesses merveilleuses que savent faire les Anglais. Il voyait trembler, dans sa voix, les beaux jardins tranquilles cernés par la mer. Il se penchait pour mieux l'admirer, et il croyait tellement à ce qu'il lui disait que sa voix était bouleversée d'émotion. Elle lui promit de venir le rejoindre, dès que son chevalier servant serait parti. L'Anglais salua son retour avec de nouveaux sourires et de nouvelles excuses.

Dick regagna sa table, et commanda une seconde bouteille d'*Asti spumante*.

— Elle ressemble à quelqu'un que j'ai vu dans un film. Je n'arrive pas à savoir qui.

Il jeta un coup d'œil impatient par-dessus son épaule.

— Qu'est-ce qu'elle attend, à la fin?

— J'aimerais faire du cinéma, dit Collis pensivement. En principe, je dois entrer dans l'affaire de mon père, mais ça ne m'excite pas beaucoup. Rester assis, pendant vingt ans, dans un bureau de Birmingham...

Sa voix refusait avec véhémence l'écrasante civilisation matérialiste.

— Indigne de vous? suggéra Dick.

— Je n'ai pas dit ça.

— Vous le pensez.

— Comment savez-vous ce que je pense? Si vous aimez tellement le travail, allez donc soigner vos malades.

Ils étaient tous les deux d'une humeur de chien, maintenant, par la faute de Dick, mais, comme la boisson les rendait plus ou moins inconscients, ils oublièrent vite l'incident. Collis Clay se leva pour partir. Ils se serrèrent la main chaleureusement.

— Faut y réfléchir, conseilla Dick gravement.

— Réfléchir à quoi?

— Savez bien...

Quelque chose qui avait trait à Collis Clay et à l'affaire de son père — un conseil à lui donner.

Collis traversa la salle. Dick vida sa bouteille de mousseux, et dansa de nouveau avec la petite Anglaise. Il manquait un peu d'assurance, mais il s'obligeait à des évolutions hardies, des virevoltes audacieuses, et même quelques pas en arrière. Et il se passa soudain quelque chose d'inexplicable. Il dansait avec la jeune fille. L'orchestre s'arrêta — elle avait disparu.

— L'avez pas vue?

— Qui?

— La jeune fille avec qui je dansais. L'a brusquement disparu. Doit bien être quelque part, quand même.

— Non, non, ici c'est les toilettes pour dames.

Il alla s'installer au bar. Deux clients s'y trouvaient déjà. Comment engager la conversation? Il se sentait capable de tout leur raconter sur l'histoire de Rome, sur l'origine criminelle des familles Colonna et Gaetani, mais n'était-ce pas un peu brutal, comme entrée en matière? Une rangée de poupées gigognes, posées sur le comptoir des cigares, s'effondra soudain — d'où une extrême confusion, dont il se sentit plus ou moins responsable. Il préféra redescendre au sous-sol, et se faire servir un café bien noir. Collis était parti. L'Anglaise était partie. Que pouvait-il faire d'autre que de regagner son hôtel et s'endormir, le cœur en deuil? Il reprit son manteau et son chapeau, après avoir réglé la note.

Une eau grise encombrait les ruisseaux, stagnait entre les gros pavés de pierre. Un brouillard se levait, dans le petit jour, venu des marais de la Campagna, avec des odeurs de cultures en friche. Quatre chauffeurs de taxi l'encadrèrent aussitôt.

Leurs petits yeux dansaient entre leurs paupières bouffies. Il repoussa l'un d'eux, qui le dévisageait avec un peu d'insistance.

— *Quanto a Hotel Quirinal?*

— *Cento lire.*

Six dollars? Il secoua la tête, proposa trente lires. C'était déjà le double du tarif normal. Ils haussèrent les épaules d'un commun accord et lui tournèrent le dos.

— *Trente-cinque lire e mancie,* dit-il, d'un ton décidé.

— *Cento lire.*

Il préféra revenir à l'anglais.

— Pour parcourir cinq cents mètres? Vous allez me conduire pour quarante lires.

— Non.

Il était à bout de forces. Il ouvrit la portière de l'un des taxis, s'y installa.

— Hôtel Quirinal.

Le chauffeur restait obstinément planté contre la portière.

— Assez ricané! En route!

— Non.

Dick sortit du taxi. Quelqu'un discutait avec les chauffeurs, devant l'entrée du *Bonbonieri,* quelqu'un qui tentait maintenant de lui expliquer leur point de vue. L'un d'eux revint vers lui, en insistant et en gesticulant. Dick l'écarta d'un geste brutal.

— Je veux aller à l'hôtel Quirinal.

— Lui, il dit qu'il veut *oundrède* lires, expliqua l'homme qui jouait les interprètes.

— J'ai très bien compris. Je lui en donne cinquante. Allons-y!

Il s'était tourné vers le chauffeur, qui se défilait de nouveau. L'autre le regarda, et cracha avec mépris. C'était trop d'émotions, depuis une semaine, trop d'impatiences accumulées. Dick devint brusquement fou furieux, et la violence l'emporta, celle qui, dans son pays, se porte traditionnellement au secours de l'honneur outragé. Il s'avança vers l'homme et le gifla.

Les trois autres bondirent aussitôt, hurlant, menaçant, poings levés, cherchant à l'encercler — mais il se battait, dos au mur, en riant, en cognant au hasard, et cette caricature de bagarre dura quelques minutes, avec des feintes, des coups dans le vide, des poursuites, des dérobades. Dick fit un faux pas et s'écroula. Il s'était blessé, mais il réussit à se mettre debout, en se débattant pour échapper à ses adversaires, qui le lâchèrent brusquement. Quelqu'un venait d'intervenir, une voix nouvelle, qui entamait une nouvelle discussion, pendant qu'il s'appuyait au mur en haletant, exaspéré de se trouver dans une position aussi humiliante. Il voyait que personne ne prenait son parti, mais il n'arrivait pas à comprendre ses torts.

Ils décidèrent de faire appel à la police. On tendit à Dick son chapeau, qu'on venait de ramasser, puis on le prit doucement sous le bras, et, suivi par les quatre chauffeurs, il se traîna jusqu'au coin de la rue, et pénétra dans un baraquement glacial, où plusieurs *carabinieri* se tenaient vautrés, à la lueur sinistre d'une seule ampoule.

Un capitaine trônait derrière un bureau. L'inconnu, qui était intervenu pour faire cesser la bagarre, lui parla longuement en italien. De temps en temps, il montrait Dick du doigt et les chauffeurs l'interrompaient sans cesse par des cris, des injures et des accusations. Le capitaine secouait la tête de plus en plus nerveusement. Il leva soudain la main. L'hydre aux quatre mufles poussa quelques râles essoufflés et finit par rendre l'âme. Le capitaine se tourna vers Dick.

— *Spik italiano?*

— Non.

— *Spik français?*

— Oui.

— Alors, écoute, espèce d'endormi. Écoute. Vous êtes complètement soûl. Alors, vous rentre au Quirinal et paie ce que le chauffeur il demande. Comprenez?

Dick secoua la tête.

— Je refuse.

— *Come?*

— Je paierai quarante lires. C'est bien assez.

Le capitaine se dressa d'un bond, et se mit à aboyer d'une voix lourde de menaces:

— Écoute-moi! Vous êtes soûl! Vous avez battu le chauffeur! Comme ci et comme ça!

Il balaya l'air, avec emportement, de la main droite, puis de la main gauche.

C'est bon que je vous laisse la liberté. Payez ce qu'il dit, *cento lire,* et rentre au Quirinal.

Dick le toisa, brûlé d'humiliation.

— *All right!*

Il se tourna vers la porte, raide comme un automate. L'homme qui l'avait aidé à marcher jusqu'au commissariat le regardait en souriant et en hochant la tête.

— Je rentre au Quirinal, *all right!* Mais je règle d'abord son compte à ce petit mignon.

Il dépassa les *carabinieri* médusés, s'arrêta devant ce visage grimaçant et lui flanqua son poing dans la mâchoire. L'homme s'effondra sur le plancher.

Dick le domina un instant, avec un sentiment de triomphe barbare. Mais, à la seconde où une première lueur de doute s'insinuait en lui, le monde parut chanceler. Il s'effondra à son tour, et une grêle de coups de poing et de coups de botte s'abattit sur lui, avec une fureur non moins barbare. Il sentit son nez se briser comme un morceau de buis, et ses yeux dansaient par petites secousses, comme s'il étaient retenus par des élastiques. Un coup de talon lui cassa une côte. Il perdit connaissance. Lorsqu'il revint à lui, il était assis et on lui passait les menottes. Le lieutenant de police en civil, qu'il venait de mettre K.O., s'était relevé. Il se tamponnait la joue avec un mouchoir, pour voir s'il saignait. Il s'approcha de Dick, prit solidement appui sur ses jambes, balança vigoureusement le bras, et Dick se retrouva sur le plancher.

Le Dr Diver resta immobile un moment. On lui versa un grand seau d'eau sur la tête, puis on le traîna sur le sol par les poignets. Il parvint à entrouvrir un œil, aperçut, à travers une brume sanglante, un visage effroyable, mais humain malgré tout, qui appartenait à l'un des chauffeurs de taxi. Il cria d'une voix enrouée :

— Courez à l'hôtel Excelsior. Avertissez Miss Warren. Deux cents lires. Miss Warren. *Due centi lire!* Ah! les salauds... Ah! Bon dieu!...

On le tirait de nouveau par les poignets. Il suffoquait. Il sanglotait. Le sang l'aveuglait. On le traîna sur des espaces curieusement irréguliers, jusqu'à une étroite cellule, où on le jeta sur le sol en ciment. Les hommes s'éloignèrent. Une porte claqua. Il était seul.

23

Jusque vers une heure du matin, Baby Warren dévora, du fond de son lit, l'un de ces étranges romans de Mary Crawford, qui ont Rome pour cadre, et où il ne se passe jamais rien. Puis elle se leva et s'approcha de la fenêtre. Deux *carabinieri* montaient la garde devant l'hôtel. Franchement ridicules, avec leurs chapeaux d'arlequin, et leurs petites pèlerines ajustées, ils tanguaient lourdement de côté et d'autre, comme la grand-voile d'un bateau lorsqu'il vire de bord. En les apercevant, elle se souvint de l'officier de gendarmerie qui l'avait regardée, pendant tout le dîner, avec une voracité incroyable. Il était grand, alors que les hommes de sa race sont plutôt petits dans l'ensemble, ce qui le rendait extrêmement arrogant, comme s'il n'avait qu'un seul devoir au monde : être grand. S'il était venu vers elle, et lui avait dit tout à trac : « On part ensemble ? », elle aurait répondu : « Pourquoi pas ? » — c'est du moins ce qu'elle se disait maintenant, car ce décor était si insolite qu'elle ne se sentait plus tout à fait elle-même.

De l'officier de gendarmerie, sa pensée revint aux *carabinieri*, glissa vaguement jusqu'à Dick, puis elle se recoucha et éteignit sa lampe.

Elle se réveilla en sursaut vers quatre heures du main. On frappait à sa porte.

— Qu'est-ce que c'est ?

— Le concierge de nuit, madame.

A moitié endormie, elle enfila un kimono et alla ouvrir.

— C'est un de vos amis, qui a des problèmes, madame. Il dit s'appeler Dayvere. Il a des problèmes avec la police. On l'a mis en prison. Il a demandé à un chauffeur de taxi de vous prévenir, et ce chauffeur affirme qu'il lui a promis *due centi lire*

Il attendit quelques secondes, par prudence, pour être sûr qu'elle était d'accord sur le chiffre.

— Le chauffeur dit que Mister Dayvere a de sérieux ennuis, qu'il s'est battu avec les *carabinieri*, et qu'il est gravement blessé.

— Je descends.

Elle s'habilla, le cœur battant. Dix minutes plus tard, l'ascenseur la déposait dans la pénombre du

hall d'entrée. Le taxi qui avait apporté le message
était parti. Le concierge en appela un autre, et
expliqua au chauffeur où se trouvait la prison en
question. Il faisait encore noir, pendant qu'ils roulaient, mais l'ombre refluait déjà vers les confins du
ciel, et Baby, mal réveillée, sentait ses nerfs vaciller
constamment entre cette promesse de jour et la nuit.
Elle eut brusquement le désir de gagner le jour de
vitesse, et c'est vrai que parfois, dans les avenues
assez larges, c'est elle qui semblait victorieuse, mais
chaque fois que cette aube, sur le point de naître,
hésitait un instant, de brusques rafales de vent se
levaient avec impatience, et l'obligeaient à repartir.
Le taxi longea une fontaine assourdissante, qui cra-
chait son eau dans une immense vasque d'ombre,
s'engagea dans une ruelle si tortueuse que les maisons s'y tenaient de guingois, et parvenaient difficilement à en épouser les détours, ferrailla et dansa
sur d'énormes pavés, s'arrêta enfin, dans un dernier
spasme, devant deux guérites aux couleurs criardes,
qui se détachaient contre un mur humide et ver-
dâtre, et encadraient un obscur passage voûté, d'où
la voix de Dick émergea soudain.

— N'y a-t-il pas un Anglais quelque part ? criait-il
à tue-tête. Un Américain ? N'y a-t-il pas un Anglais ?
Pas un... Oh! Bon dieu de salauds de métèques!

La voix s'éteignit. Il y eut comme un martèlement
étouffé contre une porte, puis la voix reprit :

— N'y a-t-il pas un Américain, quelque part ? Pas
un Anglais ?

Baby traversa le passage voûté en courant, atteignit une cour carrée, tourna sur elle-même un
instant, complètement perdue, réussit enfin à localiser la petite salle de garde d'où venaient les cris.
Deux *carabinieri*, en l'apercevant, se levèrent d'un
bond, mais elle les écarta d'un geste et se jeta contre
la porte de la cellule.

— Dick! cria-t-elle. Dick, que s'est-il passé?

— M'ont arraché un œil. M'ont passé les menottes. M'ont roué de coups, les bon dieu de bon dieu de salauds, les...

Baby fit volte-face, revint vers les *carabinieri*.

— Que lui avez-vous fait? murmura-t-elle, d'une voix sifflante, et sa haine était si évidente qu'ils reculèrent d'un pas.

— *No capisco inglese*.

Elle les injuria en français. Elle était folle de colère. Sa voix tournait dans la pièce, revenait vers eux, les entortillait dans des tourbillons d'anathèmes, où ils se trouvèrent finalement ligotés.

— Faites quelque chose! Vous m'entendez? Faites quelque chose immédiatement.

— Impossible. On n'a pas reçu d'ordre.

— *Bene. Bay-nay. Bene.*

Elle les insulta de plus belle. C'était un feu qui la brûlait, qu'elle soufflait sur eux, et ils finirent par étouffer, par être couverts de sueur, et ils s'excusaient de leur impuissance, et ils se regardaient l'un l'autre, en se demandant s'il n'y avait pas quelque part une terrible erreur. Baby regagna la porte de la cellule, s'y appuya de tout son corps, y posa les deux mains, comme pour faire sentir à Dick qu'elle était là et qu'elle était toute-puissante.

— Je vais à l'ambassade et je reviens, cria-t-elle.

Couvrant les deux *carabinieri* d'un ultime regard incendiaire, elle se précipita dehors.

Elle se fit conduire à l'ambassade américaine. Le chauffeur refusa d'attendre et insista pour qu'elle règle la course. Il faisait à peine jour. Elle monta les marches, tira furieusement la sonnette. Elle fut obligée de sonner trois fois avant qu'un portier, hébété de sommeil, vienne lui ouvrir.

— Quelqu'un, dit-elle. N'importe qui, mais quelqu'un. Je veux voir quelqu'un sur-le-champ.

— Tout le monde dort, madame. On n'ouvre qu'à neuf heures.

D'un geste exaspéré, elle écarta ce détail d'horaire.

— C'est important. Un homme, un Américain, vient d'être roué de coups. La police italienne l'a emprisonné.

— Tout le monde dort, madame.   A neuf heures...

— Pas question d'attendre. On lui a arraché un œil. C'est mon beau-frère. On refuse de le libérer. Il faut que je parle à quelqu'un. Qu'est-ce que vous faites, à rester planté là, avec cet air effaré? Vous être sourd? Malade? Complètement idiot?

— Peux rien faire, madame. Absolument rien.

— Allez réveiller quelqu'un tout de suite!

Elle l'avait pris par les épaules, et le secouait de toutes ses forces.

— Une question de vie ou de mort, vous m'entendez? Si vous refusez de réveiller quelqu'un, il va se passer quelque chose de terrible, et...

— S'il vous plaît, madame, auriez-vous l'obligeance de ne pas me tenir comme ça?

Une voix épuisée, qui avait l'accent de la Groton School, et semblait descendre du ciel, ondoya alors derrière le portier.

— Que se passe-t-il?

Le portier éprouva un brusque soulagement.

— Une dame, *sir*. Une dame qui m'agresse.

Il s'était reculé en parlant, et Baby put franchir la porte. Un surprenant jeune homme, manifestement arraché au sommeil, et drapé dans une tunique persane, blanche et superbe brodée, venait d'apparaître au premier étage. Il avait un visage d'un rose artificiel et monstrueux, un visage éclatant bien qu'inanimé, et quelque chose, qui ressemblait à un bâillon, lui couvrait le haut de la bouche. En apercevant Baby, il rejeta son visage dans l'ombre, et répéta:

— Que se passe-t-il ?

Baby lui raconta l'histoire avec une telle exaltation qu'elle se trouva très vite au pied de l'escalier. Elle découvrit alors, sans interrompre son récit, que ce qu'elle avait pris pour un bâillon était en vérité un bandeau à moustaches, et que le rose effrayant du visage était une couche de cold-cream — ce qui s'intégrait, avec une précision admirable, au cauchemar qu'elle était en train de vivre. Il n'avait qu'une chose à faire, conclut-elle avec véhémence : l'accompagner à la prison, sans perdre une seconde, et faire libérer Dick.

— Bien délicate affaire, soupira le jeune homme.

— Délicate, d'accord. Et après ?

— Cette façon de s'attaquer à la police...

Il y avait comme un reflet d'offense personnelle dans sa voix.

— Je crains qu'il n'y ait rien à faire avant neuf heures.

— Avant neuf heures ! répéta Baby épouvantée. Vous n'y pensez pas ? C'est maintenant qu'il faut faire quelque chose. Ne me dites pas que vous ne pouvez rien. Accompagnez-moi jusqu'à la prison. Vous pourrez au moins empêcher qu'on recommence à le rouer de coups.

— Cela n'est pas de notre compétence, madame. L'ambassade ne peut pas se mêler de ce genre d'affaires. Elles relèvent du consulat. Et le consulat n'ouvre qu'à neuf heures.

Le bandeau à moustaches et la couche de cold cream lui imposaient une immobilité absolue du visage, ce qui acheva de mettre Baby en fureur.

— Pas question d'attendre neuf heures ! Mon beau-frère m'a dit qu'on lui avait arraché un œil. Il est gravement blessé. Il faut que je trouve un médecin et que j'y retourne immédiatement.

Elle perdit brusquement patience, se mit à pleurer, de fatigue, d'exaspération, et elle se dit que ce bouleversement émotif risquait d'être plus efficace que tous ses hurlements.

— Faites quelque chose. Vous le pouvez. Vous le devez. Protéger les Américains en danger fait partie de votre métier.

Mais le jeune homme venait de la Côte Est. Il se révéla plus coriace qu'elle ne s'y attendait. Puisqu'elle refusait de comprendre que ce qu'elle demandait ne relevait pas de sa compétence, il hocha doucement la tête, resserra les pans de sa robe persane, descendit quelques marches et dit au portier :

— Donnez à madame l'adresse du consulat. Donnez-lui également l'adresse du docteur Colazzo, et son téléphone.

Il regarda Baby avec un visage de Christ excédé.

— Chère madame, le corps diplomatique représente, auprès du gouvernement italien, le gouvernement des États-Unis, ce qui n'a rien à voir avec la protection des citoyens, sauf si le State Department nous en fait la demande expresse. Votre beau-frère a enfreint les lois de ce pays. Il a été emprisonné. N'importe quel Italien agissant de la sorte à New York serait traité de la même façon. Seuls les magistrats italiens sont en mesure de le libérer. Si votre beau-frère passe en jugement, le consulat, dont le rôle est de protéger les droits des citoyens américains, lui procurera aide et conseils. Et le consulat n'ouvre qu'à neuf heures. Même s'il s'agissait de mon propre frère, je ne pourrais pas en faire davantage, et...

Elle l'interrompit :

— Téléphonez vous-même au consulat.

— Il nous est strictement interdit d'intervenir dans ses affaires. A neuf heures, quand arrivera le consul, vous...

— Pouvez-vous me donner son adresse personnelle?

Le jeune homme hésita un bref instant, secoua fermement la tête, prit la fiche que le portier avait préparée et la tendit à Baby.

— Je vous prie maintenant de m'excuser.

Il la poussait vers la porte. Le petit matin mauve éclaira crûment, pendant quelques secondes, le masque rose et le bandeau de toile qui tenait la moustache. Ce fut comme un petit cri suraigu. Et Baby se retrouva sur le perron de l'ambassade. Sa visite n'avait duré que dix minutes.

La piazza était déserte. Seul, un vieux clochard ramassait les mégots, en les piquant avec un clou fixé à la pointe d'un bâton. Baby réussit à trouver un taxi et se fit conduire au consulat. Elle n'y trouva que trois femmes de ménage, qui balayaient les escaliers. Elle ne parvint pas à leur faire comprendre qu'elle désirait l'adresse personnelle du consul. Prise d'une brusque panique, elle remonta dans son taxi pour retourner à la prison. Le chauffeur ignorait l'adresse. A l'aide d'une suite de *sempre dritte, dextra, sinestra,* elle parvint jusqu'aux environs du quartier, descendit de voiture et finit par se perdre dans un labyrinthe de rues, qui se ressemblaient toutes. Elle déboucha à l'improviste sur la place d'Espagne, aperçut l'immeuble de l'Américan Express, et le seul fait de lire sur la façade le mot : *Américan* lui rendit son courage. L'une des fenêtres était éclairée. Elle traversa la place en courant, tenta d'ouvrir la porte, qui était encore verrouillée. La pendule du hall indiquait sept heures. Elle se souvint alors de Collis Clay.

Elle retrouva le nom de son hôtel, une petite pension étouffante, tendue de peluche cramoisie, située derrière l'Excelsior. La femme chargée de la réception fut intransigeante. Non, elle ne pouvait pas se permettre de déranger Mr. Clay. Non, elle ne pouvait pas autoriser Miss Warren à le rejoindre dans sa chambre. Il fallut se battre longtemps pour la persuader qu'il ne s'agissait pas d'un drame passionnel. Elle consentit alors à l'accompagner.

Collis était nu sur son lit. Il était tellement ivre qu'une fois réveillé il mit un certain temps à prendre conscience de sa nudité. Voulant se racheter par un brusque excès de pudeur, il ramassa ses vêtements, s'enferma dans la salle de bains, et s'habilla en murmurant : « *My gosh!* qu'est-ce qu'elle a dû se rincer l'œil ! » Divers appels téléphoniques lui permirent de localiser la prison, et il s'y rendit avec Baby.

La porte de la cellule était ouverte. Les *carabinieri* avaient installé Dick sur une chaise, dans la salle de garde, avaient vaguement nettoyé le sang de son visage, l'avaient hâtivement recoiffé et lui avaient posé un chapeau sur le front, pour masquer sa figure le plus possible. Baby resta sur le seuil. Elle tremblait de fatigue.

— Je vous laisse avec Mr. Clay. Je vais chercher le consul et un médecin.

— D'accord.

— Ne faites rien, surtout. Restez calme.

— D'accord.

— Je reviens.

Elle se fit conduire au consulat. Il était huit heures. On lui permit de s'asseoir dans l'antichambre. Le consul arriva vers neuf heures. Devenue pratiquement hystérique d'impuissance et d'épuisement, Baby raconta son histoire. Le consul parut fort ennuyé. Il la mit en garde contre le danger des bagarres dans les villes étrangères. Il souhaitait avant tout qu'elle n'attende pas dans son bureau. C'était un homme âgé. Son regard disait avec évidence qu'il n'avait pas la moindre envie de se compromettre dans une affaire aussi sordide. Baby le comprit avec désespoir. Elle employa les dix minutes suivantes à téléphoner au médecin pour qu'il aille soigner Dick. Il y avait plusieurs personnes dans la salle d'attente, que le consul faisait entrer dans son bureau l'une après l'autre. Au bout d'une demi-heure, elle profita du moment où quelqu'un en sortait pour écarter la secrétaire et entrer à son tour.

— Scandaleux ! C'est absolument scandaleux ! Un Américain a été battu à mort, jeté en prison, et vous ne levez pas le petit doigt pour l'aider.

— Juste une minute, Mrs...

— Je n'attendrai pas une minute de plus. Vous allez venir avec moi et le faire libérer sur-le-champ.

— Écoutez, Mrs...

— Notre famille occupe en Amérique un rang considérable. S'il n'y avait pas risque de scandale, nous pourrions parfaitement...

Sa bouche se durcit.

— Laissez-moi vous dire que l'indifférence avec laquelle vous traitez cette affaire sera signalée à qui de droit. Si mon beau-frère était anglais, il serait libre depuis longtemps. Mais vous mourez de peur de ce que peut penser la police italienne. C'est la seule chose qui compte pour vous. Votre travail ne vient qu'après.

— Mrs...

— Votre chapeau, et vite ! Nous partons !

Le mot « chapeau » terrifia le consul. Il essaya de s'en sortir en nettoyant les verres de ses lunettes, et en fourrageant dans ses dossiers. Peine perdue. Celle qui se tenait devant lui, vindicative et survoltée, était la Femme Américaine. La lutte était trop inégale. Comment pouvait-il s'opposer à cet instinct de nettoyage, de stérilisation, qui avait anéanti le moral d'une race entière et transformé en nursery un continent? Il appela le vice-consul. Baby avait gagné.

Le soleil du matin éclairait la salle de garde, et Dick s'y réchauffait, avec Collis et les deux *carabinieri*. Tous les quatre attendaient qu'il se passe quelque chose. De son œil valide, Dick regardait les *carabinieri* : deux braves paysans toscans, avec de très petites lèvres supérieures. Difficile de les associer aux violences de la nuit précédente. Il pria l'un d'eux d'aller lui chercher de la bière.

La bière lui rendit sa lucidité, et il revit son aventure sous un jour d'humour dérisoire. Collis était persuadé que la petite Anglaise du *Bonbonieri* avait joué un rôle, mais Dick se souvenait parfaitement qu'elle avait disparu bien avant. En vérité, Collis ne pensait qu'à une chose : Miss Warren l'avait vu tout nu.

La colère de Dick s'apaisait peu à peu, et il avait le sentiment d'avoir agi comme un irresponsable, comme un criminel. Ce qui lui était arrivé était tellement horrible qu'on ne pouvait rien y changer, à moins de tout anéantir du début. Comme c'était impossible, il se sentait désespéré. Il voulait devenir un autre homme désormais, mais il souffrait comme un écorché vif et se faisait d'étranges idées de ce que serait cet autre homme. Il était impuissant à le créer lui-même. Il fallait donc l'intervention de Dieu. Il fallait un miracle. Aucun Aryen adulte n'est capable d'admettre qu'une humiliation peut être enrichissante. S'il parvient à la pardonner, c'est qu'elle s'est intégrée à sa propre existence, c'est qu'il s'identifie lui-même à ce qui a pu l'humilier — dénouement, dans son cas, impensable.

Quand Collis lui parla de rémunération, il secoua la tête en silence. Un lieutenant de *carabinieri* fit alors irruption dans la pièce. Il était agité, vigoureux et bronzé. Trois hommes l'accompagnaient. Les *carabinieri* se mirent au garde-à-vous. Il aperçut la canette de bière vide, et noya ses hommes sous un déluge de remontrances. Il était manifestement pénétré de l'ordre nouveau. Il fallait, avant toute chose, faire disparaître cette canette de bière. Dick regarda Collis et se mit à rire.

Le vice-consul arriva peu après. C'était un pauvre garçon surmené, qui s'appelait Swanson. Ils partirent pour le tribunal. Collis et Swanson encadraient Dick. Les *carabinieri* suivaient. Le ciel était clair, d'un jaune brumeux. Il y avait foule partout, sur les places, sous les arcades. Dick marchait très vite, le chapeau sur les yeux. Si vite que l'un des *carabinieri*, qui avait les jambes très courtes, était obligé de courir et finit par se plaindre. Swanson le calma.

— Je vous ai pratiquement déshonoré, avouez ? lui demanda Dick en riant.

— C'est de la folie de se battre avec des Italiens, répondit Swanson d'un air accablé. Vous risquiez de vous faire tuer. Ils vont sans doute vous relâcher, mais, si vous étiez italien, ils vous colleraient deux mois de prison ferme. Carrément !

— Avez-vous été en prison ?

Swanson se mit à rire. Dick se tourna vers Collis.

— J'aime bien ce garçon-là. Il est très aimable et donne de bons conseils. Mais je parie n'importe quoi qu'il a déjà fait de la prison. Qu'il y a passé plusieurs semaines.

Swanson rit de nouveau.

— Soyez très prudent, c'est tout ce que je peux vous dire. Vous ne savez pas comment sont ces gens-là.

Dick l'interrompit avec colère.

— Je sais parfaitement comment sont ces gens-là. Ce sont des bon dieu de salauds de fumiers !

Il se tourna vers les *carabinieri*.

— Vous avez compris ?

— Je vous laisse ici, dit Swanson, soudain très nerveux. J'ai prévenu votre belle-sœur que je... que notre avocat vous attendrait là-haut, dans la salle de tribunal. N'oubliez pas : soyez prudent.

Dick lui serra la main avec beaucoup de politesse.

— Au revoir et merci beaucoup. Vous avez sûrement un grand avenir devant vous.

Swanson s'éclipsa sur un dernier sourire, qui se transforma aussitôt en une expression de blâme officiel.

Ils entrèrent dans la cour du Palais de Justice. De grands escaliers extérieurs, dressés aux quatre coins du bâtiment, conduisaient aux salles du tribunal. Pendant qu'ils traversaient cette cour dallée, un groupe de badauds, qui paraissaient attendre quelque chose, se mirent à crier et à injurier Dick, avec des gestes de colère et des sifflements de mépris.

— Qu'est-ce que c'est ? demanda Dick en sursautant.

L'un des *carabinieri* alla leur dire quelques mots, et le silence retomba.

Ils montèrent jusqu'au tribunal. Un avocat minable, envoyé par le consulat, s'entretint longuement avec le juge. Dick et Collis se tenaient à l'écart. Quelqu'un, qui parlait anglais, se détacha d'une fenêtre donnant sur la cour, et vint leur expliquer ce qui s'était passé. On attendait, ce matin-là, un habitant de Frascati, qui avait violé et tué une fillette de cinq ans, et qui devait être jugé — la foule l'avait confondu avec Dick.

Quelques minutes plus tard, l'avocat lui annonça qu'il était libre, la Cour ayant estimé la punition suffisante.

— Suffisante ? cria Dick. Mais punition de quoi ?

— Calmez-vous et filons, dit Collis. Il n'y a plus rien à faire.

— Mais quel est mon crime, à la fin? Je me suis simplement battu avec des chauffeurs de taxi.

— L'acte d'accusation affirme que vous vous êtes approché d'un inspecteur de police, comme si vous alliez lui serrer la main, et que vous lui avez envoyé votre poing en pleine figure.

— C'est complètement faux. Je l'ai prévenu que j'allais lui casser la figure, à ce mignon, et j'ignorais qu'il était inspecteur de police.

L'avocat semblait très pressé.

— Partons, ça vaudra mieux.

— Allez, venez.

Collis Clay le prit sous le bras. Ils descendirent l'escalier. Dick se mit à crier:

— Attendez! J'ai une déclaration importante à faire. Il faut que j'explique à ces gens-là comment j'ai violé une fillette de cinq ans. J'ai peut-être...

— Venez.

Baby était là, qui l'attendait dans un taxi, avec un médecin. Dick n'osait pas la regarder, et il détestait ce médecin, dont l'air sévère et méprisant laissait clairement entendre qu'il appartenait à la plus odieuse race d'Europe: le Latin moralisateur. Il raconta l'histoire en quelques mots, à sa façon. Il n'y eut aucun commentaire. Dans sa chambre du Quirinal, le médecin nettoya ce qui restait de sang, de boue et de transpiration, remit en place la cloison du nez, banda la côte fracturée, les phalanges endolories, désinfecta les ecchymoses, et posa sur l'œil un pansement qui devait tout cicatriser. Dick se sentait nerveux, incapable de dormir. Il demanda au médecin le quart d'un cachet de morphine, qui agit rapidement. Collis et le médecin s'en allèrent. Baby attendit qu'arrive la garde, promise par le service anglais des infirmières à domicile. La nuit avait été éprouvante pour elle, mais elle avait la satisfaction de savoir que le passé de Dick s'abolissait enfin, qu'elle avait désormais barre sur lui, tant qu'il serait utile à la famille Warren.

LIVRE TROIS

1

Frau Kaethe Gregorovius rejoignit son mari sur le chemin de leur chalet.

— Comment va Nicole?

Elle parlait d'un air détaché, mais, comme elle était hors d'haleine, elle n'avait manifestement couru que pour le lui demander.

— Voyons, très chère, Nicole n'est pas malade. Pourquoi cette question?

— J'ai cru qu'elle l'était. Tu la vois tellement souvent.

— Nous en discuterons au chalet, si tu veux bien.

Kaethe inclina la tête avec soumission. Les enfants travaillaient dans le living-room, avec leur professeur, et comme Franz n'avait pas de bureau personnel, ils montèrent s'enfermer dans leur chambre. Kaethe attaqua aussitôt.

— Pardon, Franz, pardon, mon chéri, je n'avais pas le droit de dire ça, je sais, je connais mes devoirs, je m'y conforme aussi dignement que possible, mais il y a quelque chose qui ne va pas, entre Nicole et moi.

— L'harmonie doit régner dans le nid des oiseaux! proféra Franz d'une voix tonnante.

Se rendant compte que cette injonction était en complet désaccord avec le ton qu'il venait d'employer, il la répéta, mais très lentement, sur un rythme bien cadencé, comme savait le faire son vieux maître, le Dr Dohmler, lorsqu'il voulait donner un semblant d'épaisseur au plus consternant des truismes.

— L'har-mo-nie-doit-ré-gner-dans-le-nid-des-oi-seaux !

— J'en suis parfaitement consciente. Tu ne m'as jamais vue manquer de courtoisie envers Nicole.

— Je te vois manquer du plus élémentaire bon sens. Nicole est toujours plus ou moins malade. Elle le sera vraisemblablement toute sa vie. En l'absence de Dick, j'en suis responsable.

Il hésita. Il préférait parfois, pour avoir la paix, ne pas tout dire à Kaethe.

— J'ai reçu un télégramme de Rome, ce matin. Dick a été sérieusement grippé. Il sera là demain.

Manifestement rassurée, Kaethe changea de ton.

— A mon avis, dit-elle, beaucoup plus froidement, Nicole est moins malade qu'on ne le croit. Sa maladie, elle s'en sert comme d'une arme, pour asseoir son pouvoir. Elle devrait faire du cinéma, comme votre fameuse Norma Talmadge. Toutes les femmes américaines seraient enchantées.

— Serais-tu jalouse de Norma Talmadge ? Une actrice ?

— Je n'aime pas les Américains. Ils sont égoïstes. *Tellement* égoïstes !

— Dick, pourtant ?

— Je l'aime bien, c'est vrai. Il est différent. Il s'intéresse aux autres.

« Norma Talmadge doit sûrement faire la même chose, se dit Franz. Elle n'est pas seulement ravissante. Elle doit avoir un caractère très noble et très droit. On l'oblige à jouer des rôles stupides. C'est sûrement une femme merveilleuse à connaître. »

Mais Kaethe ne pensait plus à Norma Talmadge. Ce n'était qu'une ombre pour elle, dont elle avait été vaguement jalouse, un soir où ils remontaient chez eux en voiture, après avoir vu l'un de ses films à Zurich.

— C'est pour son argent que Dick a épousé Nicole. Sa vraie faiblesse, la voilà. Tu me l'as dit toi-même, un soir, souviens-toi.

— Tu deviens méchante.

— Pardon, dit-elle, faisant aussitôt machine arrière. Je n'ai pas le droit de dire ça, c'est vrai. Nous devons vivre en harmonie, comme les oiseaux, tu as parfaitement raison. Mais avec Nicole ce n'est pas toujours facile. Elle a de ces façons, parfois... Quand elle recule, par exemple, en retenant son souffle, comme si... comme si je *sentais* mauvais!

Kaethe venait de toucher la vérité du doigt. Une vérité parfaitement prosaïque. Chez elle, elle faisait tout elle-même. Par souci d'économie, elle renouvelait rarement sa garde-robe. N'importe quelle petite vendeuse américaine, qui lave chaque soir son linge de rechange, et plutôt deux fois qu'une, aurait pu détecter sur Kaethe l'odeur imprécise des transpirations de la veille, qui n'était pas tout à fait une odeur, un souvenir plutôt, l'auréole alcaline d'une éternité de labeur et de laisser-aller. Franz ne la remarquait même plus. Elle faisait partie intégrante de Kaethe, au même titre que le parfum lourd et profond de ses cheveux. Mais Nicole, qui, dans son enfance, avait pris en haine l'odeur des mains de la bonne qui l'habillait, la ressentait comme une offense.

— Même chose pour nos enfants, continuait Kaethe. Nicole n'aime pas qu'ils jouent avec les siens, et...

Mais Franz en avait assez entendu.

— Je te prie de te taire. C'est grâce à l'argent de Nicole que nous avons cette clinique. Tu risques de me faire un tort considérable, sur le plan professionnel, en parlant ainsi. Allons déjeuner.

Kaethe comprit que ce genre de doléances ne servaient à rien, mais la dernière phrase de Franz lui rappela que Nicole n'était pas la seule Américaine à avoir de l'argent. Une semaine plus tard, elle revint donc à la charge, mais en choisissant un nouvel angle de tir.

Le prétexte lui fut fourni par le dîner qu'ils avaient offert aux Diver, ce soir-là, pour fêter le retour de Dick. Elle laissa s'éteindre leurs pas dans l'allée, referma la porte et dit aussitôt :

— Tu as vu les cernes qu'il a ? Il a dû faire une de ces noces !

— Je t'en prie, calme-toi. Dick m'a tout expliqué, le jour même de son retour. Il a voulu faire de la boxe, sur le bateau en rentrant d'Amérique. C'est un sport que les Américains aiment beaucoup. La plupart des passagers le pratiquent pendant la traversée.

— Tu t'imagines que je vais croire ça ? C'est à peine s'il peut remuer les bras, et il a une blessure à la tempe qui n'est pas encore cicatrisée. On voit nettement l'endroit où il a fallu lui raser les cheveux.

Ces détails avaient échappé à Franz.

— Sincèrement, continua-t-elle, tu crois que c'est bon pour la clinique ? Et cette façon de sentir l'alcool ? Ce soir, c'était très net, mais je l'avais déjà remarqué plusieurs fois depuis son retour.

Elle baissa la voix, pour donner plus de poids à ce qu'elle allait dire.

— Dick n'est plus quelqu'un de sérieux.

Cette insistance agaçait Franz. Il haussa les épaules, en montant l'escalier. Une fois dans leur chambre, il la regarda bien en face.

— Dick est quelqu'un de très sérieux et de très brillant. Certainement le plus brillant de tous ceux qui ont obtenu leur diplôme de neuropathologie à Zurich. Beaucoup plus brillant, de toute façon, que je ne l'ai jamais été.

— Tu devrais avoir honte !

— C'est la pure vérité. La honte serait justement de ne pas l'avouer. Chaque fois qu'il se présente un cas difficile, c'est à Dick que je m'adresse. Dans leur discipline, ses livres continuent à faire autorité. Entre dans n'importe quelle librairie médicale et pose la question. La plupart des étudiants croient dur comme fer qu'il est anglais. Ils ne peuvent pas imaginer qu'une telle intelligence ait pu naître aux États-Unis.

Il prit son pyjama sous son oreiller, avec de petits grognements.

— Je croyais que tu l'aimais bien. J'avoue ne pas comprendre pourquoi tu parles ainsi.

— Tu devrais avoir honte, répéta-t-elle. C'est toi le plus solide. C'est toi qui fais tout le travail. C'est l'éternelle histoire du lièvre et de la tortue. Mais, pour moi, le lièvre est à bout de course.

— Tch! Tch!

— Bon, d'accord. Tu verras.

Il la fit taire d'un geste bref.

— Suffit!

Mais ce qui arrive souvent arriva : chacun, en discutant, avait convaincu l'autre, et leurs points de vue s'inversèrent. Kaethe jugea qu'elle s'était montrée trop sévère, que Dick méritait qu'on l'admire, même s'il lui faisait un peu peur, se souvint qu'il lui avait toujours témoigné beaucoup d'intérêt et de compréhension. Franz, de son côté, attendit patiemment que l'opinion de Kaethe s'enracine en lui, et cessa définitivement de considérer Dick comme quelqu'un de sérieux. Il finit même, avec le temps, par nier qu'il ait jamais pu le tenir pour tel.

2

Dick n'offrit à Nicole qu'une version très expurgée de

sa dramatique nuit romaine — version au cours de laquelle il s'était chevaleresquement porté au secours d'un ami qui avait trop bu. Ayant expliqué à Baby Warren les désastreuses conséquences que la vérité aurait sur Nicole, il était presque sûr qu'elle ne le trahirait pas. Mais c'était un risque bien faible comparé aux effets insidieux et vivaces que l'incident avait eus sur lui-même.

Il s'obligea, par réaction, à travailler comme il ne l'avait jamais fait, et Franz, décidé à rompre leur association, cherchait vainement un prétexte pour amorcer cette rupture. Une amitié digne de ce nom ne se détruit pas en une heure, sans provoquer une sorte de blessure physique. Franz finit donc par estimer, avec une conviction de plus en plus grande, que Dick avait des réactions émotives et intellectuelles beaucoup trop rapides, ce qui l'empêchait de voir clairement les problèmes — alors qu'au début de leurs relations ce contraste entre leurs deux natures lui était apparu comme une vertu cardinale. C'était, au fond, comme pour les chaussures : pour obtenir une qualité supérieure, il faut que le cuir s'assouplisse pendant un an.

Il dut attendre jusqu'en mai l'occasion d'ouvrir une première brèche. Un jour, à midi, Dick pénétra dans son bureau. Il était à bout de fatigue.

— C'est fini, pour elle.

— Morte ?

— Le cœur a lâché.

Il s'était laissé tomber sur une chaise, près de la porte. Il était blême. Il venait de passer trois jours et trois nuits au chevet de cette femme artiste-peintre, couverte d'eczéma. En principe, il devait surveiller son taux d'adrénaline, mais comme il l'aimait, il avait tenté, en réalité, de donner un semblant de lumière aux ténèbres qu'elle affrontait.

Comprenant plus ou moins ce qu'il éprouvait, Franz se hâta d'émettre un jugement.

— Pour moi, c'était un cas de neuro-syphilis. Tous les Wassermann que nous avons pu faire ne changeront pas mon opinion. Le liquide cérébro-spinal...

— A quoi bon, grands dieux? A quoi bon? Si son secret lui tenait tellement à cœur qu'elle a désiré l'emporter avec elle, à quoi bon chercher plus loin?

— Vous devriez prendre un jour de repos.

— Je vais le faire, rassurez-vous.

Franz voyait enfin s'ouvrir sa brèche. Feignant d'être absorbé par le télégramme qu'il rédigeait pour prévenir le frère de cette femme, il demanda:

— Pourquoi pas un petit voyage?

— Ce n'est pas le moment.

— Je n'ai pas parlé de vacances. Mais j'ai passé la matinée au téléphone avec un Chilien, dont le fils...

Dick soupira, comme pour lui-même:

— Tellement courageuse, et pendant si longtemps...

Franz hocha la tête avec sympathie, et Dick se reprit aussitôt.

— Je vous ai interrompu, pardon.

— Je ne vous proposais qu'un petit changement d'air. Un Chilien, qui habite Lausanne, a des problèmes avec son fils. Il ne peut pas venir jusqu'ici. Il voudrait qu'on envoie quelqu'un.

— Quels genres de problèmes? Alcoolisme? Homosexualité? Du moment que vous parlez de Lausanne...

— Un peu tout ça.

— J'y vais, d'accord. De l'argent à la clef?

— Pas mal, je crois. Disons que vous restez là-bas deux ou trois jours, et que vous revenez avec le garçon, s'il a besoin qu'on le suive d'un peu près. Flânez un peu. Reposez-vous. Mélangez travail et détente.

Dick dormit deux heures dans le train, et se sentit comme remis à neuf, en parfaite disposition d'esprit pour rencontrer le señor Pardo y Cuidad Real.

Toutes ces rencontres se ressemblent. L'hystérie

évidente du chef de famille est souvent plus intéressante, sur un plan psychique, que l'état du malade lui-même. Celle-ci n'y fit pas exception. Le señor Pardo y Cuidad Real était un superbe hidalgo, aux tempes gris acier, noble d'allure et de maintien, parfaitement sain en apparence, doué de toutes ses facultés, mais il arpentait sa chambre de l'hôtel des Trois Mondes comme un fauve en cage, et se mit à parler de son fils avec l'égarement débridé d'une femme ivre morte.

— Je suis à bout. A bout de ressources. A bout d'imagination. Mon fils est pourri. On me l'a pourri à Harrow. On me l'a pourri au King's College de Cambridge. On me l'a pourri définitivement. C'est de plus en plus évident, avec l'alcoolisme qui s'y ajoute. Un scandale permanent. J'ai tout essayé. J'ai un ami médecin. Nous avons mis sur pied un petit complot. Ils sont partis ensemble visiter l'Espagne. Chaque soir, mon ami médecin faisait à Francisco une injection de cantharide et l'emmenait au bordel le plus célèbre de la ville. Pendant les quinze premiers jours, on a cru que ça marcherait. Mais non. Résultat nul. Finalement, la semaine dernière, savez-vous ce que j'ai fait ? Ici même ?

Il montrait sa chambre d'un geste large.

— J'ai obligé Francisco à se mettre torse nu et je l'ai fouetté avec une cravache.

Il se laissa tomber dans un fauteuil, terrassé d'émotion. Dick retenait mal une envie de rire.

— Absurde, la cravache. Le voyage en Espagne, encore plus absurde.

Comment un médecin professionnel avait-il pu se prêter à cette comédie, qui relevait du simple amateurisme ?

— Je dois vous dire, en toute franchise, que je ne peux rien vous promettre. En ce qui concerne l'alcoolisme, nous obtenons parfois certains résultats. Mais il faut que le malade y mette du sien. Je voudrais rencontrer votre fils, essayer de gagner sa confiance, et savoir jusqu'à quel point il est conscient du problème.

C'était un fort beau garçon, d'environ vingt ans, très éveillé, très franc. Ils allèrent s'asseoir sur la terrasse de l'hôtel.

— J'aimerais savoir ce que vous pensez de tout ça. Avez-vous l'impression que les choses s'aggravent? Avez-vous envie d'y remédier?

— Je crois, oui, répondit Francisco. Je ne suis pas heureux du tout.

— A cause de l'alcoolisme, ou de votre anormalité?

— A mon avis, l'alcool est la conséquence de l'autre.

Il resta sérieux un moment. Mais le besoin de plaisanter fut plus fort que lui. Il éclata de rire.

— C'est sans espoir. Savez-vous comment on m'avait surnommé au King's College? La Reine du Chili. Quant à ce voyage en Espagne... Aujourd'hui, la seule vue d'une femme me donne la nausée!

Dick l'interrompit sèchement.

— Si tout ce gachis vous amuse, inutile de perdre mon temps.

— Non, non, continuons de parler. La plupart des autres, je les méprise tellement...

Il y avait une certaine énergie virile chez ce garçon, entièrement consacrée désormais à se dresser contre son père. Mais, comme tous les homosexuels qui acceptent la discussion, il avait dans l'œil une lueur de malice ambiguë. Dick le mit doucement en garde.

— Quoi qu'il arrive, ce sera pour vous la clandestinité. Une lutte de chaque instant pour vivre. Une lutte qui mobilisera toutes vos forces, vous empêchera de rien faire d'autre, sur un plan humain ou social. Si vous voulez vivre au grand jour, il faudra apprendre à contrôler votre sexualité, et à lutter d'abord contre cet alcoolisme, qui, à votre avis, en est la conséquence.

Les phrases lui venaient machinalement, car c'était

terminé pour lui depuis dix minutes. Cette histoire ne l'intéressait plus. Ils passèrent près d'une heure ensemble. Le garçon était très ouvert. Il parla du Chili, de sa maison d'enfance, de ses ambitions. C'était la première fois que Dick étudiait d'aussi près une personnalité de cet ordre, sans arrière-pensée clinique ou pathologique. Le charme de Francisco était évident, et ce charme lui donnait la force de pouvoir vivre en marge. Dick avait toujours regardé le charme comme une force indépendante, qui avait son existence propre — une force qui avait hanté la folie passionnée de la malheureuse femme morte le matin même, et qu'il découvrait de nouveau dans la courageuse élégance avec laquelle ce garçon égaré affrontait à son tour une vieille et sinistre histoire. Dick essayait de disséquer ce charme, de le réduire en fragments minuscules, pour pouvoir les ranger côte à côte, car il comprenait que l'ensemble d'une vie peut différer en qualité des éléments qui la composent. Mais il comprenait également que, après quarante ans, ce n'est qu'à travers ses divers éléments qu'une vie devient évidente. Son amour pour Nicole, son amour pour Rosemary, son amitié pour Abe North ou pour Tommy Barban, dans ce monde de l'après-guerre, qui avait volé en éclats : c'était chaque fois le même phénomène. Un être s'attachait si étroitement à lui qu'il devenait cet être même. Comme s'il n'y avait aucun choix possible. Comme s'il fallait tout prendre ou tout rejeter en bloc. Comme si, jusqu'à la fin de sa vie, il était condamné à se charger de certains êtres et de leur personnalité, à n'être complètement lui-même qu'autant qu'ils étaient complètement eux-mêmes. Ce qui mettait en jeu un certain principe de solitude : tellement facile d'être aimé, tellement difficile d'aimer.

Il était donc sur la terrasse. Il écoutait le jeune Francisco, lorsqu'un fantôme du passé sembla prendre vie sous ses yeux. Un homme, grand et mince, qui se déhanchait curieusement, venait de se détacher d'un massif, et s'avançait vers eux avec une sorte de perplexité. Il paraissait tellement confus de faire partie de l'éblouissant paysage que Dick, au début, ne lui prêta guère attention. Mais il dut soudain se lever, lui serrer la main, en se disant d'un air préoccupé : « Dans quel guêpier me suis-je fourré, grands dieux ! », et en cherchant désespérément son nom.

— Docteur Diver, n'est-ce pas ?

— En effet, en effet... Mr. Dumphry, n'est-ce pas ?

— Royal Dumphry, exactement. J'ai eu l'insigne honneur de dîner chez vous autrefois, dans votre admirable jardin.

— Mais bien sûr.

Pour essayer de tempérer un si bel enthousiasme, Dick s'enfonça dans un calcul abstrait, d'ordre chronologique.

— C'était en... voyons... dix-neuf cent... euh, vingt-quatre... vingt-cinq ?

Il était resté debout, mais Royal Dumphry, dont la timidité semblait avoir fondu d'un coup, se donnait toutes les peines du monde pour s'accrocher à eux. Il parlait avec Francisco, sur un ton familier et narquois, et Francisco, manifestement mal à l'aise, paraissait d'accord pour s'éloigner discrètement avec Dick.

— Il y a une chose que je tiens absolument à vous dire, docteur Diver, avant de vous laisser partir. Jamais, au grand jamais, je n'oublierai ce dîner dans votre jardin. C'est l'un des plus délicats souvenirs de ma vie, l'un des plus exaltants. J'y pense sans cesse. C'était un véritable concentré de civilisation, la réunion de quelques êtres suprêmement raffinés, comme je n'en ai plus rencontré depuis.

Dick avait adopté une démarche en crabe, et faisait de petits pas de côté, en direction de la porte la plus proche.

— Ravi que vous en ayez gardé un tel souvenir. Il faut maintenant que j'aille voir...

— Je comprends très bien, dit Dumphry, avec une compassion marquée. J'ai appris qu'il était mourant.

— Qui est mourant?

— Peut-être n'aurais-je pas dû en parler, mais nous avons le même médecin.

Dick s'était arrêté.

— De qui parlez-vous, à la fin? demanda-t-il avec étonnement.

— Mais de... du père de votre femme. Peut-être n'aurais-je pas...

— Le *quoi*?

— J'étais persuadé... Voulez-vous dire que je suis le premier à...?

— Voulez-vous dire que le père de ma femme est ici, à Lausanne?

— J'étais persuadé que vous le saviez. Persuadé que vous étiez venu pour ça.

— Quel est le nom du médecin?

Dick le nota en hâte sur son carnet, s'excusa, et partit en courant vers une cabine téléphonique.

D'accord, le docteur Dangeu recevrait le docteur Diver sans attendre.

Le Dr Dangeu était un jeune médecin genevois. Il crut un instant qu'il était sur le point de perdre un client richissime, mais Dick le rassura aussitôt, et se fit confirmer que Mr. Warren était vraiment mourant.

— Il n'a pas cinquante ans, mais le foie est dans un état incurable. Essentiellement pour alcoolisme.

— Il ne fonctionne plus?

— Mr. Warren ne peut plus absorber autre chose que du liquide. Je lui donne entre trois jours et une semaine.

— Sa fille aînée, Miss Warren, est-elle au courant?

— Il a interdit qu'on mette qui que ce soit au courant, en dehors de son valet de chambre. Je ne lui avais rien dit jusqu'ici. C'est ce matin seulement que je me suis senti obligé de parler. Il a appris la vérité avec beaucoup d'exaltation, alors qu'il était très calme depuis le début de sa maladie, d'une sérénité presque religieuse.

Dick réfléchit un moment.

— Écoutez... Je...

Il parlait très lentement.

— Je refuse d'être considéré comme quelqu'un de la famille. Mais je pense que si ses deux filles étaient au courant elles souhaiteraient qu'on appelle en consultation un spécialiste.

— Comme vous voudrez.

— Si je vous demande de faire appel à l'un des médecins les plus éminents de la région, je sais qu'elles seraient d'accord avec moi. Je pense au docteur Herbrugge, de Genève.

— Je pensais, moi aussi, à Herbrugge.

— Je suis à Lausanne pour un jour ou deux. Je resterai en contact avec vous.

Dans l'après-midi, il eut une conversation avec le señor Pardo y Cuidad Real.

— Nous possédons de vastes propriétés au Chili, lui dit le vieil homme. Francisco peut parfaitement s'en occuper. Je peux également lui trouver une place à Paris, dans une douzaine d'entreprises.

Il allait d'une fenêtre à l'autre, en secouant la tête. Une pluie de printemps s'était mise à tomber, si douce et si légère que les cygnes eux-mêmes ne songeaient pas à s'abriter.

— Mon fils unique! Pouvez-vous le prendre chez vous?

Il se laissa brusquement tomber aux pieds de Dick.

— Guérissez mon fils unique! J'ai confiance en vous. Je sais que vous pouvez le prendre chez vous. Que vous pouvez le guérir.

— On n'enferme pas quelqu'un pour ce genre de motifs. Même si je pouvais le faire, je refuserais.

Le Chilien se releva.

— C'était plus fort que moi... Je me suis laissé emporter...

En regagnant la réception, Dick rencontra le Dr Dangeu dans l'ascenseur.

— J'allais téléphoner dans votre chambre, lui dit Dangeu. Pouvons-nous parler un moment sur la terrasse?

— Il est mort?

—État stationnaire. La consultation est prévue pour demain matin. Mais il veut voir sa fille. Votre femme, oui. C'est un désir violent chez lui, un désir passionné. J'ai cru comprendre qu'il y avait eu un problème...

— Je suis au courant

Ils se regardaient. Ils réfléchissaient. Le Dr Dangeu finit par dire :

— Avant de vous décider, pourquoi ne pas aller le voir? Il aura une mort très douce, très élégante. Il s'affaiblira, peu à peu, et il s'éteindra.

Dick accepta, au prix d'un grand effort.

— D'accord.

La suite au fond de laquelle Devereux Warren s'affaiblissait si élégamment, pour finir par s'éteindre, était aussi vaste que celle du señor Pardo y Cuidad Real. Cet hôtel comprenait ainsi toute une série d'immenses chambres, où d'anciens nababs ruinés, des repris de justice, des prétendants au trône de principautés asservies, s'aidaient de dérivés d'opium et de barbituriques pour prolonger leur existence, l'oreille étroitement collée à des postes de radio, qui martelaient sans fin la liste de leurs anciens crimes. Ce petit coin d'Europe ne faisait rien pour attirer chez lui ce genre de réfugiés, mais il leur ouvrait discrètement ses frontières sans leur poser de questions trop embarrassantes. Deux genres de routes se croisaient donc, ici — celle de vrais malades, qui venaient s'enfermer dans les sanatoriums de montagne, pour soigner leur tuberculose, et celle de *persona grata*, déchues de leurs pouvoirs, qui fuyaient l'Italie ou la France.

La chambre était dans la pénombre. Une religieuse au visage d'ange veillait un moribond, dont les doigts décharnés, posés sur le drap blanc, égrenaient un chapelet. Il était encore extrêmement beau, et lorsqu'il s'adressa à Dick, après que le Dr Dangeu les eut laissés ensemble, sa voix retrouva un instant son lourd grondement guttural.

— On finit par comprendre beaucoup de choses, quand on arrive à la fin de sa vie. C'est aujourd'hui seulement, docteur Diver, que je comprends tout ce qui s'est passé.

Dick garda le silence.

— J'ai été un homme abominable. Je n'ai aucun droit de revoir Nicole une dernière fois, vous devez le savoir, docteur, mais quelqu'un, qui est au-dessus de nous tous, nous a enseigné la compassion et le pardon.

Le chapelet s'échappa de ses doigts inertes et glissa sur la laine soyeuse des couvertures. Dick le lui rendit.

— Dix minutes, docteur Diver. Si je pouvais voir Nicole dix minutes, je serais en paix pour quitter ce monde.

— La décision ne m'appartient pas. Nicole est très vulnérable...

Il avait l'air d'hésiter, mais sa décision était prise.

— Je peux en parler à mon associé.

— D'accord, docteur. Je me soumets d'avance à ce qu'il décidera. Permettez-moi de vous dire que j'ai envers vous une dette considérable, et que...

Dick l'interrompit brusquement.

— Je vous ferai savoir ce qu'il en est par le docteur Dangeu.

Rentré dans sa chambre, il téléphona à la clinique du lac de Zoug. Après une longue attente, il entendit la voix de Kaethe.

— Il faut absolument que je parle à Franz.

— Il est en montagne. Je pars le rejoindre dans un instant. Y a-t-il quelque chose à lui dire?

— C'est au sujet de Nicole. Son père est ici, à Lausanne, en train de mourir. Dites-le à Franz. Il comprendra que c'est important. Il faut qu'il m'appelle.

— D'accord, Dick. Je le lui dirai.

— Qu'il m'appelle dans ma chambre, entre trois et cinq. Ou entre sept et huit. Après huit heures, qu'il me demande directement à la salle à manger.

Il oublia de dire à Kaethe, en lui donnant ces heures précises, qu'il importait par-dessus tout de ne pas en parler à Nicole. Elle avait raccroché lorsqu'il y pensa. Mais ça allait de soi, bien sûr. Elle avait sûrement compris.

C'est vrai que Kaethe n'avait pas vraiment l'intention d'en parler à Nicole, tandis qu'elle traversait les prairies alpestres, dans le silence des vents secrets et des fleurs sauvages — prairies où les malades skiaient parfois l'hiver et se promenaient au printemps. En descendant de la navette locale, elle aperçut Nicole, qui s'était chargée des enfants et avait organisé pour eux un jeu très animé. Elle s'approcha, lui posa doucement le bras sur l'épaule.

— Comme vous savez bien vous y prendre avec les enfants! Cet été, il faut absolument que vous leur appreniez à nager.

Ils avaient eu très chaud en jouant, et, par un réflexe instinctif, Nicole repoussa le bras de Kaethe, d'une façon plutôt agressive. Kaethe laissa donc retomber gauchement sa main et, réagissant d'instinct à son tour, prononça d'une voix mordante les mots qu'elle n'aurait pas dû prononcer.

— Vous imaginez quoi? Que je voulais vous embrasser? Je n'ai fait ce geste qu'en pensant à Dick. Il vient de me téléphoner, et je suis désolée, c'est tout.

— Que se passe-t-il avec Dick?

Kaethe comprit trop tard son erreur. Elle s'était

engagée sans le vouloir sur un terrain complètement piégé, et, puisque Nicole continuait à la questionner, elle fut, peu à peu, obligée de tout dire.

— ...si vous êtes désolée, je *veux* savoir pourquoi.

— Ce n'est pas Dick lui-même. Il faut que je parle à Franz.

— *C'est* Dick!

Comme elle avait l'air terrifié, et que les deux enfants Diver, qui étaient à portée de voix, donnaient à leur tour des signes d'inquiétude, Kaethe finit par céder.

— C'est votre père. Il est malade, à Lausanne. Dick veut parler à Franz.

— *Très* malade?

Kaethe aperçut Franz à cet instant là. Il venait vers elles, avec son allure tranquille et joviale de médecin sûr de lui. Elle lui repassa le flambeau, avec un soupir de soulagement, mais le mal était fait.

— Je pars pour Lausanne, dit Nicole.

Franz voulut l'apaiser.

— Attendez un moment. Ça ne me paraît pas raisonnable. Laissez-moi au moins en parler à Dick.

— Si je rate la prochaine navette, je ne pourrai pas être à Zurich pour le train de trois heures. Mon père est peut-être mourant. Il faut...

Elle était tellement effrayée qu'elle n'osait pas finir sa phrase.

— Il *faut* que je parte. Il faut que je prenne ce train.

Elle courait déjà vers la gare, vers le ruban de petits wagons plats, qui couronnait la colline d'un bruyant halo de fumée. Elle cria, par-dessus son épaule:

— Si vous avez Dick au téléphone, dites-lui que j'arrive.

Dick était dans sa chambre. Il lisait le *New York Herald Tribune*. La religieuse, qui avait des airs d'hirondelle, surgit brusquement, effarée. Le téléphone sonna au même moment.

— Mort? demanda-t-il, plein d'espoir, à la religieuse.

— Non, monsieur. Parti.

— *Comment?*

— Parti. Le valet de chambre aussi. Les bagages. Tout a disparu.

Dick décrocha le téléphone. C'était Franz.

— Comment? Vous n'auriez jamais dû prévenir Nicole!

— C'est Kaethe. Ça lui a échappé sans qu'elle l'ait voulu.

— C'est moi le vrai fautif, bien sûr. On ne doit jamais rien dire à une femme, tant que les choses ne sont pas terminées. Bon, d'accord, j'irai chercher Nicole à la gare. Mais ce qui arrive est complètement fou. Écoutez bien, Franz. Le moribond a filé.

— Il a quoi? Qu'est-ce que vous dites?

— Je dis que le vieux Warren a sauté de son lit, et qu'il a filé.

— Et alors?

— Alors? Il était mourant. Collapsus généralisé. Et voilà qu'il se lève, qu'il s'en va, qu'il rentre à Chicago, je pense... Sais pas, l'infirmière est là, avec moi... Sais pas, Franz, je l'apprends à l'instant. On se rappelle plus tard.

Il passa les deux heures suivantes à essayer de comprendre ce qui s'était passé. Le vieux Warren avait profité de l'instant où l'infirmière de jour remplace l'infirmière de nuit pour descendre au bar. Il avait avalé quatre whiskies, coup sur coup. Puis il avait réglé sa note avec un billet de mille dollars, en priant le caissier de lui renvoyer la monnaie par la poste, et il était parti, sans doute pour les État-Unis. Une tentative de dernière seconde, de la part de Dick et du Dr Dangeu, pour le rattraper à la gare, se solda par un double échec: Nicole, en effet, arrivait au même moment, et Dick n'était pas là pour l'attendre. Ils se retrouvèrent à l'hôtel. Elle avait le visage défait, serrait durement les mâchoires, ce qui inquiéta Dick.

— Comment est-il ?

— Beaucoup mieux. J'ai même l'impression qu'il a une sacrée dose de santé.

Il cherchait comment lui expliquer les choses, sans trop la bouleverser.

— En fait, il s'est levé, et il est parti.

Elle eut l'air stupéfaite, et comme cette course-poursuite avait occupé le temps du dîner, et qu'il avait besoin de boire quelque chose, il l'entraîna vers le bar. Ils s'enfoncèrent dans de grands fauteuils de cuir. Il commanda un *high-ball* et une bière.

— Le médecin qui le soignait a dû faire une erreur de diagnostic, ou quelque chose comme ça. Attends une seconde. J'ai à peine eu le temps d'y réfléchir moi-même.

— Il est *parti* ?

— Il a pris le train pour Paris.

Ils gardèrent le silence un moment. Nicole paraissait plongée dans une profonde et tragique apathie.

— C'est une réaction purement instinctive. Il était vraiment mourant, mais il a voulu s'accrocher désespérément à son rythme vital pour le remettre en route. Ce n'est pas la première fois que quelqu'un s'enfuit de son lit de mort. Comme les vieilles horloges, tu sais. Tu les secoues un peu. Elles semblent retrouver leurs habitudes anciennes et recommencent à battre. Ton père, en ce moment...

— Ne dis rien.

— Sa véritable source d'énergie, c'est la peur. Il a eu peur. Il s'est enfui. Il vivra peut-être jusqu'à quatre-vingt-dix ans.

— Je t'en prie, tais toi. Je t'en prie. Je ne peux pas le supporter.

— Très bien. Pour le petit chenapan que j'étais venu voir, c'est sans espoir. Nous pouvons repartir demain.

Elle eut une brusque explosion de colère.

— Pourquoi tout ça ? Pourquoi faut-il que tu trempes toujours dans tout ça ? Je ne comprends pas !

— Vraiment ? Moi non plus, parfois, je ne comprends pas.

Elle lui toucha la main.

— Pardon. Je ne voulais pas dire ça.

Quelqu'un avait apporté un phonographe. Ils restèrent longtemps dans le bar, en silence, à écouter *Le mariage de la poupée aux joues peintes*.

3

Huit jours plus tard, comme il se dirigeait vers son bureau pour prendre son courrier, Dick s'aperçut qu'il se passait quelque chose d'anormal : Von Cohn Morris quittait la clinique. Ses parents, des Australiens, paraissaient fous furieux. Ils empilaient ses bagages avec emportement dans une immense limousine. Le Dr Ladislau courait derrière eux, tentant en vain de s'opposer aux gesticulations frénétiques de Mr. Morris, le père. Von Cohn, le fils, assistait à son propre « enlèvement » avec un cynisme désabusé. Dick s'approcha.

— N'est-ce pas un peu prématuré, Mr. Morris ?

En apercevant Dick, Mr. Morris eut un haut-le-corps. Son visage écarlate et les larges rayures de sa veste à carreaux se mirent à clignoter comme des ampoules électriques. Il s'avança vers Dick, comme s'il allait le frapper.

— Largement temps qu'on décampe, au contraire ! Nous, et tous ceux qui sont arrivés en même temps que nous.

La colère semblait l'étouffer.

— Largement temps, docteur Diver! Largement temps!

— Voulez-vous venir jusqu'à mon bureau?

— Certainement pas. Faut que je vous parle, ça oui. Mais vous et votre clinique, j'en ai plus rien à faire!

— Vous m'en voyez navré.

Il pointa vers Dick un index menaçant.

— C'est ce que je disais à ce médecin-là. De l'argent perdu et du temps perdu!

Le Dr Ladislau tenta un geste de dénégation, mais tellement esquissé qu'il mit en évidence son don éminemment slave pour les faux-fuyants. Dick n'aimait pas beaucoup Ladislau. Il entraîna adroitement l'Australien hystérique vers l'allée qui conduisait à son bureau, et tenta de l'y faire entrer, mais l'homme secouait la tête avec obstination.

— Le vrai responsable, c'est vous, docteur Diver. *Vous*, parfaitement. On ne pouvait pas vous trouver, et le docteur Gregorovius ne rentre que ce soir, alors j'ai fait appeler le docteur Ladislau, parce que c'est trop, docteur! Je n'attendrai pas une minute de plus. Je sais la vérité, maintenant. Mon fils Von Cohn vient de me l'apprendre.

Il était tellement déchaîné que Dick s'arrangea pour garder les mains libres, et pouvoir le maîtriser, si nécessaire.

— C'est pour son alcoolisme que mon fils est ici. Et savez-vous ce qu'il m'a dit? Que vous, docteur, *vous*, parfaitement, vous sentez l'alcool!

Il renifla ostensiblement, comme pour flairer Dick, mais apparemment sans succès.

— Mon fils Von Cohn affirme qu'il a senti l'alcool dans votre haleine, docteur Diver. Deux fois déjà. Jamais, de toute notre vie, ma femme et moi on n'a bu une goutte d'alcool. On vous a confié notre fils pour le guérir de l'alcoolisme, et deux fois déjà, en moins d'un mois, il a senti l'alcool dans votre haleine! Qu'est-ce que c'est que ce genre de clinique?

Dick hésitait. Mr. Morris était parfaitement capable de provoquer un scandale public, devant les malades.

— Mr. Morris, personne n'est obligé de renoncer à ce qu'il considère comme un aliment naturel, uniquement parce que votre fils...

— Mais vous êtes médecin, docteur! hurla Mr. Morris, le sang à la tête. Que les ouvriers boivent de la bière, tant pis pour eux! Mais qu'est-ce que vous faites, ici? Vous êtes censé soigner...

— Attention, Mr. Morris, vous allez trop loin. C'est pour kleptomanie que votre fils est ici.

— Kleptomane pourquoi?

Il criait à tue-tête.

— Parce qu'il boit. Boit à devenir noir. Et c'est quoi, le noir? C'est l'enfer. J'avais un oncle. On l'a pendu à cause de ça! La corde au cou, parfaitement! Alors, je mets mon fils dans une clinique, et son médecin empeste l'alcool!

— Mr. Morris, je suis obligé de vous demander de partir.

— *Obligé?* C'est *moi* qui pars.

— Si vous étiez un peu plus sobre, je vous aurais montré les premiers résultats du traitement. Mais, vu les sentiments qui vous animent, il n'est pas question de garder votre fils.

— *Sobre?* Vous osez employer le mot *sobre* à mon égard?

Dick fit signe au Dr Ladislau d'approcher.

— Pouvez-vous prendre congé du malade et de sa famille en notre nom?

Il salua rapidement Mr. Morris, gagna son bureau, resta longtemps contre la porte, immobile. Il attendait que cette caravane grotesque s'en aille, les parents obèses, leur progéniture goguenarde et dégénérée. Ce qu'ils allaient faire était évident: parcourir l'Europe, en cherchant à intimider ceux qui leur étaient supérieurs par l'étalage conjugué d'un excès de sottise et d'un excès d'argent. Mais, quand la limousine eut disparu, il se posa gravement la question : était-il vraiment responsable ? Il buvait du vin à chaque repas, se permettait le soir un petit digestif, un grog généralement, avec du rhum, et de loin en loin, dans l'après-midi, un doigt de gin ou deux — le gin étant le plus difficile à détecter dans une haleine. Moins d'un demi-litre par jour, en fait. Trop encore, puisque son organisme ne le brûlait pas entièrement.

Refusant de s'absoudre trop facilement, il s'assit à son bureau, et établit, sous forme d'ordonnance, les grandes lignes d'un régime qui devait diminuer sa consommation de moitié. Défense aux médecins, aux chauffeurs, aux pasteurs protestants de sentir l'alcool. Les peintres, par contre, les agents de change, les officiers de cavalerie en ont parfaitement le droit. Il n'avait qu'une chose à se reprocher, toute sincérité : son manque de discrétion. Mais le problème se compliqua une demi-heure plus tard, au retour de Franz. Requinqué par quinze jours de randonnées alpestres, Franz avait tellement hâte de recommencer à travailler qu'avant même d'entrer dans son bureau il avait trouvé l'occasion de le faire. C'est là que Dick vint le rejoindre.

— Alors l'Everest ? Ça s'est bien passé ?

— Vu la forme physique de notre équipe, on pouvait parfaitement s'attaquer à l'Everest. On y pense d'ailleurs sérieusement. Ici, comment va ? Ma Kaethe ? Votre Nicole ?

— Sur le plan domestique, tout semble baigner dans l'huile. Mais il s'est passé un vrai drame, à la clinique, ce matin.

— Ah bon ? Quel drame ?

Il avait appelé son chalet pour prendre des nouvelles de sa famille, et Dick fut obligé d'attendre la fin de la conversation, en tournant en rond dans la pièce.

— Le fils Morris a été enlevé. Une bagarre incroyable !

Franz perdit aussitôt son expression joviale.

— Je le savais. Je viens de croiser Ladislau.

— Que vous a-t-il dit exactement?

— Que le jeune Morris était parti, et que vous alliez m'en parler. Rien de plus. Que s'est-il passé?

— Toujours les mêmes extravagances.

— Intenable, ce garçon.

— On aurait dû lui faire prendre des anesthésiants, je suis d'accord. Mais quand je suis arrivé, Ladislau était à plat ventre devant le père. On aurait dit un indigène à la botte de son colonisateur. Que faire avec ce Ladislau? Pourra-t-on le garder longtemps? Personnellement, je suis contre. Il n'a aucune énergie. Face à une situation un peu délicate, il perd tous ses moyens.

C'était une façon de gagner du temps, de ne pas aborder de front la vérité. Franz était appuyé contre le coin de son bureau. Il avait encore son manteau et ses gants.

— Entre autres réflexions, le garçon aurait affirmé à son père que votre distingué collaborateur était un alcoolique. Le père est d'une intransigeance fanatique sur ce point, et son rejeton prétend avoir flairé sur moi quelques effluves de vin de pays.

Franz mordillait sa lèvre inférieure.

— Voulez-vous qu'on en parle plus tard? proposa-t-il enfin.

— Pourquoi pas maintenant? Je suis le contraire d'un alcoolique, vous le savez parfaitement.

Ils se regardèrent droit dans les yeux — un éclair de quelques secondes.

— Ladislau a laissé le père s'énerver à tel point que j'ai dû me tenir sur mes gardes. Ça pouvait très bien éclater devant tous les malades. Pas facile de se défendre, croyez-moi, dans une telle situation.

Franz enleva son manteau et ses gants, alla jusqu'à la porte, dit à sa secrétaire: « Qu'on ne me dérange pas », et revint vers son bureau. Il joua un moment avec son courrier, sans vraiment réfléchir, comme on le fait dans ces cas-là, cherchant simplement à se forger un masque conforme à ce qu'il allait dire.

— Dick, même si je ne suis pas complètement d'accord avec vous sur cette question d'alcool, vous êtes quelqu'un de parfaitement sobre, je le sais, de parfaitement équilibré. Mais le moment est venu. Je vais être tout à fait franc. J'ai plusieurs fois remarqué que vous veniez de boire alors que ce n'était pas le moment. Vous avez sûrement une raison d'agir ainsi. Pourquoi ne pas essayer de nouveau une petite cure d'abstinence?

— D'absence, corrigea Dick machinalement. Partir n'est pas une solution pour moi.

Ils étaient extrêmement tendus, l'un et l'autre — Franz furieux, notamment, qu'on lui ait gâché la joie du retour.

— Dick, vous n'avez pas toujours tout votre bon sens.

— Quand les problèmes sont compliqués, je vois mal à quoi servirait le bon sens. Autant dire qu'un généraliste est plus qualifié qu'un spécialiste, pour n'importe quelle opération.

Il était écœuré. Une véritable nausée. Toujours expliquer, toujours recoller les morceaux — à leur âge, ça n'avait plus de sens. Mieux valait s'acharner à poursuivre, avec ce craquement prolongé dans l'oreille, l'écho de la vérité d'autrefois. Il réagit brutalement.

— Ça ne peut pas durer.

— Exactement ce que je pense. Vous n'y croyez plus, Dick. Votre cœur n'y est plus.

— C'est vrai. Je pars. Restons-en là. Nous arriverons toujours à un accord, pour le remboursement de l'argent de Nicole.

— Je le voyais venir depuis quelque temps, et j'ai

déjà pris mes dispositions. Je trouverai facilement d'autres commanditaires. D'ici la fin de l'année, je serai en mesure de tout vous rembourser.

Dick n'avait pas l'intention de rompre si vite, et il ne pensait pas que Franz accepterait si vite la rupture, mais il fut curieusement soulagé. Depuis longtemps déjà, non sans désespoir, il sentait se désagréger les principes moraux qui le rattachaient à sa profession, jusqu'à n'être que des poids morts.

4

C'est vers la Riviera qu'ils voulaient revenir, puisqu'ils y avaient leur maison. Mais la villa Diana était louée pour les trois mois d'été. Ne sachant comment occuper ce temps intermédiaire, ils flânèrent au hasard, de villes d'eaux allemandes en cathédrales françaises, visitant les unes, s'attardant quelques jours dans les autres, avec un plaisir toujours renouvelé. Dick écrivit un peu, mais sans but précis. C'était comme un temps de vie suspendue. A rien de particulier — ni à la santé de Nicole, qui s'améliorait toujours en voyage, ni à un travail quelconque. Simplement suspendue. Le seul facteur de stabilité était fourni par les enfants.

Plus ils grandissaient, plus Dick s'intéressait à eux. Ils avaient onze et neuf ans, maintenant. Ignorant volontairement la présence des gouvernantes, Dick multipliait les contacts avec eux, partant du principe qu'en matière d'éducation trop demander aux enfants ou avoir peur de trop leur demander n'étaient pas des critères suffisants, et que la patience attentive, le contrôle suivi, l'équilibre et l'appréciation des résultats obtenus, permettaient seuls de les maintenir à un niveau décent de conscience morale. Il finissait par les connaître mieux que Nicole elle-même, et, lorsqu'il avait savouré le vin des divers pays qu'ils traversaient, il se sentait en humeur de jouer longtemps avec eux et de leur parler. Ils possédaient ce charme un peu désenchanté, presque mélancolique, des enfants qui ont appris très tôt à doser leur rire et leurs larmes. Ils n'avaient jamais l'air d'éprouver des sentiments extrêmes, et s'accommodaient d'une discipline très simple, et des plaisirs tout aussi simples qui leur étaient permis. Ils se pliaient, en fait, à ce principe de vie sagement mis au point par les vieilles familles du monde occidental : mieux vaut garder pour soi qu'extérioriser. Dick estimait par exemple que le sens de l'observation s'acquérait avant tout par l'épreuve d'un silence imposé.

Lanier était un garçon déroutant, d'une curiosité sans limites. Dick était constamment harcelé par des questions du genre : « Dis, papa, pour venir à bout d'un lion, il faudrait qu'ils s'y mettent à combien, les loulous de Poméranie ? » Topsy était moins éprouvante. Blonde, exquisement faite, aussi fragile que Nicole, ce qui, dans les premières années, avait inquiété Dick. Mais, à neuf ans, elle était devenue aussi résistante que n'importe quel enfant américain. Il était très fier d'eux, sans jamais l'exprimer clairement. Il se contentait de le laisser entendre. Il ne se montrait inflexible qu'en matière de bonne éducation. « C'est en famille qu'on doit apprendre la politesse. Sinon, la vie se charge elle-même de vous l'apprendre, à grands coups de fouet, et ça peut blesser cruellement. Que Topsy m'*adore* ou non, qu'est-ce que ça me fait ? Je ne l'élève pas pour qu'elle m'épouse. »

L'argent ajoutait encore aux étranges couleurs de cet étrange été. Jamais les Diver n'en avaient autant possédé, car le capital investi dans la clinique leur était peu à peu remboursé, et l'Amérique était au zénith de sa croissance économique. S'occuper de tout cet argent, s'occuper de le dépenser, prenait un temps considérable. Le faste dont s'entouraient leurs déplacements avait quelque chose de fabuleux.

Observons-les, par exemple, au moment où le train ralentit, avant d'entrer en gare de Boyen. Les Diver doivent y résider une quinzaine de jours. Depuis la frontière italienne, leur wagon-lit est en effervescence. La femme de chambre de Mrs. Diver et la femme de chambre de la gouvernante ont quitté en hâte leur compartiment de seconde classe pour venir s'occuper des valises et des chiens. Abandonnant les sealyhams à l'une d'elles, la paire de pékinois à l'autre, Mlle Bellois supervise les bagages à main. Qu'une femme ait besoin d'avoir tant de monde autour d'elle ne signifie pas forcément qu'elle a l'esprit fragile. Cela peut s'expliquer aussi bien par un excès de préoccupations. En dehors des périodes de maladie, Nicole était parfaitement capable de présider elle-même à l'ensemble des opérations. Elle s'y retrouvait sans erreur dans la multitude des bagages encombrants — le fourgon de queue allait en effet aligner sur le quai quatre malles de vêtements, une malle de chaussures, trois malles de chapeaux, que prolongeaient deux cartons à chapeaux, un coffre réservé aux affaires du personnel, un classeur portatif, un réchaud à alcool, un panier de pique-nique, quatre raquettes de tennis, avec leurs étuis et leurs presses, un phonographe et une machine à écrire. S'y ajoutaient, à l'intérieur même des compartiments qu'occupaient la famille et les domestiques, deux douzaines de valises, sacoches, et colis supplémentaires, le tout soigneusement étiqueté et numéroté, jusqu'au porte-cannes. Il suffisait donc de deux minutes à peine pour vérifier, dans n'importe quelle gare, que rien ne manquait, et séparer ce qu'on laisserait en consigne de ce qu'on emportait avec soi. Car Nicole avait établi deux listes différentes, l'une dite « des voyages rapides », l'autre « des voyages importants », listes constamment modifiées et remises à jour, inscrites dans un petit carnet à reliure métallique qui ne quittait jamais son sac. Ce système, imaginé dès l'enfance lorsqu'elle voyageait avec sa mère malade, aurait pu servir à n'importe quel officier d'intendance, chargé de nourrir et loger les trois cents hommes de son régiment.

Les Diver descendirent du train à Boyen. Un crépuscule bleuâtre montait déjà de la vallée. Les habitants du village observaient ce débarquement avec une inquiétude voisine de celle qui devait accompagner, un siècle plus tôt, les pèlerinages italiens de Lord Byron. Ils étaient attendus à la gare par la Contessa di Minghetti, qu'ils avaient connue, quelques années plus tôt, sous le nom de Mary North. Le voyage de Mary, commencé à Newark, dans une chambre étroite, au-dessus d'une boutique de papiers peints, s'était achevé par un mariage mirifique.

« Conte di Minghetti » n'était qu'un titre de noblesse papale. La fortune de l'homme qu'avait épousé Mary avait pour origine quelques mines de manganèse, qu'il possédait et exploitait dans l'Asie du Sud-Ouest. Il n'avait pas le teint suffisamment clair pour pouvoir occuper un pullman, une fois franchie la ligne Mason-Dixon, qui sépare, en Amérique, les États du Sud de ceux du Nord. Il appartenait à cette lignée kabylo-yéméno-berbéro-hindoue, qui serpente à travers l'Afrique et l'Asie, et que les Européens préfèrent aux visages basanés qui hantent les ports du Levant.

Lorsque ces deux maisons princières, celle venue d'Orient, celle venue d'Occident, se trouvèrent face à face sur le quai de Boyen, la magnificence des Diver s'effondra d'un coup, et n'évoqua plus, en comparaison, qu'un convoi de pionniers défricheurs. Le train de maison de leurs hôtes se composait d'un majordome italien, armé d'une grande canne à pommeau, d'un quatuor de serviteurs enturbannés, chevauchant des motocyclettes, et de deux femmes à demi voilées, qui se tenaient à distance respectueuse de Mary, et adressèrent à Nicole de longs et graves salamalecs, qui la firent sursauter malgré elle.

Pour les Diver, comme pour Mary, cet accueil avait quelque chose de hautement comique. Mary laissa échapper un petit rire de confusion et d'ironie. Mais, lorsqu'elle leur présenta son mari, avec tous ses titres orientaux, sa voix redevint orgueilleuse et hautaine.

Pendant qu'ils s'habillaient, dans leur chambre avant le dîner, Nicole et Dick échangèrent quelques grimaces de stupéfaction effarée. Les gens riches, qui voudraient qu'on les prenne pour d'authentiques démocrates, affectent ainsi, en privé, de rester pantois devant l'étalage du luxe et de la poudre aux yeux.

— Elle sait ce qu'elle veut, la petite Mary, murmura Dick, dans un grand nuage de crème à raser. Elle s'est fait éduquer par Abe. Elle a fait la conquête d'un bouddha. Demain, si l'Europe tourne au bolchevisme, elle s'arrangera pour être fiancée à Staline.

Nicole cherchait sa trousse de toilette.

— Attention à ce que tu dis, je t'en prie !

Mais elle riait.

— Ils font partie du gratin international. J'imagine qu'on doit tirer des salves en leur honneur, sur les bateaux de guerre, ou hisser des pavillons ou quelque chose comme ça. Et quand Mary se trouve à Londres, elle doit se déplacer dans le carrosse royal.

— Sûrement.

Il entendit Nicole ouvrir la porte et demander des épingles à quelqu'un. Il éleva la voix.

— Est-ce qu'on pourrait m'apporter un whisky ? L'altitude me donne soif.

Nicole revenait vers la salle de bains.

— C'était l'une des deux femmes que nous avons vues à la gare. Elle a enlevé son voile. Elle s'occupe de ton whisky.

— Mary t'a parlé de la vie qu'elle menait ?

— Pas vraiment. Elle ne s'intéresse qu'à l'aristocratie. Elle m'a posé des tas de questions sur ma généalogie, comme si j'y connaissais quelque chose. J'ai cru comprendre que son mari avait eu, d'un précédent mariage, deux enfants nettement bronzés, et que l'un deux souffrait d'une maladie, d'origine asiatique, qu'on n'a pas réussi à diagnostiquer. Il faudrait mettre les nôtres en garde. Ça me paraît un peu curieux. J'espère que Mary comprendra.

Elle resta quelques instants immobile, à réfléchir. Dick voulut la rassurer.

— Mary comprendra sûrement. D'ailleurs, les enfants doivent être couchés.

Pendant le dîner, Hosain, qui avait fait ses études dans un collège anglais, et qui s'intéressait à la Bourse et à Hollywood, posa à Dick toutes sortes de questions, et, comme le champagne l'avait émoustillé, Dick lui raconta un peu n'importe quoi.

— Billions ? demanda Hosain.

— Trillions, affirma Dick.

— Tant que ça ? Ça m'étonne.

— Millions, peut-être, concéda Dick. Chaque client de l'hôtel a accès au harem. A ce qui correspond, du moins, au harem.

— Uniquement comédien ou metteur en scène ?

— Non, non, n'importe quel client. Même un voyageur de commerce. Figurez-vous qu'ils m'ont proposé une douzaine de candidates, mais Nicole n'était pas d'accord.

Nicole lui en voulut, lorsqu'ils se retrouvèrent dans leur chambre.

— Pourquoi as-tu bu tant de cocktails ? Et pourquoi as-tu parlé de *Rital* devant lui ?

— Ma langue a fourché. Pardon. Je voulais dire : *vital*.

— Ça ne te ressemble pas, Dick.

— Pardon, encore une fois. Je ne suis pas vraiment moi-même.

Il se leva, cette nuit-là, entrouvrit la fenêtre de la salle de bains. Elle donnait sur une longue cour étroite, aussi sombre qu'un trou à rats, d'où montait une étrange musique, plaintive et lointaine, comme une flûte désolée. Deux hommes chantaient, dans un dialecte oriental, hérissé de *l* et de *k*. Il se pencha pour essayer de les apercevoir. Il y avait quelque chose de religieux, dans cette musique, une sorte de supplication, et comme il était épuisé, incapable d'éprouver la moindre émotion, il laissa ces deux hommes prier à sa place, mais pour demander quoi? Il n'en savait rien lui-même, peut-être simplement que la mélancolie sournoise, qui l'envahissait peu à peu, n'aille pas jusqu'à l'étouffer.

Le lendemain, ils chassèrent. Ils tirèrent des oiseaux décharnés, qui n'avaient qu'un lointain rapport avec des perdreaux. La colline était nue, avec très peu d'arbres, et la chasse une pâle copie des grandes chasses d'Angleterre, avec une armée de rabatteurs tellement inexpérimentés que Dick était obligé de tirer en l'air, pour éviter d'en liquider un par mégarde.

Au retour, ils trouvèrent Lanier dans leur appartement.

— Papa, tu m'as dit que si on était en contact avec le garçon malade il fallait t'avertir immédiatement.

Nicole se tourna vers lui, brusquement sur ses gardes.

— On lui donne un bain tous les soirs. Ce soir, il l'a pris juste avant moi. J'ai été obligé de prendre le mien dans la même eau que lui, et c'était très sale.

— Qu'est-ce que tu dis?

— J'ai vu qu'elles sortaient Topsy du bain, puis elles m'ont appelé pour que je prenne le mien, et l'eau était très sale.

— Tu l'as pris?

— Oui, maman.

— Seigneur Dieu !

Elle regardait Dick. Il demanda :

— Pourquoi n'est-ce pas Lucienne qui t'a donné ton bain ?

— Lucienne ne pouvait pas. Parce qu'ils ont un drôle de chauffe-eau, qui s'allume tout seul. Alors hier, elle s'est brûlée, elle a eu peur, et l'une des deux femmes...

— Précipite-toi dans cette salle de bains, et prends-en un autre immédiatement.

Lanier s'arrêta sur le seuil de la porte.

— Surtout, ne dis pas que c'est *moi* qui t'en ai parlé.

Dick frotta les parois de la baignoire avec du soufre, puis il referma la porte.

— Il faut en parler à Mary ou s'en aller.

Elle était d'accord.

— Les gens s'imaginent toujours qu'ils ont des enfants plus solides que les autres, dont les maladies sont moins contagieuses.

Il alla jusqu'à la cave à liqueurs, se versa un petit verre d'alcool, croqua un biscuit d'un coup de dents furieux, en écoutant l'eau couler dans la salle de bains.

— Il faut dire à Lucienne qu'elle apprenne à se servir de ce chauffe-eau.

L'une des deux femmes apparut alors à la porte.

— El Contessa...

Dick, très souriant, lui fit signe d'entrer et referma la porte.

— Comment va le petit malade ?

— Beaucoup mieux. Mais, de temps en temps, il a encore des éruptions.

— Comme c'est triste ! J'en suis vraiment navré. Mais nos propres enfants ne doivent en aucun cas prendre leur bain dans la même eau que lui. Vous comprenez ça, j'espère ? Si votre maîtresse apprenait que vous avez fait ça, elle serait certainement furieuse.

— *Moi ?*

Comme si la foudre venait de tomber.

— J'ai simplement vu que votre femme de chambre avait des problèmes avec le chauffe-eau. Je lui ai montré comment s'en servir et j'ai fait couler l'eau.

— Quand quelqu'un est malade, il faut vider complètement la baignoire, et la nettoyer à fond.

— *Moi ?*

Manifestement bouleversée, elle chercha sa respiration, étouffa un sanglot, et sortit de la chambre en courant. Dick avait l'air furieux.

— Elle ne va quand même pas apprendre à nos dépens la civilisation occidentale.

Il devint évident, au dîner, qu'il fallait abréger ce séjour. Hosain ignorait tout de son pays d'origine, sinon qu'il y avait beaucoup de montagnes, quelques troupeaux de chèvres et quelques bergers. Il était constamment sur son quant-à-soi. Tenter de l'apprivoiser demandait un surcroît d'énergie que Dick réservait désormais à sa famille. Il disparut après dîner, les laissant seuls avec Mary. Mais l'ancienne amitié s'était fissurée. Trop d'espace les séparait — tous ces arrière-plans sociaux que Mary s'acharnait à conquérir. A neuf heures et demie, on lui apporta un message. Elle le lut rapidement, se leva, et Dick se sentit soulagé.

— Excusez-moi. Mon mari doit partir en voyage. Il faut que j'aille le rejoindre.

Le lendemain matin, elle fit irruption dans leur chambre, sur les talons de la servante qui apportait le petit déjeuner. Elle était habillée, depuis longtemps sans doute, alors qu'ils étaient en pyjama. Elle avait un visage farouche, où battait sourdement la colère.

— Qu'est-ce que c'est que cette histoire d'eau sale et de bain de Lanier ?

Dick voulut protester mais elle lui coupa la parole.

— Comment avez-vous osé dire à la sœur de mon mari qu'elle devait nettoyer la baignoire de Lanier ?

Agressive et tendue, au milieu de la chambre, elle les foudroyait du regard, alors qu'ils étaient au fond de leurs lits, avec leurs plateaux, leurs serviettes, embarrassés et maladroits, impuissants comme des idoles.

— *Sa sœur?*

Ils avaient sursauté ensemble.

— Vous avez ordonné à l'une de ses sœurs de nettoyer la baignoire de Lanier.

— Absolument faux...

Ils parlaient ensemble, prononçaient ensemble les mêmes mots.

— C'était à l'une des servantes indigènes.

— C'était à la sœur d'Hosain.

Dick ne savait plus que dire.

— J'ai cru que c'était une servante.

— Je vous avais prévenu qu'elles étaient *Himadoun.*

— *Hima...* quoi?

Dick avait réussi à se lever, et à enfiler une robe de chambre.

— Avant-hier soir, près du piano, je vous ai longuement expliqué tout ça. Ne me dites pas que vous étiez trop soûl pour entendre!

— Oh! Mary, c'était ça que vous m'expliquiez? Je n'ai pas compris le début. Je n'ai pas fait le rapprochement avec... Nous n'avons pas compris, Mary. Il ne nous reste plus qu'à aller la trouver, pour lui présenter nos excuses.

— Aller la trouver pour lui présenter vos excuses! Je vous ai expliqué que, dans une famille, quand l'aîné se marie... plus exactement, quand le frère aîné se marie, ses deux sœurs les plus âgées deviennent *Himadoun,* c'est-à-dire dames d'honneur de son épouse.

— C'est pour ça qu'Hosain est parti, hier soir?

Mary hésita, finit par hocher la tête.

— Il fallait qu'il parte. Ils sont tous partis. L'honneur l'exigeait.

Les deux Diver étaient levés maintenant, et s'habillaient rapidement.

— De toute façon, continuait Mary, qu'est-ce que c'est que cette histoire de bain et d'eau sale ? Impossible qu'une chose pareille se passe dans cette maison. Je veux interroger Lanier.

Dick s'assit sur le bord du lit, et fit discrètement signe à Nicole que ce problème la concernait. Mary, pendant ce temps, parlait en italien à l'un des serviteurs.

— Une seconde, dit Nicole. Je refuse.

— Vous refusez ? répondit Mary, d'un ton qu'elle n'avait jamais employé jusqu'ici vis-à-vis de Nicole. Vous nous accusez. J'ai le droit de faire mon enquête.

— Je refuse que Lanier soit mêlé à ça.

Nicole se drapait dans ses vêtements comme dans une armure. Dick intervint.

— Bon, qu'il vienne. Fable ou réalité, qu'on mette au point cette histoire de baignoire.

A moitié habillé, à moitié endormi, Lanier regardait ces visages d'adultes manifestement courroucés.

— Écoute bien, Lanier, dit Mary. Qu'est-ce qui a pu te faire croire qu'on t'avait donné un bain dans une eau qui avait déjà servi ?

— Réponds, ajouta Dick.

— Elle était sale, c'est tout.

— Ta chambre est juste à côté de la salle de bains. Tu aurais très bien pu entendre que l'eau se vidait.

Lanier reconnut que c'était possible, en effet, mais réitéra son affirmation : l'eau était sale. Il était légèrement angoissé. Il tenta une explication.

— Impossible qu'on ait vidé l'eau, puisque...

Ils le pressèrent de continuer.

— Puisque quoi ?

Il était si charmant, dans son petit kimono, que ses parents s'attendrissaient, tandis que Mary s'agaçait, au contraire.

— L'eau était sale, répéta-t-il. Pleine de mousse de savon.

— Quand on n'est pas sûr de ce qu'on affirme..., commença Mary.

Mais Nicole l'interrompit.

— Suffit, Mary! S'il y avait des traces de savon, c'est normal qu'il ait cru que l'eau était sale. Son père lui avait recommandé de venir...

— Il n'y avait pas de traces de savon! affirma Mary.

Lanier en voulait à son père de l'avoir trahi. Nicole le prit par les épaules, lui fit faire demi-tour et l'expédia hors de la chambre. Pour détendre un peu l'atmosphère, Dick se mit à rire doucement. Alors, comme si ce rire lui rappelait leur ancienne amitié, l'heureux temps d'autrefois, Mary mesura la distance qui les séparait. Elle essaya d'être indulgente.

— C'est toujours pareil avec les enfants...

Plus elle revoyait son passé, plus elle se sentait mal à l'aise.

— Pourquoi partir? C'est trop absurde. De toute façon, Hosain devait faire ce voyage. Vous êtes mes hôtes. Vous avez fait une gaffe, un point c'est tout.

Mais Dick, écœuré par ce manque de franchise, et furieux qu'elle ait employé le mot « gaffe », commençait à ranger ses affaires.

— Vraiment désolant pour ces deux jeunes femmes. J'aurais volontiers présenté mes excuses à celle qui est entrée ici.

— Il fallait m'écouter, quand nous étions près du piano.

— J'ai écouté aussi longtemps que j'ai pu, Mary. Mais vous êtes devenue tellement ennuyeuse...

— Calme-toi, intervint Nicole

J'en ai autant à votre service, répondit Mary, aigrement. Au revoir, Nicole.

Elle sortit.

Impossible de se revoir après ça. Ce fut le majordome qui organisa leur départ. Dick écrivit un petit mot aimable à Hosain et à ses deux sœurs. Puis ils s'en allèrent. Que faire d'autre ? De tous, c'était Lanier le plus amer.

— Je suis sûr que l'eau était sale, insista-t-il, une fois dans le train.

— Oublions tout ça, dit son père. Sinon, toi et moi, on divorce. Sais-tu qu'on vient de voter une loi, en France, qui permet aux parents de divorcer d'avec leurs enfants ?

Lanier éclata de rire, et l'unité de la famille Diver se trouva, une fois encore, rétablie. Mais Dick se demandait si elle pourrait le demeurer longtemps.

5

Penchée sur le rebord de la fenêtre, Nicole essayait de comprendre ce qui se passait sur la terrasse. Une bagarre venait d'éclater. Le soleil d'avril colorait d'écarlate le visage de sainte-nitouche d'Augustine, la cuisinière, et allumait des reflets bleus sur la lame du couteau de boucher qu'elle brandissait d'une main tremblante. Elle était manifestement ivre. Les Diver l'avaient engagée en février, lorsqu'ils s'étaient réinstallés à la villa Diana.

Elle n'apercevait que le haut du crâne de Dick, à cause d'un store qui lui bouchait la vue, et la lourde canne à pommeau de bronze qu'il brandissait de son côté. Cette canne et ce couteau, dressés l'un contre l'autre, évoquaient le trident et la courte épée des anciens gladiateurs. C'est la voix de Dick qui lui parvint d'abord.

— ...me moque éperdument de ce que vous buvez comme vin ordinaire, mais quand je vous surprends à biberonner une de mes bouteilles de Chablis-Moutonne...

— Biberonner, et alors ? hurlait Augustine, le couteau levé. Ça vous connaît ! Z'arrêtez pas !

Nicole cria, à travers le store.

— Dick, que se passe-t-il ?

Il lui répondit en anglais.

— C'est cette vieille poivrote qui a épousseté d'un peu trop près les bouteilles de la cave. Je la flanque à la porte. J'essaie, du moins.

— Méfie-toi. Elle a un couteau.

C'est en direction de Nicole, maintenant, qu'Augustine le brandissait. Elle n'avait plus de lèvres, mais deux cerises entrecroisées.

— Voudrais savoir, madame, si vous êtes au courant, mais dans sa bastide, monsieur votre mari, l'en éponge plus qu'un ouvrier journalier.

— Taisez-vous et partez ! Sinon, j'appelle les gendarmes.

— Les gendarmes, *vous* ? Alors que mon frère, il en fait partie ? *Vous* — salauds d'Américains !

Dick cria, toujours en anglais :

— Éloigne les enfants, tant que cette affaire n'est pas terminée.

— ...salauds d'Américains, qui s'installent chez nous, et qui sifflent nos meilleurs vins !

Augustine semblait leur jeter l'anathème au nom de toute la commune. Dick haussa la voix à son tour.

— Ça suffit, maintenant. Vous partez. Je vous règle ce que je vous dois.

— Et comment, que vous me réglez ! En attendant, laissez-moi vous dire une chose...

Elle fit un pas vers Dick, en agitant si violemment son couteau qu'il leva sa canne pour la menacer. Elle se précipita dans la cuisine, et en revint avec une hachette. La situation devenait délicate. Augustine était vigoureuse. La désarmer représentait de sérieux risques. Physiques, d'abord. Juridiques, ensuite, car un citoyen français qu'on ose molester a tous les droits pour lui. Dick tenta une manœuvre d'intimidation.

— Téléphone au commissariat de police, cria-t-il à Nicole.

Et montrant à Augustine la hachette qu'elle brandissait :

— Avec ça, vous risquez la prison.

Elle éclata d'un rire énorme.

— Ah! Ah! Ah! Ben voyons!

Mais elle évita d'approcher davantage. Nicole téléphona au commissariat de police. Le rire qu'elle obtint en réponse était comme un écho de celui d'Augustine. Elle entendit des bruits, des murmures, des mots qu'on échangeait d'un bout à l'autre de la pièce — et la communication fut brutalement coupée.

Nicole revint à la fenêtre.

— Ajoute une rallonge à ce qu'on lui doit.

« Si je pouvais téléphoner moi-même », pensait Dick. Mais comme ça semblait impossible, il fut obligé de céder. Pour cinquante francs, qui montèrent vite jusqu'à cent, tant il était pressé de la voir disparaître, Augustine mit bas les armes, consentit à sortir de sa forteresse, et couvrit sa retraite d'un « Salaud! », qui claqua comme une grenade. Comme elle avait des bagages, il fallut attendre que son neveu puisse venir la chercher. Dick, qui montait prudemment la garde aux alentours de la cuisine, entendit sauter un bouchon, mais préféra ne rien dire. Tout finit sans autre incident. Le neveu arriva bientôt, et se confondit en excuses. Augustine gratifia Dick d'un large sourire et d'un au revoir chaleureux, et cria, en direction de la fenêtre de Nicole :

— Adieu, madame, et bonne chance!

Ils descendirent à Nice, ce soir-là, pour manger une bouillabaisse, arrosée d'un Chablis bien frais. Dick se sentait triste à propos d'Augustine.

— Pas moi, dit Nicole. Pas une seconde.

— Moi, si. Et pourtant, je l'aurais volontiers jetée du haut de la falaise.

Ils avaient très peu de sujets de conversation, à cette époque-là. Ils avaient du moins le courage d'en aborder très peu, tant ils avaient de mal à trouver le mot juste, au moment où ils auraient dû l'employer, et lorsqu'ils le trouvaient, c'était toujours trop tard, quand ils étaient trop loin, de nouveau, pour s'atteindre. Ce soir-là, l'éclat d'Augustine les avait réveillés de leurs songeries respectives, et l'échauffement des épices, avivé par le vin glacé, les poussa peu à peu à parler. Nicole s'y risqua la première.

— On ne va pas pouvoir continuer longtemps. Qu'en penses-tu? Tu crois qu'on pourra?

Voyant que Dick ne cherchait pas à démentir, elle continua.

— Je me dis souvent que c'est moi. Que j'ai fini par te ruiner.

Il préféra plaisanter.

— Ah bon? Je suis ruiné?

— Ce n'est pas ce que je veux dire. Je parle d'autrefois, quand tu avais envie de construire des choses. Aujourd'hui, on dirait que tu veux tout détruire.

Elle était un peu effrayée d'oser le critiquer aussi ouvertement, mais le silence de plus en plus profond dans lequel il s'était enfermé l'effrayait davantage. Quelque chose était en train de prendre forme, derrière ce silence, elle en était certaine, derrière le regard trop fixe de ses yeux bleus, derrière l'intérêt presque maladif qu'il portait aux enfants. Il avait des sautes d'humeur surprenantes, qui n'étaient pas dans sa nature, et qui la déroutaient. Un chapelet de remarques cinglantes, qu'il déroulait soudain, d'un ton acerbe et méprisant, contre quelqu'un en particulier, ou contre une classe sociale, une race, une façon de vivre, une façon de penser. C'était comme une histoire

qu'il se racontait à lui-même, une histoire aux conséquences imprévisibles, dont elle ignorait tout, qu'elle
tentait vainement de déchiffrer pendant les rares instants où il la laissait affleurer.

— Finalement, qu'as-tu retiré de tout ça ? demanda-
t-elle.

— Deux choses. Tu es un peu plus forte chaque jour.
Les rechutes de ta maladie sont de plus en plus
espacées.

D'une voix indifférente, comme s'il parlait de quelque chose de vague, de purement conventionnel. Elle
eut très peur. « Dick ! » murmura-t-elle, et elle tendit
la main par-dessus la table. Il la repoussa d'un geste
instinctif.

— Ce qu'il faut remettre en question, ce n'est pas
seulement toi. C'est la situation elle-même.

Il prit alors sa main, et d'une voix brusquement
changée, sa voix d'autrefois, complice et souriante,
celle qui inventait les jeux, les plaisirs, les blagues, les
émerveillements, il murmura :

— Tu vois ce yacht, là-bas ?

C'était le *Margin*, le yacht de T.F. Golding. Il était
ancré dans la baie de Nice, et s'il vibrait doucement
sur son ancre, ce n'est pas qu'il se préparait à une
romantique croisière toujours possible, mais simplement que les petites vagues se jouaient de lui.

— Allons-y. Interrogeons ceux qui se trouvent à
bord. Demandons-leur comment ça se passe pour eux.
Demandons-leur s'ils sont heureux.

— On connaît à peine ce Golding, objecta Nicole.

— Il nous a souvent invités. Baby le connaît, du
reste. Elle n'était pas plus ou moins fiancée avec lui ?

Ils louèrent une chaloupe, et sortirent du port. Il
faisait une nuit d'été, et, dans les gréements du *Margin*, de petites lanternes clignotaient doucement. Nicole eut de nouveaux scrupules au moment où ils
abordèrent.

— Écoute. Il donne une soirée.

— Mais non. C'est sûrement la radio.

On les héla du bord — un homme d'une taille impressionnante, blanc de costume et de crinière.

— J'ai comme l'impression que ce sont les Diver!

— Ohé, du canot!

La chaloupe s'arrêta le long de l'échelle de coupée. Golding plia en deux son immense ossature pour tendre la main à Nicole.

— Juste à temps pour dîner.

Un petit orchestre jouait à la poupe.

Je serai à toi puisque tu le veux
Mais d'ici là ne me dicte pas ce que j'ai à faire...

Avec de grands mouvements de bras, qui évoquaient un début de tempête, Golding, sans même les toucher, les poussa vers l'arrière du navire. Nicole était de plus en plus mal à l'aise. Elle en voulait de plus en plus à Dick. Ils s'étaient longtemps tenus à l'écart de la joyeuse société qui se prélassait sur la Riviera, parce que la santé de Nicole et le travail de Dick leur interdisaient ce genre de réunions. Ils avaient acquis peu à peu une réputation d'opposants, de contestataires, qui, chez les nouveaux arrivants, s'était transformée, d'année en année, en une sorte d'impopularité. Quoi qu'il en soit, et puisqu'ils avaient cette réputation, elle trouvait regrettable de la compromettre, d'une façon superficielle, par simple réflexe égoïste.

Ils traversèrent un grand salon, et s'imaginèrent qu'on dansait au-dessus de leurs têtes, des ombres légères dans la pénombre de la nuit. Mais ce n'était qu'une illusion, le reflet de la mer autour d'eux, les lumières insolites, le charme du petit orchestre. A part quelques stewards affairés, tous les invités semblaient échoués sur un large divan, qui épousait la courbe du pont arrière. Il y avait là, en désordre, une robe rouge, une robe blanche, une robe de couleur indécise, quelques plastrons amidonnés, dont l'un d'eux, se détachant soudain du tas informe, et se faisant reconnaître lui-même, arracha à Nicole un petit cri de surprise ravie.

— Tommy !

Elle repoussa le baisemain, trop formaliste, trop français, posa sa joue contre la sienne. Ils s'assirent ensemble, s'enfoncèrent ensemble plutôt, dans les profondeurs du divan. Tommy était tellement brûlé par le soleil que son visage avait perdu le charme du bronzage, sans atteindre à cette beauté bleu foncé qu'ont les Noirs. Cette étrange décoloration exotique, tous les soleils dont il venait, les nourritures surprenantes de tous ces pays surprenants, son langage que tant de dialectes avaient rendu comme hésitant, ses réactions harmonisées aux dangers les plus terrifiants — tout fascinait Nicole et tout la rassurait. A la seconde où elle le reconnut, elle s'appuya sur lui, en pensée mit la tête sur sa poitrine, se laissa emporter, loin, si loin... Mais l'instinct de défense joua aussitôt, l'équilibre se rétablit. Elle reprit pied dans son propre univers et dit en souriant :

— Tout à fait la tête des aventuriers qu'on voit au cinéma. Pourquoi si longtemps sans donner de nouvelles ?

Tommy Barban la regardait. Il ne comprenait pas encore. Il était en éveil. Il y avait de petites lueurs dans ses yeux.

— Cinq ans, continuait Nicole, d'une voix enrouée, qui ne cherchait pas à donner le change. *Beaucoup* trop long, Tommy. Vous auriez dû vous contenter de massacrer, de-ci de-là, quelques personnes, et revenir ensuite respirer un moment notre douce atmosphère.

Il aimait qu'elle soit là. Il était séduit, de nouveau, et son côté civilisé prit rapidement le dessus. Il lui répondit en français.

— Il nous faut du temps, à nous, les héros. On ne

peut pas se contenter de petits exercices d'héroïsme. Il faut qu'on fasse de grandes compositions.

— Parlez-moi en anglais, Tommy.

— Parlez-moi en français, Nicole.

— Les mots n'ont pas le même sens. En français, vous pouvez être à la fois héroïque et chevaleresque, sans perdre votre dignité, et vous le savez. En anglais, si vous êtes héroïque et chevaleresque, vous devenez un peu ridicule, et vous le savez aussi. Ce qui me donne un avantage.

— Mais, après tout...

Il eut un brusque petit rire.

— ...même en anglais, je suis héroïque, chevaleresque, et tout ce que vous voudrez.

Elle fit semblant de se pâmer d'admiration, mais il ne se laissa pas démonter.

— J'ai vu ce qu'on voit dans les films. Rien d'autre.

— C'est vraiment comme au cinéma ?

— Dans l'ensemble, les films ne sont pas si mal faits. Ceux avec Ronald Colman, notamment. Avez-vous vu la série sur l'Afrique du Nord ? Pas mal faite du tout.

— Donc, quand j'irai au cinéma, je pourrai me dire que vous êtes en train de vivre la même chose.

Elle regardait, tout en parlant, une jeune femme, qui était assise de l'autre côté de Tommy. Mince, jolie, le visage très pâle, des cheveux d'un blond métallique, qui tirait sur le vert avec le reflet des lanternes. Elle aurait pu participer à leur conversation, ou à celle de ses autres voisins, mais elle avait visiblement un droit de regard exclusif sur Tommy, et lorsqu'elle comprit que c'était sans espoir, qu'elle n'avait plus aucune chance de l'intéresser, elle se leva, avec une évidente mauvaise grâce, et traversa, d'un pas furieux, le pont arrière en demi-lune.

— Je suis un héros, après tout, affirma froidement Tommy, sans vraiment plaisanter. J'ai un courage presque inhumain. Quelque chose comme un lion, ou comme un homme ivre.

C'était la première fois, sans doute, qu'il se permettait une déclaration d'une fatuité aussi fracassante. Nicole attendit donc que l'écho s'en éteigne et qu'il retrouve ses esprits. Puis elle regarda les gens, autour d'elle, détecta parmi eux le pourcentage habituel de violents névrotiques, qui se donnent pour débonnaires, prétendent n'aimer la campagne que par horreur des villes, et du son de leur propre voix, dont dépendent le style et l'ambiance d'une soirée.

— Qui est cette femme en blanc? demanda-t-elle.

— Celle qui était assise à côté de moi? Lady Caroline Sibly-Biers.

— Sa voix leur parvenait à distance.

Un franc salopard, mais sacrément retors. Nous avons joué au chemin de fer jusqu'à l'aube, et il me doit mille francs suisses.

Tommy rit doucement.

— Elle porte actuellement le titre de: femme-la-plus-venimeuse-de-Londres. Chaque fois que je reviens en Europe, je trouve une moisson nouvelle de femmes-les-plus-venimeuses-de-Londres. Celle-ci est la toute dernière. Mais je crois qu'on vient d'en découvrir une qui la talonne de très près.

Nicole la regarda mieux. Elle était accoudée à la rambarde. Fragile, évanescente. Comment de si maigres épaules, des bras si décharnés pouvaient-ils soutenir, avec tant de superbe, l'étendard de la décadence, l'ultime emblème de l'Empire moribond? Avec sa poitrine ultra-plate, elle évoquait plus volontiers les « garçonnes », croquées par John Held, que ces troupeaux de longues vierges languissantes qui, depuis l'après-guerre, servaient de modèles aux peintres et aux romanciers.

Golding venait vers elle, essayant d'étouffer les craquements que faisait naître, comme à travers de gigantesques haut-parleurs, le moindre mouvement de sa trop énorme carrure. Nicole, toujours aussi réticente, finit par céder à ses différents arguments. A savoir : que tout de suite après dîner le *Margin* appareillerait, qu'il se dirigerait vers Cannes, que s'ils avaient déjà dîné ils pouvaient toujours grignoter quelques grains de caviar, arrosés d'un doigt de champagne, que Dick téléphonait à leur chauffeur à Nice, pour lui demander de conduire leur voiture jusqu'à Cannes et de la garer devant le café des Alliés, où les Diver la reprendraient en débarquant.

Ils passèrent donc dans la salle à manger. Dick était assis à côté de Lady Sibly-Biers. Nicole remarqua aussitôt qu'il était blême, qu'il parlait sur un ton doctoral, mais elle entendait mal ce qu'il disait. Sa voix lui parvenait par bribes.

— ...pour vous, Anglais, c'est excellent. C'est la danse de mort... Les Cipayes dans le fort en ruine. Je veux dire, les Cipayes devant la porte, et la gaieté à l'intérieur du fort, la musique, tout ça. Condamné, *The Green Hat*. Condamné, le monde décrit par Malden. Condamné !

Lady Caroline répondait par petites phrases très courtes, parsemées de « *Cheerio* » inquiétants, de « *Quoi ?* » soupçonneux, de « *Bien sûr* » à double tranchant, qui laissent toujours présager une catastrophe imminente. Mais Dick demeurait sourd à ces signaux d'alarme. Il se lança soudain dans une diatribe particulièrement violente, dont le sujet échappait à Nicole, mais elle vit que la jeune femme devenait nerveuse et mauvaise, et elle l'entendit répondre, d'une voix cinglante :

— Excusez-moi, mais un ami, c'est un ami. Un petit ami, c'est un petit ami !

Il avait donc blessé quelqu'un, de nouveau. Était-il incapable de tenir sa langue encore un peu de temps ? Combien de temps ? Jusqu'à la mort.

Un jeune Écossais, aux cheveux blond roux, qui appartenait à l'orchestre (pompeusement baptisé, à cause du batteur, *The Ragtime College Jazz of Edinboro*), venait de s'asseoir au piano. Il se mit à chanter, d'une voix sans timbre, à la Dany Deever, en s'accompagnant lui-même par de longs accords en sourdine. Les paroles de la chanson semblaient l'impressionner de façon presque insupportable, et il les détachait avec une extrême précision.

> *There was a young lady from hell*
> *Who jumped at the sound of a bell*
> *Because she was bad-bad-bad.*
> *She jumped at the sound of a bell*
> *From hell (BOOMBOM)*
> *From hell (TOOTTOOT)*
> *There was a young lady from the hell..*

Tommy se pencha vers Nicole.

— Qu'est-ce que c'est que ça ? murmura-t-il.

Son autre voisine lui fournit la réponse.

— Caroline Sibly-Biers a écrit les paroles. La musique est de lui.

— Quel enfantillage !

Le second couplet apporta d'autres précisions sur le comportement de cette « *jumping lady* », qui, du fond des enfers, sursautait quand tintaient les cloches.

— On croirait qu'il récite du Racine !

Lady Caroline semblait ne prêter aucune attention à l'exécution de son œuvre. Nicole l'observa de nouveau et se sentit impressionnée. Moins par la réputation qui lui était faite, ou par sa personnalité, que par son attitude même, l'énergie qui émanait d'elle. C'était sûrement une femme redoutable. Impression qui se confirma à la fin du dîner. Les convives se levaient de table. Dick resta assis, le visage curieusement immobile. Sa colère éclata soudain, avec un ricanement maladroit.

— Je déteste les allusions nébuleuses, et cette façon

qu'ont les Anglais de colporter de faux bruits à voix basse.

Lady Caroline était sur le point de sortir. Elle se retourna et revint vers lui. D'une voix précise, coupante, parfaitement timbrée, que tout le monde pouvait entendre, elle dit :

— C'est vous qui m'avez provoquée. Vous avez osé dire du mal de mes compatriotes. Du mal de mon amie, Mary di Minghetti. Je vous ai simplement répondu qu'on vous avait vu, à Lausanne, en bien curieuse compagnie, avec des gens extrêmement suspects. Est-ce là ce que vous appelez une allusion nébuleuse, ou êtes-vous *le seul* à ne pas la comprendre ?

— Plus fort ! Allons, parlez plus fort ! répliqua Dick, mais avec quelques secondes de retard. Je suis donc notoirement considéré aujourd'hui comme une...

Golding couvrit brutalement sa voix.

— Allons, allons, allons !

Jouant de sa corpulence imposante, il poussa tout le monde dehors. Nicole tourna la tête au moment de sortir. Dick n'avait pas quitté la table. Elle en voulait terriblement à cette femme, qui colportait d'aussi misérables ragots. Mais c'est à Dick qu'elle en voulait surtout, parce qu'il l'avait défiée, alors qu'il avait déjà trop bu, qu'il était incapable de lui tenir tête, que son ironie s'était émoussée, et qu'il s'était finalement laissé humilier. Elle se sentait responsable, en même temps, car c'est elle qui avait provoqué Lady Caroline la première, en s'appropriant Tommy Barban, dès son arrivée.

Un peu plus tard, elle aperçut Dick sur la passerelle. Il parlait avec Golding et semblait avoir retrouvé ses esprits. Une demi-heure passa. Elle s'était laissé entraîner dans un jeu extrêmement complexe, originaire de Malaisie, qui se jouait avec de la ficelle et des grains de café. Elle dit soudain à Tommy :

— Il faut que j'aille voir où est Dick.

Le yacht avait pris la mer dès la fin du dîner, et se dirigeait vers l'ouest. La nuit, d'un éclat surprenant, semblait glisser contre ses flancs, puis disparaître. Le bruit des moteurs était un murmure apaisant. Lorsqu'elle se pencha au-dessus de l'étrave, un petit vent de printemps lui saisit les cheveux, et elle se sentit angoissée, parce qu'elle venait d'apercevoir Dick. Il était debout contre le mât du pavillon.

— Belle nuit.

— Je m'inquiétais.

— Tu t'inquiétais? Vraiment?

— Non, Dick, ne réponds pas comme ça. Dis-moi ce que je peux faire pour toi. N'importe quoi. Même une très petite chose. Mais quelque chose. Je t'en prie. J'en serais tellement heureuse.

Il lui tournait le dos, regardait l'immense déploiement d'étoiles au-dessus de l'Afrique.

— C'est sûrement vrai. Tu serais très heureuse. Plus la chose serait petite, plus tu serais heureuse.

— Non, Dick. Ne dis pas ça.

Le reflet des lumières, qu'accrochaient les embruns pour les renvoyer vers le ciel, éclairait son visage blafard, où rien ne se lisait de ce que redoutait Nicole. Ni lassitude, ni dégoût. Il semblait même indifférent. Il se retourna lentement, la regarda, de plus en plus attentivement, comme un joueur d'échecs qui se concentre sur un pion. Il lui prit le poignet de la même façon, l'attira contre lui.

— Ruiné, c'est bien ça? Tu as dit que j'étais ruiné? Tu l'es donc, toi aussi. Alors...

Elle était blanche de frayeur. Elle tendit son autre poignet pour qu'il le saisisse à son tour. Elle allait partir. Elle était d'accord. Elle allait partir avec lui. Elle regarda une dernière fois cette nuit si belle, si pleine de vie, à l'instant précis où tout son être répondait, où tout son être renonçait. Elle était d'accord. Donc...

Mais soudain elle se trouva libre. Il avait lâché ses poignets, lui tournait le dos de nouveau.

— Tch! Tch! fit-il, entre ses dents.

Elle était en larmes, mais quelqu'un approchait.

— Ah! Enfin! Vous l'avez trouvé!

C'était Tommy.

— Nicole s'imaginait que vous aviez sauté par-dessus bord, à cause des ragots de cette petite putain d'Anglaise.

— C'est un endroit rêvé pour se jeter par-dessus bord, remarqua Dick doucement.

— Alors, faisons-le! dit Nicole, avec une brusque exubérance. Prenons des bouées de sauvetage, et sautons. Ce sera très spectaculaire. Nous vivons d'une façon beaucoup trop sévère, sans nous permettre aucune fantaisie.

Tommy les observait l'un et l'autre, dans la pénombre, cherchant à comprendre ce qui se passait.

— D'accord, dit-il. Interrogeons cette Lady Biers-and-Stout! Dans le genre « dernier cri », elle a l'air imbattable. Rappelez-vous sa chanson sur la « *jumping lady* ». Il faut que je me souvienne des paroles et que je les traduise. Ça fera un malheur dans les casinos, et je gagnerai une fortune.

Ils revinrent, en longeant le pont.

— Êtes-vous riche, Tommy? demanda Dick.

— En ce moment, pas trop. J'en ai eu vite assez du métier d'agent de change, et j'ai laissé tomber. Mais j'ai quelques valeurs solides. Je les ai confiées à des amis, qui les font fructifier pour moi. Tout va bien.

— Dick est en train de devenir riche, dit Nicole.

Sa voix tremblait maintenant, par réaction nerveuse.

On dansait, sur le pont arrière. De ses mains de colosse, Golding avait obligé trois couples à se former. Nicole et Tommy les imitèrent.

— J'ai l'impression que Dick a bu, dit Tommy.

— A peine, protesta-t-elle, par fidélité.

— Il y a des gens qui tiennent la boisson, d'autres qui ne la tiennent pas. Il est évident que Dick ne la tient pas. Vous devriez lui dire de ne plus boire.

— *Moi?* s'exclama-t-elle, avec effarement. Que je lui dise, *moi*, ce qu'il doit faire ou ne pas faire?

Quand ils arrivèrent à Cannes, Dick dormait à moitié. Golding dut presque le porter dans le canot du *Margin*. Lady Caroline changea ouvertement de place. Arrivé à quai, il s'inclina devant elle, avec une déférence caricaturale, et parut méditer pendant quelques secondes une plaisanterie particulièrement corsée, mais le coude de Tommy vint se planter à temps dans un creux sensible, et ils se dirigèrent vers leur voiture.

— Je vous reconduis, proposa Tommy.

— Ne vous inquiétez pas. On va prendre un taxi.

— Si vous m'offrez un lit, ce n'est pas un problème.

Dick était affalé sur la banquette arrière. Il garda un silence imperturbable pendant qu'ils longeaient le promontoire ocre-jaune de Golfe-Juan, et traversaient l'incessant carnaval de Juan-les-Pins, qui emplissait la nuit de toutes les musiques et de tous les accents étrangers. Puis ils s'engagèrent sur la route de la colline, qui conduisait à Tarmes. Le mouvement de la voiture déporta Dick sur le côté. Il se redressa brusquement.

— Une exquise représentante de...

Il grommela un moment.

— ...d'une société de... 'pportez-moi... cervelles d'Anglais... cervelles vides... sur une assiette...

Il sombra dans un profond sommeil, et de loin en loin, bercé par la douce chaleur de la nuit, il laissait échapper de petits hoquets de bien-être.

6

Le lendemain, très tôt, il entra dans la chambre de Nicole.

— J'ai attendu que tu sois réveillée. Désolé pour hier soir, bien sûr, mais épargnons-nous les condoléances.

— Tout à fait d'accord.

Elle parlait sèchement, en se regardant dans un miroir.

— Ai-je rêvé, ou Tommy nous a-t-il vraiment reconduits ?

— Il nous a reconduits, tu le sais très bien.

— Ce doit être exact, en effet, car je l'entends tousser. Je crois que je vais aller lui parler.

Pour la première fois de sa vie sans doute, elle fut soulagée qu'il s'en aille. Peut-être allait il perdre enfin cette effrayante faculté d'avoir toujours raison...

Tommy s'agitait dans son lit, en attendant du café chaud.

— Tout va bien ? demanda Dick.

En entendant Tommy se plaindre d'un mal de gorge, il adopta une attitude professionnelle.

— Il faudrait un bon gargarisme, ou quelque chose comme ça.

— Vous en avez ?

— Moi, non, aussi bizarre que ça paraisse. Nicole en a sûrement.

— Ne la dérangez pas.

— Elle vient de se réveiller.

— Comment est-elle ?

Dick tourna lentement la tête.

— Pensiez-vous qu'elle allait mourir parce que j'étais pompette ?

Il sourit.

— Nicole est très solide, maintenant. Taillée dans le

pin de Georgie, le bois le plus solide qu'on connaisse, mis à part peut-être le gaïac de Nouvelle-Zélande, plus communément appelé : « bois de vie »...

Nicole, qui descendait l'escalier, entendit la fin de la conversation. Elle savait que Tommy l'aimait. Elle l'avait toujours su. Elle savait qu'il commençait à trouver Dick antipathique, que Dick s'en était rendu compte avant lui, et qu'il réagirait de façon efficace contre cette passion solitaire. Ce qui, en tant que femme, lui procura un moment de plaisir intense. Elle surveilla le petit déjeuner des enfants, donna des instructions à la gouvernante, et elle se disait que là-haut, dans la chambre, deux hommes s'affrontaient à cause d'elle.

Elle descendit dans son jardin. Elle se sentait heureuse. Elle n'attendait rien de précis. Elle souhaitait simplement que tout demeure ainsi suspendu, que ces deux hommes continuent de penser à elle, de se renvoyer l'un l'autre son image. Elle était restée si longtemps sans existence propre — pas même une balle qu'on se renvoie.

— Bon, ça, mes lapins, non ? Oui ou non ? Toi, lapin, oui, toi, tu trouves ça bon ? Réponds ? Tu trouves ça bon ou tu trouves ça drôle ?

Le lapin, qui n'avait connu jusque-là que de classiques feuilles de choux, fronça les narines, renifla prudemment, finit par accepter ce qu'elle lui offrait.

Elle fit ensuite ce qu'elle faisait chaque matin, coupa des fleurs, les déposa en certains points précis, où le jardinier devait les prendre pour les porter jusqu'à la maison. Elle atteignit le petit mur qui surplombait la mer. Elle était en humeur de tout partager — mais avec qui ? Elle s'arrêta donc pour réfléchir. L'idée qu'un autre homme que Dick pouvait l'intéresser la surprenait un peu. Mais il y a tant d'autres femmes qui ont des amants. Pourquoi pas moi ? Tous les interdits promulgués par un monde d'hommes s'évanouissaient doucement dans ce radieux matin de printemps. Elle se sentait comme une fleur. Elle pensait comme une fleur, et le vent, qui jouait avec ses cheveux, lui procurait une sorte de vertige. Tant d'autres femmes ont des amants. C'était la même volonté que la veille, cette force aveugle qui l'avait poussée à suivre Dick dans la mort, et qui la poussait maintenant à se laisser décoiffer par le vent, si heureuse, si détendue, face à cette logique évidence : pourquoi pas moi ?

Elle s'assit sur le petit mur et regarda la mer en contrebas. Mais dans le fond d'une autre mer, la mer de son imagination bouillonnante, elle venait de saisir une proie tangible, de pêcher un trésor, qu'elle pouvait ajouter à ce qu'elle possédait déjà. Puisqu'elle n'éprouvait plus le besoin de se fondre en Dick à jamais, de ne faire qu'un avec lui, avec celui du moins qu'elle avait découvert la nuit précédente, il fallait qu'elle devienne quelqu'un par elle-même, qu'elle s'enrichisse d'autre chose, qu'elle cesse de n'être qu'une image, prisonnière du cerveau de Dick, condamnée à tourner sans fin autour de lui.

Elle s'était assise à l'endroit où la colline faisait de l'ombre sur le petit mur, le long d'une prairie en pente, où se trouvait un potager. Entre les branches d'un taillis, elle aperçut deux hommes, qui descendaient, avec des râteaux et des bêches, et qui parlaient un composé de provençal et de patois niçois. Comme ils soulignaient avec de grands gestes tout ce qu'ils disaient, elle put en comprendre le sens.

— L'ai couchée, là, juste là derrière.

— L'ai prise, là, derrière les vignes.

— Elle s'en fout. Lui aussi. Si y avait pas eu ce maudit chien ! L'ai donc couchée là...

— Qu'est-ce t'as fait du râteau ?

— C'est toi qui l'as.

— Ah oui. Moi, que tu l'aies couchée là ou là, j'en ai

rien à faire. Depuis ma nuit de noces jusqu'à cette nuit-là, j'avais jamais senti contre ma poitrine une autre poitrine de femme. Ça va faire douze ans. Alors, quand tu me dis...

— A propos de ce maudit chien...

Nicole les observait à travers les taillis. C'était si clair, ce qu'ils disaient : une chose convient à l'un, une autre chose à l'autre. De toute façon, ce qu'elle avait surpris appartenait à l'univers des hommes. En remontant vers la maison, elle ne savait plus très bien que penser.

Elle trouva Dick et Tommy assis sur la terrasse, passa entre eux pour aller chercher un carnet de croquis, et se mit à dessiner le profil de Tommy.

— Mains toujours actives, murmura Dick avec une certaine ironie. Toujours dévidant et filant...

Pourquoi cette ironie, alors qu'il avait les yeux injectés de sang, qu'il n'était pas encore rasé, et qu'un sinistre duvet roussâtre se confondait sur ses joues avec des taches de couperose ? Elle se tourna vers Tommy.

— J'ai toujours besoin de faire quelque chose. J'avais un petit singe autrefois, un singe de Polynésie. Il était d'une activité incroyable. J'ai passé des heures à jongler avec lui. Mais les gens ont fini par faire les pires plaisanteries.

Elle parlait sans regarder Dick, exprès. Il finit par s'excuser et par rentrer dans la maison. Elle le vit boire deux grands verres d'eau, coup sur coup, et se cabra davantage. Tommy commença une phrase.

— Nicole, je...

Mais il dut s'interrompre, tellement il toussait.

— Je vais vous donner quelque chose, dit-elle. Une pommade au camphre, de fabrication américaine. Dick a toute confiance en elle. Je reviens dans une minute.

— Il faut vraiment que je parte.

Dick sortit de la maison.

— En qui ai-je toute confiance ?

Lorsqu'elle revint avec la pommade, ils n'avaient bougé ni l'un ni l'autre, mais elle eut l'impression qu'ils venaient d'avoir une discussion très animée, à propos de rien.

Le chauffeur attendait dans l'entrée, avec une petite valise contenant le smoking que Tommy portait la veille. Elle fut touchée soudain de le voir habillé avec des vêtements prêtés par Dick, tristement touchée, bêtement aussi, comme s'il n'avait pas de quoi s'en offrir de semblables.

— En arrivant à l'hôtel, frictionnez-vous la gorge et la poitrine avec ça. Ensuite faites une inhalation.

— Tu ne vas pas lui donner le pot entier, murmura Dick, pendant que Tommy descendait les marches du perron. Ils n'en ont plus ici. Il faut en faire venir spécialement de Paris.

Ils rejoignirent Tommy et restèrent un moment, tous les trois au soleil, Tommy si solidement planté devant la voiture qu'on pouvait croire qu'il allait la charger sur son dos.

Nicole recula vers l'allée.

— Prenez-en grand soin, conseilla-t-elle. C'est une pommade extrêmement rare.

Elle entendit que Dick protestait sourdement, s'écarta de lui, agita la main en signe d'adieu, et la voiture disparut, emportant Tommy et la pommade au camphre. Puis elle regagna la maison pour prendre ses médicaments.

— C'est absurde d'avoir fait ça. Nous sommes quatre, dans cette maison. Depuis des années, chaque fois que quelqu'un a mal à la gorge...

Ils se détiaient du regard.

— On peut toujours en trouver d'autre...

Mais elle n'eut pas la force de continuer, le suivit au premier étage, où il s'allongea sur son lit, en silence.

— Veux-tu qu'on te monte ton déjeuner?

Il hocha la tête, toujours en silence, et s'immobilisa, les yeux au plafond. Elle descendit donner les ordres nécessaires. Elle n'était plus sûre de rien. Elle remonta sans bruit, regarda par la porte entrouverte. Les yeux de Dick tournaient comme des projecteurs dans un ciel de ténèbres. Elle resta sur le seuil, une longue minute, consciente du péché qu'elle venait de commettre, effrayée à l'idée d'entrer dans cette chambre. Elle avança la main, pour lui toucher le front. Il se détourna brusquement, comme un animal ombrageux. Elle ne put en supporter davantage, redescendit l'escalier en courant, comme une cuisinière éperdue, qui se demande comment elle pourra nourrir cet homme malade, couché dans sa chambre, alors qu'il lui est encore tellement nécessaire, qu'elle doit encore tirer sa propre nourriture de cette poitrine asséchée.

Elle oublia, en moins d'une semaine, son brusque coup de sang pour Tommy. Elle oubliait facilement les gens, et sa mémoire s'effaçait vite. Aux premières chaleurs de juin, elle apprit pourtant qu'il était à Nice. Il leur écrivit un mot à tous deux. Elle le lut sur la plage, à l'ombre de ses parasols, en même temps que les autres lettres de leur courrier, qu'elle avait prises en quittant la maison. Après l'avoir lu, elle le lança à Dick. Il lui lança en échange un télégramme, qui atterrit sur son pyjama de plage.

« *Chers amis. Arrive demain hôtel Gausse. Sans ma mère malheureusement. Espère beaucoup vous voir. Rosemary.* »

— J'en serai ravie, dit Nicole, avec un petit rire narquois.

7

Mais, le lendemain matin, en descendant vers la plage

avec Dick, elle avait retrouvé son angoisse. Elle le sentait prêt à quelque résolution désespérée. Depuis cette soirée sur le yacht de Golding, elle pressentait ce qui se préparait, sans avoir le courage d'en prendre tout à fait conscience, et d'y réfléchir lucidement. C'était trop éprouvant d'être ainsi suspendue entre un équilibre, établi depuis tant d'années, qui représentait pour elle une sécurité absolue, et la menace d'une rupture imminente, qui la précipiterait dans l'inconnu, et la transformerait entièrement, jusqu'aux molécules les plus impalpables de son être même. Le couple qu'elle formait avec Dick lui apparaissait désormais comme une ombre, imprécise et changeante, entraînée dans une sorte de danse macabre. Depuis des mois, chaque mot prononcé avait un double sens, qui ne deviendrait évident que lorsque Dick lui-même l'aurait décidé. Il y avait là comme un facteur d'espoir — car, pendant toutes ces années, où il suffisait qu'elle se laisse vivre, certains replis de sa nature, que la maladie avait tout d'abord étouffés, s'étaient secrètement reconstruits d'eux-mêmes, sans que Dick intervienne, et c'était naturel, il n'était coupable de rien, il fallait seulement savoir qu'aucune nature ne réussit à s'infiltrer complètement dans une autre. Il y avait donc là un espoir, mais une telle angoisse aussi. Avec quelque chose de déchirant : cette indifférence, de plus en plus grande, dont Dick faisait preuve, parce qu'il buvait de plus en plus. Nicole ne savait pas si cette indifférence la préservait ou la détruisait. Dick mentait continuellement. Sa voix brouillait toutes les pistes. Impossible, d'un jour à l'autre, de prévoir son comportement. C'était comme un tapis, qui se serait déroulé avec une insupportable lenteur, et comment savoir ce qui se passerait à la fin, au moment de sauter ?

Ensuite, ce qui se passerait ensuite, elle n'en avait pas peur. Ce serait sans doute comme un fardeau qui se détache, un bandeau qu'on enlève. Nicole était née pour le changement, pour la fuite. Son argent lui servait d'ailes et de nageoires. Ce qui se passerait ne serait rien d'autre qu'un châssis de voiture de course, carrossée pendant des années en limousine familiale, et qui retrouve enfin sa destination primitive. Elle sentait déjà le vent sur son visage. Ce qui l'effrayait, encore une fois, c'était l'instant de la rupture, et la mystérieuse façon dont elle se préparait.

Les Diver s'installèrent sur la plage, elle en robe blanche, lui en short blanc, d'un blanc d'autant plus éclatant qu'ils étaient plus bronzés. Nicole remarqua que Dick cherchait aussitôt des yeux les enfants, dans l'entassement des formes confuses et la pénombre des parasols. Elle cessa un instant de penser à elle, de s'inquiéter pour elle, et prit un léger recul pour mieux l'observer. Elle comprit que, s'il cherchait les enfants, c'était moins pour les protéger que pour qu'ils le protègent. Comme si cette plage lui était hostile. Comme un souverain détrôné qui viendrait en secret visiter son ancien royaume. Nicole en était venue à haïr cet univers de mensonges subtils et de politesse affectée, oubliant que, pendant des années, tous les autres lui étaient interdits. Elle le laissa donc regarder — cette plage, *sa* plage, complètement dévoyée aujourd'hui, par le goût de gens qui n'en avaient aucun. Même s'il la regardait une journée entière, il ne saurait y découvrir le plus petit vestige de cette muraille de Chine, qu'il avait autrefois élevée autour d'elle, ni la trace de pas d'un ami...

Elle eut un accès de mélancolie. Elle se souvint de tout : d'un verre qu'il avait découvert un jour dans un tas de vieux détritus ; des gros chandails et des pantalons de pêcheurs qu'ils avaient dénichés, dans une ruelle écartée du vieux Nice, et qui étaient à la mode aujourd'hui, taillés dans des tissus soyeux par les grands couturiers de Paris ; des petites filles françaises, qui grimpaient sur la digue en criant : « *Ah! dis donc! Ah! dis donc!* », comme un pépiement d'oiseaux ; du rituel qui présidait à leurs matinées, la continuelle et tranquille alternance entre le soleil et la mer. Tant de choses inventées par Dick, qu'il avait suffi de si peu d'années pour enfouir si profondément dans le sable.

Aujourd'hui, pour avoir le droit de nager, il fallait faire partie d'un « club », mais, vu la société cosmopolite qu'on y côtoyait, il était difficile d'en comprendre les critères d'admission.

Dick s'était agenouillé sur son matelas de corde. Nicole se ferma de nouveau, comprenant qu'il cherchait Rosemary. Elle suivit son regard. Il fouillait les nouvelles installations, les portiques, les trapèzes, les ceintures de sauvetage, les cabines de bains transportables, les bouées surmontées de petits drapeaux, les projecteurs installés pour la fête de la nuit précédente, la buvette modern-style, rutilante, décorée de motifs sans surprise, comme des guidons chromés se reflétant à l'infini.

C'est à peine s'il avait l'idée de la chercher dans l'eau, car il y avait très peu de baigneurs encore dans cette étendue de paradis bleu, juste quelques enfants, et un garçon de bains, qui faisait, toute la matinée, de superbes exhibitions de plongeons, du haut d'un rocher de quinze mètres — la plupart des clients de l'hôtel Gausse n'extrayant leurs corps amollis de leurs pyjamas protecteurs qu'à une heure de l'après-midi, pour une très courte trempette.

— La voilà, fit observer Nicole.

Elle suivit son regard, qui suivait Rosemary d'un plongeoir à l'autre, et le soupir qu'elle poussa, elle le gardait depuis cinq ans, au plus profond de sa poitrine.

— Allons nager, pour lui parler, proposa-t-il.

— Vas-y, toi.

— Non. Accompagne-moi.

Une fois encore, c'est lui qui décidait, et elle tenta de repousser cette décision, mais elle le suivit finalement, et ils nagèrent ensemble, suivant Rosemary à la trace, grâce à un petit banc de jeunes admirateurs, qu'attirait son éclat, comme la cuiller d'acier sert d'appât à la truite.

Nicole resta dans l'eau, mais Dick finit par se hisser sur le plongeoir, s'assit à côté de Rosemary, et ils se mirent tous deux à s'ébrouer et à se parler, exactement comme s'ils ne s'étaient ni aimés, ni touchés. Rosemary était ravissante. Sa jeunesse était un défi pour Nicole, qui se réjouit pourtant de constater qu'à un cheveu près, cette jeune fille avait la taille moins fine que la sienne. Elle nagea, en dessinant de petits cercles, écoutant Rosemary, qui jouait successivement l'étonnement, le plaisir, la surexcitation — beaucoup plus sûre d'elle-même qu'elle ne l'était cinq ans plus tôt.

— Ma mère me manque terriblement. Mais je la retrouve à Paris, lundi prochain.

— Un matin, il y a cinq ans, vous êtes arrivée ici. Vous étiez une drôle de petite personne, avec un peignoir de bain prêté par l'hôtel.

— Quelle mémoire vous avez! Vous l'avez toujours eue. Pour de si merveilleux détails!

Nicole comprit que l'ancien jeu de la flatterie reprenait, et elle préféra disparaître sous l'eau un moment. Lorsqu'elle refit surface, elle entendit:

— J'ai l'impression d'être revenue cinq ans en arrière. D'avoir de nouveau dix-huit ans. J'éprouve le même... comment dire? Une sorte de... disons: de joie de vivre, vous voyez? J'ai l'impression que vous êtes encore là-bas sur la plage, Nicole et vous, à l'ombre de vos parasols. Des gens merveilleux. Les plus merveilleux que je connaisse. Les plus merveilleux sans doute que je connaîtrai de ma vie.

Nicole disparut de nouveau. Depuis qu'il jouait avec Rosemary, le nuage de désenchantement, dans lequel s'était enfermé Dick, semblait se dissiper peu à peu, remettant en lumière, comme un objet d'art un peu terni, cette aisance qu'il avait toujours eue en société. Avec un verre ou deux, se dit-elle, il est tout à fait capable de vouloir l'éblouir, en exécutant au trapèze, avec un peu d'effort, quelques-uns des exercices de voltige qu'il exécutait si facilement autrefois. Elle avait remarqué qu'il ne se risquait plus, cette année-là, au sommet du plongeoir.

Il vint la rejoindre, un peu plus tard, alors qu'elle nageait lentement d'un radeau à l'autre.

— Ce canot à moteur, là-bas, tu vois ? Il appartient à des amis de Rosemary. Veux-tu essayer de faire de l'aquaplane ? Je suis sûr que ça t'amuserait.

Elle se souvint qu'il était capable autrefois de faire l'arbre droit sur le bord d'une chaise, posée en équilibre sur le bord d'une planche, et elle céda à son caprice, comme elle l'aurait fait pour Lanier. L'été précédent, sur le lac de Zoug, il avait réussi à se redresser, en portant à califourchon sur son dos un homme d'environ cent kilos. Qu'une femme mariée soit impressionnée par les talents de son mari, quoi de plus normal ? Mais quoi de plus normal également qu'avec les années, tout en laissant croire qu'elle l'était encore, elle le soit un peu moins ? Nicole répondit donc : « Oui, bien sûr », ajouta : « J'y pensais, moi aussi », sans même laisser croire qu'elle était impressionnée.

Elle savait pourtant qu'il était fatigué, que cette brusque excitation n'était due qu'à la présence de Rosemary, à la jeunesse qui émanait d'elle. Elle l'avait déjà vu bouleversé de la même façon par ses propres enfants, par la fraîcheur si neuve de leurs corps, et elle se demanda froidement s'il n'allait pas se ridiculiser lui-même. Les occupants du canot étaient nettement plus jeunes que les Diver. Ils se montraient affables envers eux, déférents même, mais Nicole devinait des arrière-pensées ironiques, du genre : « Qui sont ces deux zigotos-là ? », et elle regrettait que Dick ne prenne pas les choses en main, comme il savait si bien le faire. Sans doute était-il trop préoccupé par l'exploit qu'il voulait accomplir.

Le canot s'arrêta à deux cents mètres de la plage. Un des jeunes gens plongea, nagea jusqu'à la planche, qui dansait sur l'eau, l'immobilisa et s'y agenouilla, puis bondit sur ses pieds au moment où le canot repartait. Le corps à la renverse, il commença à faire osciller la planche, de droite à gauche, puis de gauche à droite, dessinant des arcs de cercle de plus en plus larges, qui venaient croiser le sillage d'écume en se refermant sur eux-mêmes. Il finit par lâcher la corde, au moment où il se trouvait dans la trajectoire du canot, parut vaciller un instant, hésita, et bascula majestueusement, comme une statue glorieuse, pour ressurgir sitôt après, comme un petit point dérisoire, tandis que le canot virait de bord et revenait vers lui.

Nicole refusa son tour. Rosemary grimpa sur la planche, et sut la faire évoluer de façon très classique, sous les acclamations facétieuses de ses admirateurs. Trois d'entre eux se disputèrent si égoïstement l'honneur de la hisser à bord qu'ils s'arrangèrent pour lui cogner la hanche et le genou contre le bois.

— A vous, docteur, dit le jeune Mexicain qui conduisait.

Dick plongea et nagea vers la planche, accompagné du dernier des jeunes gens. Il avait l'intention de renouveler son exploit de Zoug, et Nicole le suivit des yeux, avec un sourire un peu méprisant. Cette exhibition de vigueur physique, destinée à éblouir Rosemary, l'irritait au plus haut point.

Les deux hommes se laissèrent tirer suffisamment longtemps pour assurer leur équilibre. Puis Dick s'agenouilla, glissa la tête entre les jambes du jeune homme, saisit la corde et, sous le regard attentif des occupants du canot, commença lentement à se redresser.

Il fut vite évident qu'il avait des difficultés. Pour réussir cet exercice, il faut abandonner la position agenouillée et se lever d'un bond. Dick n'avait levé qu'un des deux genoux. Il se reposa un instant, puis le visage contracté, comme s'il mettait tout son cœur dans ce dernier effort, il tenta de lever le second.

La planche était étroite. Le jeune homme n'était pas très lourd, un peu moins de soixante-dix kilos, mais il manquait de souplesse et s'accrochait maladroitement à la tête de Dick. Au moment où, d'un ultime coup de rein, il réussissait à se mettre debout, la planche bascula, et les deux hommes disparurent dans l'eau.

— Merveilleux! cria Rosemary. Ils ont presque réussi.

Le canot vira de bord pour les rejoindre. Nicole regarda attentivement le visage de Dick. Elle savait qu'il serait furieux car, l'été précédent, il avait accompli cet exploit sans effort.

A la seconde tentative, il se montra plus prudent. Il commença par se soulever légèrement, pour vérifier l'équilibre de son fardeau. Puis il se mit sur un genou, grogna sourdement : « Allez, hoop! », et commença à se lever, mais ses jambes fléchirent brusquement, avant qu'il ne soit complètement debout, et il dut repousser la planche du pied, pour ne pas être heurté par elle en basculant dans l'eau.

Quand le canot vint les rejoindre tout le monde pouvait voir qu'il était furieux.

— D'accord pour que j'essaie encore une fois? criat-il. J'ai presque réussi.

— D'accord, allons-y.

Il était blême. Nicole crut qu'il était sur le point d'avoir la nausée, et voulut le mettre en garde.

— Tu ne crois pas que ça suffit pour le moment?

Il ne répondit rien. Son partenaire, qui en avait assez, venait de remonter à bord. Le Mexicain, qui conduisait le canot, accepta volontiers de le remplacer.

Il était nettement plus lourd que l'autre. Dick laissa le canot prendre de la vitesse, et se reposa un moment, à plat ventre sur la planche. Il se plaça ensuite entre les jambes du Mexicain, saisit la corde, banda ses muscles, voulut se lever. Il n'y parvint pas. Nicole vit qu'il changeait de position, pour faire une nouvelle tentative, mais, lorsqu'il eut le poids du Mexicain sur les épaules, il fut incapable de le soulever. Il essaya une troisième fois, le souleva d'un centimètre, de deux centimètres, et Nicole, qui faisait l'effort en même temps que lui, sentit son front se couvrir de sueur. Dans un ultime effort, il chercha simplement à conserver sa position, mais s'effondra sur la planche, avec un bruit sourd, et ils tombèrent à l'eau. La planche, en bondissant, effleura la tempe de Dick.

— Vite, vite, rejoignez-les! ordonna Nicole.

Elle avait poussé un petit cri en le voyant disparaître. Il revint pourtant à la surface, se renversa sur le dos, et le Mexicain le soutenait en nageant à côté de lui.

Le canot sembla mettre une éternité pour les rejoindre, mais quand ils furent tout près, Nicole aperçut Dick, épuisé, le visage défait, dérivant sur le dos, perdu entre ciel et mer, et sa peur devint du mépris.

— Attendez, docteur, on va vous aider... Prends-le par les pieds... là, parfait. Maintenant, tous ensemble...

Dick était hors d'haleine, le regard vitreux.

— J'en étais sûre, dit Nicole. Il ne fallait pas essayer une troisième fois.

Elle n'avait pas pu se retenir.

— Il s'est trop fatigué les deux premières fois, dit le Mexicain.

— C'était de la folie! insista Nicole.

Rosemary gardait discrètement le silence. Au bout d'une minute, Dick parvint à retrouver son souffle.

— Cette fois, je n'aurais même pas pu soulever une petite poupée.

Il y eut quelques rires, et la tension causée par ce ratage se relâcha peu à peu. Une fois revenus à quai, ils se montrèrent pleins de prévenance envers Dick. Mais Nicole était agacée. Tout ce qu'il faisait, désormais, l'agaçait.

Elle reprit place sous son parasol, avec Rosemary, tandis que Dick allait chercher de quoi boire à la buvette. Il leur rapporta un verre de xérès.

— J'étais avec vous, dit Rosemary en souriant, quand j'ai bu pour la première fois.

Et, dans un élan d'enthousiasme, elle ajouta:

— je suis si heureuse de vous voir, si heureuse de *savoir* que vous êtes tout à fait bien. J'étais inquiète de...

Elle s'interrompit, et donna un sens différent à sa phrase.

— ...en pensant que vous ne l'étiez peut-être pas.

— Aviez-vous entendu dire que j'étais complètement délabré?

— Oh! non. J'avais... On m'avait simplement dit que vous aviez changé. Je suis heureuse de constater, de mes propres yeux, que c'est faux.

— C'est vrai.

Il s'était assis entre elles deux.

— Un changement amorcé depuis longtemps déjà. Mais ça ne se voit pas, au début. Tout reste intact, en apparence, bien après que le moral soit atteint.

— Avez-vous ouvert un cabinet de consultation sur la Riviera? demanda vivement Rosemary.

— Excellent terrain, en effet, pour détecter quelques passionnants spécimens.

Il avait de petits mouvements du menton, pour

montrer les gens qui grouillaient autour d'eux, sur le sable doré.

— Candidats de première qualité. Regardez, par exemple, notre vieille amie, Mrs. Abrams, qui joue les duchesses auprès de la Reine Mary North. N'en soyez surtout pas jalouse. Imaginez le douloureux calvaire de cette Mrs. Abrams, si longtemps obligée de monter, sur les genoux et les mains, les escaliers de service du Ritz, et toute cette poussière des tapis qu'elle a dû respirer.

Rosemary l'interrompit.

— Êtes-vous sûr que ce soit Mary North?

Elle observait avec étonnement une femme qui venait lentement vers eux, entourée d'une petite cour manifestement habituée à faire sensation. Arrivée à quelques mètres des Diver, elle les frôla d'un regard rapide et lointain, un de ces regards désolants qui font comprendre à ceux qu'ils frôlent qu'on les a vus mais qu'on ne veut pas les voir, et dont jamais, au cours de leur vie, ni Rosemary Hoyt, ni les Diver, ne se seraient permis de frôler qui que ce soit. Mais Dick sourit intérieurement, car en reconnaissant Rosemary, l'attitude de Mary changea du tout au tout et elle vint les rejoindre. Elle dit quelques mots aimables à Nicole, adressa à Dick un vague signe de tête, d'un air rébarbatif, comme s'il avait quelque maladie contagieuse (Dick y répondit aussitôt par une profonde et ironique révérence), salua enfin Rosemary.

— Je savais que vous étiez là. Pour longtemps?

— Jusqu'à demain.

Elle avait parfaitement compris, elle aussi, que Mary ne s'était approchée des Diver que pour lui parler, et, par fidélité envers eux, elle fit preuve d'une extrême réserve. Non, désolée, elle n'était pas libre à dîner ce soir.

Mary se tourna vers Nicole. Il y avait dans son attitude une sorte d'affection nuancée de pitié.

— Comment vont les enfants ?

Ils arrivèrent en courant, juste à ce moment-là, et Nicole dut écouter une prière qu'on lui adressait, concernant une permission de nager que refusait la gouvernante. C'est Dick qui répondit le premier.

— Pas question. Vous devez obéir à Mademoiselle.

Par solidarité pour l'autorité établie, Nicole repoussa leur prière à son tour, sur quoi Mary (qui, semblable en cela aux héroïnes d'Anita Loos, ne se trouvait jamais confrontée qu'à des *Faits Accomplis*, et aurait été bien incapable de se débrouiller elle-même face à un simple caniche) enveloppa Dick d'un regard lourd d'opprobre, comme s'il venait de se rendre coupable d'une insupportable brutalité. Mal remis encore de ses acrobaties épuisantes, il demanda avec une sollicitude appuyée :

— Et vos enfants ? Comment vont-ils ? Et leurs tantes ?

Mary se contenta de poser la main sur la tête d'un Lanier ouvertement récalcitrant, et s'éloigna sans répondre.

— Quand je pense à tout le mal que je me suis donné pour elle, soupira Dick après son départ.

— Moi, je l'aime bien, dit Nicole.

L'amertume de Dick étonnait Rosemary. Elle l'avait toujours cru capable de tout comprendre, de tout pardonner. Elle se souvint alors d'une réflexion qu'on avait faite à son sujet. C'était sur le bateau, au cours d'une conversation avec des membres du State Department — Américains tellement européanisés qu'au stade où ils en étaient arrivés on était incapable de dire à quelle nation précise ils appartenaient, aucune grande puissance, en tout cas, peut-être, à la rigueur, quelque État balkanique, composé de citoyens du même ordre. Ils en étaient venus à parler de Baby Warren, bien connue pour ses dons d'ubiquiste. Une femme avait alors affirmé que la sœur de Baby s'était elle-même sacrifiée à un médecin dépravé. « Il n'est plus reçu nulle part », avait-elle ajouté.

Rosemary se refusait à croire que les Diver entretenaient des relations avec une société, où ce genre de fait, si tant est qu'on puisse parler d'un fait, avait une quelconque importance. Cette réflexion l'avait pourtant troublée, car elle laissait entendre que l'opinion publique était hostile à Dick et faisait rempart contre lui. « *Il n'est plus reçu nulle part.* » Elle crut, de nouveau, entendre cette phrase. Elle imagina Dick, montant les marches d'un perron, tendant sa carte au portier, s'entendant répondre : « Vous n'êtes plus reçu ici », s'obstinant pourtant, allant jusqu'au bout de l'avenue, pour le seul plaisir de s'entendre répondre la même chose, par des quantités de portiers de quantité d'ambassadeurs, ministres plénipotentiaires, et autres chargés d'affaires...

Nicole cherchait un prétexte pour s'en aller. Puisque Dick avait retrouvé son entrain, il allait vraisemblablement retrouver son charme, et l'exercer sur Rosemary. Hypothèse qui se révéla juste au bout d'un moment, lorsqu'il dit, d'une voix qui tentait d'effacer ce que sa remarque avait eu de désagréable :

— Mary est parfaite. Elle a tout à fait raison d'agir ainsi. Mais c'est difficile de continuer à aimer quelqu'un qui ne vous aime plus.

Rosemary tomba aussitôt dans le piège.

— Vous êtes tellement charmant, roucoula-t-elle, en se penchant vers Dick. Quoi que vous ayez fait, qui refuserait de vous pardonner ?

Sentant qu'une telle exubérance empiétait sur les droits réservés à Nicole, elle regarda fixement un petit carré de sable, exactement situé entre eux deux.

— J'aimerais savoir ce que vous pensez de mes derniers films, l'un et l'autre. Si vous les avez vus, bien sûr.

Nicole ne répondit rien. N'en ayant vu qu'un, elle n'avait aucune opinion. Dick hésita.

— Difficile de vous répondre en quelques mots. Supposons que Nicole vous apprenne que Lanier est malade. Qu'allez-vous faire, dans la vie réelle ? Que font les gens ? Ils *réagissent*. Avec leur visage, leur voix, les paroles qu'ils prononcent. Leur visage exprime le chagrin, leur voix l'émotion, leurs paroles la sympathie.

— Je comprends.

— Au théâtre, c'est le contraire. Au théâtre, la réputation des plus célèbres comédiennes vient de ce qu'elles poussent jusqu'à la caricature leurs réactions aux émotions réelles — peur, amour, sympathie.

— Oui, je vois.

Mais elle ne voyait pas vraiment. Nicole, qui avait perdu le fil du discours, donnait des signes de plus en plus évidents d'impatience.

— Pour une comédienne, le danger réside dans les réactions qu'elle extériorise, continuait Dick. Faisons une nouvelle supposition. On vient vous annoncer la mort de votre amant. Dans la vie réelle, vous seriez complètement effondrée. Sur scène, il faut au contraire soutenir l'intérêt du public, car c'est à lui de « réagir ». Une comédienne obéit d'abord à un texte précis. Elle doit en même temps concentrer sur elle-même l'attention du public, et non pas sur le Chinois, ou je ne sais qui d'autre, qui vient d'être tué. Elle doit enfin avoir une réaction inattendue. Si le public juge que le personnage qu'elle incarne est quelqu'un de dur, elle doit réagir avec tendresse. S'il juge que c'est un personnage tendre, elle doit réagir avec dureté. Elle doit toujours dépasser son personnage, toujours aller *au-delà*. Vous comprenez ?

— Pas vraiment, avoua Rosemary. Que voulez-vous dire par *au-delà* ?

— Faire quelque chose d'inattendu, pour obliger le public à oublier la mort en elle-même et à ne s'intéresser qu'à vous. *Alors,* et alors seulement, vous pourrez revenir à votre personnage.

Incapable d'en supporter davantage, Nicole se leva nerveusement, sans chercher plus longtemps à masquer son impatience. Rosemary, qui en était consciente depuis quelques minutes, se tourna gentiment vers Topsy.

— Tu n'aimerais pas devenir comédienne quand tu seras grande ? Tu ferais une très charmante comédienne, tu sais.

Nicole la regarda bien en face et, retrouvant d'instinct la voix de son grand-père, elle répondit lentement et distinctement :

— Il est *hors de question* de donner aux enfants des autres des idées de ce genre. Nous pouvons avoir, en ce qui les concerne, des projets tout à fait différents. Ne l'oubliez pas, je vous prie.

Elle se tourna brusquement vers Dick.

— Je prends la voiture pour rentrer. J'enverrai Michelle te chercher en même temps que les enfants.

— Ça fait des mois que tu n'as pas conduit.

— Je sais quand même.

Sans un regard pour Rosemary, dont le visage avait violemment « réagi », elle s'éloigna du parasol.

Elle s'enferma dans la cabine de bains, pour remettre son pyjama de plage. Elle se sentait dure et glacée. Mais la route s'enfonça bientôt sous la voûte des pins, et l'atmosphère changea d'un coup. Un écureuil sautait d'une branche à l'autre, le vent jouait avec les feuilles, un coq chantait au loin, le soleil se glissait entre les ombres immobiles, et la plage s'éloignait, avec son bruit de voix. Nicole se détendit. Elle se sentit neuve. Elle se sentit heureuse. Ses pensées étaient aussi claires qu'un tintement de cloches. Elle savait qu'elle était guérie, qu'elle prenait une nouvelle direction. Et pendant qu'elle roulait en tournant dans ce labyrinthe de routes, où depuis tant d'années elle s'était perdue, elle avait l'impression de fleurir comme un immense et superbe rosier. Elle avait pris la plage en haine. Elle avait pris en haine tous les lieux où elle avait dû jouer les planètes autour du soleil de Dick.

« Eh quoi? se dit-elle. Je suis enfin devenue moi-même. Je peux me tenir debout toute seule. »

Comme une petite fille ravie, qui veut devenir adulte le plus vite possible, et qui sait plus ou moins que Dick a tout fait pour qu'elle le devienne, à peine arrivée, elle se jeta sur son lit, et écrivit à Tommy Barban une lettre brève comme un défi.

Mais c'était pendant la journée. Avec le soir, sa tension nerveuse tomba, ce qui est parfaitement normal, son élan s'éteignit, les flèches qu'elle décochait au hasard se perdaient dans le crépuscule. Elle était effrayée de nouveau par ce que Dick avait en tête. Effrayée de sentir qu'un projet mûrissait lentement derrière le moindre de ses gestes. Effrayée de ce qu'il pouvait être. Ses projets finissaient toujours par se réaliser, et ils obéissaient à une logique interne qu'elle était incapable de dominer. Elle lui avait délégué, jusqu'ici, le soin de réfléchir pour deux, et, lorsqu'il s'absentait, elle semblait obéir automatiquement à ce qu'il aurait voulu qu'elle fasse. Elle était donc assez mal préparée à lui opposer ses propres désirs. Il fallait qu'elle réfléchisse à son tour. Elle savait qu'elle pourrait toujours frapper à la redoutable porte du rêve, dont elle connaissait le numéro, franchir le seuil d'une évasion qui n'était pas une évasion. Mais elle savait aussi que le péché le plus grave pour elle, dans le présent comme dans l'avenir, était de s'aveugler elle-même. La leçon avait été rude à apprendre, mais elle l'avait apprise. Ou bien on réfléchit soi-même, ou on laisse les autres réfléchir pour vous, prendre barre sur vous, détourner ou conditionner vos instincts naturels, vous civiliser, vous stériliser.

Ils dînèrent très calmement. Dick but beaucoup de bière, s'amusa longtemps avec les enfants, pendant que la nuit envahissait la pièce. Puis il s'assit au piano, joua quelques mélodies de Schubert, et quelques airs de jazz américains. Nicole, penchée sur son épaule, les fredonnait de sa voix sourde et grave.

Thank y' father-r
Thank y' mother-r
Thanks for meetingup with one another...

Dick voulut tourner la page.

— Je n'aime pas beaucoup cet air-là.

— Oh si, joue-le ! s'écria-t-elle. Je ne vais pas passer ma vie à avoir peur du mot *father* !

Thank the horse that pulled the buggy that night!
Thank you both for being justabit tight...

Plus tard, ils allèrent s'asseoir avec les enfants sur le toit en terrasses, pour admirer les feux d'artifice tirés par les deux casinos, l'un tout près du rivage, l'autre assez loin derrière les collines. C'était triste, c'était une vraie solitude, ce vide du cœur l'un pour l'autre.

En revenant de faire des courses à Cannes, le lendemain, elle trouva un mot lui annonçant que Dick avait pris sa voiture, et qu'il partait pour quelques jours faire un petit tour en Provence. A peine l'avait-elle lu que le téléphone sonna. C'était Tommy Barban. Il était à Monte-Carlo. Il lui dit qu'il venait de recevoir sa lettre, et qu'il avait envie de la voir. En répondant qu'il serait le bienvenu, elle sentit ses lèvres brûler soudain contre l'appareil.

8

Elle prit un bain, se massa longuement avec une lotion adoucissante, et vaporisa sur son corps un léger nuage de poudre, tandis qu'elle enfonçait les pieds dans une couche de talc répandue sur une serviette. Elle se regarda ensuite attentivement, ses flancs minces, sa taille élancée, se demandant si ce bel édifice tiendrait encore longtemps, avant de se voûter et de se lézarder. Six ans, peut-être, mais pour l'instant je tiens. Je tiens même aussi bien que les autres femmes que je connais.

Ce qui était tout à fait vrai. Entre la Nicole d'aujourd'hui et celle d'il y a cinq ans n'existait qu'une différence : elle avait perdu son air de jeune fille. Mais, influencée malgré elle par le culte rendu à la notion même de jeunesse, à travers une ribambelle d'actrices, au visage de femme-enfant, qui symbolisaient dans les films toute la sagesse et tout le courage du monde, elle était jalouse des jeunes.

Elle choisit une robe longue, qui se portait dans la journée, la première qu'elle ait achetée, il y avait déjà longtemps, couronna le tout par une touche de 16 de Chanel. Quand Tommy Barban arriva, vers une heure, elle était devenue le plus impeccablement soigné des jardins.

Quel plaisir d'être ainsi habillée, ainsi adorée, de jouer les femmes à mystère ! Elle avait été privée des deux années de parfaite arrogance auxquelles ont droit toutes les jeunes filles — et voilà qu'elle rattrapait le temps perdu. Elle accueillit Tommy comme s'il n'était qu'un numéro dans la foule de ses soupirants, choisit de marcher devant lui, et non à son côté, pendant qu'ils descendaient, à travers le jardin, jusqu'à la vaste ombrelle évoquant le marché de Sienne. A dix-neuf ans et à vingt-neuf ans, quand elles sont jolies, les femmes ont en elles-mêmes la même confiance dégagée. L'impérieux désir des maternités empêche au contraire celles qui atteignent vingt ans de se considérer comme le centre du monde. Dix-neuf et vingt-neuf ans sont les âges de l'insolence, celle, pour le premier, d'un élève-officier frais émoulu d'une école militaire, celle, pour le second, d'un guerrier victorieux, qui parade après le combat

Mais, si la jeune fille de dix-neuf ans tire sa confiance en elle de l'excès d'intérêt qu'elle suscite, la femme de vingt-neuf connaît des satisfactions plus subtiles. Affamée, c'est avec discernement qu'elle comble ses appétits. Rassasiée, elle déguste avec bonheur les grains de caviar d'un pouvoir confirmé. Ni l'une ni l'autre ne donnent heureusement l'impression de penser aux années qui les guettent, à la panique qui les menace et risque de brouiller leur perspicacité, panique d'aller plus avant, panique de renoncer. A dix-neuf et à vingt-neuf ans, une femme sait que les bois sont sûrs, qu'aucun loup n'y est aux aguets.

Nicole ne cherchait pas une vague romance. Elle cherchait une « aventure », une vraie. Elle cherchait un changement. Si elle se mettait à la place de Dick, elle comprenait que céder, sans émotion aucune et de façon superficielle, à un simple engouement facile et vulgaire représentait un danger pour eux tous. D'un autre côté, elle rendait Dick responsable de la situation présente, et pensait, en toute honnêteté, que l'expérience qu'elle souhaitait faire serait une thérapie efficace. Elle avait vu des quantités de gens, autour d'elle, faire tout ce qu'ils avaient envie de faire, sans en recevoir aucun châtiment. Ce qui l'encourageait. Bien qu'elle ait décidé de ne plus s'aveugler elle-même, elle se disait enfin que rien n'était encore joué, qu'elle cherchait sa voie, qu'elle pourrait toujours, au dernier moment, revenir en arrière.

Dans l'ombre légère de la terrasse, Tommy, qui portait un costume de toile blanche, la prit dans ses bras, l'attira contre lui, la regarda droit dans les yeux.

— Ne bougez pas, murmura-t-il. A partir d'aujourd'hui, je vais beaucoup vous regarder.

Il y avait comme un parfum dans ses cheveux. Son costume sentait bon la lessive. Elle supporta son regard un moment, les lèvres serrées, sans sourire.

— Ce que vous regardez vous plaît? demanda-t-elle.

— Parlez français.

— D'accord.

Elle répéta sa question en français. Il la serra davantage.

— J'aime tout ce que je vois de vous.

Il hésita.

— Je croyais connaître votre visage. Mais non. Il y a des choses que j'ignore. Depuis quand, par exemple, vous avez ce regard d'escroc, froid et dur.

Elle s'écarta brusquement, furieuse et blessée.

— C'est pour me dire ça, cria-t-elle en anglais, que vous voulez parler français?

Elle baissa la voix parce que Marius, le valet de chambre, leur apportait des cocktails.

— C'est plus facile pour vous de m'insulter en français. Vous pouvez trouver les mots justes.

Elle prit une chaise, qui avait un coussin d'étoffe argentée, s'y assit nerveusement, parla de nouveau en français, la voix sèche.

— Je n'ai pas de miroir, ici. Mais c'est peut-être vrai. Si mes yeux ont changé de couleur, c'est que je suis guérie, tout à fait guérie, maintenant. Et puisque je suis guérie, je peux enfin redevenir moi-même. Mon grand-père était vraisemblablement un escroc. Si j'en suis un, c'est que je tiens de lui. Comme nous tous dans la famille. Votre esprit cartésien est il satisfait?

Il semblait ne pas l'écouter.

— Et Dick? Il ne déjeune pas avec nous?

Comprenant qu'il n'avait attaché aucune importance à la réflexion qu'il venait de faire, elle se mit à rire, pour tout effacer.

— Dick voyage. Rosemary Hoyt a réapparu. Peut-être sont-ils ensemble. Peut-être, au contraire, l'a-t-elle à ce point bouleversé qu'il a préféré fuir, pour rêver loin d'elle.

— Vous êtes quand même quelqu'un d'un peu compliqué.

Elle le rassura vivement.

— Oh! non, pas vraiment. Je suis simplement... Disons qu'il y a en moi un certain nombre de gens très simples, qui s'additionnent.

Marius revint avec des melons et un seau de glace. Nicole se taisait. Elle pensait à ce regard d'escroc. Cet homme, quand il offre une noix, il ne la casse pas d'abord, pour qu'elle soit plus facile à manger. Il vous laisse vous débrouiller seule.

— Pourquoi ont-ils voulu vous transformer? demanda Tommy, au bout d'un moment. Vous êtes la personne la plus déchirante que je connaisse.

Elle ne répondit rien.

— Le dressage des femmes! Toutes ces histoires! reprit-il avec un ricanement.

— Il y a, dans toutes les sociétés, un certain...

Elle sentit, contre son épaule, le fantôme de Dick qui soufflait la réponse, mais sa voix fut couverte par celle de Tommy.

— Dresser des hommes, je connais ça. J'en ai brutalisé beaucoup pour les faire obéir. Mais les femmes, je ne m'y risquerais pas. Le dressage « en douceur », notamment. C'est bon pour qui? Pour vous, pour lui, pour qui?

Elle avait le cœur qui battait, mais elle se calma, peu à peu, au souvenir de ce qu'elle devait à Dick.

— Je pense que j'avais...

Il l'interrompit brutalement.

— Vous aviez trop d'argent. Voilà le vrai problème. Dick ne pouvait rien contre ça.

Elle réfléchit pendant qu'on emportait les melons.

— Que faut-il que je fasse, à votre avis?

Pour la première fois, depuis dix ans, elle se trouvait sous l'influence d'un autre homme que son mari. Chaque mot que prononçait Tommy s'inscrivait en elle à jamais.

Ils burent toute une bouteille de vin. Un vent léger

jouait avec les aiguilles de pin, et la lumière volup-
tueuse de ce début d'après-midi dessinait sur la nappe
à carreaux de petites taches de chaleur aveuglante.
Tommy se leva, se plaça derrière elle, posa ses bras
contre les siens, lui saisit doucement les mains. Leurs
joues se touchèrent, puis leurs lèvres, et elle eut un
brusque sursaut, de désir pour lui, d'effroi devant
l'intensité de ce désir.

— Pouvez-vous éloigner les enfants et la gouvernante pour l'après-midi?

— Ils ont leur leçon de piano. De toute façon, je ne
veux pas qu'on reste ici.

— Embrassez-moi encore.

Un peu plus tard, sur la route de Nice, elle se dit :
« J'ai donc un regard froid, un regard d'escroc? Excellent! Mieux vaut un escroc en bonne santé qu'une
puritaine au cerveau malade. » Cette phrase de Tommy, c'était comme une absolution. Elle était lavée à
l'avance de tout remords et de toute responsabilité.
Elle eut un petit frisson de plaisir en pensant qu'elle
était engagée sur un chemin nouveau, avec des horizons nouveaux qui s'ouvraient devant elle, des visages
qu'elle découvrait, des visages d'hommes nombreux,
qu'elle n'était pas obligée d'aimer, à qui elle n'était
pas obligée d'obéir. Elle prit une longue inspiration,
chassa d'un mouvement d'épaules ses ultimes scrupules, et regarda Tommy.

— Faut-il vraiment faire toute cette route, jusqu'à
votre hôtel de Monte-Carlo?

Il freina si brutalement qu'il fit hurler ses pneus.

— Bien sûr que non, bon dieu! Quel plaisir vous me
faites! Je n'ai jamais été plus heureux de ma vie!

Ils avaient suivi la route bleue du littoral, déjà
dépassé Nice et s'étaient engagés sur la moyenne
corniche. Tommy fit demi-tour, rejoignit rapidement
la côte, traversa une péninsule arrondie, arrêta enfin
la voiture dans la cour d'un petit hôtel du bord de mer.

Tout devint si tangible, si évident, que Nicole eut un bref éclair de frayeur. A la réception, un Américain discutait sans fin avec le caissier sur un problème de taux de change. Pendant que Tommy remplissait la fiche de police (avec son vrai nom, un faux nom pour elle), elle se tint à l'écart, très calme en apparence, intérieurement bouleversée. On leur donna une chambre nue, assez propre, assez monacale, comme on peut en trouver partout dans les pays méditerranéens, qu'assombrissait le scintillement de la mer. Les plaisirs les plus simples, dans les lieux les plus simples. Tommy commanda deux cognacs. Quand le garçon sortit, fermant la porte derrière lui, il se laissa tomber sur l'unique chaise. Il était très beau, très brun, tout couturé de cicatrices, avec des sourcils arrondis, relevés en pointe aux extrémités, cornes de Puck flamboyant, d'impérieux Lucifer.

Avant même d'avoir terminé leur cognac, ils bougèrent soudain, se dirigèrent l'un vers l'autre, se rencontrèrent au milieu de la chambre. Puis ils s'assirent sur le lit. Il lui embrassa les genoux, et elle fut traversée de brusques soubresauts, comme un animal décapité, et elle oublia Dick, elle oublia son regard d'escroc, elle oublia Tommy lui-même, et elle s'enfonça de plus en plus loin, de plus en plus profondément, dans chaque minute de cet instant-là.

Plus tard, lorsqu'il se leva pour entrouvrir l'un des volets, et comprendre d'où venait ce raffut, qu'ils entendaient sous leur fenêtre, elle vit que son corps était plus musclé, plus bronzé que celui de Dick, avec de grandes lignes de clarté le long des membres. Lui aussi, pendant un moment, il l'avait oubliée — à la seconde même où il s'était détaché d'elle, et elle avait compris d'instinct que rien ne ressemblait à ce qu'elle avait cru. Elle avait ressenti cette frayeur sans nom, qui précède toute émotion, qu'elle soit heureuse ou douloureuse, aussi inéluctable qu'un craquement de tonnerre avant l'orage.

Tommy se penchait prudemment au-dessus du balcon.

— J'aperçois deux femmes, et rien d'autre. Elles sont juste au-dessous de nous, sur leur balcon. Elles se balancent nonchalamment dans des rocking-chairs, et discutent de la chaleur.

— C'est elles qui font tout ce bruit?

— Le bruit vient d'ailleurs, encore plus en dessous. Écoute.

oh, way down South in the land of cotton
Hotels bum and business rotten
Look away...

— Des Américains.

Elle s'étira, les bras en croix, regarda le plafond. La poudre qui couvrait son corps s'était humidifiée et formait une couche laiteuse. Elle aimait cette chambre nue, le bourdonnement de cette mouche au-dessus de sa tête. Tommy tira la chaise contre le lit, la débarrassa des vêtements qui la couvraient, avant de s'y asseoir. Elle aimait que sa robe et ses espadrilles soient mêlées au costume de toile de Tommy. Il regarda son torse blanc, où s'accrochaient étrangement une tête et des membres bronzés. Il dit, avec un rire grave:

— Tu es neuve. Comme un bébé.

— Avec des yeux d'escroc.

— Je me méfierai.

— Difficile d'échapper à des yeux d'escroc, surtout lorsqu'ils ont été fabriqués à Chicago.

— Je connais les remèdes des vieux paysans du Languedoc.

— Embrasse-moi sur les lèvres.

— C'est tellement américain.

Il obéit pourtant.

— La dernière fois que je suis allé en Amérique, il y avait des jeunes filles qui vous mangeaient avec les lèvres, qui vous déchiraient, qui se déchiraient elles-mêmes, leur visage devenait écarlate, il n'y avait plus que du sang, des lèvres en sang, mais ça s'arrêtait là.

Elle se souleva sur un coude.

— J'aime cette chambre.

— Elle est un peu vide, je trouve. Je suis tellement content que tu aies refusé d'attendre jusqu'à Monte-Carlo.

— Pourquoi vide? Elle est merveilleuse, au contraire. Elle est comme ces tables vides, dans les toiles de Cézanne ou de Picasso.

— C'est possible.

Il ne cherchait pas à comprendre ce qu'elle disait.

— Encore ce raffut! Mais qu'est-ce qui se passe? On a commis un crime?

Il retourna vers la fenêtre, expliqua de nouveau ce qu'il apercevait.

— J'ai l'impression que ce sont deux marins qui se battent. Des Américains, avec tout un groupe autour qui les encourage. Sans doute l'équipage des bâtiments de guerre ancrés dans la rade.

Il se drapa dans une serviette et s'avança sur le balcon.

— Il y a de petites putains avec eux. On m'a parlé de ça. Des filles qui suivent l'escadre d'un port à l'autre. Mais quelles filles! Avec ce qu'ils touchent comme solde, ils pourraient s'offrir autre chose. Quand je pense aux femmes qui suivaient le régiment de Kornilov! Pour nous attirer l'œil, il fallait au moins une ballerine!

Nicole était contente qu'il ait connu autant de femmes. Le mot lui-même n'avait plus aucun sens pour lui. Elle pourrait donc le retenir aussi longtemps que sa personnalité sublimerait un corps qui ressemblait à tous les autres.

— Vas-y, vieux! Cogne au point sensible!

— Yah-h-h-h!

— Hein, qu'est-ce t'en dis, de ce crochet-là?

— Ça va, Dulschmit, *son of a bitch!*

— Yaa — Yaa!

— YA — YEH — YAH !

Tommy revint vers elle.

— On n'a plus rien à faire ici, d'accord?

Elle était d'accord, mais ils s'étreignirent longuement, avant de se rhabiller, et la chambre fut aussi belle, de nouveau, que n'importe quelle autre chambre.

Une fois habillé, Tommy s'écria :

— Incroyable! Les deux femmes, en dessous, n'ont pas bougé de leurs rocking-chairs. Il ne se passe rien pour elles. Elles n'entendent rien. Elles se sont saignées aux quatre veines pour s'offrir des vacances. Tous les marins et toutes les putains d'Europe ne peuvent pas leur gâcher ça !

Il s'approcha d'elle, la prit dans ses bras, saisit avec les dents l'épaulette de sa combinaison. Une brusque explosion déchira l'air : « Cr-ACK-BOOM-M-m-*m*... » Le navire de guerre rappelait ses hommes.

Sous leur fenêtre, le chahut devint infernal. Vers quels rivages inconnus allait on lever l'ancre? Les garçons brandissaient des additions, exigeaient d'être payés. Il y eut des cris, des jurons, des protestations véhémentes. Trop élevées, les additions, trop bas les taux de change. La police navale s'en mêlait, poussait les permissionnaires vers les embarcations, avec des ordres brefs, qui surmontaient le bruit des voix. La première chaloupe s'éloignait du quai, dans un concert de hurlements désespérés, de promesses et de larmes. Les femmes couraient sur le port, avec de grands gestes d'adieu.

Tommy aperçut une fille qui faisait irruption sur le balcon d'en dessous, en agitant une serviette. Mais il n'eut pas le temps de savoir si les deux Anglaises, dans leurs rocking-chairs, acceptaient ou non de se laisser envahir : on frappait de grands coups à leur porte, et des voix de femmes surexcitées le suppliaient d'ouvrir. Il se trouva face à deux filles, pâles, fluettes, échevelées, qui tremblaient comme des folles. Ce n'est pas qu'elles se trompaient de porte, c'est qu'elles avaient perdu la tête. L'une sanglotait éperdument, l'autre suppliait avec frénésie, dans un américain approximatif.

— S'qu'on peut dire au revoir de votre balcon, *please?* S'qu'on peut, *please?* Toutes les autres portes sont verrouillées. Dire au revoir à nos amis, *please?*

— Je vous en prie.

Elles se ruèrent vers le balcon, et leurs voix stridentes de soprano dominèrent soudain le vacarme.

— Bye, bye, Charlie! Par ici, Charlie, regarde *par ici!*

— Télégraphie, poste restante à Nice.

— Charlie! Oh! il me voit pas!

L'une des deux releva brusquement sa jupe, arracha sa petite culotte rose, la déchira en deux, pour en faire un drapeau, qu'elle agita avec emportement, en criant: « Bye, bye, Ben! Oh! Ben! » Au moment où Nicole et Tommy quittèrent la chambre, le petit drapeau rose flottait encore avec passion contre le bleu du ciel. Regarde, disait-il, regarde ma couleur, la tendre couleur d'un corps dont tu te souviendras..., tandis qu'à l'arrière du bateau de guerre s'élevait, comme un défi farouche, la bannière étoilée.

Ils dînèrent au Palm Beach de Monte-Carlo. Plus tard, beaucoup plus tard, du côté de Beaulieu, ils s'enfoncèrent dans une grotte à ciel ouvert, que dessinait le clair de lune, et nagèrent longtemps entre des rochers bleus, où l'eau était phosphorescente, comme une cuvette de nacre, avec les lumières de Monte-Carlo en face d'eux, et, plus loin, les reflets assourdis de Menton. Elle aimait qu'il l'ait entraînée là, à l'est de la côte, pour qu'elle ait une image nouvelle des jeux du vent et de la mer. Aussi nouvelle que ce qu'ils étaient l'un pour l'autre. Elle était couchée en travers de sa selle, dans un rapt symbolique, comme s'il l'avait capturée à Damas, et qu'ils galopaient avec assurance dans les plaines de Mongolie. Tout ce que Dick lui avait enseigné se détachait d'elle par bribes, et elle devenait de plus en plus semblable à ce qu'elle était avant lui, figure exemplaire de l'obscure soumission à la loi des épées, qui régentait l'univers autour d'elle. Prisonnière de l'amour dans la prison du clair de lune, elle accueillait avec transport le comportement anarchique de son amant.

Ils s'éveillèrent ensemble. La lune avait disparu. L'air devenait plus froid. Elle demanda l'heure. Trois heures environ, pensa-t-il.

— Il faut que je rentre.

— Je pensais qu'on irait dormir à Monte-Carlo.

— Il y a les enfants et la gouvernante. Il faut que je sois rentrée avant l'aube.

— Comme tu voudras.

Ils nagèrent une dernière fois, et comme elle tremblait en sortant de l'eau, il la frictionna vigoureusement avec une serviette. Ils avaient encore les cheveux mouillés quand ils regagnèrent la voiture, la peau comme neuve, avec le sang qui affleurait, et ils n'avaient pas envie de rentrer. Il faisait si clair, si frais, et quand il l'embrassa, elle sentit qu'il se perdait lui-même dans cette fraîcheur, celle de ses joues, de ses dents, de son teint, de la main qu'elle posa sur lui, pour lui caresser le visage. Elle était tellement habituée à Dick qu'elle attendit un jugement, une interprétation, mais rien ne vint. Rassurée, à moitié endormie, elle se renversa lentement sur son siège, et somnola jusqu'au moment où le changement de régime du moteur lui fit comprendre qu'ils montaient vers la villa Diana. Elle l'embrassa devant la porte, comme un au revoir machinal. Elle ne reconnaissait plus le bruit de ses pas sur les dalles, les murmures de son jardin, mais elle était contente d'être rentrée. La journée s'était déroulée dans un mouvement de plus en plus vif, et, bien qu'elle se sentît comblée, elle manquait encore d'habitude.

<h1 style="text-align:center">9</h1>

Le lendemain, vers quatre heures, un taxi s'arrêta devant la porte. Nicole vit Dick en descendre. Brusquement bouleversée, elle remonta de la terrasse en courant, et elle faisait un tel effort pour garder son sang-froid qu'elle ne pouvait plus respirer.

— Et ta voiture?

— J'étais fatigué de conduire. Je l'ai abandonnée à Arles.

— D'après le mot que tu m'as laissé, j'ai cru que tu étais parti pour plusieurs jours.

— J'ai trouvé le mistral et la pluie.

— Tu t'es bien amusé?

— Comme quelqu'un qui essaie de fuir quelque chose. J'ai conduit Rosemary jusqu'à Avignon. Elle a pris le train.

Ils regagnèrent la terrasse, où il déposa sa valise.

— Je ne t'ai rien dit dans mon mot. Je ne voulais pas que tu te fasses trop d'idées.

— Très aimable à toi.

Elle se sentait soudain beaucoup plus sûre d'elle-même.

— Je me demandais si elle avait quelque chose à offrir. Pour le savoir, il fallait être seul avec elle.

— Et alors? A-t-elle... quelque chose?

— Elle n'a pas vraiment fini de grandir. C'est préférable, au fond. Et toi, pendant ce temps?

Elle sentit son visage tressaillir brusquement, comme celui de ses lapins.

— Hier soir, j'ai été danser. Avec Tommy Barban. Nous sommes allés...

Il fit une brève grimace.

— Ne raconte rien. Peu importe. Je ne veux rien savoir d'irrémédiable.

— Il n'y a rien à savoir.

— Bon, très bien.

Et comme s'il était parti depuis une semaine :

— Comment vont les enfants ?

Le téléphone sonna au même instant. Dick se détourna vivement.

— Si c'est pour moi, je suis absent. Je vais à l'atelier. J'ai des choses à faire.

Elle attendit qu'il ait disparu derrière la margelle du puits, remonta jusqu'à la maison, prit l'appareil.

— Comment vas-tu ?

— Dick est rentré.

Il fit entendre un petit grognement.

— Je suis à Cannes. Il faut que je te parle. Viens me rejoindre.

— C'est impossible.

Dis-moi que tu m'aimes.

Elle fit, en silence, un petit signe de tête vers l'appareil.

— Dis-moi que tu m'aimes, répéta-t-il.

— Oh ! à quel point, si tu savais. Mais on ne peut rien faire pour le moment.

— Bien sûr qu'on peut, répondit-il, avec impatience. C'est fini entre vous. Dick le sait. Il sait qu'il est hors jeu. C'est évident. Qu'attend-il que tu fasses ?

— Je ne sais pas. Il faut d'abord que je...

Elle s'interrompit. Elle était sur le point de dire : « ...que je lui pose la question. » Elle termina très vite :

— Je t'écrirai. Et je t'appellerai demain.

Elle se mit à errer à travers la maison. Elle était contente d'elle-même, fière de ses hauts faits. Elle était en faute, et heureuse de l'être. Elle ne se sentait plus comme une jument entravée. Elle revoyait la journée de la veille, dans ses moindres détails, et ces détails recouvraient peu à peu, effaçaient peu à peu l'image de moments semblables qu'elle avait connus avec Dick, quand son amour pour lui était intact et neuf. Elle commençait à sous-estimer cet amour. Elle se disait que, dès le début, il s'était enfoncé dans une sorte de routine sentimentale. Sa mémoire, qui ne gardait que ce qui l'arrangeait, comme celle de la plupart des femmes, oubliait déjà ce qu'elle avait éprouvé, lorsqu'ils se donnaient l'un à l'autre, aux quatre coins du monde, dans les endroits les plus secrets, pendant le mois qui avait précédé leur mariage. La veille au soir, c'est en toute bonne foi qu'elle avait menti à Tommy, qu'elle lui avait dit que jamais elle ne s'était sentie aussi complètement, aussi profondément, aussi absolument...

Et le remords l'envahit, brusquement, le remords de trahir elle-même, de déprécier avec cynisme ce qui avait été dix ans de sa vie. Elle descendit sans bruit jusqu'à son atelier.

Il était assis dans une chaise longue, au bord de la paroi rocheuse. Elle l'observa en silence un moment. Il était plongé dans ses réflexions, plongé dans un monde qui n'était qu'à lui, dans lequel il s'était enfermé, et, par les contractions de son visage, le jeu des sourcils, qu'il levait ou fronçait, des yeux, qu'il plissait ou écarquillait brusquement, des lèvres, qu'il serrait ou entrouvrait, par la façon dont il bougeait parfois les mains, elle pouvait suivre, d'étape en étape, ce long cheminement à travers une histoire qu'il se racontait, une histoire à lui, pas à elle. Il ferma soudain les poings, se pencha en avant. Puis son visage prit une expression de souffrance désespérée, et, quand cette expression disparut, il en garda comme un reflet dans le regard. Pour la première fois, peut-être, de sa vie, elle se sentit désolée pour lui — c'est pourtant difficile, pour quelqu'un qui a souffert de troubles mentaux, de se sentir désolé pour quelqu'un de bien portant. Elle savait, et elle l'avait souvent avoué à voix haute, qu'elle n'aurait jamais pu, sans lui, revenir vers un univers dont sa maladie l'avait arrachée, mais elle l'avait toujours regardé comme quelqu'un qui ignore la fatigue, quelqu'un d'une inaltérable énergie. Oubliant les troubles dont elle avait souffert, elle oubliait en même temps les troubles qu'elle avait pu lui causer. Maintenant qu'il avait perdu tout contrôle sur elle — en était-il conscient ? L'avait-il délibérément voulu ? —, elle se sentait aussi désolée pour lui qu'elle l'avait été pour Abe North, et son destin tragique, désolée comme devant l'impuissance d'un vieillard ou celle d'un enfant.

Elle le rejoignit, posa un bras sur son épaule. Leurs têtes se touchèrent.

— Ne sois pas triste, dit-elle.

— Ne me touche pas.

Le regard tellement glacial qu'elle recula, interdite.

— Pardonne-moi, continua-t-il, l'air absent. Je réfléchissais précisément à ton cas.

— Pourquoi ne pas le faire figurer dans ton nouvel *Essai de classification ?*

— J'y pensais. « *En outre, au-delà des psychoses et des névroses...* »

— Je ne suis pas venue pour te blesser.

Alors *pourquoi* es-tu venue ? Je ne peux plus rien pour toi. J'essaie de me préserver moi-même.

— Du risque de contagion que je représente ?

— Ma profession me met parfois en contact avec des gens extrêmement suspects.

Elle blêmit sous l'insulte et la colère la fit pleurer.

— Lâche ! Tu es un lâche ! Ta vie n'est qu'un ratage, et tu voudrais que j'en sois responsable !

Comme il ne répondait pas, elle sentit qu'elle allait céder de nouveau au pouvoir de fascination qu'exerçait sur elle son intelligence, une sorte d'hypnose, souvent involontaire, qui laissait toujours sous-entendre que la vérité en cachait une autre, dont elle ne parviendrait jamais à rompre, ou même à fissurer, l'écorce. Elle tenta d'y échapper, une fois encore, de se battre et de se débattre, en luttant avec toutes ses armes, ses beaux yeux allongés, sa morgue insolente de chien de race, le transfert qu'elle était en train d'opérer vers un autre homme, la somme de toutes les rancœurs accumulées en tant d'années. Elle se battit contre lui avec son argent, avec la certitude que sa sœur, qui le détestait, allait enfin la soutenir, avec la pensée de tous les ennemis qu'il allait se créer, maintenant qu'il était rempli d'amertume, avec l'idée qu'elle était encore agile et rusée alors qu'il mangeait trop, qu'il buvait trop, qu'il s'épaississait, qu'elle était encore belle, en parfaite santé, alors qu'il commençait à se délabrer, qu'elle avait renoncé à toute pudeur alors qu'il se laissait étouffer par les scrupules moraux — car, dans cet ultime combat, elle allait jusqu'à se servir de ses propres faiblesses. Elle se battit sauvagement, courageusement, avec tous les vieux débris de faïence, de cartons, de bouteilles, tous les emballages devenus inutiles des affronts, des erreurs, des péchés qu'elle avait expiés. En l'espace de deux minutes, elle affermit définitivement son triomphe, se disculpa vis-à-vis d'elle-même, sans mensonges ni faux-fuyants, coupa elle-même, à jamais, le cordon ombilical. Puis, les jambes tremblantes, sanglotant sans bruit, elle regagna cette maison, qui lui appartenait enfin.

Dick attendit qu'elle ait disparu, et laissa aller sa tête contre le parapet. Ce dossier-là se refermait. Le Dr Diver était libre.

10

A deux heures, cette nuit-là, Nicole fut réveillée par la

sonnerie du téléphone. Dick occupait, dans la pièce voisine, ce qu'ils appelaient « le lit de non-repos ». Elle l'entendit répondre en français.

— Oui... oui... A qui est-ce que je parle?

Sa voix tressaillit de surprise.

— Oui, monsieur le commissaire, mais pourrais-je parler à l'une de ces femmes? Elles occupent une place extrêmement élevée dans la société, monsieur le commissaire, oui, toutes les deux, et elles ont de si puissantes relations que vous risquez de provoquer un grave incident diplomatique... C'est très sérieux, je vous en donne ma parole... Bon, d'accord, vous verrez bien.

Il se leva, et, pendant qu'il réfléchissait, quelque chose bougeait en lui, lui disait qu'il était tout à fait capable d'arranger cette affaire — toujours ce vieux réflexe, ce charme tout-puissant, cette séduction irré-sistible qui relevaient la tête, et criaient : « Sers-toi de nous! » Il se moquait éperdument de l'affaire en elle-même, mais il allait tout faire pour l'arranger, parce qu'il avait l'habitude d'être aimé, une habitude prise très tôt, peut-être au moment où il avait compris qu'il représentait l'ultime espérance d'une classe sociale en voie de disparition. A Zurich, un jour, sur le bord du lac, dans la clinique du Dr Dohmler, il s'était trouvé dans une situation semblable, il avait mesuré son pouvoir, il avait choisi d'y céder, il avait choisi Ophé-lie, il avait choisi le tendre poison, et il l'avait bu. Il se disait, à cette époque, qu'il voulait être sage et coura-geux, mais qu'il voulait aussi, qu'il voulait surtout, être aimé. Il l'avait été. En raccrochant le téléphone, en entendant le petit déclic, il sut qu'il le serait encore.

Un long silence, puis la voix de Nicole :

— C'était qui? C'était quoi?

Il s'habillait déjà.

— Le commissariat de police d'Antibes. Ils viennent d'arrêter Mary North et cette Sibly-Biers. Ça paraît sérieux. Le commissaire n'a rien voulu me dire. Il a répété simplement : « Pas de morts, pas d'accident de voiture. » Il laissait sous-entendre quelque chose de très différent.

— Pourquoi *toi* ? Pourquoi te faire appeler *toi* ? Ça m'a l'air bien curieux.

— Pour sauver les apparences, il faut qu'elles soient libérées sous caution. Seul un propriétaire foncier, qui habite les Alpes-Maritimes, est capable de la fournir.

— Elles exagèrent, quand même !

— Peu importe. Je vais faire un détour par l'hôtel, et prier M. Gausse de m'accompagner.

Nicole resta éveillée longtemps, se demandant quel genre de crime pouvaient bien avoir commis ces deux femmes. Elle finit par se rendormir, mais se réveilla en sursaut, vers trois heures, en entendant revenir Dick, et cria : « Qui est là ? », comme s'il appartenait à ses rêves.

— Incroyable histoire !

Il s'assit au pied de son lit, et lui raconta qu'il avait tiré le vieux Gausse d'un sommeil comateux typiquement alsacien, lui avait demandé de vider son tiroir-caisse, et l'avait emmené au commissariat de police.

— Vraiment pas un plaisir d'aider cette Anglaise, avait grommelé le vieux Gausse.

Mary North et Lady Caroline n'étaient pas enfermées dans les deux cellules crasseuses. Habillées en marins français, elles étaient allongées sur un banc. Lady Caroline avait l'air outragé d'une citoyenne britannique, qui attend d'une minute à l'autre que la flotte de Méditerranée vole à son secours. Mary North paraissait à la fois terrifiée et prostrée. Elle s'était littéralement jetée contre la poitrine de Dick, comme s'il n'existait, entre eux deux, aucun autre point de rencontre possible, et l'avait supplié de faire quelque chose. Le commissaire, pendant ce temps, expliquait l'affaire au vieux Gausse, lequel écoutait bien à contrecœur, partagé entre le désir de rendre hommage au talent narratif du commissaire et celui de laisser entendre, en parfait serviteur qu'il était, que l'histoire n'avait rien de choquant pour lui.

— Une plaisanterie, avait dit Lady Caroline avec un ricanement de mépris. Une simple plaisanterie. Nous avons joué les marins en bordée. Nous avons ramassé deux filles, complètement idiotes. Quand elles se sont trouvées dans un hôtel meublé, elles ont très mal pris la chose, et ont provoqué un scandale complètement écœurant.

Dick, les yeux baissés, regardait le dallage et hochait gravement la tête, comme un prêtre enfermé dans son confessionnal — partagé entre l'envie d'éclater de rire et celle de les condamner toutes les deux à cinquante coups de fouet, et quinze jours de prison ferme, au pain sec et à l'eau. Il cherchait en vain, sur le visage de Lady Caroline, un signe quelconque de culpabilité, ce qui le laissait stupéfait. Elle ne regrettait, en fait, que la lâcheté des petites Provençales et la bêtise de la police. Il savait pourtant, et depuis longtemps, qu'une certaine classe d'Anglais ne tire son existence que d'une opposition systématique à l'ordre social — opposition poussée tellement loin qu'elle rend dérisoires les débauches new-yorkaises, les ravalant au rang de petite colique d'un enfant qui aurait mangé trop d'ice creams.

— Il faut que je sorte d'ici avant qu'Hosain en entende parler, suppliait Mary. Dick, vous savez arranger les choses. Vous l'avez toujours su. Dites-leur que nous allons rentrer chez nous, et que nous paierons tout ce qu'ils voudront.

— Pas question de payer! avait ricané Lady Caroline. Pas le moindre shilling! Je serai très curieuse, par contre, de savoir ce que le consulat de Cannes va penser de tout ça.

— Non, non, Dick, avait insisté Mary. Il faut sortir cette nuit même.

— Je vais voir ce que je peux faire. Mais il faudra sûrement qu'un peu d'argent change de mains.

Il les avait regardées, en secouant la tête, comme deux innocentes, alors qu'il savait qu'elles ne l'étaient pas.

— C'est vraiment une histoire de fous!

Lady Caroline avait eu un sourire complice.

— N'êtes-vous pas médecin aliéniste? Vous êtes donc capable de nous tirer de là. Quant à Gausse, il se *doit* de le faire!

Dick avait entraîné M. Gausse à l'écart, pour apprendre ce qu'il savait. L'affaire se révélait plus grave qu'on ne l'avait cru. L'une des deux filles « enlevées » appartenait à une famille respectable. La famille en question était déchaînée, ou affectait de l'être. Il fallait donc trouver une base d'accord. Ce serait plus simple avec l'autre, qui était une fille du port. D'après la loi française, un délit de cet ordre pouvait entraîner une peine de prison, peut-être même un arrêté d'expulsion. Dernier point, qui compliquait encore les choses : si, dans les grandes villes, on tolérait les étrangers, parce qu'ils étaient riches et faisaient marcher le commerce, les habitants des villages leur étaient de plus en plus hostiles, car leur présence entraînait une hausse automatique des prix. Ayant résumé la situation, M. Gausse avait remis l'affaire entre les mains de Dick, qui avait sollicité du commissaire un entretien en tête à tête.

— Vous n'êtes pas sans savoir, monsieur le commissaire, que le gouvernement français fait tout pour encourager le tourisme américain. C'est ainsi qu'à Paris, cet été, ordre a été donné de n'arrêter les citoyens américains qu'en cas de délit extrêmement grave.

— Celui-là est quand même assez grave.

— Écoutez-moi... Avez-vous leurs papiers d'identité?

— Elles n'en ont pas. Elles n'ont rien. Deux cents francs et quelques bijoux. Pas même un lacet de chaussures pour se pendre !

Soulagé d'apprendre qu'elles n'avaient pas de papiers d'identité, Dick avait poursuivi :

— La comtesse italienne a gardé la nationalité américaine. C'est la petite-fille...

D'une voix lente et dramatique, il avait alors déroulé un subtil écheveau de mensonges.

— ...la petite-fille de John. D. Rockefeller Melon. Avez-vous déjà entendu ce nom-là ?

— Ben voyons ! Pour qui me prenez-vous ?

— C'est, en outre, la nièce de Lord Henry Ford. Elle se trouve donc en contact étroit, par cette branche-là, avec Citroën et Renault.

Était-il prudent de s'aventurer plus avant ? Il s'était posé la question. Mais comme son ton de voix semblait impressionner le commissaire, il s'était décidé à poursuivre :

— Emprisonner cette femme équivaut très exactement à emprisonner un membre influent de la Cour d'Angleterre. Ça peut donc aller jusqu'à... jusqu'à la guerre !

— Et l'autre ? L'Anglaise ?

— J'y arrive. Elle est fiancée au frère du Prince de Galles, le duc de Buckingham.

— Je lui souhaite bien du plaisir, avec une épouse pareille !

— Nous sommes disposés à offrir...

Il avait fait un rapide calcul.

— ...à offrir mille francs à chacune des filles, plus mille francs au père de celle qu'on dit « respectable ». J'y ajoute deux mille francs, que je vous charge de partager adroitement...

Il avait eu un léger haussement d'épaules.

— ...entre les hommes qui ont participé à l'arrestation, le patron de l'hôtel meublé, etc. Je vais vous remettre ces cinq mille francs. Vous engagerez aussitôt les négociations. Et vous relâcherez ces deux femmes, en échange d'une caution, sous la seule inculpation d'avoir troublé l'ordre public. Quel que soit le montant de cette caution, elle sera versée demain matin au tribunal, par messager spécial.

Avant même qu'il ait répondu, Dick avait su, à l'expression du commissaire, qu'il était d'accord. Il avait fini par avouer, avec un peu d'hésitation :

— De toute façon, comme elles n'avaient pas de papiers d'identité, je n'ai pas pu les inscrire sur mes registres. Donnez-moi l'argent. Je vais voir.

Une heure plus tard, Dick et M. Gausse déposaient les deux femmes devant le Majestic, où le chauffeur de Lady Caroline dormait paisiblement dans son cabriolet.

— Vous devez cent dollars chacune à M. Gausse. Pensez-y.

— D'accord, avait dit Mary. Je lui remettrai un chèque demain, avec un petit pourcentage supplémentaire.

— Moi, certainement pas !

Ils avaient regardé tous les trois Lady Caroline, qui, tout à fait remise de ses émotions, avait retrouvé toute sa morgue.

— Cette histoire est un pur scandale. Jamais je ne vous ai autorisé à verser cent dollars à ces gens-là.

Le petit M. Gausse était sorti de la voiture, l'œil brusquement étincelant.

— Vous refusez de me payer ?

Dick avait voulu le rassurer.

— Elle paiera, soyez tranquille.

Mais tous les outrages, toutes les avanies que M. Gausse avait endurés à Londres autrefois, lorsqu'il n'était qu'un modeste receveur d'autobus, avaient soudain refait surface. Il s'était avancé vers Lady Caroline, dans tout l'éclat du clair de lune. Il l'avait insultée, quelques mots rapides et cinglants, comme des coups de fouet, et comme elle lui tournait le dos, avec un rire méprisant et glacial, il s'était reculé d'un pas, avait levé son petit pied, et l'avait brusquement envoyé dans la plus glorieuse des cibles. Prise au dépourvu, Lady Caroline avait tendu les bras en croix, comme quelqu'un sur lequel on tire à bout portant, et le faux marin s'était étalé de tout son long sur le trottoir. La voix de Dick avait couvert ses hurlements.

— Mary, débrouillez-vous pour qu'elle se calme. Sinon, dans moins de dix minutes, vous vous retrouverez, fers aux pieds, toutes les deux, au fin fond d'un cachot.

En regagnant l'hôtel, le vieux M. Gausse n'avait pas prononcé un mot. Une fois dépassé le casino de Juan-les-Pins, où sanglotait toujours, s'époumonait toujours, la musique de jazz, il avait soudain soupiré.

— Des femmes comme ces femmes-là, j'en avais encore jamais vu. J'en ai vu pourtant, croyez-moi, des grandes courtisanes, les plus grandes du monde, et j'ai toujours eu du respect pour elles. Mais des femmes comme ces femmes-là, ça, jamais !

11

Les Diver avaient pris l'habitude de se rendre ensemble chez le coiffeur. Il y avait au Carlton deux salons contigus. Ils s'y faisaient laver et rafraîchir les cheveux, dans une ambiance de ventilateurs doucement parfumée. Du fond de son fauteuil, Nicole entendait le bruit des ciseaux, de la monnaie rendue, des *Voilà*, des *Pardon*, qui venait du salon des hommes. Ils s'y rendirent, le lendemain du retour de Dick.

Au moment où ils arrivaient à l'hôtel, dont les

fenêtres étaient obstinément fermées au soleil de l'été, comme autant de portes de caves, ils furent dépassés par une voiture que conduisait Tommy Barban. Il avait un visage sévère et buté, mais à la seconde où il aperçut Nicole son regard s'anima brusquement. Il devint chaleureux et brûlant, ce qui la bouleversa. Elle aurait voulu partir avec lui, aller où il allait. L'heure qu'ils devaient passer chez le coiffeur faisait partie de ces grands moments immobiles, qui avaient été sa vie, jusque-là. Comme une autre prison. Et l'employée qui la coiffait, avec sa blouse blanche, et son vague parfum d'eau de Cologne et de rouge à lèvres, lui rappelait ses infirmières.

Dick somnolait dans le salon voisin, emmitouflé dans des serviettes, le visage couvert de savon. Dans le miroir qui lui faisait face, Nicole découvrait le petit passage qui sépare le salon des femmes de celui des hommes. Elle sursauta brusquement. Tommy venait d'emprunter ce passage, et marchait à grands pas vers le salon des hommes. Elle comprit qu'ils allaient enfin jouer cartes sur table, et elle eut comme un tremblement de bonheur.

Au début, elle n'entendit que des bribes de phrases.

— Hello!... que je vous voie.

— ...d'important?

— ...important.

— Tout à fait d'accord.

Une minute plus tard, Dick faisait irruption dans le salon des femmes. Il était manifestement contrarié, et s'essuyait la figure avec une serviette.

— Ton ami a je ne sais quoi en tête, dit-il à Nicole. Il veut absolument nous voir tous les deux. Autant en finir avec cette histoire. Allons-y.

— Mais, mes cheveux... ils ne sont coupés qu'à moitié.

— Aucune importance. Viens vite.

Elle se débarrassa de son peignoir, au grand scandale de la coiffeuse stupéfaite, et quitta l'hôtel avec Dick. Elle n'était pas coiffée, à peine maquillée, mécontente. Tommy les attendait sur le trottoir. Il lui prit la main.

— Café des Alliés? proposa Dick.

— Où vous voulez, pourvu qu'on soit tranquilles.

Ils s'assirent à l'ombre des feuillages, qui formaient une large voûte en été.

— Nicole, veux-tu boire quelque chose?

— Un citron pressé.

— Pour moi, un demi, dit Tommy.

— Pour moi, un *Black and White* et un soda.

— Désolé, monsieur. Il n'y a plus de *Blackénouate*. Uniquement du *Johnny Walkaire*.

— Ça ira.

> *She's — not — wired for sound*
> *But on the quiet*
> *You ought to try it...*

— Votre femme ne vous aime plus, attaqua Tommy brusquement. C'est moi qu'elle aime.

Ils tentèrent de se regarder, mais c'était étrange : ils y parvenaient mal. Quel contact peut-il exister entre deux hommes, dans ce genre de situation? Ce qui les unit passe obligatoirement par la femme qui est assise entre eux, et leur relation indirecte consiste avant tout à savoir jusqu'à quel point cette femme leur a appartenu ou leur appartiendra. L'expression de ce qu'ils ressentent se brouille en la traversant, comme une conversation téléphonique, quand la ligne est mauvaise.

Dick fit signe au garçon.

— Apportez-moi plutôt du gin, avec de l'eau de Seltz.

— Bien, monsieur.

— Continuez, Tommy.

— Votre mariage arrive en fin de course. C'est évident pour moi. Nicole s'est détachée de vous. Elle est libre. Ça fait cinq ans que j'attends ça.

— Qu'en pense Nicole?

Ils se tournèrent vers elle.

— Je suis très attachée à Tommy.

Dick hocha lentement la tête.

— Tu ne me vois plus, Dick. Tu ne fais plus attention à moi. Je ne suis plus qu'une habitude. Depuis Rosemary, tout est changé.

Tommy l'interrompit nerveusement. Vu sous cet angle, le problème ne l'intéressait pas.

— Vous avez cessé de comprendre Nicole. Elle était malade autrefois. Vous continuez d'agir avec elle comme si elle l'était encore. Aucune...

Il fut interrompu par un Américain, à la mine patibulaire, qui voulait à tout prix leur vendre le *Times* et le *Herald Tribune,* directement arrivés de New York.

— Trouverez tout là-dedans, les gars. Z'êtes-là pour longtemps?

— Ça va, cria Tommy. Fichez le camp, allez ouste!

Et de nouveau vers Dick:

— Aucune femme ne peut supporter une telle...

Mais l'Américain insistait.

— Croyez que je perds mon temps, les gars? Y en a d'autres qui pensent le contraire, beaucoup d'autres.

Il sortit de son portefeuille une coupure de journal, et Dick la reconnut en la voyant. C'était une caricature, représentant un flot d'Américains descendant d'un paquebot, avec de l'or dans leurs valises.

— Croyez que j'en mets pas un peu dans ma poche? J'en mets, les gars. Et comment que j'en mets. J'arrive de Nice, pour le Tour de France.

— Fichez le camp! répéta Tommy, avec violence, et Dick se souvint que cet homme l'avait abordé rue des Saints-Anges, cinq ans plus tôt.

— Le Tour de France? demanda-t-il. Il passe par ici?

— D'une minute à l'autre, mon gars.

L'homme lui adressa un petit salut guilleret, et s'éloigna.

— Elle doit avoir plus avec moi qu'avec vous, dit Tommy en français.

— Parlez anglais. Qu'est-ce que ça veut dire: *doit avoir?*

— Doit avoir? Ça veut dire: le bonheur. Elle en aura plus avec moi.

— Vous êtes neufs, l'un vis-à-vis de l'autre, Tommy. Nous avons eu beaucoup de bonheur ensemble, Nicole et moi.

— L'amour en famille! ricana Tommy.

— Si vous épousez Nicole, vous y arriverez, vous aussi, à *l'amour en famille.*

Il dut s'interrompre, tant l'agitation grandissait autour d'eux. Des gens couraient d'un trottoir à l'autre et serpentaient sur l'avenue, des gens à peine éveillés de leur sieste, qui formèrent bientôt une foule compacte le long du parcours. Il y avait des garçons sur des bicyclettes, qui passaient en trombe, des voitures, bourrées de sportifs aux badges rutilants, qui affichaient de grands slogans publicitaires, des klaxons tonitruants qui annonçaient l'arrivée de la course, et des cuisiniers, en maillot de corps, dont on ignorait jusque-là l'existence, plantaient là leurs fourneaux et surgissaient soudain à la porte des restaurants. On apercevait déjà les coureurs. Un homme seul, d'abord, en jersey rouge, qui jaillit du virage, solide et sûr de lui, pédalant de toutes ses forces, comme enfanté par le soleil, qui penchait déjà vers l'ouest, et soulevant sur son passage des vagues chantantes d'acclamations. Puis un trio, dans des camaïeux de couleurs pastel, couverts de poussière et de boue, que la transpiration collait sur leur visage, comme des masques jaunes d'arlequin, hébétés, tous les trois, le regard vide, à bout de forces.

Tommy regarda Dick en face.

— Nicole souhaite divorcer, je le sais. J'espère que vous n'y mettrez pas d'obstacles.

Le gros du peloton apparut alors, cinquante coureurs, comme un essaim d'abeilles, qui s'étiraient sur deux cents mètres, les uns souriants et lucides, les autres mourant de fatigue, mais indifférents dans l'ensemble, et parfaitement désabusés. Il y eut ensuite quelques jeunes gens insolents, quelques retardataires, une camionnette enfin, qui transportait les blessés, et ceux qui avaient abandonné.

Ils purent revenir à leur table. Nicole aurait voulu que Dick prenne les choses en main, mais il paraissait tout content de s'asseoir, avec son visage rasé d'un seul côté, et il regardait en souriant ses cheveux à elle, qui n'étaient qu'à moitié coupés.

— Reconnais que tu n'es plus heureux avec moi, dit Nicole. Tu vas pouvoir recommencer à travailler. Tu seras délivré de moi. Tu travailleras d'autant mieux que tu n'auras plus de soucis à te faire.

Tommy eut un geste d'impatience.

— Tout ça est inutile. Ce qui compte, c'est qu'on s'aime, Nicole et moi.

— Parfait. Puisque tout est au point, pourquoi ne pas retourner chez le coiffeur?

Mais Tommy cherchait la bagarre.

— Il y a quand même un certain nombre de choses...

— J'en discuterai avec Nicole.

Dick était parfaitement calme.

— Rassurez-vous. Je suis d'accord sur le principe. Nous nous entendons très bien, Nicole et moi. Si nous évitons une discussion à trois, elle aura des chances d'être moins déplaisante.

Tommy sentait que Dick avait raison, mais quelque chose, qui tenait à sa race même, le poussait à se ménager un dernier avantage.

— Que tout soit bien clair entre nous, dit-il. Tant

que les détails ne seront pas réglés, je prends Nicole sous ma protection. Et je vous tiendrai pour personnellement responsable de ce qui pourrait découler du fait que vous cohabitez sous le même toit.

— Je n'ai jamais fait l'amour à une banquise.

Il fit un bref signe de tête, et s'éloigna en direction du Carlton. Nicole le suivit des yeux, sidérée.

— Il a été assez élégant, reconnut Tommy. Pourras-tu passer la nuit avec moi?

— Je pense.

C'était donc arrivé — pratiquement sans drame. Elle se sentait percée à jour, presque flouée, parce qu'elle découvrait brusquement qu'il savait tout d'avance, qu'il avait tout subodoré, à partir du pot de pommade au camphre. Mais, en même temps, elle se sentait heureuse, elle se sentait vivante, et l'étrange petit désir d'aller tout raconter à Dick, comme elle l'avait toujours fait jusqu'ici, s'évanouit rapidement. Elle le suivit pourtant des yeux, le plus longtemps possible, et il finit par n'être plus qu'un petit point, confondu avec d'autres points, dans la foule d'été.

12

Le Dr Diver passa la dernière journée avec ses enfants. N'étant plus assez jeune pour puiser en lui même un assortiment de beaux rêves et d'aimables pensées, il voulait garder d'eux le meilleur souvenir. On avait prévenu les enfants qu'ils passeraient l'hiver chez leur tante, à Londres, et qu'ils iraient plus tard le voir en Amérique. Il était également convenu qu'on ne renverrait Mademoiselle que s'il était d'accord.

Il était heureux d'avoir tant donné à la petite fille. Pour le garçon, il se sentait plus réservé. Il n'avait jamais vraiment su répondre à cette façon qu'il avait de toujours le prendre d'assaut, toujours se cramponner à lui, toujours se réfugier contre sa poitrine. Mais, au moment de leur dire au revoir, il aurait voulu trancher ces deux têtes si belles, et les tenir serrées très longtemps contre lui.

Il alla embrasser le vieux jardinier, qui, six ans plus tôt, avait inventé le jardin de la villa Diana. Il embrassa également la jeune Provençale qui s'occupait des enfants. Elle les servait depuis dix ans bientôt, et elle se laissa tomber à genoux en pleurant. Il fallut qu'il l'aide à se relever, en lui glissant trois billets de cent francs. Ils s'étaient mis d'accord pour que Nicole dorme très tard. Il lui laissa un mot, un autre à Baby Warren, qui venait de rentrer de Sardaigne, et s'était installée chez eux. Il remplit un grand verre de cognac, qu'il tira d'un magnum d'environ dix litres, qu'un ami leur avait offert. Il décida ensuite de laisser ses bagages en consigne, à la gare de Cannes, et d'aller jeter un dernier coup d'œil à la plage de l'hôtel Gausse.

Lorsque Nicole et sa sœur y arrivèrent, ce matin-là, elle n'était encore peuplée que d'une avant-garde d'enfants. Un soleil blanc, dont les contours se confondaient avec le blanc du ciel, couronnait un jour étouffant. A la buvette, des garçons empilaient des blocs de glace. Un photographe américain, appartenant à l'*Associated Press*, s'était mis à l'affût, avec ses appareils, dans un coin d'ombre précaire, et levait brusquement les yeux dès qu'il entendait quelqu'un s'engager sur l'escalier de pierre. Mais les célébrités qu'il espérait surprendre s'étaient couchées à l'aube, et dormaient encore à l'hôtel, dans des chambres aux persiennes hermétiquement closes, sous l'empire des derniers somnifères à la mode.

Dès son arrivée, Nicole aperçut Dick, assis sur un grand rocher en surplomb, bien qu'il ne fût pas en costume de bain. Elle se dissimula aussitôt derrière leur cabine. Baby l'y rejoignit une minute plus tard.

— Dick est là, dit-elle.

— J'ai vu.

— J'espérais qu'il aurait le tact de disparaître.

— Cette plage est à lui. Il l'a presque inventée. M. Gausse dit toujours qu'il doit tout à Dick.

Baby la regarda très calmement.

— Il avait la passion des excursions à bicyclette. Nous aurions dû les lui laisser poursuivre. Quand on arrache les gens à leur obscurité, ils finissent par perdre la tête, quel que soit leur charme, et le mal qu'ils se donnent pour nous bluffer.

— Dick a été pour moi un mari idéal. Jamais, pendant six ans, je n'ai souffert à cause de lui. Pas une minute, pas une seconde. Il a toujours tout fait pour que rien ne me blesse.

Baby avança légèrement la mâchoire inférieure.

— Pour quoi d'autre a-t-il fait des études?

Elles gardèrent le silence un moment. Nicole était lasse de penser à toutes ces choses. Baby se demandait ce qu'elle allait répondre au dernier des prétendants, qui briguait à la fois sa main et sa fortune — un authentique Habsbourg, celui-là. En fait, elle n'y *réfléchissait* qu'à peine. Ses affaires de cœur étaient tellement semblables, et depuis si longtemps, qu'avec l'âge venu, et le dessèchement, leur importance tenait moins à leur existence même qu'aux sujets de conversation qu'elles offraient. Ses sentiments ne prenaient vie qu'autant qu'elle pouvait en parler.

— Est-il encore là? demanda Nicole au bout d'un moment. Je crois que son train part à midi.

Baby risqua un œil à l'extérieur du parasol.

— Il est encore là, mais sur la terrasse. Il y a des femmes avec lui. De toute façon, la plage est bondée, maintenant. Il ne *peut* pas nous avoir vues.

Il les avait vues, parfaitement vues, lorsqu'elles

avaient quitté leur abri, et les avait suivies des yeux jusqu'à ce qu'elles le regagnent. Il alla s'asseoir près de Mary Minghetti, qui buvait une anisette.

— La nuit où vous êtes venu à notre secours, vous étiez comme d'habitude, dit-elle, sauf à la fin, avec Caroline, vous vous êtes montré odieux. Pourquoi n'êtes-vous pas toujours aussi facile à vivre ? Vous pouvez l'être.

C'était presque irréel pour Dick de s'entendre dire ce genre de choses par Mary North.

— Vos amis sont toujours vos amis. Ils vous aiment toujours, Dick. Mais vous dites des choses tellement abominables aux gens, quand vous avez trop bu. J'ai passé mon été à prendre votre défense.

— On croirait entendre parler le respectable Dr Eliot.

— Ce que je dis est vrai. Peu importe qu'on boive. Les gens s'en moquent. Mais même...

Elle eut une légère hésitation.

— Même quand Abe avait trop bu, il n'injuriait pas les gens comme vous.

— Vous êtes tous tellement ennuyeux.

— Mais nous existons, protesta Mary. Et nous sommes les seuls ! Si vous n'aimez pas les gens bien, essayez donc les autres. Vous verrez ce que c'est ! Les gens ne demandent qu'une chose, dans la vie : s'amuser. Si vous les rendez malheureux, vous vous privez vous-même de toute nourriture.

— Ai-je donc été nourri ?

Mary s'amusait. Sans même s'en rendre compte, car elle n'était venue s'asseoir près de lui que parce qu'elle avait peur. Elle refusa un second verre.

— Il y a derrière tout ça une complaisance égoïste. Après ce qui s'est passé avec Abe, vous pouvez comprendre ce que je pense. J'ai déjà vu un homme de qualité s'enfoncer pas à pas dans l'alcoolisme.

Lady Caroline Sibly-Biers descendait l'escalier avec une exubérance théâtrale.

Dick se sentait bien. Il était en avance sur sa journée. Il était déjà dans l'état d'un homme qui vient de faire un bon dîner. Il n'éprouvait pourtant qu'un intérêt très moyen pour Mary, une sorte de courtoisie réservée. Son regard, aussi pur encore que celui d'un enfant, n'attendait d'elle qu'un peu de sympathie, mais il sentait renaître en lui ce vieux désir, toujours le même, de la persuader qu'il était le seul homme au monde, et qu'elle était la seule femme.

Ce qui lui permettrait de ne plus regarder ces deux silhouettes, là-bas, cet homme et cette femme, blancs, noirs et scintillants, posés contre le ciel.

— Vous m'aimiez bien, n'est-ce pas ? demanda-t-il.

— Vous *aimer bien* ? Mais, Dick, je vous *aimais*. Tout le monde vous aimait. Vous pouviez avoir qui vous vouliez. Il suffisait de demander.

— Il y a toujours eu quelque chose entre nous.

Elle se laissa prendre aussitôt.

— Ah ! n'est-ce pas ?

— Toujours. J'ai toujours compris vos problèmes, admiré le courage avec lequel vous les affrontiez.

Mais le rire s'élevait déjà, le vieux rire intérieur, et il comprit qu'il n'irait pas plus loin.

— J'ai toujours pensé que vous saviez les choses, continuait Mary avec chaleur. Beaucoup plus de choses que n'importe qui. C'est peut-être pour ça que j'ai eu si peur de vous, quand nos relations se sont détériorées.

Il posa sur elle un regard attendri et suave, qui pouvait laisser croire à une émotion refrénée. Elle y répondit. Leurs regards se mêlèrent brusquement, s'étreignirent, s'enfoncèrent dans des lits profonds. Mais le rire intérieur devenait strident, tellement strident que Mary devait sûrement l'entendre. Alors il éteignit la lumière de la chambre, et ils regagnèrent le soleil de la Riviera.

— Il faut que je parte.

Il se leva. Il chancelait un peu. Il se sentait beaucoup moins bien. Son sang coulait trop lentement. Il leva la main droite, et, comme le Saint-Père, du haut de la terrasse, il bénit lentement la plage d'un grand signe de croix. Quelques visages pointèrent vers lui, de sous les parasols.

Nicole voulut se lever.

— Il faut que j'aille le rejoindre.

Tommy la retint fermement.

— N'y va pas. Il vaut mieux qu'il soit seul.

13

Après son remariage, Nicole est restée en contact avec Dick. Ils se sont écrit quelques fois, pour des problèmes d'intérêt, pour des problèmes concernant les enfants. Lorsqu'elle dit, ce qui lui arrive souvent : « J'ai aimé Dick, et je ne l'oublierai jamais », Tommy lui répond : « Bien sûr. Pourquoi l'oublierais-tu ? »

Dick a commencé par ouvrir un cabinet de consultation à Buffalo, mais sans succès, bien sûr. Nicole n'a jamais su d'où étaient venus les ennuis, mais elle a appris, quelques mois plus tard, qu'il s'était installé dans une petite ville de l'État de New York, appelée Batavia, et qu'il était généraliste. Un peu plus tard encore, il se trouvait à Lockport, et il y faisait la même chose. Le hasard a voulu qu'elle en apprenne davantage sur la vie qu'il menait dans cette ville. Il faisait beaucoup de bicyclette, plaisait beaucoup aux femmes, empilait de grands dossiers sur son bureau, et le bruit courait qu'il travaillait à un essai sur un grave problème médical, essai qui était presque terminé. Il jouissait d'une excellente réputation, et avait prononcé un brillant exposé, au cours d'un congrès d'hygiène publique, sur l'influence des drogues. Malheureusement, comme il s'était affiché trop ouvertement avec une vendeuse de drugstore, et qu'il s'était trouvé mêlé à un procès d'ordre médical, il avait dû quitter Lockport.

Jamais plus, depuis, il n'a demandé qu'on lui envoie les enfants. Il n'a même jamais répondu à Nicole, lorsqu'elle a voulu savoir s'il avait besoin d'argent. Dans la dernière lettre reçue de lui, il lui a appris qu'il était médecin à Genève, dans l'État de New York, et il lui a laissé entendre qu'il s'était installé avec quelqu'un qui tenait son ménage. Elle a cherché Genève sur une carte. C'est un petit point, dans la région des Finger Lakes, un endroit charmant, paraît-il. Peut-être, s'est-elle dit, sa carrière va-t-elle partir de là, comme celle du général Grant était partie de Galena.

Sa dernière carte est timbrée de Hornell, une très petite ville, voisine de Genève, toujours dans l'État de New York. De toute façon, il n'a sûrement pas quitté la région, et il doit s'y trouver encore, dans une ville ou dans une autre.

Le Livre de Poche Biblio

Extrait du catalogue

Sherwood ANDERSON
Pauvre Blanc

Guillaume APOLLINAIRE
L'Hérésiarque et Cie

Miguel Angel ASTURIAS
Le Pape vert

James BALDWIN
Harlem Quartet

Adolfo BIOY CASARES
Journal de la guerre au cochon

Karen BLIXEN
Sept contes gothiques

Mikhaïl BOULGAKOV
La Garde Blanche
Le Maître et Marguerite

André BRETON
Anthologie de l'humour noir

Erskine CALDWELL
Les Braves Gens du Tennessee

Italo CALVINO
Le Vicomte pourfendu

Elias CANETTI
Histoire d'une jeunesse -
La langue sauvée
Histoire d'une vie -
Le flambeau dans l'oreille
Les Voix de Marrakech
Le Témoin auriculaire

Blaise CENDRARS
Rhum

Jacques CHARDONNE
Les Destinées sentimentales
L'Amour c'est beaucoup plus
que l'amour

**Joseph CONRAD
et Ford MADOX FORD**
L'Aventure

René CREVEL
La Mort difficile

Alfred DÖBLIN
Le Tigre bleu

Iouri DOMBROVSKI
La Faculté de l'inutile

Lawrence DURRELL
Cefalù

Friedrich DURRENMATT
La Panne
La Visite de la vieille dame

Jean GIONO
Mort d'un personnage
Le Serpent d'étoiles

Jean GUÉHENNO
Carnets du vieil écrivain

Lars GUSTAFSSON
La Mort d'un apiculteur

Henry JAMES
Roderick Hudson
La Coupe d'Or
Le Tour d'écrou

Ernst JÜNGER
Jardins et routes
(Journal I, 1939-1940)
Premier journal parisien
(Journal II, 1941-1943)
Second journal parisien
(Journal III, 1943-1945)
La Cabane dans la vigne
(Journal IV, 1945-1948)
Héliopolis
Abeilles de verre
Orages d'acier

Ismaïl KADARÉ
Avril brisé
Qui a ramené Doruntine ?

Franz KAFKA
Journal

Yasunari KAWABATA
Les Belles Endormies
Pays de neige
La Danseuse d'Izu
Le Lac
Kyôto
Le Grondement de la montagne
Tristesse et Beauté
Le Maître ou le tournoi de go

Andrzeij KUSNIEWICZ
L'État d'apesanteur

Pär LAGERKVIST
Barabbas

D.H. LAWRENCE
L'Amazone fugitive
Le Serpent à plumes

Sinclair LEWIS
Babbitt

Carson McCULLERS
Le Cœur est un chasseur
  solitaire
Reflets dans un œil d'or
La Ballade du café triste
L'Horloge sans aiguilles

Thomas MANN
Le Docteur Faustus

Henry MILLER
Un diable au paradis
Le Colosse de Maroussi
Max et les phagocytes

Vladimir NABOKOV
Ada ou l'ardeur

Anaïs NIN
Journal 1 - *1931-1934*
Journal 2 - *1934-1939*
Journal 3 - *1939-1944*

Joyce Carol OATES
Le Pays des merveilles

Edna O'BRIEN
Un cœur fanatique
Une rose dans le cœur

Liam O'FLAHERTY
Famine

Mervyn PEAKE
Titus d'Enfer

Augusto ROA BASTOS
Moi, le Suprême

Joseph ROTH
Le Poids de la grâce

Raymond ROUSSEL
Impressions d'Afrique

Arthur SCHNITZLER
Vienne au crépuscule
Une jeunesse viennoise

Isaac Bashevis SINGER
Shosha
Le Blasphémateur
Le Manoir
Le Domaine

Robert Penn WARREN
Les Fous du roi

Virginia WOOLF
Orlando
Les Vagues
Mrs. Dalloway
La Promenade au phare
La Chambre de Jacob
Années
Entre les actes
Flush
Instants de vie

IMPRIMÉ EN FRANCE PAR BRODARD ET TAUPIN
Usine de La Flèche (Sarthe).
LIBRAIRIE GÉNÉRALE FRANÇAISE - 6, rue Pierre-Sarrazin - 75006 Paris.

ISBN : 2 - 253 - 05229 - 9   30/6722/0